Adler, Alfred; Furtm

Heilen und Bilden

Ärztlich-pädagogische Arbeiten

Adler, Alfred; Furtmüller, Curt

Heilen und Bilden

Ärztlich-pädagogische Arbeiten

Inktank publishing, 2018

www.inktank-publishing.com

ISBN/EAN: 9783747750209

All rights reserved

HEILEN UND BILDEN

Ärztlich-pädagogische Arbeiten des Vereins für Individualpsychologie

Herausgegeben

von

Dr. Alfred Adler und Dr. Carl Furtmüller

München 1914 / Verlag von Ernst Reinhardt

Inhalt.

Seite

Geleitwort von Dr. Carl Furtmüller V

„Der Arzt als Erzieher" von Dr. Alfred Adler 1

„Die Theorie der Organminderwertigkeit und ihre Bedeutung für Philosophie und Psychologie" von Dr. Alfred Adler . . . 11

„Der Aggressionstrieb im Leben und in der Neurose" von Dr. Alfred Adler 23

„Entwicklungsfehler des Kindes" von Dr. Alfred Adler . . . 33

„Über Vererbung von Krankheiten" von Dr. Alfred Adler . . 41

„Das Zärtlichkeitsbedürfnis des Kindes" von Dr. Alfred Adler 50

„Über neurotische Disposition" von Dr. Alfred Adler 54

„Der psychische Hermaphroditismus im Leben und in der Neurose" von Dr. Alfred Adler 74

„Trotz und Gehorsam" von Dr. Alfred Adler 84

„Zur Kritik der Freudschen Sexualtheorie der Nervosität" von Dr. Alfred Adler 94

„Zur Erziehung der Eltern" von Dr. Alfred Adler 115

„Organdialekt" von Dr. Alfred Adler 130

„Der nervöse Charakter" von Dr. Alfred Adler 140

„Betätigungstrieb und Nervosität" von Prof. Johs. Dück . . . 151

„Die psychologische Bedeutung der Psychoanalyse" von Dr. Carl Furtmüller 168

„Rousseau und die Ethik" von Leopold Erwin Wexberg . . 187

„Über Lügenhaftigkeit beim Kinde" von Otto Kaus 207

„Fortschritte der Stottererbehandlung" von Direktor Alfred Appelt 226

„Erziehung zur Grausamkeit" von Prof. Felix Asnaourow . . 246

„Über strenge Erziehung" von Prof. Felix Asnaourow . . . 252

„Der Kampf der Geschwister" von Dr. Aline Furtmüller . . 262

„Ängstliche Kinder" von L. Erwin Wexberg 267

„Selbsterfundene Märchen" von Dr. Carl Furtmüller 278

„Psychologie der Berufswahl" von Dr. Stefan v. Máday . . . 306

5

Seit

„Zur Berufswahl" von Friedrich Thalberg 31

„Kindliche Phantasien über Berufswahl" von Dr. Josef Kramer 32

„Ein Beitrag zur Psychologie der ärztlichen Berufswahl" von
Dr. Alfred Adler 33

„Drei Beiträge zum Problem des Schülerselbstmords":
I. von Dr. D. E. Oppenheim 34
II. von Dr. med. Alfred Adler 35
III. von Dr. phil. Karl Molitor (Dr. Carl Furtmüller) . . . 36

„Der Kampf des Kindes gegen Autorität" von Dr. Friedr. Lint 37

„Kindheitserinnerungen einer ehemals Nervösen" 38

„Nervöser Charakter, Disposition zur Trunksucht und Erziehung"
von Dr. med. Vera Eppelbaum und Dr. med. Charlot Straßer 39

Schlußwort von Dr. Alfred Adler 39

Geleitwort.

Der vorliegende Band möchte ein Bild geben von der Tätigkeit einer Arbeitsgemeinschaft von Ärzten und Pädagogen, die sich seit wenigen Jahren herausgebildet hat. Der Zweck unserer Veröffentlichung ist es, nicht nur Leser und Zuschauer, sondern vor allem tätige Mitarbeiter für unsere Bemühungen zu gewinnen. So mag denn zunächst dargelegt werden — soweit dies geschehen kann, ohne den folgenden Arbeiten vorzugreifen —, welches die Grundgedanken sind, die uns bei unserem Werke leiten, und was uns an diesem Handinhandarbeiten von Arzt und Erzieher als das Neue und Charakteristische erscheint.

Denn daß Ratschläge und Belehrungen des Arztes für den Erzieher unentbehrlich sind, daß wiederum jeder Arzt auch zur Entfaltung einer in gewissem Sinne erzieherischen Tätigkeit berufen ist, brauchte nicht erst entdeckt zu werden. Und die Tätigkeit des Psychotherapeuten insbesonders ist ja wohl immer, bei dem einen voll bewußt, bei dem andern mehr oder weniger unbewußt, ihrem innersten Wesen nach eine erziehliche. Ein Zusammenarbeiten aber, wie wir es vor Augen haben, wurde erst möglich in dem Augenblick, wo die individualpsychologische Methode in der Psychotherapie zur Entwicklung gelangte.

Versucht man, logisch zu sondern, was in Wirklichkeit freilich eng verbunden nebeneinander läuft, so zerfällt nach dieser Methode die Aufgabe des Nervenarztes in einen praktischen und in einen theoretischen Teil. Er muß zunächst das Seelenleben seines Patienten in seinem innersten Kern zu verstehen suchen, indem er den verborgenen Zielpunkt aufdeckt, nach welchem alle Handlungen und psychischen Äußerungen des Patienten unbewußt gerichtet sind. So wird vor seinen Augen in immer klareren Umrissen das Persönlichkeitsideal hervortreten, dessen Verwirklichung das tiefste Lebensinteresse des Patienten bildet, und es werden ihm die Leitlinien sichtbar werden, die die Wege bestimmen, auf denen der Patient diesem Endziel zustrebt. Jetzt muß er aufspüren, was an diesem festgefügten Lebensplan schief und unhaltbar ist, was den Patienten mit der Realität in unlösbaren Widerspruch bringen mußte und ihn daher auf Umwege abdrängte, als deren verhängnisvollste sich eben die Neurosen und Psychosen darstellen. Zur Lösung dieser theoretischen Aufgabe wird er die Gabe psychologischer Intuition mit der Handhabung einer durchgebildeten individualpsychologischen Technik verbinden müssen. Der praktische Teil der Arbeit des Psychotherapeuten wird geleistet sein, wenn er den Patienten dazu bringt, zu verzichten und an Stelle seines unrealisierbaren Lebensplanes einen andern zu setzen, der ihm die Anpassung an die Wirklichkeit ermöglicht.

Dieser Teil der Behandlung stellt sich also als eine besonders tiefgreifende und unter besonders schwierigen Verhältnissen zu leistende pädagogische Tätigkeit dar. Und doch wurzelt das Wesentliche, das die Ärzte und Pädagogen unseres Kreises vereint, vor allem im theoretischen Gebiet. Der Psychotherapeut, der die Persönlichkeit seines Patienten verstehen will, muß die Geschichte dieser Persönlichkeit studieren. Er muß sich rückschauend klarmachen, wie gegebene körperliche Veranlagung und die daraus entspringenden psychischen Reaktionen, wie die Stellung zu Eltern und Geschwistern, zu Kameraden und Lehrern das Kind allmählich zu einer immer klarer hervortretenden, für das Individuum charakteristischen Stellungnahme zur Welt gedrängt haben. So begegnen sich Psychotherapeut und Pädagog in dem gemeinsamen Interesse für die Psychologie des Kindes.

Aber zu diesem materialen Moment kommt ein formales von vielleicht noch größere Bedeutsamkeit. Die Schaffung der individualpsychologischen Methode der Psychotherapie war ja nur dadurch möglich geworden, daß der Psychotherapeut weit über die ursprünglichen Grenzen seines Arbeitsgebiets hinausgriff, daß er die Grundlagen zu einer allgemeinen Individualpsychologie legte. Hatte die bisherige Psychologie sich vorzugsweise mit den seelischen Erscheinungen beschäftigt, die an der Peripherie der Persönlichkeit liegen, und hatte sie höchstens schüchtern und zögernd den Versuch unternommen, sich von hier aus ein wenig dem Zentrum zu nähern, so wurde es jetzt zum methodischen Grundsatz, daß man sich erst des Kerns der Persönlichkeit bemächtigt haben müsse, um die peripheren Äußerungen überhaupt verstehen und richtig einschätzen zu können. Dem schulgemäßen Psychologen muß es Mühe machen, sich in diese neue Anschauung einzuleben, die seine gewohnte Arbeitsweise geradezu auf den Kopf stellt. Der Pädagog aber war immer den lebendigen Persönlichkeiten seiner Schüler gegenübergestanden, er hatte sich immer bemüht, ihre Äußerungen nicht gesondert zu beurteilen, sondern sie auf das Ganze ihres Wesens zu beziehen.

Nur soweit ihm dies gelang, konnte er ja wirklich individualisieren. Wandte er sich an die Psychologie um Rat, so konnte er von ihr eine Fülle des Wissenswerten erfahren; nur darüber, was ihm das Hauptproblem war, fand er nichts: in die Tiefen der Einzelpersönlichkeit wurde er nicht geführt. Nun begreift man, welche frohe Zuversicht, ja Erhebung den Suchenden in dem Augenblick erfüllen muß, da ihm die Möglichkeit einer wissenschaftlichen Individualpsychologie entgegentritt. So entwickelt sich beim Pädagogen wie beim Psychotherapeuten aus praktischen Bedürfnissen heraus ein neues theoretisches Interesse, das sie verbindet. Die Psychologie erscheint ihnen nicht mehr als eine Hilfswissenschaft, der sie rezeptiv gegenüberstehen, sondern sie fühlen sich berufen, an dem Aufbau und der Weiterentwicklung einer Individualpsychologie produktiv mitzuarbeiten.

Dabei kommen die unmittelbar praktischen Bedürfnisse des Pädagogen nicht zu kurz. Indem er das Kind besser verstehen lernt, lernt er auch den oft gewissermaßen unterirdischen Einfluß seiner erzieherischen Maßregeln besser abschätzen, um so mehr, als ihm durch des Psychotherapeuten Krankengeschichten und durch eigene Beobachtung der Blick dafür aufgeht, inwieweit und in welcher Weise solche Eingriffe der Erzieher im Erwachsenen nachwirken. Man wird vielleicht meinen, daß in diesem Bande die Stellungnahme zu konkreten Erziehungsproblemen nicht genug betont ist. Nun werden ja dem aufmerksamen Leser die zahlreichen pädagogischen Winke und Hinweise nicht entgehen, die in dem Buche verstreut sind. Aber freilich, wer ein erzieherisches Programm zu finden erwartet, wird enttäuscht sein. Wir haben davon bewußt abgesehen, weil solche allgemeinen Formulierungen allzu leicht zum Schematisieren verleiten. Wir begnügen uns damit, in unserer psychologischen Arbeit fortzufahren und die pädagogischen Einsichten zu verzeichnen, die uns dabei als reife Früchte vom Baume fallen. Den Hauptnutzen aber, den der Pädagog aus der Beschäftigung mit der Individualpsychologie ziehen kann, erblicken wir darin, daß sie sein menschliches Interesse für den einzelnen Zögling erhöht, daß sie ihn zu kritischer Vorsicht seiner eigenen Tätigkeit gegenüber ermahnt, daß sie seinen psychologischen Instinkt verschärft und seinen pädagogischen Takt verfeinert.

Ein flüchtiger Blick auf das Inhaltsverzeichnis dieses Bandes lehrt schon, daß derselbe sich gewissermaßen in zwei Teile scheidet. Der erste bringt Arbeiten Alfred Adlers aus den Jahren 1904 bis 1913 und gibt so ein geschlossenes Bild der Entwicklung der von ihm geschaffenen individualpsychologischen Methode. Der zweite Teil zeigt Mitglieder unseres Kreises an der Arbeit, sich mit Hilfe der Individualpsychologie der mannigfachsten Probleme zu bemächtigen. Wir hoffen, in nicht zu ferner Zeit mit einem bedeutend erweiterten Kreis von Mitarbeitern neuerlich vor die Öffentlichkeit treten zu können. Es braucht wohl nicht erst hervorgehoben zu werden, daß wir die Bedingung der Mitarbeiterschaft nicht in der Teilung unserer konkreten Anschauungen, sondern einzig und allein in der Anwendung des individualpsychologischen Gesichtspunktes erblicken.

Dr. Carl Furtmüller.

Der Arzt als Erzieher.

Von Dr. Alfred Adler (1904).

Das Problem der Erziehung, wie es die Eltern und Lehrer auf ihrem Wege vorfinden, wird leicht unterschätzt. Man sollte meinen, daß die Jahrtausende menschlicher Kultur die strittigen Fragen längst gelöst haben müßten, daß eigentlich jeder, der lange Jahre Objekt der Erziehung gewesen ist, das Erlernte auch an andere weitergeben und in klarer Erkenntnis der vorhandenen Kräfte und Ziele fruchtbar wirken könnte. Welch ein Trugschluß wäre das! Denn nirgendwo fällt uns so deutlich in die Augen, wie durchaus subjektiv unsere Anschauungsweise und wie unser Denken und Trachten, unsere ganze Lebensführung vom innersten Willen beseelt ist. Ein nahezu unüberwindlicher Drang leitet den Erzieher Schritt für Schritt, das Kind auf die eigene Bahn herüber zu ziehen, es dem Erzieher gleichzumachen, und das nicht nur im Handeln, sondern auch in der Anschauungsweise und im Temperament. Nach einem Muster oder zu einem Muster das Kind zu erziehen, war vielfach und ist auch heute noch oft der oberste Leitstern der Eltern. Mit Unrecht natürlich! Aber diesem Zwang erliegen alle, die sich des Zwangs nicht bewußt werden.

Ein flüchtiger Blick belehrt uns über die überraschende Mannigfaltigkeit persönlicher Anlagen. Kein Kind ist dem andern gleich, und bei jedem sind die Spuren seiner Anlage bis ins höchste Alter zu verfolgen. Ja, alles was wir an einem Menschen erblicken, bewundern oder hassen, ist nichts anderes als die Summe seiner Anlagen und die Art, wie sie sich der Außenwelt gegenüber geltend machen. Bei einer derartigen Auffassung der Verhältnisse ist es klar, daß von einer völligen Vernichtung ursprünglicher Anlagen, ob sie nun dem Erzieher passen oder nicht, keine Rede sein kann. Was der Erziehungskunst möglich ist, läßt sich dahin zusammenfassen, daß wir imstande sind, eine Anlage zu fördern oder ihre Entwicklung zu hemmen, oder — und dies ist leichter praktikabel — eine Anlage auf kulturelle Ziele hinzulenken, die ohne Erziehung oder bei falschen Methoden nicht erreicht werden können. Letzteren Vorgang nennt Freud, dem wir manche Aufklärung über die ungeheure Rolle infantiler Eindrücke, Erlebnisse und Entwicklungen beim Normalen

1

und Neurotiker verdanken, die Sublimierung. Er ist unerläßlich für
die Entstehung und Entfaltung der Kultur.
Daraus geht aber auch hervor, daß die Rolle des Erziehers keineswegs für jeden paßt. Anlage und Entwicklung derselben sind auch
für ihn und seine Bedeutung ausschlaggebend. Er muß ausgezeichnet
sein durch die Fähigkeit ruhiger Erwägung, ein Kenner der Höhen
und Tiefen der Menschenseele, muß er mit seinem Späherauge seine
eigenen wie die fremden Anlagen und ihr Wachstum erfassen. Er
muß die Kraft besitzen, unter Hintansetzung seiner eigenen persönlichen Neigungen sich in die Persönlichkeit des andern zu vertiefen
und aus dem Schachte einer fremden Seele herauszuholen, was dort
etwa geringes Wachstum zeigt. Findet sich solch eine Individualität
einmal, unter Tausenden einmal, mit dieser ursprünglichen Finder-
fähigkeit ausgestattet: das ist ein Erzieher.
    Nicht viel anders wird unser Urteil lauten, wenn wir über jene
Anlagen und Fähigkeiten zu Gericht sitzen, die den guten Arzt ausmachen. Auch ihn muß die Eigenschaft ruhiger Überlegung aus-
zeichnen, die menschliche Seele sei ihm ein vertrautes Instrument,
und wie der Erzieher muß er es vermeiden, an der Oberfläche der
Erscheinungen seine Kraft zu erschöpfen. Mit immer wachem Interesse schafft er an den Wurzeln und Triebkräften jeder anormalen
Gestaltung und versteht es, einzudringen in die Bahn, die vom Symptom zum Krankheitsherd führt. Frei von übermächtigen Selbsttäuschungen, denn er muß sein Wesen kennen und meistern wie der
Erzieher, soll er in fruchtbarer Logik und Intuition die heilenden
Kräfte im Kranken erschließen, wecken und fördern.
    Die erzieherische Kraft der Ärzte und der medizinischen Wissen-
schaft ist eine ungeheure. Auf allen Gebieten der Prophylaxe gräbt
sie unvergängliche Spuren und bewegt die Besten des Volkes zur
tätigen Mitarbeit. Wir stellen die vordersten Reihen im Kampf gegen
den Alkoholismus und gegen Infektionskrankheiten. Von den Ärzten
ging der Notschrei aus gegen die Erdrückung der Volkskraft durch
die Geschlechtskrankheiten. Der Ansturm der Tuberkulose findet einzig
nur Widerstand an den stetigen Belehrungen und Ermahnungen der
Ärzte, solange nicht materielle Hilfe naht. Das gräßliche Säuglings-
sterben, durch Jahrzehnte geheiligter Mord und Barbarei, ist durch
die leuchtenden Strahlen der Wissenschaft erhellt und in das Zentrum
des Kampfes gerückt. Schon harrt die Schulhygiene auf den Beginn
ihrer fruchtbaren Tätigkeit und entwindet sich den ehernen Klam-

mern engherziger Verwaltungen. Eine Fülle uneigennütziger, wertvoller Ratschläge und Lehren strömt Tag für Tag in die Volksseele über, und wenn nicht viele Früchte reifen, so deshalb, weil Aufklärungsdienst und materielle Wohlfahrt des Volkes nicht in den Händen der Ärzte liegen.

In der Frage der körperlichen Erziehung des Kindes ist die oberste Instanz des Arztes unanfechtbar. Das Ausmaß und die Art der Ernährung, Einteilung von Arbeit, Erholung und Spiel, Übung und Ausbildung der Körperkraft soll immer vom Arzt, muß von ihm im Falle der Not geregelt werden. Die Überwachung der körperlichen Entwicklung des Kindes, die sofortige Behebung auftauchender Übelstände ist eine der wichtigsten Berufspflichten des Arztes. Nicht erkrankte Kinder zu behandeln und zu heilen, sondern gesunde vor der Krankheit zu schützen, ist die konsequente, erhabene Forderung der medizinischen Wissenschaft.

Von der körperlichen Erziehung ist die geistige nicht zu trennen. In der letzteren mitzureden, ist dem Arzte nicht allzu häufig Gelegenheit geboten, obgleich gerade er aus dem reichen Borne seiner Erfahrung kraft seiner Objektivität und Gründlichkeit wertvolle Schätze schöpft. Preyers Buch über „Die Seele des Kindes"[1] fördert eine Unzahl fundamentaler Tatsachen zutage, die jedem Erzieher bekannt sein sollten. Es ist lange nicht erschöpfend, aber es bietet Material zur Beurteilung und Sichtung der eigenen Erfahrungen. Das gleiche gilt von dem Buche Karl Grooss' „Über das Seelenleben des Kindes"[2], das ungleich mehr das Interesse des Psychologen erweckt. Die allgemeine Volkserziehung zu beeinflussen, streben beide Bücher nicht an, können sie aus mehrfachen Gründen nicht erreichen. Vielleicht war erst der wuchtige Akzent nötig, mit dem Freud[3] das Kinderleben bedenkt, und die Aufzeigung der tragischen Konflikte, die aus Anomalien der kindlichen Erlebnisse fließen, um uns die hohe Bedeutung einer Erziehungslehre klar zu machen.

Bei der vollständigen Anarchie, in der im allgemeinen die kindliche Seele im Elternhaus heranwächst, können wir es begreiflich finden, daß manche wertvolle Persönlichkeit den Mangel einer jeden Erziehung höher schätzt als eine jede der heute möglichen Erziehungsformen. Dennoch gibt es eine Anzahl von Schwierigkeiten, die ohne

---

[1] 4. Auflage. Leipzig, Th. Grieben's Verlag.
[2] Berlin, Reuther & Reichardt.
[3] S. Freud, Traumdeutung, Deuticke, Wien.

1*

Einsicht in das Wesen der Kindesseele nicht überwunden werden können. Einige dieser immer wieder auftauchenden Fragen wollen wir im folgenden besprechen, da es uns dünkt, daß vorwiegend die Ärzte dabei berufen sind, das Wort zu ergreifen.

Bekanntlich soll die Erziehung des Kindes bereits im Mutterleib beginnen. Dem Arzte obliegt die Pflicht, die Aufmerksamkeit der Eheschließenden darauf zu lenken, daß nur gesunde Menschen zur Fortpflanzung geschaffen sind. Seine Aufgabe ist es, bei vorliegendem Alkoholismus, bei Geschlechtskrankheiten, Epilepsie, Tuberkulose etc. auf die Gefahren einer Ehe, auf die schädlichen Folgen für die Nachkommenschaft hinzuweisen. Die körperliche und seelische Pflege der Schwangeren ist nicht zu vernachlässigen, der Hinweis auf die Wichtigkeit des Selbststillens darf nicht unterlassen werden.

Von größter Wichtigkeit für die Erziehung des Säuglings sind Pünktlichkeit und Reinlichkeit. Nichts leichter als durch ständiges Nachgeben in der Nahrungsbefriedigung einen eigensinnigen Schreihals heranzuziehen, der es später nicht ertragen wird, auf die Befriedigung seiner Wünsche zu warten, ohne in die heftigste Erregung zu geraten. Nun gar die Erziehung zur Reinlichkeit muß uns als einer der mächtigsten Hebel zur Kultur dienen, und ein Kind, das seinen Körper rein zu halten gewöhnt ist, wird sich späterhin in schmutzigen Dingen nicht leicht wohl fühlen.

Die Vernachlässigung der körperlichen Erziehung, wie sie in unserer Zeit gang und gäbe ist, übt stets einen schädlichen Rückschlag auf körperliche und geistige Gesundheit aus. Hier gibt es Zusammenhänge, die nicht übersehen werden dürfen. Gute körperliche Entwicklung geht meist mit gesunder geistiger Entwicklung Hand in Hand. Schwächliche und kränkliche Kinder verlieren leicht die beste Stütze ihres geistigen Fortschritts: das Vertrauen in die eigene Kraft. Ähnliches findet man bei verzärtelten und allzu ängstlich behüteten Kindern. Sie weichen jeder körperlichen und geistigen Anstrengung aus, flüchten sich gerne in eine Krankheitssimulation oder übertreiben ihre Beschwerden in unerträglicher Weise. Deshalb können körperliche Übungen, Turnen, Springen, Schwimmen, Spiele im Freien bei der Erziehung nicht entbehrt werden. Sie verleihen dem Kinde Selbstvertrauen, und auch späterhin sind es wieder solche Äußerungen persönlichen Muts und persönlicher Kraft, die — aus überschüssigen Kraftquellen gespeist — das Kind von Entartungen behüten.

Hat man es mit Schwachsinnigen, Kretinen, Taubstummen oder Blinden zu tun, so wird es Aufgabe des Arztes sein, die Größe des Defekts sicherzustellen, 'die Chancen einer Heilung oder Besserung zu erwägen und eine entsprechende, zumeist individualisierende Behandlung und Erziehung zu empfehlen.

Das wichtigste Hilfsmittel der Erziehung ist die Liebe. Eine Erziehung kann nur unter Assistenz der Liebe und Zuneigung des Kindes geleistet werden. Wir beobachten immer wieder, wie das Kind stets auf die von ihm geliebte Person achtet und wie es deren Bewegungen, Mienen, Gebärden und Worte nachahmt. Diese Liebe darf nicht gering geschätzt werden, denn sie ist das sicherste Unterpfand der Erziehungsmöglichkeit. Diese Liebe soll sich nahezu gleichmäßig auf Vater und Mutter erstrecken, und es muß alles vermieden werden, was den einen Teil davon ausschließen könnte. Streitigkeiten unter den Eltern, Kritik der getroffenen Maßnahmen sollen vor dem Kinde geheimgehalten werden. Bevorzugung eines der Kinder muß hintangehalten werden, denn sie würde sofort die erbitterte Eifersucht des andern hervorrufen. Es ist ohnehin nicht leicht, die eifersüchtigen Regungen des ältern Kindes gegenüber dem neuangekommenen, die sich in mannigfachster Weise äußern, einzudämmen.— Andererseits darf kein Übermaß von Liebe, keine Überschwänglichkeit gezüchtet werden. So angenehm es auch die Eltern berührt, ein derartiger Überschwang hemmt leicht die Entwicklung des Kindes. Besonnenheit den Liebkosungen des Kindes gegenüber, Hinlenken auf ethisch wertvolle Bestrebungen, auf Arbeit, Fleiß, Aufmerksamkeit kann in solchen Fällen die richtige Mittellinie garantieren.

Wer die Erziehung seines Kindes fremden Personen: Ammen, Hauslehrern, Gouvernanten, Pensionen überläßt, muß sich der großen Gefahren bewußt bleiben, die mit einer solchen Überantwortung verbunden sind. Selbst wo von ansteckenden Krankheiten oder offenkundigen Lastern abgesehen werden kann, muß man doch die Fähigkeit einer Gouvernante, die väterliche oder mütterliche Erziehung zu ersetzen, in Frage ziehen. Verschüchtert, verbittert, ihr Leben lang gedemütigt, sind diese bedauernswerten Geschöpfe manchmal kaum in der Lage, die geistige Entwicklung eines Kindes zu leiten.

Strafen können in der Erziehung nicht entbehrt werden. Dabei hat aber einzig und allein der Gesichtspunkt des Besserns zu gelten. Seit die Prügel aus der Justiz verschwunden sind, muß es als Barbarei angesehen werden, Kinder zu schlagen. Wer da glaubt, nicht ohne Schläge in der Erziehung auskommen zu können, gesteht seine Unfähigkeit ein und sollte lieber die Hand von den Kindern lassen. Wenn wir der Strafen nicht entbehren können, so sind dies doch nur solche, die dem Kinde sein Unrecht, die Grenzen seiner Macht zeigen, es darüber belehren und durch kleine, unschädliche Entziehungen seine Aufmerksamkeit auf das Bessere konzentrieren. Entfernung vom Tisch der Eltern, eine kurze ernste Ermahnung, ein strafender Blick müssen gemeiniglich genügen. Entziehung von Nahrung, am ehesten noch von Obst und Leckerbissen, soll nur im äußersten Falle, eventuell bei störrischer Nahrungsverweigerung, dann aber für sehr kurze Zeit und energisch als Strafe dienen. Abschließung an einem einsamen Ort halten wir für ebenso barbarisch wie Schläge und wir können uns des Verdachts nicht erwehren, daß diese Strafe dem Charakter ebenso verhängnisvoll werden kann wie die erste Gefängnishaft dem jugendlichen Verbrecher. Aber auch leichtere Strafen, wenn sie zu häufig erfolgen, können das Kind leicht zur Wiederholung verleiten und schädigen das Ehrgefühl. Schimpfworte oder beharrlicher, harter Tadel verschlechtern die Chancen der Erziehung. Es geht damit wie mit allen zu weit getriebenen erzieherischen Eingriffen: wer als Kind daran gewöhnt wurde, der wird sie auch später leicht hinnehmen. An Lob und Belohnung dagegen verträgt das Kind erstaunlich viel, doch kann auch hier ein schädliches Übermaß geleistet werden, sobald das Kind in dem Glauben heranwächst, daß jede seiner Handlungen lobenswert sei und die Belohnung sofort nach sich ziehe. Die Erziehung des Kindes muß von weitblickenden Erziehern geleitet werden, nicht für den nächsten Tag, sondern für die ferne Zukunft. Vor allem aber sei dafür Sorge getragen, daß das Kind mit dem deutlichen Bewußtsein heranwachse, in seinen Eltern stets gerecht abwägende Beurteiler, aber zugleich auch immer liebevolle Beschützer zu finden.

Unter den Untugenden der Kinder, die gemeiniglich unter Strafe stehen, stechen der kindliche Eigensinn und das Lügen besonders hervor. Eigensinn in früher Kindheit ist mit freundlicher Ermahnung ganz sachte einzudämmen. Er bedeutet in den ersten Jahren nichts weiter als einen Drang zur Selbständigkeit, also eigentlich ein erfreuliches Symptom, das nur unter beständiger Lobhudelung ausarten könnte. Bei großen Kindern dagegen und Erwachsenen ist der konstant auftretende Eigensinn nahezu ein Entwicklungsdefekt und läßt eigentlich nur eine einzige Art der Bekämpfung zu: V o r h e r -

sagen einer möglichen Schädigung und ruhiger Hinweis auf den Eintritt derselben. Dabei müssen alle Andeutungen auf ein überirdisches Eingreifen, wie „Strafe Gottes" etc.
entfallen, da sie dem Kinde den Zusammenhang von Ursache und Wirkung verhüllen. Von dieser Seite her ist selbst bei Eigensinnigen die
Entwicklung ihrer Selbständigkeit bedroht. Neben den „Ja-sagern"
gibt es nahezu ebenso viele „ewige Nein-sager", die sich in ihrer Ge-
sinnungs- und Charakterschwäche ewig gleich bleiben.

Bezüglich der Lügen bei Kindern herrscht die größtmögliche Verwirrung. Da unser ganzes Leben von Lügen durchseucht ist, darf
es uns nicht wundern, auch in der Kinderstube die Lüge wieder zu
finden. In der Tat lügen die ganz Kleinen in der harmlosesten Weise.
Anfangs ist es ein Spiel mit Worten, dem jeder Zweck oder eine
böse Absicht mangelt. Späterhin kommen Phantasielügen an die Reihe.
Sie sind gleichfalls nicht tragisch zu nehmen, sind oft genährt durch
ein Übermaß phantastischer Erzählungen und Lektüre. Hinweis auf
die Wirklichkeit, Ersatz der Phantasiereize durch realeres Material,
Naturgeschichte, Reisebeschreibungen und körperliche Tätigkeit genügen, um diesen Lügen ein Ende zu machen. In den weiteren
Jahren sind die Motive meist deutlich. Lügner aus Eitelkeit, Selbstsucht und Furcht sind die hauptsächlichsten Vertreter. Lassen sich
diese Motive wirkungsvoll bekämpfen, so fällt auch das Lügen
fort. Besonders deutlich wird das Verschulden der Erziehung bei
Angst- oder Verlegenheitslügen. Denn unter keinen Umständen sollte
das Kind vor seinem Erzieher Furcht empfinden. Man hüte sich
davor, das Kind an Geheimnissen, Lügen oder Verstellungen vor andern
Personen teilnehmen zu lassen. Man hüte sich besonders vor Redensarten, wie: „Warte, ich werd's dem Vater sagen!" um das Kind zur
Abbitte zu bewegen. Denn man zieht damit den Hang zum Verschweigen und Lügen groß. Auch die Beichte kann bei unvorsich-
tiger Haltung der Eltern der Erziehung zur Wahrhaftigkeit abträglich
werden, da sie dem Hang zur Heimlichtuerei gegen die natürlichen
Erzieher eine Stütze bietet. Gegen das Aufkommen eingewurzelter
Lügenhaftigkeit bietet das gute Beispiel der Umgebung wie für das
gesamte Erziehungsresultat eine sichere Gewähr. Jede Art von Kon-
frontation dagegen und Inquisitionsverfahren wirken schädlich. Das
gleiche gilt vom Zwang zur Abbitte, die überdies nie sofort, sondern
nur als freiwillige eingefordert werden darf. Ein höchst verläßliches
Schutzmittel gegen Lügenhaftigkeit bildet die Entwicklung eines muti-

gen Charakters, der die Lüge als unerträgliche Beeinträchtigung ver-
wirft.

Gehorsamkeit beim Kinde darf nicht erzwungen werden, sondern
muß sich als selbständiger Effekt der Erziehung ergeben. Die Freiheit der Entschließung muß dem Kinde möglichst gewahrt werden.
Nichts ist unrichtiger als das fortwährende Ermahnen, wie es leider
so weit verbreitet ist. Da es aber unerläßlich ist, in manchen Fällen
Folgsamkeit zu erlangen, so stütze man sie auf das Verständnis des
Kindes. Deshalb muß jeder unverständliche, Befehl, jedes ungerecht
scheinende Verlangen vermieden werden, denn sie erschüttern das Zutrauen zu den Eltern. Ebenso sind unnütze, unausführbare und häufige
Androhungen zu unterlassen. Ungerechtigkeiten dem Kinde gegenüber,
von Geschwistern oder Kameraden verübt, erweisen sich oft als nützlich, wenn man an ihnen den Wert der Gerechtigkeit für alle aufweist.

Überhaupt obliegt dem Erzieher, die wichtige Rolle des orientierenden Bewußtseins dem Kinde gegenüber zu vertreten. Er hat die
Aufgabe, das Kind darauf zu leiten, wie die Kräfte und Äußerungen
seines Seelenlebens zusammenhängen, um zu verhüten, daß das Kind
irregeht oder von anderen mißleitet werde. Ein allzu häufiger Typus
ist der des verängstigten, überaus schüchternen, überempfindlichen
Kindes. Weder zur Arbeit noch zum Spiel taugt es. Jeder laute
Ton schreckt diese „Zerstreuten" aus ihren Träumen, und sieht man
ihnen ins Gesicht, so wenden sie die Augen ab. Ihre Verlegenheit
in der Gesellschaft, in der Schule, dem Arzte gegenüber (Ärzte-
furcht!) schlägt sie immer wieder zurück und läßt sie in die Einsamkeit flüchten. Die ernstesten Ermahnungen verhallen spurlos, die
Schüchternheit bleibt, verstärkt sich und macht die Kinder zu dieser
Zeit nahezu entwicklungsunfähig. Nun gibt es aber gar kein kul-
turwidrigeres Element als solche Zurückgezogenheit oder Feigheit, die
noch obendrein den Eindruck erweckt, als stünde sie unter dem
Zeichen des Zwanges. Ich getraute mich zur Not, aus dem grausamsten Knaben einen tauglichen Fleischhauer, Jäger, Insektensammler
oder — Chirurgen zu machen. Der Feige wird immer kulturell
minderwertig bleiben. Gelingt es bei solchen Kindern, die Wurzel
ihrer Schüchternheit aufzudecken, so retten wir das Kind vor dem
Verfall, vor einem Versinken in Frömmlerei und Pietismus. Man
findet dann in der Regel, daß dieses Kind — meist zwischen dem
8. und 15. Lebensjahr — eine Zeit der bittersten Selbstanklagen
und Selbstbeschuldigungen hinter sich hat. In seiner Unkenntnis der

Welt und durch unverständige Erziehung gepeinigt, erwartet es beständig eine Strafe des Himmels. Daneben besteht die Ursache — oft Furcht vor den Folgen der Masturbation — ruhig weiter fort, das Kind hat aber im Laufe der Zeit den Zusammenhang aufgegeben und kann ihn aus eigener Kraft meist nicht mehr finden. Hebt man die Ursache hervor und stellt man den Zusammenhang deutlich für das Kind wieder her, so hat man die Möglichkeit einer Einwirkung auf Ursache und Folgeerscheinung.

An dieser Stelle können wir einige wichtige Bemerkungen nicht unterdrücken. Erstens: Unter gar keinen Umständen, auch bei sexuellen Vergehungen nicht, ist es gestattet, dem Kinde Schrecken einzujagen. Denn man erreicht damit sein Ziel niemals, nimmt dem Kinde das Selbstvertrauen und stürzt es in ungeheure Verwirrung. Solche Kinder, denen man Schreckbilder vor die Seele bringt, flüchten regelmäßig in die Arme der Religion, und werden denselben Weg auch im reiferen Alter finden, wenn ihnen von irgendeiner Seite Ungemach droht. Zweitens: Das Selbstvertrauen des Kindes, sein persönlicher Mut ist sein größtes Glück. Mutige Kinder werden auch späterhin ihr Schicksal nicht von außen erwarten, sondern von ihrer eigenen Kraft. Und drittens: den natürlichen Drang des Kindes nach Erkenntnis soll man nicht unterbinden. Bei den meisten Kindern kommt eine Zeit, wo sie unaufhörlich Fragen stellen. Man darf dies nie bloß als Sekkatur empfinden; denn durch dieses Fragen verrät das Kind, daß es nunmehr in seiner eigenen Existenz viele Rätsel gefunden hat, und die ganze Fragerei steht eigentlich nur an Stelle der einen Frage: Wo bin ich hergekommen und wohin gehe ich? Man beantworte, soviel man kann, zeige dem Kinde das Unsinnige und Lächerliche vieler seiner Fragen, und kommt es dann endlich doch einmal zu der einen großen Frage seiner Entstehung, so beantworte man diese nach der Entwicklung des Kindes, nehme die Vorgänge bei Pflanzen oder niedrigeren Tieren behufs Erläuterung vor, und man wird dadurch den Keim zum Verständnis der monistischen Naturauffassung, der Einheit des organischen Lebens, gelegt haben.

Dagegen muß die Erweckung sexueller Frühreife strengstens hintangehalten werden. Nach F r e u d s Annahme liegt hier geradezu der Schlüssel zur Prophylaxe der Neurosen. Wir wissen heute so viel, daß die Sexualität in frühester Kindheit bereits vorhanden ist. Sie kann durch unvorsichtige oder böswillige Behandlung, Unreinlichkeit, krankhafte Veränderung, durch Gewährenlassen von Unarten, Spielen,

ferner durch gewisse, weitverbreitete Kinderspiele leicht gesteigert werden. — Das Kind beobachtet gerne und mit Neugierde. Das Schlafzimmer der Eltern sollte stets vom Kinderzimmer abgesondert sein.
Der Koëdukation können wir das Wort reden, warnen aber vor Sorglosigkeit und Überraschungen. Die Kenntnisnahme ehelicher Vorgänge
wirken auf die kindliche Seele besonders verheerend ein. Eifersüchtige
Regungen gegen den Vater oder die Mutter müssen frühzeitig bemerkt
und korrigiert werden.

In den sogenannten Flegeljahren, zur Zeit der Pubertät, tritt meist
ein eigentümlicher Zerfall der Kinder mit ihren Eltern, ja mit ihrer
ganzen Umgebung ein. Spott- und Zweifelsucht werden rege, eine
negative, jeder Autorität abholde Stimmung ergreift besonders die
Knaben. Es ist kaum ein Zweifel berechtigt, daß diese Erscheinung
mit dem vollen Erfassen des sexuellen Problems, mit dem gänzlichen
Erwachen des Sexualtriebs zusammenhängt. In dieser Zeit wird nur
der Erzieher bestehen können, der mit vollem Recht das Vertrauen des
Kindes besitzt. Dies ist auch die Zeit, wo die sexuelle Aufklärung,
am besten durch Vater, Mutter, älteren Freund oder Arzt, in wohlwollender Weise zu erfolgen hat. Eine wichtige Aufgabe erwächst
sodann dem zum Berater gewordenen Erzieher des Kindes, diese Zeit
des Zweifels, des Widerstands gegen unbefugte Autoritäten auszu-
nützen und dieses negierende Gefühl mit lauterem Inhalt zu füllen.

Die Theorie der Organminderwertigkeit und ihre Bedeutung für Philosophie und Psychologie.

Vortrag in der Philosophischen Gesellschaft a. d. Universität in Wien.

(1907.)

Von Dr. Alfred Adler.

Der Begriff der Minderwertigkeit ist sowohl in der Medizin als in der gerichtlichen Praxis seit langem in Verwendung. Man versteht darunter zumeist einen Zustand, der geistige Defekte aufweist, ohne daß man gerade von geistiger Krankheit sprechen könnte. Dieser Begriff enthält also ein Gesamturteil und eine herabsetzende Kritik über das Ganze einer Psyche. Die Minderwertigkeit, mit der ich rechne, betrifft das unfertige, in der Entwicklung zurückgebliebene, im ganzen oder in einzelnen Teilen in seinem Wachstum gehemmte oder veränderte O r g a n. Das Schicksal dieser minderwertigen Organe, der Sinnesorgane, des Ernährungsapparates, Atmungstraktus, Harn-, Genitalapparates, der Zirkulationsorgane und des Nervensystems, ist ein ungemein wechselndes. Meist nur beim Eintritt ins Leben, oft nur auf embryonaler Stufe ist diese Minderwertigkeit nachzuweisen oder zu erschließen. Die Entwicklung und die Reizquellen des Lebens drängen auf Überwindung der Äußerungen dieser Minderwertigkeit, so daß als Ausgänge ungefähr folgende Stadien mit allen möglichen Zwischenstufen resultieren: Lebensunfähigkeit, Anomalien der Gestalt, der Funktion, Widerstandsunfähigkeit und Krankheitsanlagen, Kompensation (Ausgleichung) im Organ, Kompensation durch ein zweites Organ, durch den psychischen Überbau, Überkompensation im Organischen oder Psychischen.

Der Nachweis der Minderwertigkeit eines Organs ist am ehesten möglich, wenn in seinem m o r p h o l o g i s c h e n A u f b a u eine vom Durchschnitte abweichende Form des ganzen Organs oder einzelner seiner Teile vorliegt, Abweichungen, die sich in die embryonale Zeit oder bis in die kindliche Wachstumsperiode zurückverfolgen lassen. Die gleiche Sicherheit gewähren A u s f a l l s e r s c h e i n u n g e n d e r F u n k t i o n o d e r V e r ä n d e r u n g e n d e r A u s s c h e i d u n g; beiderlei Mängel, der eine ein solcher des Aufbaues, der andere eine Abänderung der Arbeitsweise, finden sich recht häufig zusammen vor.

Hier muß ich eine biologische Erscheinung anführen, die in minderwertigen Organen eingeleitet wird, sobald unter dem Mangel der Gestalt oder der Funktion das vorauszusetzende Gleichgewicht im Haushalte des Organs oder Organismus gestört erscheint. Die unbefriedigten Ansprüche steigen so lange, bis der Ausfall durch Wachstum im minderwertigen Organ, im symmetrischen oder in einem andern Organ gedeckt wird, das ganz oder teilweise eine Stellvertretung ausüben kann. Diese Deckung des Defekts durch Wachstums- und Funktionssteigerung, Kompensation, kann unter günstigen Umständen bis zu Überkompensation gelangen, und s i e w i r d z u m e i s t a u c h d a s Z e n t r a l n e r v e n s y s t e m i n s e i n e g e - s t e i g e r t e E n t w i c k l u n g m i t e i n b e z i e h e n.

Bei der Unsumme von Erscheinungsweisen, die dem minderwertigen Organ eigen sind, erscheint eine Orientierung nicht leicht. Doch gibt es eine Anzahl von Merkzeichen, deren Zusammenhang sich leicht erweisen läßt, so daß auch vereinzelte davon für die Erkennung von Bedeutung werden.

So die Lokalisation einer E r k r a n k u n g in einem Organ, die eine der Erscheinungsweisen der Organminderwertigkeit darstellt, sobald das minderwertige Organ auf sogenannte „krankmachende" Reize der Umgebung reagiert. Es soll diese Formulierung: d i e K r a n k h e i t i s t e i n e R e s u l t i e r e n d e a u s O r g a n m i n d e r w e r t i g k e i t u n d ä u ß e r e n A n g r i f f e n, den dunklen Begriff der „D i s p o - s i t i o n" ersetzen. Die eine der Komponenten, ä u ß e r e B e a n - s p r u c h u n g e n, hat eine beschränkte Beständigkeit für kurze Zeit und für einen bestimmten Kulturkreis. Die daran vorgenommenen Änderungen sind kultureller Fortschritt, Änderungen der Lebensweise, soziale Verbesserungen, sind Werke des menschlichen Geistes und halten auf die Dauer jene Richtung ein, durch die allzu große Anspannungen der Organe hintangehalten werden. Sie stehen also in Beziehung zu den Entwicklungsmöglichkeiten der Organe und ihres nervösen Überbaues, arbeiten auf die gleichmäßige Entwicklung aller hin, sind aber andererseits Bedingung für die relative Minderwertigkeit, sobald ihre Anforderungen ein gewisses Maß überschreiten. In dem ganzen Kreis dieser Beobachtungen erscheint der Zufall als Korrektur der Entwicklung ausgeschlossen. Ein leicht zu durchschauendes Beispiel wäre die Beobachtung Professor H a b e r m a n n s, nach der Angehörige von Berufen, in deren Betätigung heftige Schallwirkungen das Gehör treffen, z. B. Schmiede, Kanoniere, leicht von Ohrenerkrankungen befallen werden. Es ist leicht einzusehen, daß sich nicht jeder Gehörapparat zu diesen Berufen eignet; daß derartige Verletzungen eines Organs zu technischen Betriebsänderungen regelmäßig den Anstoß geben; daß die dauernde Ausübung gewisser Berufe die in Anspruch genommenen Organe verändert; und daß auf dem Wege zur Vollwertigkeit gesundheitliche Gefahren bestehen.

Zusammenfassend können wir von Hygiene und Krankheitsverhütung sagen, daß sie diesen Bedingungen des Ausgleichs gehorchen, und ebenso sind alle unsere Heilmethoden auf den Ausgleich der sichtbar gewordenen Organminderwertigkeit gerichtet.

Eine gesonderte Betrachtung des durch Erkrankung geschädigten Organs, der zweiten Komponente, ergibt unter Berücksichtigung der pathologischen Forschung und der weiter unten folgenden Zusammenhänge die Vorbestimmung des von Geburt aus minderwertigen Organs für die Krankheit. — Die angeborenen Anomalien der Organe halten sich in einer Reihe, auf deren einem Pole die angeborene Mißbildung, an deren anderm die langsam reifenden, sonst normalen Organe stehen. Dazwischen liegen reine, kompensierte und überkompensierte Minderwertigkeiten. Die Frage nach dem ersten Beginn der Organminderwertigkeit ist gewiß von tiefer biologischer Bedeutung. Heute indes haben wir es bereits mit ausgeprägten Variationen zu tun und insbesondere bei den menschlichen Organen mit Abänderungen, die von meinem Standpunkte aus als angeborene Minderwertigkeiten zu deuten sind. Dieser Zusammenhang von Erkrankung und embryonal minderwertigem Organ läßt den Schluß zu, daß in der Verwandtschaft in aufsteigender Linie bereits, also am Stammbaume der Familie, der Grund zur Minderwertigkeit gelegen ist, d. h. daß die Minderwertigkeit des Organs erblich ist.

Bei den starken Beziehungen zwischen Minderwertigkeit und Krankheit ist demnach zu erwarten, daß recht häufig der ererbten Minderwertigkeit die ererbte Krankheit entspricht. Und so wird auch die Krankheit an einem Gliede des Stammbaumes zum Merkmale der Organminderwertigkeit für die nächsten Vorfahren und Nachkommen, mögen diese selbst auch gesund geblieben sein. Gleichzeitig mit der

Organminderwertigkeit oder der Tendenz zu dieser gehen in die Keim-
substanz aber auch die Tendenzen ihrer Überwindung (Kompensationsbestrebungen) ein, die wieder neue und leistungsfähigere Varianten schaffen, leistungsfähiger deshalb, weil sie aus der Überwindung der äußern Be-
anspruchungen ihren Kraftzuwachs bezogen haben.

Ich kann mich wegen der weiteren Merkmale der Organminderwertigkeit darauf beschränken, zusammenfassend
hervorzuheben, daß sie untereinander die gleichen Beziehungen haben
wie zu Krankheit, Erblichkeit und Kompensation, wie die morpho-
logischen angeborenen Anomalien, die Entartungszeichen oder Stigmen,
von welchen ich behauptet habe, daß sie nicht selten als äußerlich
sichtbare Zeichen die Minderwertigkeit des zugehörigen Organs, des
Auges, des Ohres, des Atmungs- und Ernährungstraktes verraten, während sie bisher als bedeutungslos abgelehnt wurden oder mit Unrecht
als Zeichen einer allgemeinen Degeneration oder Minderwertigkeit eingeschätzt wurden. In ihrem weitesten Ausmaß liefern sie das Material
der persönlichen Physiognomie.

Ebenso kurz kann ich mich über die Reflexanomalien aus-
sprechen, von welchen besonders die dem Organ zugehörigen Schleim-
hautreflexe als ursprüngliche nervöse Leistungen des
Organs einen Leitfaden zur Auffindung der Organminderwertigkeit
abgeben können, sobald sie sich als mangelhaft oder gesteigert erweisen.

Es lag nun angesichts der embryonalen Herkunft der Organminderwertigkeit nahe, die Aufmerksamkeit auf die Anfänge der Entwicklung nach der Geburt zu richten, in der Voraussicht, daß das Einsetzen der Kompensation nicht ohne auffällige Störung zustande käme,
daß andererseits bei fertiger Kompensation das Bild der Organminderwertigkeit verwischt würde. — Tatsächlich hat uns diese Annahme nicht
betrogen. Das minderwertige Organ braucht länger,
um zur normalen Funktion zu gelangen und macht
dabei eine Anzahl Störungen durch, deren Überwindung nur auf dem Wege gesteigerter Hirnleistung
gelingt. Anstatt einer weitläufigen Beschreibung dieser Funktions-
anomalien hebe ich hervor, daß es sich dabei um auffallende Erscheinungen im Kindesleben handelt, von welchen die Pädagogen einen
Teil „Kinderfehler" nennen. Es handelt sich dabei um Kinder,
die schwer sprechen lernen, die Laute andauernd falsch bilden, stot-

tern, blinzeln, schielen; die Gehörsfunktion, die Ausscheidungen sind längere Zeit mangelhaft, sie erbrechen, sind Daumenlutscher, schlechte Esser usw.[1] Zuweilen zeigen sich diese Kinderfehler nur spurenweise, meist aber ganz deutlich und vereint mit den übrigen Zeichen der Organminderwertigkeit, mit Degenerationszeichen, Reflexanomalien und Erkrankung. Oder die genannten Merkmale sind bunt am Stammbaum zerstreut und beweisen so die Heredität der Organminderwertigkeit. Der Kinderfehler ist recht häufig selbst erblich.

Ich muß hierbei bemerken, daß die Beobachtung eine ungeheure Häufigkeit von Kinderfehlern ergibt, die aber nur der großen Anzahl minderwertiger Organe entspricht. Eine einheitliche Erklärung der Kinderfehler wurde bisher nicht gegeben. Vom Standpunkt der Organminderwertigkeitslehre aus ist eine Einsicht möglich: d e r K i n d e r f e h l e r i s t d e r s i c h t b a r e A u s d r u c k e i n e r ge-ä n d e r t e n B e t r i e b s w e i s e d e s m i n d e r w e r t i g e n O r g a n s, der sichtbare Ausdruck, neben dem es noch mehr oder weniger verborgene Phänomene gibt, die allen Abstufungen der Minderwertigkeit entsprechen.

Ist es nun schon bei den Reflexanomalien der Schleimhäute sichergestellt, daß sie einen Zusammenhang mit der Seele besitzen, so gilt dies für die Kinderfehler noch in höherem Maße. Zumeist scheint das normale Wachstum der übergeordneten Nervenbahnen, einfache Wachstumskompensation, zu genügen, um die normale Funktion herbeizuführen. Dabei bleibt aber die Organanomalie die gleiche, und wenn wir mit geschärfter Aufmerksamkeit und Beobachtung an eine Prüfung gehen, so finden wir sehr häufig untilgbare Reste für das ganze Leben. Oder der Fehler ist für die Norm überwunden, stellt sich aber bei psychischen Anspannungen sofort wieder ein, so daß von einer K o n t i n u i t ä t des Zustandes gesprochen werden muß, der nur zur Zeit der Ruhe verdeckt wird. Solche Beispiele sind häufig: Blinzeln im hellen Licht, Schielen bei Naharbeit, Stottern in der Aufregung[2], Erbrechen im Affekte usw. — Dadurch findet die Vermutung, zu der wir von anderer Seite her gekommen sind, ihre Bestätigung, die Kompensation erfolge durch Mehrleistung und Wachstumsschub des Gehirns. Daß diese Verstärkung des psychischen Überbaues gelingt, zeigt der Erfolg; daß er im Zusammenhange mit einer

---

[1] Bezügl. der Vererbbarkeit solcher Erscheinungen s. F r i e d j u n g, Ernährungsstörungen und Konstitution, Zft. 7. Kinderheilkunde 1913.

[2] Auch das Gegenteil: Aufhören des Stotterns im Affekt kommt vor.

ständigen Übung steht, ist leicht zu erraten. Als anatomische Voraussetzung können wir nach Ähnlichkeiten nur annehmen: leistungsfähigere und vermehrte Nervenelemente. — Also auch im Zentralnervensysteme herrschen die gleichen Beziehungen von Minderwertigkeit und Kompensation, ebenso wie der beigeordnete krankhafte Einschlag zuweilen deutlich wird. Es gibt eine Anzahl von Hinweisen, wie die v. H a n s e m a n n s , der angeborene pathologische Veränderungen in den Gehirnen bedeutender Männer nachwies.

Steht so die Gehirnkompensation mit der Organminderwertigkeit im Zusammenhange, so ist es klar, daß gewisse, dem Organe zugehörige Verknüpfungen mit der Außenwelt auch im Überbau ihr psychisches Korrelat finden müssen; daß den ursprünglich minderwertigen Augen im Überbau ein verstärktes Schauleben entspricht usw.

In Verfolgung dieses Gedankenganges gelangt man zur Annahme, daß in günstig gelegenen Fällen das minderwertige Organ den entwickelteren und psychisch leistungsfähigeren Überbau besitzt, dessen psychische Phänomene, — was Trieb, Empfindung, Aufmerksamkeit, Gedächtnis, innere Anschauung, Einfühlung, Bewußtsein anlangt, reichlicher und entwickelter sein können. Ein minderwertiger Ernährungsapparat wird im günstigen Falle die größere psychische Leistungsfähigkeit in allen Beziehungen zur Ernährung aufbringen, aber auch, da sein Überbau dominiert und die andern psychischen Komplexe in seinen Bereich zieht, in allen Beziehungen des Erwerbes von Nahrung. Der Nahrungstrieb wird so sehr vorherrschen, daß er in allen persönlichen und sozialen Beziehungen zum Ausdrucke kommen kann, als Feinschmeckerei, als Erwerbseifer, als Sparsamkeit und Geiz usw. So auch bei den andern minderwertigen Organen, die zu einem ausgebreiteteren Empfindungsleben führen und zu einer sorgfältigeren und richtigeren Abtastung und Abschätzung der Welt, soweit sie dem betreffenden Organ zugänglich ist.

Durch diesen Vorgang bilden sich p s y c h i s c h e A c h s e n a u s , nach welchen das Individuum gerichtet ist, immer in Abhängigkeit von einem oder mehreren minderwertigen Organen. Auch im Traume und in der Phantasie, in der Berufswahl und in der Neigung wird dieses Streben nach Lustgewinn für dieses Organ bemerkbar. Denn die primitive Organbetätigung (Trieb) ist besonders beim minderwertigen Organ mit Lust verknüpft. Darauf weisen manche der Kinderfehler mit solcher Deutlichkeit hin, daß sie mit Unrecht als sexuelle Betätigung angesehen werden. Kehrt nun, wie fast regelmäßig im Traume, im Spiele, in der Phantasie der primitive Trieb des Organs wieder, so müssen wir auch hier (unter anderem) eine Forderung nach diesem Lustgewinn erblicken. Wenn man diesen Gedanken weiter verfolgt, so gelangt man schließlich zur Vermutung, daß der psychische Organüberbau größtenteils Ersatzfunktion besitzt für die Mängel des Organs, um im Verhältnisse zur Außenwelt seinen Lustgewinn zu erreichen.

Auch in anderen Punkten rührt die Organminderwertigkeitslehre an Probleme der Philosophie. — So in der Frage der geistigen Entwicklung, für die eine Kontinuität gefordert werden muß, gleichwie für die Triebe und Charakteranlagen. Und dies beim einzelnen wie bei der Gesamtheit. Ist Philosophie die wissenschaftliche Zusammenfassung aller Beziehungen psychischer Leistungen, so wird es begreiflich, daß die jeweilige Stufe des Denkens, damit auch der jeweilige Stand der Philosophie, durch die Abänderung der Organe und durch die zu leistende Gehirnkompensation bedingt ist. Ihre Entwicklung und Änderung der Grundlagen ist demnach begründet in der Entwicklung und Änderung des Überbaus der variierenden Organe. Da letztere den Anstoß zu ihrer Minderwertigkeit aus der umgebenden Außenwelt erleiden, so erfolgen die Änderungen der Außenwelt, Organminderwertigkeit und entsprechende, verbessernde Hirnkompensation mit wechselseitiger Beeinflussung.

Auch auf die Entstehung hochkultivierter psychomotorischer Leistungen, auf Herkunft und Entwicklung der Sprache, der Künste, auf das Wesen des Genies, auf die Geburt philosophischer Systeme und Weltanschauungen scheint mir diese Betrachtungsweise anwendbar und ich hoffe von ihr, daß sie sich auch bei der Erfindung neuer Aufgaben und ihrer Lösungen bewähren wird. Sie zwingt uns, vielleicht deutlicher als jede andere Betrachtungsweise, die Klippen der Abstraktion zu vermeiden und die Erscheinungen im Zusammenhange und im Flusse zu beobachten. In der medizinischen Wissenschaft bin ich dieser Betrachtungsweise nachgegangen. Vielleicht darf ich hoffen, daß meine bescheidene Anregung auch anderwärts Anklang findet.

Das in der Gehirnkompensation gegründete Weltbild kann sich nicht schrankenlos entfalten. Weder mit seinen Trieben, noch mit seinem unbewußten Anteil ist es frei. Sondern seine Äußerungen sind durch das soziale Milieu, durch die Kultur, eingeschränkt, die durch das Mittel des Selbsterhaltungstriebs nur dann den Äußerungen der Psyche die Entfaltung gestattet, wenn sie sich dem Rahmen

2

der Kultur einfügen können. Auch in diesem Falle gestattet sich der verstärkte Überbau des minderwertigen Organs andere, oft neue und wertvolle Betriebsweisen. Allerdings oft auch krankhafte, wie bei den Neurosen.

Ein junger Mann aus reichem Hause kam wegen Angst- und Zwangsvorstellungen in die Behandlung. Zudem litt er an Appetitmangel und Verdauungsbeschwerden, für die sich eine organische Ursache nicht nachweisen ließ. Als minderwertig konnte in erster Linie der Ernährungstrakt entlarvt werden. Entsprechend der eingangs angeführten Skizze meiner Organminderwertigkeitslehre lassen sich folgende Daten beibringen: 1. Frühere Erkrankung des Patienten, Magen- und Darmstörungen bedrohlicher Natur im ersten und zweiten Lebensjahr. 2. Heredität. Der Großvater väterlicherseits starb an Magenkrebs. Der Vater ist ein starker Esser, sehr geiziger Charakter, der es durch seinen intensiven Erwerbssinn zu großem Reichtum gebracht hat[1]. Die Mutter leidet an hysterischen Magendarmbeschwerden. Die Geschwister zeigen Züge von Geiz und sind fast ausnahmslos starke Esser; Darmerkrankungen sind bei ihnen öfters verzeichnet. 3. Periphere Degenerationszeichen: Auffallender Schiefstand der Zähne. 4. Kinderfehler: Daumenlutscher bis ins hohe Kindesalter. — Ein Detail aus seiner Individualpsychologie soll uns den geistigen Grundcharakter des Patienten und dessen Verwandlung zeigen. Eines Tages überbrachte der Patient einem Wohltätigkeitsvereine in Mariahilf ein Geschenk von 200 Kronen. Dies erzählte er mir anschließend an die Mitteilung, daß er sich heute wieder besonders schlecht befinde. Er fährt dann fort: „Vielleicht habe ich mich so schlecht befunden, weil ich schon hungrig war, als ich in Mariahilf die Spende abgab. Es war bereits Mittag vorüber und ich hatte noch nicht gegessen. Für 12 Uhr hatte ich eine Zusammenkunft in einem (nebenbei bemerkt: teuren) Restaurant vereinbart und ging nun in schlechter Verfassung den (langen) Weg in die Stadt." — Die Erklärung für das nervöse Unbehagen ergab sich leicht. Wer diese Erzählung anhört, hat in den Ohren ein Gefühl wie bei einer Dissonanz. — Ein reicher Mann, der reichlich zu

---

[1] Solche Menschen (mit Magendarmstörungen behaftet oder auffallend starke Esser, mit deutlichen Zügen von Geiz und Rücksichtslosigkeit und besonderer Befähigung zum Erwerb) stellen einen öfters vorkommenden Typus dar. Sie erinnern, wenn man Kleines mit Großem vergleichen darf, an Napoleon, in dessen Familie der Magendarmkrebs erblich war.

schenken pflegt, in vornehmen Restaurants speist, starkes Hungergefühl hat und zu Fuß einen längeren Spaziergang macht, — darin liegt wohl eine starke Unstimmigkeit, die sich nur ausgleichen läßt, wenn wir annehmen, der Patient sei ebenso geizig wie sein Vater, seine hohe Kultur aber gestatte ihm nicht, von diesem Geiz Gebrauch zu machen. Nur wo er nicht gegen die Kultur verstößt, — Ersparnis von einigen Hellern, die er, wenn es nötig ist, mit gesundheitlichen Gründen rechtfertigen kann, — ist die Äußerung dieser Anlage möglich. Sonst benimmt er sich äußerst freigebig, nicht ohne seine Freigebigkeit jedesmal mit einem nervösen Anfall zu bezahlen.

Der Fall ist imstande, uns über die Grenzen psychischer und motorischer Äußerungen der Kompensation zu belehren, die d u r c h d i e K u l t u r d e r a n d e r e n gegeben sind. — Gleichzeitig zeigt er uns die (scheinbare) Vererbbarkeit psychischer Eigenschaften auf Grundlage der minderwertigen Organe. — Nebenbei kann ich an diesem Fall zeigen, was F r e u d in Wien unter dem „V e r d r ä n g u n g s m e c h a n i s m u s" meint. Wie aus der Organminderwertigkeitslehre hervorgeht, zielt der Verdrängungsmechanismus auf eine Hemmung des Überbaus minderwertiger Organe und seiner Äußerungen; er ist gleichsam die Bremsvorrichtung bei der Entwicklung unbrauchbarer oder noch nicht reifer Betriebsweisen aus der Überkompensation. Daß dabei eine Charakteranlage, ein Trieb, ein Wunsch, eine Vorstellung in die Kontraststellung geraten, sich durch ihre Antithese äußern, stellt einen Spezialfall vor und erinnert einigermaßen an die H e g e l sche Dialektik.

Sucht sich aber die Überkompensation in kultureller Weise geltend zu machen, schlägt sie neue, wenn auch schwierige und oft gehemmte Wege ein, so kommt es zu den ganz großen Äußerungen der Psyche, wie wir sie dem Genie zusprechen müssen. L o m b r o s o hat sich in seiner Lehre vom Genie an die Mischfälle gehalten und ist dadurch zu seiner unrichtigen Auffassung des pathologischen Genies gekommen. Nach unseren Darlegungen ist das minderwertige Organ keine pathologische Bildung, wenngleich es die Grundbedingung des Pathologischen vorstellt. Der Antrieb zur Gehirnkompensation kann in günstigen Fällen mit Überkompensation enden, der alles Krankhafte fehlt.

Das Schicksal der Überkompensation ist an mehrere Bedingungen geknüpft, also überbestimmt. Als dieser Bedingungen eine haben wir die Schranken der Kultur kennen gelernt. Eine andere Determination ist die Ankettung des dominierenden Überbaus an andere psychische

2*

Felder, des visuellen Überbaus an den akustischen, an den Überbau
der Sprachorgane. Diese mehrfachen Kompensationen, ihre Verschrän-
kungen und gegenseitigen Hemmungen geben eigentlich erst das Bild
der Psyche, deren Analyse uns wieder Grade der Kompensationen,
Innigkeit und Gegensätzlichkeit in ihrer Verknüpfung und der ein-
schränkenden Einflüsse der Kultur erkennen läßt. Besonders zu Un-
fällen geneigt sind starke Verknüpfungen mit hochentwickelten Be-
tätigungsneigungen, die nach meinen Untersuchungen, den Überbau
der Primärtriebe verbindend, zur Entwicklung kommen, und ebenso
dominierende Einflüsse des Sexualüberbaus; beide sind allerdings bei
günstiger Konstellation zu den bedeutendsten Leistungen ausersehen.

Als dritte Bedingung für das Schicksal einer Überkompensation ist
ihre Widerstandsfähigkeit oder Hinfälligkeit zu betrachten. Recht
häufig mißlingt der Natur die Korrektur des minderwertigen Organs,
sie schafft dann leicht vergängliche, den Angriffen leicht erliegende
Kompensationen. Unfähigkeit, Neurose, psychische Erkrankungen, kurz
pathologische Gestaltungen können dabei zutage kommen. Ein kleiner
Ausschnitt aus der Analyse der Paranoia mag ein Bild davon geben.
Die Überkompensation des minderwertigen Sehapparates spielt neben
der anderer Apparate eine hervorragende Rolle. Der Schautrieb z. B. ist
bei einem großen Teile der Paranoiker zu großer Entwicklung gelangt
und hat alle Sehmöglichkeiten der Welt erschöpft. Da tritt eine
ungünstige Konstellation ein, die Schwäche der Überkompensation
äußert sich in halluzinatorischen Ausbrüchen, visuellen Erscheinungen,
die den Verstand konstituierenden Kräfte zeigen bald eine ähnliche
Hinfälligkeit, der Patient sieht sich als das Objekt des Schautriebs anderer, und die Konstituierung des Größen- und Verfolgungswahns nimmt unter Anknüpfung an die Anlagen des Aggressionstriebs ihren Anfang.

Das Gegenstück soll ein winziger Ausschnitt aus der Psyche
eines Dichters zeigen, den ich dem Wiener Schriftsteller Rank,
einem Kenner meiner Anschauungen, verdanke. Ich muß voraus-
schicken, daß ich insbesondere dem dramatischen Dichter eine besondere und eigenartige Überkompensation des Sehorgans zusprechen
muß, in der seine szenische Kraft, die Auswahl und Gestaltung seiner
Stoffe, begründet ist. In dem Drama vom Schützen Tell[1] finden wir eine gehäufte Zahl von Anknüpfungen an die Überkompensation des Sehapparates, einzelne Wendungen, Gleichnisse, die das

---

[1] Auch in vielen Gedichten Schillers.

Auge in seiner Funktion betreffen. (Auch die Volksmythen haben sich seit undenklichen Zeiten dieser Erscheinung des minderwertigen Apparates und seiner Überkompensation bemächtigt und der Mythos vom blinden Schützen, der immer sein Ziel trifft, dürfte mit der Tellsage einige Verwandtschaft besitzen.) — Für die Beziehung des Dramatikers Schiller zum Sehapparat und seinen Funktionen will ich noch auf die Blendung Melchthals und den Hymnus auf das Licht der Augen im „Tell" hinweisen. Was das Sehorgan des Dichters anlangt, kann ich darauf hinweisen, daß er schwache Augen hatte, an Augenentzündungen litt und den Kinderfehler des Blinzelns bis zum Mannesalter besaß. Für die Jagd hatte er großes Interesse. Weltrich erzählt, und dies wäre für die Heredität bemerkenswert, daß die Familie Schiller ihren Namen wegen des Schielens erhalten habe. — Ich erwähne dies kleine abschließende Detail nicht zum Zwecke einer Kunstbetrachtung, sondern um auf die Beziehungen des Künstlers zum minderwertigen Organ aufmerksam zu machen.

Es darf uns nicht wundernehmen, daß die Merkmale des minderwertigen Sehapparates insbesondere bei Malern[1] eine große Rolle spielen. Ich habe in meiner Schrift[2] einiges darüber mitgeteilt. Guercino da Centa, 15. Jahrhundert, erhielt seinen Namen, weil er schielte. Piero de la Francesca soll nach Angabe Vasaris im Alter erblindet sein. Ihm wird besonders die Kunst der Perspektive nachgerühmt. Von neueren ist Lenbach zu erwähnen, der einäugig war, der ungemein kurzsichtige Mateyko, Manet, der astigmatisch war, usw. Untersuchungen in Malerschulen haben ca. 70% Augenanomalien ergeben.

Daß Redner, Schauspieler, Sänger die Zeichen der Organminderwertigkeit aufweisen, habe ich sehr häufig gefunden. Von Moses berichtet die Bibel, er habe eine schwere Zunge besessen, seinem Bruder Aron war die Gabe der Rede verliehen. Demosthenes, der Stotterer, wurde zum größten Redner Griechenlands, und von Camille Demoulin, der im gewöhnlichen Leben stotterte, berichten seine Zeitgenossen, daß seine Rede wie geschmolzenes Gold dahinfloß.

Ähnlich bei den Musikern, die ziemlich oft an Ohrenleiden erkranken. Beethoven, Robert Franz, die beide das Gehör ver-

[1] S. auch den Essay „Kunst und Auge" von J. Reich, Österreichische Rundschau, Wien, 1908.

[2] Studie über die Minderwertigkeit von Organen. Verlag von Urban & Schwarzenberg in Wien. 1907.

loren, seien als bekannte Beispiele hierher gesetzt. — K l a r a S c h u -
m a n n berichtet aus ihrem Leben über kindliche Gebrechen der Hör-
und Sprachfähigkeit.

Weit entfernt, all diese Details als vollen Beweis anbieten zu wollen,
bezwecken diese Anführungen bloß, die Aufmerksamkeit der Leser
auf den weiten Rahmen der Organminderwertigkeitslehre und auf ihre
Beziehungen zur Philosophie, Psychologie und Ästhetik zu lenken.

Der Aggressionstrieb im Leben und in der Neurose.[1]

Von Dr. Alfred Adler.

Die Anwendung der Freudschen Methode zur Aufdeckung des
unbewußten Seelenlebens bei Gesunden und Neurotikern führt zur Anerkennung der Tatsache perverser Regungen, die bei Neurosen und
Neuropsychosen aus dem Bewußtsein verdrängt sind, keineswegs aber
ihren Einfluß auf das psychische Gleichgewicht verloren haben, vielmehr als pathogene Quelle des Handelns, Denkens und der Stimmungen
unschwer zu erkennen sind. Ganz hervorragend ist dabei der Anteil
des Sadismus und seines Gegenstückes, des Masochismus, die ich als
den unmittelbarsten, zur nervösen Erkrankung füh-
renden Faktor erkannt zu haben glaube. Die folgende
Abhandlung soll als Versuch einer programmatischen Darstellung des
Aggressionstriebes und seiner Phasen, von dem ich behaupten
muß, daß er auch den Erscheinungen des Sadismus zugrunde liegt,
gelten. —

Bisher ging jede Betrachtung des Sadismus und Masochismus von
sexuellen Erscheinungen aus, denen Züge von Grausamkeit beige-
mischt waren. Die treibende Kraft stammt aber bei Gesunden (männlicher Charakter der Sexualität), Perversen und Neurotikern (s. u.)
offenbar aus zwei, ursprünglich gesonderten Trieben,
die späterhin eine Verschränkung erfahren haben, derzufolge
das sadistisch-masochistische Ergebnis zwei Trieben zugleich entspricht, dem Sexualtrieb und dem Aggressionstrieb. Ähnliche Ver-
schränkungen finden sich im Triebleben Erwachsener regelmäßig vor.
So zeigt sich der Eßtrieb mit dem Sehtrieb, mit dem Riechtrieb
(s. die Ergebnisse Pawlows), der Hörtrieb mit dem Sehtrieb (audi-
tion colorée, musikalische Begabung), kurz jeder auffindbare Trieb
mit einem oder mehreren der übrigen Triebe verknüpft, eine Verschränkung, an denen zuweilen auch der Harn- oder der Stuhltrieb
ihren Anteil haben. Dabei soll uns „der Trieb" nichts mehr als eine
Abstraktion bedeuten, eine Summe von Elementarfunktionen des entsprechenden Organs und seiner zugehörigen Nervenbahnen, deren Entstehung und Entwicklung aus dem Zwang der Außenwelt und ihrer
Anforderungen abzuleiten sind, deren Ziel durch die Befriedigung

[1] Aus „Fortschritte der Medizin" 33 1908.

der Organbedürfnisse und durch den Lusterwerb aus der Umgebung
bestimmt ist. In allen auffälligen Charakterbildern, deren Gesamt-
physiognomie stets das Resultat einer Triebverschränkung ist, wobei
einer oder mehrere der Triebe die Hauptachse der
Psyche konstituieren, spielt der Sexualtrieb eine hervorragende Rolle. Die Ergebnisse einer großen Zahl von Psychoanalysen
gesunder, neurotischer, perverser Personen, lebender und verstorbener
Künstler und Dichter lassen in Betracht ihres Trieblebens und seiner
Äußerungen folgende, stets erweisbare Tatsachen erkennen:

I. Die Kontinuität jedes Triebes und seine Beziehung zu anderen Trieben ist für das ganze Leben sowie
über das Leben des Individuums hinaus, in seiner Heredität, mit
Sicherheit festzustellen. Dieser Gesichtspunkt hat für viele Fragen
der Charakterbildung und ihrer Vererbung, für Familien- und Ras-
senprobleme, für die Psychogenese der Neurosen, des künstlerischen
Schaffens und der Berufswahl, des Verbrechens eine große Bedeutung.

II. Was von den Trieben ins Bewußtsein dringt, sei es als Ein-
fall, Wunsch, Willensäußerung, ebenso was für die Umgebung in
Worten oder Handlungen deutlich wird, kann entweder in direkter
Linie aus einem oder mehreren der Triebe abstammen und dabei
kulturelle Umwandlungen, Verfeinerungen und Spezialisierungen (Sublimierung Nietzsches, Freuds) erfahren haben. Oder der Trieb
wird in seiner Ausbreitungstendenz, mittels der er bei stärkerer Ausbildung unumschränkt alle Beziehungsmöglichkeiten zur Umgebung
ausschöpft und geradezu weltumfassend auftritt, an einer durch die
Kultur bestimmten oder durch einen zweiten Trieb geschaffenen
Schranke gehemmt. (Hemmung des Schautriebs in bezug auf Fä-
kalien etwa; Hemmung des Eßtriebs bei seiner Richtung auf schlecht
riechende Speisen; — Triebhemmung bei inadäquater Beziehung;
Hemmung des Schautriebs bei Kampf gegen Sexualerregungen.) —
Diese Triebhemmung ist als eine aktive psychische Leistung anzusehen und führt bei starken Trieben zu ganz charakteristischen Erscheinungen, und dies umsomehr, je mehr von der Triebkraft durch
dauernden psychischen Kraftaufwand gezügelt werden muß. Der
Triebhemmung im Unbewußten aber entsprechen im
Bewußtsein ganz charakteristische Erscheinungen,
unter denen vor allem durch die Individualpsychologie aufgedeckt werden:

1. Verkehrung des Triebes in sein Gegenteil (z. B.
dem Eßtrieb im Unbewußten entspricht eine Andeutung von Nah-

rungsverweigerung im Bewußtsein; fast analog damit dem Geiz oder
Futterneide — Freigebigkeit).

2. Verschiebung des Triebes auf ein anderes Ziel.
(Der Liebe zum Vater im Unbewußten entspricht Verliebtheit in
den Lehrer, den Arzt, den Cousin usw. im Bewußten; oder die
Verdrängung geht soweit, daß der Sexualtrieb nur in pervertierter
Richtung — homosexuell — zutage tritt.)

3. Richtung des T**riebes auf die eigene Person (z. B.
dem verdrängten Schautrieb im Unbewußten entspricht im Bewußten
der Trieb, selbst angeschaut zu werden: Exhibitionismus, aber auch
in weiterer Folge Wurzel des Beachtungs-, Größen-
und Verfolgungswahns).

4. Verschiebung des Akzents auf einen zweiten starken Trieb, der meist gleichfalls in der Form 1 (Verkehrung in sein
Gegenteil) zur Äußerung kommt (z. B. die Verdrängung des Sexualtriebs steigert die Tätigkeit des Schautriebs derart, daß entweder überall
Sexualsymbole gesehen werden oder daß durch nervöse Anfälle
das bewußte Sehen z. B. von Sexualsymbolen gehindert wird, — Ab-
senzen, hysterische Anfälle usw.).

Eine wichtige Abart des auf die eigene Person gerichteten Triebes
(s. o. 3) bildet das „nach innen Schauen, Hören", mit Erinnerung, Intuition, Introspektion, Ahnung, Illusion, Halluzination,
Angst im Zusammenhang. —

Diese Gesichtspunkte sind für das Verständnis von Kultur, Religion,
des Bewußtseins, des Vergessens, der Moral, der Ethik, der Ästhetik,
der Angst und der Verdrängungssymptome bei den Psychoneurosen von
großer Wichtigkeit. —

III. Die Individualpsychologie läßt uns jeden der
Triebe auf eine primäre Organbetätigung zurückfüh-
ren. Diese primären Organbetätigungen umfassen die ungehemmten Leistungen der Sinnesorgane, des Ernährungstraktes, des Atmungsapparates,
der Harnorgane, der Bewegungsapparate und der Sexualorgane. Der Begriff „sexuelle Lust" kann auf dieser Stufe nur den Empfindungen
des Sexualapparats zugesprochen werden; später kann durch die früher
erwähnte „Triebverschränkung" jedes Organgefühl mit Sexualität ge-
paart erscheinen. Der psychische Überbau[1] entsteht durch
die Hemmungen der Kultur, welche nur bestimmte Wege für die Lust-

---

[1] Siehe Alfred Adler, Studie über Minderwertigkeit von Organen,
Urban & Schwarzenberg, Berlin, Wien 1907, S. 61 u. f.

gewinnung als statthaft gelten läßt. In diesem Überbau, dessen organisches Substrat aus Teilen der zu- und abführenden Nervenfasern und aus Nervenzellen besteht, soweit sie mit dem Organ in Verbindung stehen, liegen die Möglichkeiten und Fähigkeiten zu bestimmten Leistungen des Gesunden und des Neurotikers, und dieser bis zu einem gewissen Grade und Alter entwicklungsfähige Apparat gedeiht in der Regel soweit, daß er auf irgendeine Weise dem Begehren des Organs, d. i. dem Triebe des Organs nachzukommen in der Lage ist. Er hat demnach die Tendenz, entsprechend der Triebstärke zu wachsen, um seinen Lustgewinn durchzusetzen. Dabei vollzieht sich die Anpassung der Technik seiner Leistungen an die Kultur aus egoistischen Motiven, was freilich durch die Auslese und weitgehende Blutvermischung, durch die Heredität also, sehr vereinfacht ist. Immerhin hat das Zentralnervensystem, der psychische Überbau der Organe, in diesem Sinne die Ersatzfunktion für den Ausfall der primären Leistung des Organs übernommen.

 • Je stärker also ein Trieb ist, um so größer ist auch die Tendenz zur Ausbildung und Entwicklung des entsprechenden Organüberbaues. Wie diese Überentwicklung zustande kommt, was sie im Kampfe gegen die Außenwelt gewinnt, wie es dabei zur Verdrängung, notwendiger Konstellation (Schautrieb gegen Freßtrieb beispielsweise) und zur Kompensationsstörung (Psychosen) kommt, habe ich in meiner „Studie über Minderwertigkeit von Organen" geschildert. Desgleichen wie durch den Zwang der Außenwelt einerseits, durch den starken Trieb andererseits das Organ genötigt wird, neue Wege, eine neue, oft höhere Betriebsweise zur Befriedigung seiner Bedürfnisse einzuschlagen. Auf diesem Wege vollzieht sich die Ausbildung des künstlerischen, des genialen Gehirns, ebenso aber auch, wenn die Kompensation der Verdrängungstendenz nicht gewachsen ist, sie nicht siegreich umgeht, die Ausbildung der Neurose.

Die Heredität der Organwertigkeit hinwiederum, sowie die mit ihr zusammenhängende Heredität der Triebstärke, die beide sichergestellt sind, lassen erraten, daß in einer längeren Ahnenreihe bereits ein erhöhter Kampf um die Behauptung des Organes im Gange war. Daß dieser Kampf nicht ohne Schädigung abläuft und daß den in der Ahnenreihe geschädigten Organen eine Keimanlage in der Deszendenz entspricht, die einerseits Spuren dieser Schädigung (Hypoplasie), andererseits Kompensationstendenzen (Hyperplasie) zeigt, läßt sich aus der

Biologie, aber auch aus der Kasuistik entnehmen. Heute, nach den ur-
alten Kämpfen der Menschheit, haben wir es mit derartig veränderten
Keimanlagen zu tun und jedes Organ wird den Stempel der Gefahren
und Schädigungen seiner Ahnenreihe an sich tragen. (Grundlagen
der Physiognomik.) Da hauptsächlich die Spannung zwischen
Organmaterial und Trieb einerseits, den Anforderungen der Außenwelt
andererseits die „relative" Organwertigkeit bestimmt haben, so wird die
größere Schädigung in der Ahnenreihe (Krankheit, Überanstrengung,
Überfluß, Mangel) das Organ zu einem minderwertigen machen, d. h. zu
einem solchen, dem die Spuren dieses Kampfes in erheblichem Maße anhaften. — Diesen Spuren bin ich nachgegangen und habe am Organe
als solche nachgewiesen: Erkrankungstendenz, Degenerationszeichen und Stigmen, hypoplastische und hyperplastische Bildungen,
Kinderfehler und Reflexanomalien. So wird uns die Organ-
untersuchung eine wichtige Handhabe zur Aufdek-
kung der Triebstärke: Das minderwertige Auge hat den größeren
Schautrieb, der minderwertige Ernährungstrakt den ˙größeren Eß- und
Trinktrieb, das minderwertige Sexualorgan den stärkeren Sexualtrieb. —
Nun bedingen diese zu Lustgewinn drängenden Triebe und ihre Stärke
die Stellung des Kindes zur Außenwelt. Seine ganze psychische Welt
und seine psychischen Leistungen gehen aus dieser gegenseitigen Relation
hervor und wir können die höheren psychischen Phänomene der Kindesseele sehr bald im Zusammenhang mit dieser Anspannung aufsprießen
sehen. Der Schautrieb (und der Hörtrieb) führen zur
Neugierde und Wißbegierde, in ihrer Richtung auf
die eigene Person zu Eitelkeit und kindlichem Größenwahn, bei ihrer Verkehrung ins Gegenteil zu Schamgefühl (Verschränkung mit dem Sexualtrieb!); der Eßtrieb gestaltet den Futterneid, Geiz, die Sparsamkeit,
gegen die eigene Person gewendet Bedürfnislosigkeit,
bei Verkehrung ins Gegenteil Freigebigkeit usw. Und
dies um so deutlicher und mannigfaltiger, je stärker der Trieb entwickelt
ist, so daß das minderwertige Organ zumeist alle Möglichkeiten seiner
Betätigung ausschöpft und alle Phasen seiner Triebverwandlung durch-
macht. Denn auch der Zusammenstoß mit der Außenwelt, sei es infolge
unlustbetonter Erfahrungen, sei es infolge der Ausbreitung des Verlangens auf kulturell verwehrte Güter, erfolgt beim minderwertigen Organ mit unbedingter Gewißheit und erzwingt
dann die Triebverwandlung. Die Bedeutung des infantilen

Erlebnisses (F r e u d) oder ihrer Vielheit (A b r a h a m) für die Neurose
ist deshalb in der Richtung zu reduzieren, d a ß i n i h m d e r s t a r k e
T r i e b u n d s e i n e G r e n z e n (a l s W u n s c h u n d d e s s e n H e m -
m u n g) m i t g r ö ß t e r D e u t l i c h k e i t z u r A n s c h a u u n g k o m -
m o n u n d d a ß d a s m e i s t v e r g e s s e n e E r l e b n i s w i e e i n
W ä c h t e r i m U n b e w u ß t e n d i e w e i t e r e n ö t i g e A u s b r e i -
t u n g d e s T r i e b v e r l a n g e n s a u f d i e A u ß e n w e l t v e r h i n -
d e r t (i n f a n t i l e P s y c h e d e s N e u r o t i k e r s) u n d a l l z u
s t a r k e T r i e b v e r w a n d l u n g (A s k e s e) e r z w i n g t. Um kurz
zu sein, das Schicksal des Menschen, damit auch d i e P r ä d e s t i n a -
t i o n z u r N e u r o s e, l i e g t, w e n n w i r a n d e m G e d a n k e n
e i n e s g e s e l l s c h a f t l i c h d u r c h s c h n i t t l i c h e n, g l e i c h -
m ä ß i g e n K u l t u r k r e i s e s u n d e b e n s o l c h e r K u l t u r f o r d e -
r u n g e n f e s t h a l t e n, i n d e r M i n d e r w e r t i g k e i t d e s O r -
g a n s a u s g e s p r o c h e n.

Nun finden wir schon im frühen Kindesalter, wir können sagen vom
ersten Tage an (erster Schrei) eine Stellung des Kindes zur Außenwelt,
die nicht anders denn als f e i n d s e l i g bezeichnet werden kann. Geht
man ihr auf den Grund, so findet man sie bedingt durch die Schwierigkeit, dem Organ die Lustgewinnung zu ermöglichen. Dieser Umstand
sowie die weiteren Beziehungen der feindseligen, kämpferischen Stellung
des Individuums zur Umgebung lassen erkennen, daß der Trieb zur Er-
kämpfung einer Befriedigung, den ich „Aggressionstrieb" nennen will,
nicht mehr unmittelbar dem Organ und seiner Tendenz zur Lustgewinnung anhaftet, sondern daß er dem Gesamtüberbau angehört und ein
übergeordnetes, die Triebe verbindendes psychisches Feld darstellt, in
das — d e r e i n f a c h s t e u n d h ä u f i g s t e F a l l v o n A f f e k t -
v e r s c h i e b u n g — die unerledigte Erregung einströmt, sobald einem
der Primärtriebe die Befriedigung verwehrt ist. Den stärkeren Trieben,
also der Organminderwertigkeit, entspricht normalerweise auch der
stärkere Aggressionstrieb, und er bedeutet uns eine Summe von Empfindungen, Erregungen und deren Entladungen (hierher gehört auch
F r e u d s „motorische Entladung" bei der Hysterie), deren organisches
und funktionelles Substrat dem Menschen angeboren ist. Ähnlich wie
bei den Primärtrieben wird die Erregung des Aggressionstriebes durch
das Verhältnis von Triebstärke und Anforderungen der Außenwelt eingeleitet, das Ziel desselben durch die Befriedigung der Primärtriebe
und durch Kultur und Anpassung gesteckt. Das labile Gleichgewicht
der Psyche wird immer wieder dadurch hergestellt, daß der Primärtrieb

durch Erregung und Entladung des Aggressionstriebes zur Befriedigung gelangt, eine Leistung, bei der man normalerweise beide Triebe an der Arbeit sieht (z. B. Eßtrieb und Aggressionstrieb: Jagd). Am stärksten wird der Aggressionstrieb von solchen Primärtrieben erregt, deren Befriedigung nicht allzu lange auf sich warten lassen kann, also vom Eß- und Trinktrieb, zuweilen vom Sexualtrieb und vom Schautrieb (aus Eitelkeit), insbesondere dann, wenn diese Triebe, wie bei Organminderwertigkeit, erhöht sind. Ein gleiches gilt von körperlichen und seelischen Schmerzen, von denen ein großer Teil indirekt (Triebhemmung) oder direkt (Erregung von Unlust) die primäre lustvolle Organbetätigung hindert. Ziel und Schicksal des Aggressionstriebes stehen wie bei den Primärtrieben unter der Hemmung der Kultur; ebenso finden wir die gleichen Verwandlungen und Phasen wie bei ihnen. Zeigt sich im Raufen, Schlagen, Beißen, grausamen Handlungen d e r A g g r e s - s i o n s t r i e b in seiner reinen Form, so führen Verfeinerung und Spezialisierung zu Sport, Konkurrenz, Duell, Krieg, Herrschsucht, religiösen, sozialen, nationalen und Rassenkämpfen. (L i c h t e n b e r g sagt ungefähr: „Es ist merkwürdig, wie selten und ungerne die Menschen nach ihren religiösen Geboten leben und wie gerne sie für dieselben kämpfen.") — U m k e h r u n g d e s T r i e b s g e g e n d i e e i g e n e P e r s o n ergibt Züge von Demut, Unterwürfigkeit und Ergebenheit, Unterordnung, Flagellantismus, Masochismus. Daß sich daran hervorragende Kulturcharaktere knüpfen, wie Erziehbarkeit, Autoritätsglaube, ebenso auch Suggestibilität und hypnotische Beeinflußbarkeit, brauche ich nur anzudeuten. Das äußerste Extrem ist Selbstmord.

Wie leicht ersichtlich, b e h e r r s c h t d e r A g g r e s s i o n s t r i e b d i e g e s a m t e M o t i l i t ä t. — Daß er auch die Bahnen des Bewußtseins beherrscht (z. B. Zorn) wie jeder Trieb und daselbst die Aufmerksamkeit, das Interesse, Empfindung, Wahrnehmung, Erinnerung, Phantasie, Produktion und Reproduktion in die Wege der reinen oder verwandelten Aggression leitet, daß er dabei die anderen Triebe, vor allem diejenigen der minderwertigen Organe (Schimpfen bei Sprachorganminderwertigkeit; Sarkasmus), die den psychischen Hauptachsen zugrunde liegen, zu Hilfe nimmt und so d i e g a n z e W e l t d e r A g - g r e s s i o n s m ö g l i c h k e i t e n austastet, kann man bei einigermaßen starkem Triebleben regelmäßig beobachten. Ich habe in solchen Fällen unter anderem immer t e l e p a t h i s c h e F ä h i g k e i t e n u n d N e i - g u n g e n beobachten können und bin auf Grund meiner Untersuchungen bereit, was an der Telepathie haltbar ist, auf den größeren Aggressions-

trieb zurückzuführen, der die größere Fähigkeit verleiht, in der Welt der
Gefahren zurecht zu kommen und das Ahnungsvermögen, die Kunst
der Prognose und Diagnose, erheblich zu erweitern.

Ebenso wie die Schrecken der Weltgeschichte und des individuellen
Lebens, schafft der erregte, verhaltene Aggressionstrieb die grausamen
Gestaltungen der Kunst und Phantasie. Die Psyche der Maler,
Bildhauer und insbesondere des tragischen Dichters,
der mit seinen Schöpfungen „Furcht und Mitleid" erwecken soll, zeigt
uns die Verschränkung ursprünglich starker Triebe, der Seh-, Hör- und
Tasttriebe, die sich auf dem Umweg über den Aggressionstrieb in hoch-
kultivierten Formen durchsetzen und uns zugleich ein anschauliches Bild
der Triebverwandlung liefern. Eine große Anzahl von Berufen, —
von Tätlichkeitsverbrechen und Revolutionshelden
nicht zu sprechen, — schafft und erwählt sich der stärkere Aggressionstrieb. Die Richterlaufbahn, der Polizeiberuf, der Beruf des Lehrers,
des Geistlichen (Hölle!), die Heilkunde und viele andere werden von
Personen mit größerem Aggressionstrieb ergriffen und gehen oft konti-
nuierlich aus analogen Kinderspielen hervor. Daß sie vielfach, oft in
erster Linie, der Triebverwandlung (Verkehrung ins Gegenteil z. B.)
genügen, ist ebenso verständlich, wie die Flucht des Künstlers ins Idyll.
Insbesondere sind die kindlichen Spiele, die Märchenwelt und
ihre Lieblingsgestalten, der Sagenkreis der Völker, Heroenkultus und
die vielen, vielen grausamen Erzählungen und Gedichte der Kinder-
und Schulbücher vom Aggressionstrieb für den Aggressionstrieb geschaffen. Ein weites Reservoir zur Aufnahme des Aggressionstriebes
bildet auch die Politik mit ihren zahllosen Möglichkeiten der Betätigung und der logischen Interpretation des Angriffes. Der Lieblingsheld
Napoleon, das Interesse für Leichenzüge und Todesanzeigen, Aberglaube,
Krankheits- und Infektionsfurcht, ebenso die Furcht vor dem Lebendig-
begrabenwerden und das Interesse für Friedhöfe decken oft bei sonstiger
Verdrängung des Aggressionstriebes das heimliche Spiel der lüsternen
Grausamkeit auf.

Entzieht sich der Aggressionstrieb durch Umkehrung gegen die eigene
Person, durch Verfeinerung und Spezialisierung wie so oft unserer Erkenntnis, so wird die Verkehrung in sein Gegenteil, die
Antithese des Aggressionstriebs, geradezu zum Vexierbild.
Barmherzigkeit, Mitleid, Altruismus, gefühlvolles Interesse für das Elend stellen neue Befriedigungen vor, aus denen sich der
ursprünglich zu Grausamkeiten geneigte Trieb speist. Scheint dies

verwunderlich, so ist doch leicht zu erkennen, daß nur derjenige wirkliches Verständnis für Leiden und Schmerzen besitzen kann, der ein ursprüngliches Interesse für die Welt von Qualen zu eigen hat; und diese kulturelle Umwandlung wird sich um so kräftiger ausgestalten, je größer der Aggressionstrieb ist. So wird der Schwarzseher zum Verhüter von Gefahren, Kassandra zur Warnerin und Prophetin. Alle diese Erscheinungsformen des Aggressionstriebes, die reine Form, Umkehrung gegen die eigene Person, Verkehrung ins Gegenteil mit der äußerlich wahrnehmbaren Erscheinungsform der Aggressionshemmung (Abulie; psychische Impotenz) finden sich in den Neurosen und Psychosen wieder. Ich nenne nur Wutanfälle und Attacken bei Hysterie, Epilepsie, Paranoia als reine Äußerung des Triebes, Hypochondrie, neurasthenische und hysterische Schmerzen, ja das ganze Krankheitsgefühl bei Neurasthenie, Hysterie, Unfallsneurose, Beobachtungswahn, Verfolgungsideen, Verstümmelung und Selbstmord als Phasen der Umkehrung des Aggressionstriebes gegen die eigene Person, die milden Züge und Messiasideen der Hysteriker und Psychotiker bei Verkehrung ins Gegenteil.

Anschließend an die Erörterung der Umkehrungsform gegen die eigene Person muß ich noch eines Phänomens erwähnen, dem die größte Bedeutung in der Struktur der Neurose zukommt, der Angst. Sie stellt eine Phase des gegen die eigene Person gerichteten Aggressionstriebes dar und ist nur mit der halluzinatorischen Phase anderer Triebe zu vergleichen. Die verschiedenen Formen der Angst kommen zustande, indem sich der der Angst zugrunde liegende Aggressionstrieb verschiedener Systeme bemächtigen kann. So kann er das motorische System innervieren (Tremor, Schlottern, tonische, klonische Krämpfe, katatonische Erscheinungen; funktionelle Lähmungen als Aggressionshemmung); auch die Vasomotoren kann er erregen (Herzpalpitation, Blässe, Röte) oder andere Bahnen, so daß es zu Schweiß, Stuhl-, Urinabgang, Erbrechen kommt oder zu Sekretionsverhinderung als Hemmungserscheinung. Strahlt er ins Bewußtsein aus, so erzeugt er koordinierte, den minderwertigen Bahnen entsprechende Bewußtseinsphänomene, wie Angst- und Zwangsideen, Sinneshalluzinationen, Aura, Traumbilder. — Immer aber wird die Richtung auf das minderwertige Organ sowie auf seinen Überbau, auf Blase, Darm, Kehlkopf,

Bewegungsapparat, Respirationsorgan (Asthma), Herzkreislauf innegehalten werden, so daß im Anfall die psychische Hauptachse des Erkrankten wieder in Erscheinung tritt.— Im Schlaf, in der Bewußtlosigkeit und Absence der Hysterie und Epilepsie sehen wir den höchsten Grad der Aggressionshemmung.

Abgesehen von den Primärtrieben ist auch der Schmerz imstande, den Aggressionstrieb zu erregen, sowie auch, — was aus dem Zusammenhang der Erscheinungen hervorgeht, der auf die eigene Person gerichtete Aggressionstrieb sich der Schmerzbahnen bemächtigen kann, um je nach Maßgabe der Organminderwertigkeit Migräne, Clavus, Trigeminusneuralgie, nervöse Schmerzen in der Magen-, Leber-, Nieren- und Appendixgegend (ebenso wie Aufstoßen, Gähnen, Singultus, Erbrechen, Schreikrämpfe) zu erzeugen. In der psychologischen Analyse läßt sich als auslösende Ursache stets eine Triebhemmung nachweisen, und ebenso geht dem Schmerzanfall voraus oder folgt ihm nach ein Aggressionstraum mit oder ohne Angst. Oder das Bild wird durch vorübergehende oder dauernde Schlaflosigkeit variiert, als deren nächste Ursache der unbefriedigte Aggressionstrieb aufgedeckt werden kann.

Insbesondere die motorischen Ausstrahlungen des Aggressionstriebes sind im Kindesalter ungemein deutlich. Schreien, Zappeln, sich zu Boden werfen, Beißen, Knirschen usw. sind einfache Formen dieses Triebes, die im neurotischen Anfall, insbesondere bei der Hysterie nicht selten wieder zu finden sind.

Entwicklungsfehler des Kindes.

Von Dr. Alfred Adler (1907).

In unseren Kindern liegt die Zukunft des Volkes!
Alles Schaffen der Völker, alles Vorwärtsdrängen, das Zertrümmern alter
Schranken und Vorurteile, es geschieht zumeist der Nachkommen wegen
und soll ihnen vor allem nützen. Tobt heute der Kampf um Geistesfreiheit, rütteln wir heute an den Säulen des Aberglaubens und der Knecht-
schaft, so werden sich morgen unsere Kinder sonnen im milden Lichte
der Freiheit und unbekümmert um die Drohungen modernder Denkungs-
art an den Quellen des reinen Wissens schlürfen. Stürzt uns heute zusammen, was, alt und morsch, sein Daseinsrecht verloren hat, so baut
sich stolzer und kühner als unsere Gedanken es fassen können dereinst
die Kirche der wahren Menschlichkeit auf, vor der jeder Lug und Trug
zerstäubt. Für unsere Kinder! Sie sollen genießen, was wir verlangend
erstreben: Luft, Licht, Nahrung, die heute dem Volke noch verwehrt,
sie sollen sich ganz daran erlaben! Für gesunde Wohnungen, für aus-
reichende Löhne, für menschenwürdige Arbeit, für gediegenes Wissen
kämpfen wir, damit sie dies alles dereinst gesichert haben. Unser
Schweiß, das ist ihr Frieden, ihre Gesundheit, das ist unser Kampf.

In unseren Kindern lieben wir unsere Jugend! Die
unvergeßlichen fröhlichen Tage der eigenen Kindheit steigen herauf,
wenn unser Blick auf die Kleinen fällt, und leichter dünkt uns die eigene
Qual, wenn sie dazu dient, den Schatten von ihren jungen Jahren zu
verscheuchen. Daß sie den Sorgen und Plagen entgehen, die uns
vielleicht jene goldene Zeit verbittert, ist uns der köstlichste Ansporn
zur Arbeit. Manche der Fehler, denen unsere Kindheit ausgesetzt war,
sollen ihnen erspart bleiben, und unsere vielleicht schon verblühten
Hoffnungen und Wünsche sollen in ihnen zu neuem Leben erwachen.
So wachse denn heran, du holder Abglanz junger Jahre, zu frohem Genießen bereit, besser gerüstet zu Kampf und Sieg als wir!

Ist demnach das gute Gedeihen der Kinder der Eltern höchstes Glück
und ein gutes Unterpfand der Zukunft, so bildet die Erkenntnis dessen,
was für die Jugend not tut, und das Einsetzen aller Kräfte hierfür die
wichtigste Aufgabe des Staates, der Eltern und einer Kulturpartei. An-
greifbar sind von den feindlichen Kräften vor allem zwei: die widrigen
sozialen Verhältnisse und das Unverständnis für den Gesundheitsschutz

8

des Kindes. Man muß sich außerdem vor Augen halten, daß die Sünden gegen das Kind oft nicht leicht gutzumachen sind oder gar um Generationen zurückliegen. Wir nennen hier nur Unterernährung der Eltern, Überarbeit der schwangeren Frau, Krankheiten oder Minderwertigkeit der Erzeuger, frühzeitige Arbeitsleistung des Kindes, die es in seinem Wachstum schädigt, Unterernährung und schlechte Wohnung in der Kindheit, die alle eine soziale Wurzel haben und ihre Folgen dem wachsenden Organismus oft dauernd anheften. — Die Erscheinungen, welche wir im folgenden einer Besprechung unterziehen, sind solche, wie sie bei Kindern bei der Geburt oder kurz nachher wahrzunehmen sind. Soweit solche Fehler Lebensunfähigkeit bedingen, sollen sie übergangen werden, weil ihr praktisches Interesse gering ist, wenngleich sie wissenschaftlich ein hohes Interesse verdienen. Oft sind sie nur Steigerungen von solchen Fehlern, mit denen andere Kinder weiterleben können.

Am leichtesten kommen natürlich solche Entwicklungsfehler zur Wahrnehmung, die einem der Körperteile eine absonderliche Form verleihen, so daß die Schönheit des Kindes darunter leidet. Nicht selten leidet auch die Funktion des zugehörigen Organs darunter. Wir nennen hier die H a s e n s c h a r t e, eine Spaltbildung, die Oberlippe, harten und weichen Gaumen, alle zusammen oder einzelne Teile betreffen kann. Abgesehen von der Entstellung, zwingt auch in vielen Fällen die Unfähigkeit des Kindes, Nahrung zu sich zu nehmen, zu einer operativen Abhilfe, zu der man sich so rasch als möglich entschließen soll. Ebenso findet sich nicht selten als Hindernis beim Saugen eine a b n o r m w e i t e Anheftung des Bändchens an der unteren Zungenfläche, ein Befund, der leicht zu beseitigen ist, aber doch etwas zu häufig angenommen wird. Von Wichtigkeit ist das W a c h s t u m d e r Z ä h n e beim Säugling, da ein verzögertes Wachstum, — zuweilen kommt auch verfrühtes Wachstum vor, — mit ziemlicher Wahrscheinlichkeit auf Rachitis (Knochenweiche, englische Krankheit, doppelte Glieder) schließen läßt. Zumeist brechen normalerweise die beiden mittleren unteren Schneidezähne zwischen dem 6. und 9. Monat durch. Ihnen folgen nach etwa zwei Monaten die beiden mittleren oberen. Bis zum Ende des ersten Jahres sind die seitlichen oberen und die seitlichen unteren Schneidezähne erschienen. Die vier vorderen Backzähne brechen bis gegen den 18. Monat durch, und ihnen schließen sich die vier Eckzähne an. Am Beginne des dritten Lebensjahres sind die vier hinteren Backzähne zum Durchbruch gelangt, und damit ist die erste

Zahnbildung vollendet. Lückenbildung zwischen den Zähnen und Verdoppelung einzelner Zähne sind nicht so selten. Mit 4½ bis 6 Jahren beginnt die zweite Zahnbildung, die meist mit der Entstehung der ersten bleibenden Backzähne eingeleitet wird, an das sich das Ausfallen der Milchzähne schließt. Das bleibende Gebiß kann eine Reihe von Fehlern zeigen, die teils der Schönheit, teils der Leistung abträglich sind, so V o r s t e h e n   d e r   o b e r e n ,   d e r   u n t e r e n Zahnreihe, schiefes Wachstum einzelner Zähne, ungewöhnliche Schleiffflächen usw., die zum Teil einer Besserung zugänglich sind.

Von großer Bedeutung für die Entwicklung des Kindes, insbesondere für Hals und Lungen, ist die Durchgängigkeit d e r   N a s e. Schwellungen der Nasenschleimhäute hindern den Säugling am Trinken. Dauern die Verdickungen der Nasenmuscheln an, verlegen sie die Nasenatmung, oder bestehen Schleimhautwucherungen im Nasenrachenraum, so wird das Kind ebenso wie beim Bestehen von Nasenpolypen m i t   o f f e n e m M u n d e atmen. Solche Kinder sehen oft blaß aus, leiden gleichzeitig nicht selten an anderen Gebrechen, erkranken häufig an Kehlkopf-, Nasen- und Ohrkatarrhen und geben sich im Schlafe durch ihr S c h n a r c h e n zu erkennen. Die Herstellung der Nasenatmung hat große Vorteile für diese Kinder im Gefolge. Auch Besserung der geistigen Fähigkeiten sieht man zuweilen nach dieser gefahrlosen Operation. Ähnliche Nachteile für den Rachen, Kehlkopf und Lunge stellen sich bei abnorm vergrößerten Mandeln ein.

Verunstaltungen der O h r m u s c h e l haben heute noch ein rein theoretisches Interesse. Anwachsungen des Ohrläppchens, spitzes Auslaufen der Muschel nach oben, nach der Seite, abstehende Ohren gelten als Zeichen der Entartung, ohne daß damit etwas Bestimmtes gesagt wäre.

Dasselbe gilt von Hautfaltenbildung nach innen vom inneren Augenwinkel, von den schräggestellten Lidspalten, „geschlitzten Augen", und den Flecken an der Regenbogenhaut.

Wichtiger für die Beurteilung des Kindes sind seine Leistungen. Vor allem seine S p r a c h e n t w i c k l u n g. Vereinzelte kindliche „Sprachfehler" ausgenommen, beherrscht das Kind im dritten Lebensjahre einen großen Teil der Sprache. Ein deutliches Zurückbleiben hinter dieser Grenze läßt den Verdacht auf H ö r s t u m m h e i t oder T a u b s t u m m h e i t aufkommen. Sprachfehler, die sich längere Zeit hinziehen, Stottern, Stammeln, Lispeln, Unfähigkeit, bestimmte Buchstaben korrekt auszusprechen, sollen einer mit Milde durchgeführten Behandlung unterworfen werden. Dasselbe ist von der fast um die gleiche Zeit häufig anzutreffenden Abneigung gegen das Essen zu sagen.

Am A u g e finden wir recht häufig Entwicklungsfehler, deren Besserung mit aller Kraft anzustreben ist. Blinzeln ist öfters mit einer Entzündung der Augenschleimhäute im Zusammenhang, regelmäßig bei Albinos (Menschen ohne Hautfarbstoff) zu finden. Regelmäßige, zitternde Bewegungen der Augäpfel sind zuweilen Symptome einer Nervenerkrankung. Wichtig wäre die Hintanhaltung des Schielens, der Steigerung von Kurzsichtigkeit und Übersichtigkeit. Ersteres hängt oft mit den anderen beiden zusammen, hat übrigens in den ersten Monaten des Säuglings keine Bedeutung. Kurzsichtigkeit und Weitsichtigkeit sind im Bau des Augapfels begründet, ebenso wie Krümmungsanomalien der Hornhaut, die das Sehen ebenso beeinträchtigen und verzerrte Bilder auf der Netzhaut entstehen lassen. Durch unzweckmäßige Beleuchtung, schlechtes Sitzen beim Schreiben können derartige Beeinträchtigungen zustande kommen, daß die Sehfähigkeit dauernd geschwächt bleibt. Gerade im Anfang müssen diese Entwicklungsfehler bekämpft werden. Angeborene Schwachsichtigkeit auf einem oder beiden Augen ist nicht gar so selten und bedarf ärztlicher Unterweisung. Daß auch völlige Blindheit angeboren sein kann, ist bekannt. Eine häufige Ursache von schlechtem Sehen sind Starbildungen, Trübungen der Linse, die gleichfalls angeboren sein können und durch Operation zu beseitigen sind.

Erkrankungen des O h r e s , Schwerhörigkeit auf einem oder beiden Ohren werden häufig übersehen und bilden zuweilen ein Hindernis für den geistigen Fortschritt des Kindes. Auch hier kann ärztlicherseits manches gebessert werden.

Die S c h ä d e l f o r m kann in mehrfacher Hinsicht fehlerhaft entwickelt sein. Viele dieser Formen sind Folgen der englischen Krankheit, wie Offenbleiben der Fontanellen bis über das zweite Lebensjahr hinaus, Verdickungen einzelner Partien des Schädels und Vorspringen desselben, speziell der Stirnbeinhöcker. Außerdem sind häufig frühzeitige Verwachsungen der Knochennähte und daraus resultierende abnorme Kopfformen. Bei allen diesen Fehlern, ebenso bei Asymmetrien der Schädelhälften, besonders aber beim chronischen Wasserkopf kann man zuweilen nervöse Erkrankungen oder abnorme geistige Entwicklung beobachten.

Ein Organ, dem man derzeit große Beachtung schenken muß, ist die vorn am Halse befindliche S c h i l d d r ü s e . Sie kann angeborenerweise als K r o p f erscheinen oder sich später zu einer Kropfgeschwulst

entwickeln, manchmal sporadisch, zumeist aber in sogenannten Kropf-
gegenden. Gewisse Geschwulstbildungen der Schilddrüse ebenso wie
besondere Kleinheit dieses Organs hängen mit Wachstumsveränderungen
des Kindes, besonderen Verdickungen der Haut, sowie mit geistiger
Stumpfheit (Kretinismus) zusammen. Durch Fütterung mit Tierschild-
drüsensubstanz ist ein Ausgleich, starkes Zurückgehen aller Krankheitserscheinungen möglich.

Angeborener oder erworbener S c h i e f h a l s, hervorgerufen durch
Verkürzung der Halsmuskulatur einer Seite, bedarf einer operativen
Behandlung, falls nicht ein Nervenleiden eine solche Verkürzung vor-
täuscht.

Die B r u s t des Kindes kann durch die englische Krankheit in mehrfacher Weise entstellt werden. Als Fingerzeig wichtig ist der frühzeitig
auftretende rhachitische Rosenkranz, eine Reihe von Verdickungen an
je einer Rippe sitzend. Ferner sind zu nennen Hühnerbrust und Trich-
terbrust, die durch orthopädische Maßnahmen und Atmungsgymnastik
gebessert werden können. Bedeutsamer als diese Deformitäten ist das
Zurückbleiben des Wachstums der Brust überhaupt. Es kennzeichnet
sich durch Dürftigkeit und Schwäche der Muskulatur, durch geringe
Wölbung, Gruben oberhalb und unterhalb des Schlüsselbeins, und weite
Zwischenrippenräume. Solche Personen zeigen Neigung zur Lungen-
tuberkulose. Frühzeitiges Eingreifen kann vieles bessern.

Große Beachtung verdient die W i r b e l s ä u l e des Kindes. „Schiefe
Haltung" der Schultern, Vorstehen der Schulterblätter, vornüberhän-
gender Gang, seitliche Neigung des Rumpfes, besonders aber Verschwinden oder Vertiefung des „Taillendreiecks" (Lücke zwischen herabhängen-
dem Arm und Taille) an einer Seite, oder „hohe Hüfte" fordern zur ärztlichen Untersuchung eventuell Behandlung auf.

Es stellt sich dann meist heraus, daß die Wirbelsäule in einem seitlichen Bogen der Mittellinie ausweicht. Zumeist handelt es sich um
einen rhachitischen, frühzeitig auftretenden Prozeß in den Wirbelknochen, oder um eine in die Zeit des Schulbesuches fallende Verbiegung
bei schwächlichen Kindern, die durch schlechte Haltung beim Schreiben, auch durch schlechte Schulbänke gefördert wird. Zuweilen handelt
es sich um Tuberkulose der Wirbelknochen. Die gleichen Ursachen,
englische Krankheit, Muskelschwäche, Tuberkulose können zu einer
nach rückwärts gerichteten Ausbiegung der Wirbelsäule führen.

Eine E i n b i e g u n g d e r L e n d e n w i r b e l s ä u l e nach vorne beobachtet man regelmäßig bei fortschreitender Muskelentartung des Kin-

des. Diese Erkrankung zeigt als weitere wichtige Kennzeichen vorge-
triebenen Bauch, watschelnden Gang und Unfähigkeit, sich vom Boden
zu erheben, ohne die Hände zu Hilfe zu nehmen, mit denen der Patient
zumeist an seinen eigenen Beinen „aufklettert".

An den A r m e n   u n d   H ä n d e n findet sich zuweilen angeborener
Mangel von einzelnen Röhrenknochen. Die Gebrauchsfähigkeit solcher
Gliedmaßen, zum Beispiel von Klumphänden, muß auf künstlichem
Wege erzielt werden. Häufiger sind auch hier Verkrümmungen und
Brüche, besonders am Vorderarm, als Folgen der englischen Krankheit
zu beobachten.

Von Entwicklungsfehlern der u n t e r e n   E x t r e m i t ä t e n sind zu
erwähnen: die a n g e b o r e n e   H ü f t g e l e n k s v e r r e n k u n g, die
meist erst den Eltern auffällt, sobald das Kind Gehversuche unternimmt.
Verdacht erwecken der watschelnde „Entengang", Auffallen auf eines
der Beine, vorgetriebener Unterbauch und Verbreiterung der Hüfte.
Angeborener Mangel von Knochen kann zu Klumpfuß führen. Besonders bedeutsam sind rhachitische Veränderungen am weiblichen
Becken, die später zu Geburtshindernissen Veranlassung geben können,
und an den Beinen und Füßen, die vielfach den Gebrauch dieser
Gliedmaßen stören. Sogenannte X- und O-Füße entwickeln sich auf
dem Boden der englischen Krankheit zwischen dem 2. bis 4. Jahre.
X-Füße können sich auch um das 14. Lebensjahr bei Personen zeigen,
die berufsmäßig viel stehen müssen: bei Kellnerjungen und Bäckern.
Beschwerden, Schmerzen sind dabei recht häufig. Noch mehr
beim Plattfuß, der fast regelmäßig bei X-Füßen, aber auch sonst bei
Rhachitikern frühzeitig, bei anderen schwächlichen Personen um die Zeit
ihrer Berufswahl, wenn sie langem Stehen ausgesetzt sind, erworben
wird. Ist der Plattfuß dadurch charakterisiert, daß der Fuß mit der
Innenkante den Boden berührt, so kennzeichnet sich der angeborene
Klumpfuß dadurch, daß die Innenkante stark gehoben und die Fuß-
spitze nach innen gerichtet ist. Schweißfüße und Schweißhände sollten frühzeitig einer Behandlung zugeführt werden. Die Behauptung,
daß diese Behandlung schädlich wirke, ist nichts weiter als ein Märchen.

Unter E i n g e w e i d e b r ü c h e n versteht man das Vortreten von
Darmschlingen oder anderem Bauchinhalt unter die Haut, so daß sie
diese vorwölben und so sicht- und tastbar werden. Sie sind recht
häufig und treten mit Vorliebe in der Nabelgegend, in der Gegend des
Oberschenkels und in der Leistengegend zutage. Letztere können bei
weiterem Vordrängen dem Samenstrang folgend bis in den Hodensack

gelangen. Da sie eine ständige Gefahr für ihren Träger bedeuten, sollten sie frühzeitig einer Operation zugeführt werden. Die Gefahr besteht darin, daß der sie umschließende Gewebsring eines Tages die Darmpassage hemmt und den Bruchinhalt abschnürt. Schmerz, Erbrechen, Aufhören von Stuhl und Winden sind die zunächst drohenden Erscheinungen, die eine schleunige, sofortige Abhilfe erfordern.

Zuletzt führen wir noch kurz an das Zurückbleiben der Hoden im Bauchraum, abnormale Ausmündung von Harnröhre und Mastdarm, angeborener Verschluß desselben, Polypen des Mastdarms als Ursache von Blutungen und die Erscheinungen der Zwitterbildung, bei der sich männliche und weibliche Geschlechtsteile gleichzeitig vorfinden können.

Von Entwicklungsfehlern der inneren Organe sind vor allem angeborene Herzfehler hervorzuheben, denen zufolge die Neugeborenen oft dauernd eine bläuliche Hautfärbung beibehalten, und die seltenere Enge des Blutgefäßsystems bei dauernd schwächlichen, wenig entwickelten, blassen Kindern. Die Fehler des Gehirns können sich in Schwachsinn und Epilepsie äußern.

Eine große Reihe von Entwicklungsfehlern findet sich unter den als „Unarten" bezeichneten Eigenheiten des Kindes. Sie sind oft nur der Ausdruck des innersten Wesens und prägen dem Charakter des Menschen oft dauernd ihren Stempel auf. Man findet sie in der Kindheitgeschichte von gesunden sowie nervösen, hervorragenden sowie minderwertigen Personen. Ihnen mit Strenge zu begegnen ist ein verfehltes Unternehmen. Doch soll man ihnen stets Beachtung schenken. Ich erwähne hier Daumenlutschen, Saugen an den Lippen, Nägelbeißen, Bettnässen und Kotschmieren. Sie treten bei Kindern auf, die auch zu geschlechtlicher Frühreife neigen. Geschlechtliche Erfahrungen von diesen fernzuhalten, ist alles, mißlingt aber nicht selten.

Man könnte noch vieles anführen, was dem Kinde in jungen Jahren droht, was den kleinen Geschöpfen Leiden bereitet und Verunstaltung bringt. Auch die Haut nimmt an Entwicklungsfehlern teil und zeigt sich oft an Juckblättchen oder Schuppenflechte erkrankt, die beide nicht leicht völlig zu beseitigen sind. Aber genug davon, und freuen wir uns der zahlreichen Möglichkeiten, die uns die moderne Wissenschaft bietet, das Los dieser Kinder zu bessern und erträglich zu gestalten. Seien wir als Eltern dessen eingedenk, daß frühzeitiges Erkennen solcher Entwicklungsfehler viele Qualen ersparen hilft, und versäumen wir nicht, dieses Kindermaterial, das der Bearbeitung durch das Leben und durch die sozialen Bedingungen oft viel schwerer unterworfen ist, mit besonderer Liebe und Vorsicht über ihre jungen Jahre hinauszubringen.

Über Vererbung von Krankheiten.

Von Dr. Alfred Adler (1908).

Die Frage nach der Übertragung von körperlichen Eigenschaften der Eltern auf die Kinder ist wohl die schwerwiegendste und inhaltsreichste der gesamten Lehre vom Leben. An sie und ihre stückweise Lösung knüpft unser Verständnis von der Stetigkeit der Tier- und Pflanzenarten, von ihrer Abänderung und Aufzüchtung, von der Erhaltung förderlicher Eigenschaften und dem Verschwinden untauglicher auch beim Menschen, von der Einheit der Natur und ihrer fortschreitenden Gestaltung an. Die Macht der Vererbung fixiert die Arten im Tier- und Pflanzenreich und läßt nur Gleiches von Gleichem abstammen. Dieselbe Macht aber tritt ein anderes Mal artbildend auf und überträgt einmal erworbene Veränderungen unter gewissen Umständen auf die Nachkommen.

Da tauchen die alten Rätsel der Menschheit auf und fordern immer dringender ihre Lösung. Was wird vererbt? Wie vollzieht sich die Vererbung? Wie können erworbene Eigenschaften auf die Nachkommen übergehen? Können geistige Eigenschaften übertragen werden? Wie weit reicht der Einfluß des Vaters? der Mutter? der Ahnen? Gehen wir einer Verbesserung der menschlichen Rasse durch Auslese des besseren Materials, einer Verschlechterung durch Steigen der Keimschwäche entgegen? Wie und wodurch können sich Krankheiten vererben?

Die Lehren Darwins weisen auf den Kampf ums Dasein hin, der das untaugliche Material unbarmherzig ausrottet und so den ewigen Fortschritt der einheitlichen organischen Welt erzwingt. Weismann fordert die Anerkennung des ewig unveränderlichen Keimmaterials, das wesentlich nur durch mächtige äußere Einflüsse in seinem feineren Aufbau verändert werden könne. De Vries und die Neo-Lamarckisten heben die Wichtigkeit und Bedeutung größerer, sprunghafter Veränderungen im organischen Reiche hervor und halten diese im Werdeprozeß der Arten für bedeutungsvoll. Gregor Mendel endlich zeigt uns die Abhängigkeit der Veränderungen von der Verschiedenheit des Elternpaares und die Gesetzmäßigkeit der Vererbungsprinzipien. Sie und ihre näheren und entfernteren Anhänger haben manche der schwebenden Fragen gelöst, doch ist vieles noch dunkel und strittig und die naturphilosophische Spekulation gedeiht noch recht üppig auf dem Boden der Vererbungslehre. 51

Die einzelligen Organismen besitzen in ihrer e i n e n Zelle alle zum
Leben und zur Fortpflanzung nötigen Kräfte. Ihr Bestand an Zellstoff
reicht aus, um Nahrung heranzuziehen, diese zu verarbeiten, zu atmen,
sich zu bewegen und sich durch Abschnürung eines Teiles der Leibes-
substanz fortzupflanzen. Aber schon die nächsthöheren Stufen zeigen
eine oft weitgehende Differenzierung ihres Zellbestandes und Zellver-
mögens. Bald begegnen wir in dem Aufstieg der organischen Welt zu
höheren Organismen Zellen und Zellorganisationen, die nicht mehr all-
vermögend sind. Die einen dienen dem Gesamtindividuum, das seinen
Zellenzusammenhang bald nicht mehr aufgibt, als Ernährungsapparat,
die anderen als Atmungsorgan, die eine Zellgruppe dient der Bewegung,
eine andere wird schützender Mantel, Tastorgan, in der weiteren Folge
Auge, Ohr und Nase. Die Fortpflanzung wird schließlich nicht mehr durch
Teilung der einzelnen Zelle, sondern von einem Geschlechtsorgan, in
der weiteren Folge von zwei getrennten Geschlechtsorganen aus eingeleitet. Dieser fortschreitenden Differenzierung und Arbeitsteilung verdanken die hochqualifizierten Organe, Nervensystem, Blutkreislauf usw.,
ihre Entstehung.

Die Naturbetrachtung hat vorwiegend dieser Vervollkommnung, die
in der Ausgestaltung des Individuums liegt, ihr Augenmerk geschenkt,
und dies mit Recht. Sie hat aber auch Raum genug und wird sich gewöhnen müssen, d a s M o m e n t d e r V e r k ü m m e r u n g , d e r Z e l l -
b e e i n t r ä c h t i g u n g , i n s A u g e z u f a s s e n , a u f d e m s i c h
d e r F o r t s c h r i t t i n d e r o r g a n i s c h e n W e l t a u f b a u t.

Immer war es der Zwang der äußeren Umgebung, durch den die Umgestaltung von Zellen und Zellgruppen, die Ausgestaltung chemischer
und physikalischer Kräfte erwirkt wurde. Die einfachen Aufsaug-
ungsverhältnisse der Zelle genügten nicht mehr, — da entstand
durch einen einseitigen Wachstumsschub die erste Mund- und Darm-
bildung. Das Tasten der Zelle sollte in die Ferne dringen, — da bildete
sich die Seh- und Gehörsanlage. Die Entwicklung in der organischen
Welt vollzieht sich so durch die Ausschöpfung und Umgestaltung aller
der Zelle innewohnenden Fähigkeiten g e m ä ß d e m A n s p r u c h d e r
ä u ß e r e n R e i z q u e l l e n.

Der Eintritt der geschlechtlichen, insbesondere der zweigeschlecht-
lichen Fortpflanzung bedeutet e i n e S i c h e r u n g der auf das verschie-
denartigste gediehenen Zellgruppen, der Organe. Was die differenzierte
Einzelzelle nicht mehr vermag, aus sich die anderen Ausgestaltungen
hervorgehen zu lassen, das leisten nun die Geschlechtszellen, welche die

Entwicklungsfähigkeit der Urzelle samt den Entwicklungsbestrebungen der Organe und Gewebe in sich vereinen.

Der Zwang schuf die Ausgestaltung der Organe, der äußere Zwang und die Reizquellen des Lebens rufen in den Organen eine Spannung hervor, deren befriedigender Lösung der Organismus zeitlebens zustrebt. Was der Organismus von der ihn umgebenden Welt sieht, hört, schmeckt, tastet, riecht, das fügt er innerlich zu seinem „Weltbild" zusammen. Und nicht minder, wie seine Organe dem Zwang der Außenwelt unterliegen und sich nach ihnen umformen, ist das Organ bestrebt, die vor ihm liegende Welt zu erfassen und nach seinen Bedürfnissen umzugestalten. Die steigende Entwicklung des Nervensystems, vor allem des Gehirns, bei den höheren Formen der Organismen dient dabei der Verknüpfung und Ausgestaltung des Wollens und Könnens der Organe.

Es ist klar, daß diese Entwicklungsreihe nur unter großen Kämpfen und Gefahren zustande kam und daß das Organ auf jede neue Erschwerung der Lebensbedingungen antwortet. Für den Ausgang ist sowohl Art und Größe der Anspannung als auch der Zustand des betroffenen Organs maßgebend. Im günstigen Fall erfolgt ein Ausgleich der Spannung, der Bestand und die Funktion des Organs und damit der Gleichgewichtszustand des Organismus bleiben gewahrt. Und die gleiche Harmonie der Vegetation macht sich auch in den Fortpflanzungsorganen geltend und sichert den Abkömmlingen die vollwertigen Keime einer der Außenwelt angepaßten Entwicklung.

Dieses Bild einer allseits harmonischen Entwicklung hält den wirklichen Verhältnissen nicht stand. Und besonders die Zellverbände des höchstentwickelten Organismus, des Menschen, haben aus Vergangenheit, Gegenwart und Zukunft mit ewig unausgeglichenen Spannungen zu rechnen, die sich aus mangelhaften Leistungen der Organe und Gewebe und den Anforderungen der sozialen Verhältnisse ergeben. Soll der glatte Ablauf der Lebensfunktionen in Gang bleiben, soll den Ansprüchen der Umgebung Genüge geleistet werden, so muß oft der Aufbrauch der inneren Spannkräfte eines Organs eine ungewöhnliche Steigerung erfahren. Die Störungen eines solchen oft recht mühevoll aufrecht erhaltenen Einklangs bezeichnen wir als Krankheiten und finden als ihre letzten äußeren Ursachen zumeist Angriffe äußerer Kräfte, als da sind Verletzungen, Verunreinigungen mit Bakterien und anderen dem Körper feindlichen Stoffen, Hunger, Übermaß und Unzweckmäßigkeit der Ernährung, Mangel der lebenswichtigen Luft, des Lichtes, der Wärme, des Schlafes, Überanstrengungen körperlicher und geistiger Art.

Sehen wir so die Entwicklung und Anspannung und Störung unserer Organe in Wechselbeziehung zur ökonomischen Lage, die Vorzüge und Krankheiten des menschlichen Organismus und die entwickelte Warenproduktion unserer Tage in gegenseitiger Abhängigkeit, so müssen wir die gleichen Beziehungen für die Fortpflanzungsorgane gelten lassen, die den Keimstoff liefern mit den gleichen Vorzügen und Schwächen des im Kampfe stehenden Organismus.

Es ist leicht einzusehen, daß die Schicksale des fertigen Organs und des wachsenden Keimes unter den auf sie wirkenden Kräften nicht die gleichen zu sein brauchen, in der Regel auch nicht die gleichen sind. Hier ein letztes Wachstumsprodukt, das nur wenige Reaktionen im Verhältnis zu der mit unendlicher Fülle und Reaktionsmöglichkeit ausgestatteten Keimzelle kennt, dort ein in mächtigen Wachstumsschüben zur Ausgestaltung drängender Organismus. Auch die Art des Angriffes ist nicht gleichgültig. Das fertige Organ vermag vielleicht in einer letzten Kraftanstrengung zum Siege zu gelangen, ohne daß ein Schaden auffällig wird. Der Keim kann aber bereits leichte Schädigungen erfahren haben, die seine Entwicklung mehr oder weniger beeinträchtigen, oder eine offenkundige Organerkrankung reicht nicht aus, um die Lebenskraft der Keimstoffe zu beeinträchtigen. Am häufigsten wohl trifft eine Krankheit das bereits im Keim geschädigte Organ und setzt so die Keimverschlechterung in den Nachkommen fort.

Höchst bedeutungsvoll für die Lehre von den kranken Organen und ihrer Vererbung ist der Umstand, daß die übertragene Keimstörung verschiedene Erscheinungen setzt, je nach der Zeit ihres Auftretens während der Keimentwicklung; daß sie Zusammenhangsstörungen hervorrufen kann je nach der Beziehung und der gegenseitigen Beeinflussung der wachsenden Organe; und endlich, daß sie Entwicklungsstillstände und Fehlbildungen des Embryo erzeugen kann, welche die Spuren einer früheren embryonalen Zeit tragen als etwa dem Neugeborenen entsprechen. Die Reihe dieser Keimstörungen, die in ihren harmlosen Ausprägungen als „Variationen" bekannt sind, ist so mannigfaltig, daß die ihnen entstammenden Organe keineswegs durchaus als mangelhaft oder untauglich, in vielen Fällen vielmehr wegen ihrer größeren, — weil dem Embryonalen näheren — Wachstumsenergie geeigneter sind, die Widerstände sozialer Natur zu überwinden, als die elterlichen Organe, die im Daseinskampfe dem Scheitern nahegebracht wurden. Denn auch die „Widerstandsreaktion", die Abhärtung gegen äußere Not, setzt sich im Embryonalleben fort, kann vielfach erst dort die zum Sieg erforderliche Größe gewinnen, wie uns die Erscheinungen der Gewöhnung an geändertes Klima beweisen. Zudem werden durch die zweigeschlechtliche Abstammung des Menschen Keimstörungen bei einem der Elternpaare durch den Keim des anderen häufig verwischt, wenn auch nicht völlig aufgehoben. Freilich können sie bei gleichlaufender Richtung auch verstärkt werden, was uns insbesondere den Blutsverwandtenehen gegenüber mißtrauisch macht. Nicht dort, wo wir familiäre Keimstörungen ausschließen können; bei solcher einwandfreien Inzucht können gewisse Vorzüge der Nachkommenschaft sogar in verstärktem Maße vererbt werden. Dann entspringen der Blutsverwandtenehe zuweilen individuell hervorragende Sprößlinge, die ihrer Umgebung in manchem überlegen sein können. Die Mischehe dagegen läßt weniger Gefahren bezüglich der Vererbung befürchten und hat für größere Zeiträume entschieden die Tendenz, eine Gleichheit im Organischen anzubahnen.

Mit den Anfängen der Keimstörung haben wir heute wohl kaum mehr zu rechnen. Soweit die äußeren Krankheitsursachen für ein gesundes Organ und für ein Individuum von voller Widerstandskraft in Frage kommen, — speziell bei Vergiftungen und epidemisch wirkenden Krankheitsursachen, — können wir das Verhältnis von Organ und schädigendem Anspruch als das einer relativen Minderwertigkeit des Organs bezeichnen, aus der allerdings eine Keimstörung und damit eine absolute Minderwertigkeit des abstammenden Organs entstehen k a n n. Zumeist läßt sich aber der Nachweis führen, daß heute v o r a l l e r E r k r a n k u n g eines oder mehrere der Organe in unserem Sinne minderwertig sind, das heißt eine Keimstörung durchgemacht haben, deren Veranlassung in der Ahnenreihe zu suchen ist. Von den großen Schädigern des Keimmaterials werden von ärztlicher Seite gewöhnlich drei genannt: A l k o h o l , L u e s und T u b e r k u l o s e. Wir können mit dem gleichen Recht a l l e A n g r i f f s m o m e n t e s o z i a l e r N a t u r hinzunehmen, auf die oben summarisch hingewiesen wurde, und müssen noch hinzufügen, daß sie alle in erster Linie das von Natur aus minderwertige Organ bedrohen.

Von diesem aber, das seine Eigenart irgendwelchen Entwicklungsstörungen des Keimes verdankt, müssen wir behaupten, daß es sich als minderwertig vererbt. Damit ist über den Ausgang noch nichts festgestellt. Sicher kommt es zum Absterben einer ungeheuren Zahl von Individuen, bei denen sich die Minderwertigkeit einzelner Organe bis zur Lebensunfähigkeit des Organismus entwickelt hat. Viele werden durch sonst erträgliche Ursachen zu Krankheit und Tod gebracht. Andere gewinnen Raum, finden durch Kräftigung oder durch die Huld ihrer sozialen Verhältnisse dauernd den Weg zur Gesundheit und können ihren Nachkommen eine günstigere Keimentwicklung vererben. Vielen erwachsen Hilfen aus gewissen Überleistungen der Nervenbahnen und des Gehirns, die sich in bewußter oder unbewußter Weise äußern und den Schein einer Vererbung geistiger Fähigkeiten hervorrufen. Immer aber sehen wir, wie das minderwertige Organ, solange nicht ein äußerster Grad von Schwäche daran hindert, mit den äußeren Feinden ringt, um sich direkt durch Wachstumszuschuß oder indirekt auf dem Wege intensiverer nervöser und psychischer Leistungen zu behaupten. Die Vollwertigkeit des Organismus hat keine Neigung sich zu verändern, körperlicher und geistiger Stillstand sind ihre Ursachen und Folgen. Erst wenn sie durch eine Verschärfung der sozialen Ansprüche aufgehoben und in die Minderwertigkeit gedrängt wurde, wenn der hierdurch vererbte minderwertige Keim seine dem Embryonalen verwandte Kraft zur Entladung bringt, kommt neues körperliches und geistiges Wachstum in die Welt. Oder, da dem organischen Wachstum Schranken auferlegt sind, es entfaltet sich die Stärke des minderwertigen Organs in seinem psychischen Überbau und schafft sich seine Geltung durch neue Wege, Erfindungen, Künste und Abwehr der sozialen Gefahren.

Die medizinische Wissenschaft, die sozialen Gefühle der menschlichen Gemeinschaft, aber auch unsere Kultur, die auf volle Arbeitsfähigkeit des Individuums ihren Anspruch erhebt, haben erfreulicherweise das Interesse an dem erkrankten Menschen erheblich vertieft. Eine Steigerung dieses Interesses wird unbedingt eintreten, wenn die Menschheit gezwungen ist, die Fragen der zukünftigen Gesellschaft für die Gegenwart als bindend anzusehen. Alle diese Umstände verstärken die Notwendigkeit, den Fragen der Vererbung in der Lehre von den Krankheiten mit regem Eifer nachzugehen. Aus unserer Darstellung ergibt sich, daß den angeborenen Anlagen zur Krankheit ein ungeheurer Einfluß einzuräumen ist, der nur zu oft verkannt wird, weil so häufig die Anlage unerkannt bleibt, ohne daß der Ausbruch einer Erkrankung vermieden wird. Je weiter die medizinische Erkenntnis vordringt, um so mehr lehrt sie uns im Falle der Erkrankung den Beitrag der Erblichkeit würdigen. Aber noch mehr. Bei aufmerksamer Beobachtung sind wir heute bereits vielfach in der Lage, aus den dem fertigen Organismus anhaftenden verräterischen Spuren einer Keimschwächung den Verdacht auf bestimmte drohende Erkrankungen zu lenken. Wohl nur den Verdacht; denn es darf die Mitbeteiligung konkurrierender Krankheitsursachen niemals außer Betracht gelassen werden, wenngleich bei den schwer ausschaltbaren Ansprüchen unserer Kultur manche dieser weiteren Ursachen sich mit Notwendigkeit einstellen. Die Konjunktur z. B. beherrscht das Keimmaterial, führt zur Minderwertigkeit der Organe und damit zur erblichen Krankheitsanlage. An dem wenig scharfen Krankheitsbegriff scheitert eine sichere Unterscheidung zwischen Vererbung von Anlage und Vererbung von Krankheit. Die aufzubringende Leistung des Organs und ihr Verhältnis zur Organwertigkeit entscheiden über Leben und Tod, über Gesundheit und Krankheit.

Fehlbildungen oft feinster Art und Funktionsmängel sind im allgemeinen die Zeichen der ererbten Minderwertigkeit und als solche recht häufig vererbbar. Sie sind nicht immer, trotz Krankheitsanlage, nachweisbar oder können an anderen Gliedern des Stammbaumes hervortreten. Was sich daran als Krankheit anschließt, ist zumeist recht verschiedener Art. So kann es kommen, daß der bunteste Wechsel von Erkrankungen eines Organs und seiner zugehörigen Anteile in der Erbfolge in Erscheinung tritt, daß Krankheit und Gesundheit einander ablösen, daß Anlage und Gesundheit, Krankheit und Anlage aufeinander folgen. Die Mannigfaltigkeit wird noch gesteigert, da der Sitz des „geringeren Widerstandes" im Organ ein wechselnder sein kann, so daß die Minderwertigkeit in der Erbfolge nicht nur verschiedene und anderswertige Stellen des Organs, und diese in verschiedener Ausprägung, sondern auch zugehörige Zellgruppen des Nervensystems, der Blut-, der Lymphbahnen ergreifen kann und so einer ausbrechenden Erkrankung formgebend vorbaut. Andererseits darf es nicht wundernehmen, wenn wir bei manchen Erbfolgen Gleichheit der Erkrankungen oder sogar Auftreten identischer Krankheiten in der gleichen Entwicklungsperiode vorfinden.

Alle zu weit gehenden Anforderungen an den Organismus, Angriffe, die über ein bestimmtes Maß hinausgehen, auch Einschränkungen, die der Entwicklung eines Organs hinderlich sind, setzen in der Nachkommenschaft verderbliche Wirkungen. Die Schädigungen des Individuums: chronischer Hungerzustand, dauernd schlechte, unzweckmäßige Ernährung, Überarbeit, ein Übermaß seelischer Aufregungen und Sorgen, frühzeitiger Arbeitsbeginn vor vollendeter Entwicklung, zittern in der Erbfolge nach. Sie erfassen in erster Linie das überanstrengte Organ, korrumpieren es und schaffen die schwachen Ernährungsorgane, Muskelschwäche, Nervenschwäche, Verminderung der geistigen Leistungsfähigkeit usw., indem sie den ungestörten Ausbau der Organe im Keime hemmen. Kommen im Leben die inneren und äußeren Krankheitsursachen dazu, Vergiftungen, Ansteckungskeime usf., so kann die Beeinträchtigung einen Grad erreichen, der als Krankheit auffällt, wenn dies vorher noch nicht der Fall gewesen ist. Eine ungeheure Summe von Schädigungen, die fortgesetzt an den Organen ansetzen, fließt aus der heutigen Kultur. Das Defizit guter, reiner Luft in der Stadt, in den Wohnräumen, in schlecht ventilierten, von Staub und Rauch erfüllten Arbeitsräumen ist als dauernder Angriff auf die A t m u n g s o r g a n e der Bevölkerung und ihrer Nachkommen anzusehen. Die Ausrottung der Tuberkelbazillen, deren Hauptansiedlungsstätte die von Geburt aus schwachen Lungen sind, ist ein frommer Wunsch; die angeborene Minderwertigkeit der Atmungsorgane und ihrer zugehörigen Nerven-, Lymph- und Blutbahnen bestimmt den Ausbruch und Verlauf der Erkrankung. Die keimzüchtende Unreinlichkeit, die Mängel der Hygiene in Stadt und Land verstärken den Angriff und können den Schutz der H a u t erheblich vermindern. Weitere Störungen erfolgen aus den gesteigerten Ansprüchen an die A u g e n , vor allem durch schlechte Beleuchtung, an die O h r e n , durch die besonderen Ansprüche unserer Kultur an ̃das Gehörsorgan und seine zugehörigen Anteile. H e r z u n d G e f ä ß e leiden durch anhaltende Sorgen, Überarbeit, mangelhafte Blutbildung, unzweckmäßige Ernährung. Und alle diese Benachteiligungen erfahren für die Nachfolge durch ausbrechende Krankheiten eine Steigerung, von denen manche, wie Tuberkulose, Lues, Vergiftungen durch Alkohol, Blei usw. den Keimstoff besonders schwer schädigen. Maßlose Überanstrengung des Gehirns durch gesteigerte Anforderungen der Organe, durch Sorgen, dauernde Unbefriedigung, unerträgliches Mißverhältnis zwischen Wunschleben und Wirklichkeit schaffen die Anlage zu n e r v ö s e n E r k r a n k u n g e n , die im Keime weitergegeben und durch erneute Angriffe der Innen- und Außenwelt verstärkt werden können. Dazu die W e c h s e l b e z i e h u n g e n oft inniger Art zwischen einzelnen Organen und Organteilen, die Bestrebungen des Gesamtorganismus, durch Ersatz und Ersatzbildungen mit den äußeren Anforderungen ins Gleichgewicht zu kommen, und das häufige Scheitern an einem Zuviel oder Zuwenig. Die Erbfolge kann diese Ersatzbestrebungen aufnehmen und zu besserem oder schlechterem Ende weiterführen. Die Häufung der nervösen und geistigen Erkrankungen unserer Zeit zeigen mit großer Deutlichkeit auf die Größe der Widerstände, die sich einer harmonischen Verarbeitung der menschlichen Kultur durch den menschlichen Geist entgegenstellen. Vererbung von minderwertigen Gehirnanlagen, größere Neigung zu Nervenkrankheiten sind Zeichen auf dem Wege zum Wachstum und Erstarken der Gehirne in der Nachkommenschaft. Die stärkeren Gehirne aber, freier vom Ballast des Aberglaubens und nicht mehr so sehr im Joche unbewußter Regungen, an den Schwierigkeiten des Lebens herangewachsen und im Kampfe gekräftigt, sind gleichzeitig Produkt und Schöpfer der fortschreitenden Entwicklung.

Das Zärtlichkeitsbedürfnis des Kindes.

Von Dr. Alfred Adler (1908).

Das Studium nervöser Kinder und Erwachsener hat in den letzten Jahren die fruchtbarsten Aufschlüsse über das Seelenleben zutage gefördert. Nachdem erst die wichtig scheinende Vorfrage erledigt war, ob das Seelenleben gesunder und nervöser Personen qualitativ verschieden sei, — eine Frage, die heute dahin beantwortet werden muß, daß die psychischen Phänomene beider auf die gleichen Grundlagen zurückzuführen sind —, konnte getrost der Versuch unternommen werden, die Ergebnisse der Psychoanalyse nervöser Menschen an dem „normalen" Seelenleben zu messen. Da zeigt sich nun in gleicher Weise die grundlegende Bedeutung des Trieblebens für Aufbau und Zusammensetzung der Psyche sowie der große Anteil des Unbewußten am Denken und Handeln, der Zusammenhang des Organischen mit der Psyche, die Kontinuität und Vererbbarkeit von Charakteranlagen, die volle Deutbarkeit des Traumlebens und seine Bedeutung und der große Anteil des Sexualtriebs und seiner Umwandlungen an den persönlichen Beziehungen und an der Kultur des Kindes.

Unter den äußerlich wahrnehmbaren psychischen Phänomenen im Kindesleben macht sich das Zärtlichkeitsbedürfnis ziemlich früh bemerkbar. Man hat darunter durchaus kein umgrenztes psychisches Gebilde zu verstehen, das etwa in der psychomotorischen Gehirnsphäre lokalisiert wäre. Sondern wir nehmen darin den Abglanz von mehrfachen Regungen, von offenen und unbewußten Wünschen wahr, Äußerungen von Instinkten, die sich stellenweise zu Bewußtseinsintensitäten verdichten. Abgespaltene Komponenten des Tasttriebs, des Schautriebs, des Hörtriebs liefern in eigenartiger Verschränkung die treibende Kraft. Das Ziel liegt in der Befriedigung dieser nach dem Objekt ringenden Regungen. Und der erste unserer Schlüsse darf lauten: ein starkes Zärtlichkeitsbedürfnis des Kindes läßt unter sonst gleichen Umständen ein starkes Triebleben vermuten. — In der Regel, — und vernünftigerweise, — ist eine Befriedigung des Begehrens nach Zärtlichkeit nicht ganz umsonst zu erlangen. Und so wird das Zärtlichkeitsbedürfnis zum Hebel der Erziehung. Eine Umarmung, ein Kuß, eine freundliche Miene, ein liebevoll tönendes Wort sind nur zu erzielen, wenn sich das Kind dem Erzieher unterwirft, also auf dem Umweg über die Kultur.

n gleicher Weise wie von den Eltern ersehnt das Kind Befriedigung
om Lehrer, später von der Gesellschaft. Das Zärtlichkeitsbedürfnis
st somit ein wesentlicher Bestandteil der sozialen Gefühle geworden.
Die Stärke der Zärtlichkeitsregungen, der psychische Apparat, den das
Kind in Szene setzen kann, um zur Befriedigung zu gelangen, und die
Art, wie es die Unbefriedigung erträgt, machen einen wesentlichen Teil
les kindlichen Charakters aus. — Die ursprünglichen Äußerungen des
Zärtlichkeitsbedürfnisses sind auffällig genug und hinlänglich bekannt.
Die Kinder wollen gehätschelt, geliebkost, gelobt werden, sie haben eine
Neigung sich anzuschmiegen, halten sich stets in der Nähe geliebter
Personen auf, wollen ins Bett genommen werden usw. Später geht das
Begehren auf liebevolle Beziehung, aus der Verwandtenliebe, Freund-
chaft, Gemeinschaftsgefühle und Liebe stammen.

Begreiflicherweise hängt von einer richtigen Führung dieses T r i e b -
o m p l e x e s ein großer Teil der Entwicklung ab. Und es ist bei dieser
Betrachtung recht deutlich zu sehen, wie eine Teilbefriedigung des Trieb-
ebens ein unerläßlicher Faktor der Kultur wird, ebenso wie der ver-
leibende unbefriedigte Triebkomplex den ewigen, immanenten Antrieb
u seiner fortschreitenden Kultur abgibt. Auch die fehlerhaften Rich-
ungen, auf die das Zärtlichkeitsbedürfnis geraten kann, sind leicht zu
rsehen. Der Impuls soll, ehe er zur Befriedigung gelangt, zum Um-
vege verhalten werden, er soll die Kultur des Kindes treiben. Dadurch
verden Weg und Ziel des Zärtlichkeitsbedürfnisses auf eine höhere Stufe
ehoben und die abgeleiteten, geläuterten Gemeinschaftsgefühle er-
vachen in der Seele des Kindes, sobald das Ziel Ersatzbildungen zuläßt,
obald an die Stelle des Vaters etwa der Lehrer, der Freund, der Kampf-
enosse treten kann. Damit muß sich die Ausdauer der Triebregung
ng verknüpfen. Die Entbehrung der Befriedigung soll nicht das
sychische Gleichgewicht vernichten, soll nur die Energie wachrufen
nd die „kulturelle Aggressionsstellung" erzeugen. Bleibt dem Kinde
er Umweg über die Kultur erspart, erlangt es nur Befriedigungen pri-
nitiver Art, und diese ohne Verzögerung, so bleiben seine Wünsche stets
uf sofortige, sinnliche Lust gerichtet. Dabei kommt ihm vielfach
ie Neigung der Eltern entgegen, deren Freude es sein mag, sich von
innlos hätschelnden, kosenden Kindern umgeben zu sehen, folgend
en Erinnerungsspuren ihrer eigenen Kindheit. — Bei derart erzogenen
Kindern wird stets eine der ursprünglichen Formen der Befriedigung
uffallend bevorzugt erscheinen. Auch die Entwicklung von Selbstän-
igkeit, Initiative und Selbstzucht leidet Mangel. Der Idealzustand

4*

bleibt Anlehnung und Abhängigkeit von einer der geliebten Personen, Entwicklungshemmungen, die mit einer ganzen Schar abgeleiteter Charakterzüge das weitere Lebensbild beherrschen. Bald wird Schreckhaftigkeit, Neigung zur Angst auffällig, die sich in die Gedankenwelt und ins Traumleben fortsetzen. Weibische Züge im schlechten Sinne bekommen die Oberhand, und im extremen Falle baut sich die Psyche in falscher Richtung so weit vor, bis der mutlose, masochistische, nervöse Charakter erreicht ist.

Den Gegensatz liefert eine Erziehung, welche dem Zärtlichkeitsbedürfnis auch die kulturellen Befriedigungen entzieht und das Kind mit seiner Sehnsucht nach Liebe allein läßt. Von allen Objekten der Zärtlichkeit abgeschnitten, besitzt das Kind nur die eigene Person als Ziel seiner Sehnsucht, die Sozialgefühle bleiben rudimentär, und Befriedigungstendenzen erhalten die Oberhand, die Eigenliebe in jeder Form zum Inhalte haben. Oder das Kind gerät in die Angriffsstellung. Jeder unbefriedigte Trieb richtet den Organismus schließlich derart, daß er sich in Aggression zur Umgebung stellt. Die rauhen Charaktere, die zügellosen, unerziehbaren Kinder können uns darüber belehren, wie der dauernd unbefriedigte Zärtlichkeitstrieb die Aggressionsbahnen in Erregung bringt. Das Verständnis für den jugendlichen Verbrecher wird, meinen wir, durch diese Betrachtung wesentlich gefördert. Aber nicht immer geht die Reaktion bis zur Wirkung auf die Außenwelt. Die Aggressionsneigung kann eine Hemmung erleiden, die ursprünglich wohl im Sinne und unter dem Druck der Kultur einsetzt, später aber weitergreift und auch die „kulturelle Aggression", — Betätigung, Studium, Kulturbestrebungen, — unmöglich macht, indem sie sie durch „des Zweifels Blässe" ersetzt. Auch bei dieser Entwicklungsanomalie finden wir an Stelle der Triebbefriedigung oder der „kulturellen Aggression" Verdrossenheit, Mangel an Selbstvertrauen und Angst als den Ausdruck der gegen die eigene Person gerichteten Aggression. Daß viele dieser Kinder später der Neurose verfallen, darf uns nicht wundernehmen, ebensowenig, daß viele von ihnen als Charaktertypen oder eigenartige Individualitäten, zuweilen mit genialen Zügen ausgestattet, durchs Leben wandeln.

Hier schließt sich eine große Zahl pädagogischer Betrachtungen an. Mag jeder Erzieher daran prüfen und weiterarbeiten. Nur hüte er sich, seine eigenen Wünsche und Gefühle in die Beweisführung hineinzutragen, wie es unmerklich zu geschehen pflegt, wenn man eine Materie bearbeitet, zu der uns eigene Erinnerungsspuren hinüberleiten. Und man bedenke, daß die Natur nicht engherzig vorgeht. Es wäre ein Jammer, wenn jeder Erziehungsfehler seine Folgen hätte. Für die Norm aber muß die Behauptung gelten: das Zärtlichkeitsbedürfnis des Kindes soll nicht zum Spiel allein, sondern vor allem mit kulturellem Nutzeffekt befriedigt werden; und man sperre dem Kinde nicht die Zugänge zur Befriedigung seiner Zärtlichkeit, wenn es sie auf kulturellen Bahnen erreichen kann, denn sein Zärtlichkeitstrieb wurzelt in organischem Boden und zielt auf Selbstbehauptung.

Über neurotische Disposition.

Zugleich ein Beitrag zur Ätiologie und zur Frage der Neurosenwahl.

Von Dr. Alfred Adler (1909).

Die analytische Methode hat uns befriedigende Aufklärungen über das Wesen der Neurosen, über den Aufbau ihrer Symptome und über die Mittel einer souveränen Therapie gebracht. Das scheinbar sinnlose Verhalten der Neurasthenie, der Degenerationspsychose, der Zwangsneurose, der Hysterie, der Paranoia erscheint verständlich und wohldeterminiert. Die Leistungen genialer Menschen, verbrecherische Handlungen, Schöpfungen der Volkspsyche sind der psychologischen Analyse zugänglich und zeigen sich in ihrer psychischen Struktur vergleichbar mit dem Aufbau der neurotischen Symptome. Diese Vergleichbarkeit der analytischen Ergebnisse und deren erstaunliche Identität geben dem Forscher eine solche Sicherheit auf dem nicht unschwierigen Gebiete der Neurosenlehre, daß er auch gegenüber starken Einwänden einer berufenen Kritik nicht aus dem Takte käme. Wieviel weniger gegenüber ungerechtfertigten Lamentationen oder unberufener Aburteilung!

Die starken Positionen in der Neurosenforschung lassen sich deutlich auf die ontogenetische, individualpsychologische Betrachtungsweise zurückführen. Diese Richtung betrachtet das Symptom sowie den neurotischen Charakter nicht bloß als Krankheitsphänomen, sondern vor allem als individuelles Entwicklungsprodukt und sucht sie aus den Erlebnissen und Phantasien des Individuums zu verstehen. Das rätselhafte Bild der Neurose und ihrer Erscheinungsformen fesselte wohl seit jeher die Aufmerksamkeit der Beobachter. Aber erst mit der Individualpsychologie begann der erste Schritt der Rätsellösung, der die individuellen Eindrücke und das Weltbild des Kranken in Rechnung zog, um daraus das Verständnis für das Rätselvolle zu gewinnen. So kamen auch Freud und andere zum Postulat einer ätiologischen Therapie. Die medikamentöse und physikalische Behandlung erwiesen sich als überflüssige Notbehelfe, ihre zuweilen günstigen Erfolge als Wirkungen psychischen Einflusses von meist geringer Dauer und Ergiebigkeit. Doch soll nicht außer acht bleiben, daß die Zeit, „die alle Wunden heilt‟, unabhängig von Medikamenten und Kaltwasserkuren, uweilen psychische Schäden auszugleichen vermag, ebenso wie das Leben nanches wieder gut macht, was es an einer Person verbrochen hat. Zahleiche Menschen weisen die Bedingungen der Neurose auf, ohne ihr u verfallen, weil sie von rezenten Anlässen verschont bleiben und so, venn auch oft mühsam, das psychische Gleichgewicht aufrechterhalten önnen.

Da liegt es nun nahe, den Vergleich mit der gesunden ᵖsyche zu ziehen, um der Frage näher zu kommen: was macht einen ᵔenschen neurotisch? Anfangs schien es und scheint es wohl jedem, als ᵇb besondere Erlebnisse oder Phantasien in den Kinderjahren den Antoß zur Entwicklung der Krankheit gäben. Und tatsächlich hoben die rsten Untersucher auf dem Boden der Psychoanalyse, insbesondere ᵔreud und Breuer, hervor, daß der traumatische Einfluß ᵔines sexuellen Erlebnisses mit seinen direkten und indirekten ᵔolgen, der Verdrängung und der Verschiebung, unter den Ursachen ᵔer Neurose die erste Rolle spiele. Die Erweiterung dieser Lehre ging ᵔahin, die „sexuelle Ätiologie" für alle Neurosen als ausschlagᵔebend hinzustellen und den Hinweis auf den allgemeingültigen Einfluß ᵔer Sexualentwicklung auch für den Normalen mit dem Argumente zu ᵔntkräften, daß die „sexuelle Konstitution", also eine biologische Nuance ᵔes Sexualtriebes, die letzte Wurzel der Neurose bilde, die sich im Zuammenhange mit sexuellen Kindheitseindrücken unter dem Einfluß ᵔiner abnormalen Verteilung der Libido und bei Eintritt einer auslösenᵔen Konstellation einstellt.

Was aber die sexuellen und anderen Kindheitseindrücke anlangt, die ᵔurch die Untersuchung des Neurotikers zutage gefördert werden, sind ᵔie in Grad und Umfang von denen der Normalen nicht sonderlich verᵔchieden. Man findet einmal mehr, ein andermal weniger davon, immer ᵔber ein Maß, das von den Gesunden auch erreicht wurde. Was ᵔur so lange im Dunkeln bleiben konnte, so lange nicht eine ausgiebige ᵔinderforschung und vor allem die analytische Schulung den Blick ᵔür diese Geheimnisse geschärft hatte. Ich möchte diese Einsichten durch ᵔolgende zwei Fälle aus meinen letzten Erfahrungen verstärken:

Ein 4½ jähriger Knabe, körperlich und geistig tadellos entwickelt, ᵔessen Gehaben durchaus keine auffallende Bevorzugung eines der Eltern ᵔrkennen läßt, wendet sich mit dem Wunsche an die Mutter, er möchte ᵔinmal im Bette des Vaters schlafen, der Vater könne ja im Kinderbett ᵔchlafen. Die Mutter, eine ausgezeichnete Beobachterin ihres Kindes, ᵔindet den Wunsch des Kindes auffallend und versucht dessen tieferen

Sinn zu ergründen. „Das geht nicht", sagt sie dem Knaben; „der Vater kommt immer spät und müde aus dem Bureau nach Hause. Da will er seine Ruhe und sein eigenes Bett haben. Aber ich werde dich in meinem Bette schlafen lassen, und will mich an deiner Stelle ins Kinderbett legen." Das Kind schüttelt den Kopf und erwidert: „Das will ich nicht. Aber wenn der Vater in seinem Bette schlafen muß, so kann ich ja bei dir in deinem Bett liegen."

Ich brauche wohl kaum hinzuzufügen, daß die Betten des Ehepaares nebeneinander stehen. Was wir sonst aus diesem Falle noch entnehmen können, ist die Courage des Jungen, seine ruhige Energie, mit der er nach Befriedigung seines Zärtlichkeitsbedürfnisses strebt und der männliche Mut, mit dem er sich an die Stelle des Vaters zu setzen sucht. Ich erinnere hier an meine Arbeit über den „Aggressionstrieb im Leben und in der Neurose", wo ich als den Mechanismus der Neurose die „A g g r e s s i o n s h e m m u n g" hingestellt habe. In unserem normalen Falle sehen wir kaum eine Spur einer Hemmung, sondern der Knabe versucht z i e l b e w u ß t seinen Wunsch, bei der Mutter zu liegen, durchzusetzen, kommt auch leicht darüber hinweg, als sein Versuch fehlschlägt, und wendet sich anderen Wünschen zu. Nebenbei ist er gut Freund mit dem Vater und hegt keinerlei Rachegedanken gegen ihn.

Und doch konnte die Mutter kurze Zeit hernach feststellen, daß der kleine Junge bereits an der Lösung des Sexualproblems arbeitete. Fritz begann nämlich mit jener unheimlichen Fragesucht zu quälen, die eine regelmäßige Erscheinung im vierten bis fünften Lebensjahre bildet; F r e u d hat darauf hingewiesen und hervorgehoben, daß sich hinter diesen Fragen die Frage nach der eigenen Herkunft, nach der Herkunft der Kinder verberge. Ich unterwies die Eltern, und als der Junge abermals zu fragen begann und vom Schreibtisch aufs Holz, dann auf den Baum, aufs Samenkorn und zuletzt auf das erste Samenkorn kam, erhielt er zur Antwort, man wisse wohl, daß er neugierig sei, woher er und die andern Kinder kämen. Er möge nur ruhig fragen, er werde alles erfahren. Das Kind verneinte wohl, seine Fragesucht war aber damit zu Ende. Also doch eine kleine Aggressionshemmung, wie sie wohl allgemein und erträglich sein dürfte. In der Tat blieb der Junge weiter mannhaft und couragiert, und seinem Benehmen haftete keinerlei E m p f i n d l i c h k e i t, N a c h t r ä g l i c h k e i t o d e r R a c h s u c h t an.

Noch ein wichtiger Umstand ist in solchen Fällen deutlich zu erfassen. Man sieht das Kind bereits tief i m B a n n e d e r K a u s a l i t ä t. Ein Kind, das Eltern, Großeltern vor sich sieht, das von Kindern hört, lie zur Welt kommen, wird normalerweise auf die Kausalität stoßen, lie zwischen ihnen besteht. K o m m t n u n d e r k i n d l i c h e E h r g e i z ns Spiel, dann führen Gedanken und Phantasien das Kind so weit, daß s selbst Vater werden will, — wie in unserem Falle. — Derartige kon- :rete Erfahrungen, dazu Erinnerungen gesunder und neurotischer Perso- ien, lassen den sicheren Schluß zu, d a ß j e d e s d e n k f ä h i g e K i n d i m d a s v i e r t e L e b e n s j a h r a u f d a s G e b u r t s p r o b l e m t ö ß t.

Außerdem geht aus unserem Falle hervor, daß wir es mit einem Knaben zu tun haben, d e r s i c h s e i n e r m ä n n l i c h e n R o l l e i m Gegensatze zur Frau bereits voll bewußt ist. Für ihn gibt es kein schwanken und keinen Zweifel[1]. Zärtlichkeitsregungen einem Manne ge- enüber können bei solchen Individuen die Grenzen normaler Freund- chaft nie überschreiten. E i n e E n t w i c k l u n g z u r H o m o s e x u a - i t ä t e r s c h e i n t d a d u r c h a u s g e s c h l o s s e n.

In einem zweiten Falle, den ich hier zur Mitteilung bringen will, önnen wir die Anfänge der neurotischen Entwicklung beobachten.

Ein siebenjähriges, blasses Mädchen mit schwach entwickelter Musku- atur leidet seit zwei Jahren an häufigen, anfallsweise auftretenden Kopf- chmerzen, die sich ganz unvermutet einstellen, Stirne und Augengegend efallen, ins Vorder- und Hinterhaupt ausstrahlen und nach mehreren tunden wieder verschwinden. Keine Magenstörungen, kein Augenflim- iern. Eine organische Erkrankung ist nicht nachzuweisen. Sie soll tets blaß und schwächlich gewesen sein, ist nach Angabe er Mutter sehr klug und gilt als die beste Schülerin ihrer Klasse. Medikamentöse und hydropathische Kuren blieben erfolglos.

Ich bin zur Überzeugung gelangt, daß die neurotische Psyche sich m leichtesten durch ihre psychische Ü b e r e m p f i n d l i c h k e i t ver- ät. Die Klinik der Neurosen rechnet wohl schon lange mit dieser Er- cheinung, ohne, wie mir scheint, ihre psychologische Dignität gehörig u würdigen oder ihre individuelle Bedingtheit zu ergründen und zu eseitigen. Ich kann eigentlich nur zwei Autoren nennen, die von der ngeheuren Tragweite dieser Erscheinung sprechen. Der Historiker .amprecht hat für die Völkerpsychologie die Bedeutung dieser

---

[1] Aus einer großen Anzahl von Untersuchungen geht nämlich hervor, daß ich der Z w e i f e l neurotischer Personen an dieses frühe kindliche Schwan- en anschließt, ob ihm eine männliche oder weibliche Rolle zufallen werde. Die sexuelle Unerfahrenheit bringt in diesen Fällen die Verwirrung hervor.

„Reizsamkeit" festgestellt. Und Bleuler[1] stellt die „Affektivität" in den Mittelpunkt der Neurosen, insbesondere der Paranoia.

In der Regel findet sich diese Überempfindlichkeit bei allen Neurotikern in gleicher Weise deutlich vor. Meist gibt der Patient selbst auf
Befragen zu, daß er sich sehr leicht durch ein Wort, durch eine Miene
verletzt fühlt. Oder er leugnet es, seine Angehörigen haben es aber
längst empfunden, haben gewöhnlich auch schon angestrengte Versuche
gemacht, diese Empfindlichkeit nicht zu reizen. Zuweilen muß man
sie dem Kranken nachweisen und zeigen. Daß man diese Empfindlichkeit auch bei gesund gebliebenen Personen findet, kann weiter nichts beweisen, wenn man sich an die zahlreichen Grenzfälle der Neurose erinnert.

Die Äußerungen dieser Überempfindlichkeit sind interessant genug.
Sie erfolgen präzise, sobald es sich um eine Situation handelt, in der
sich der Patient vernachlässigt, verletzt, klein oder be-
schmutzt vorkommt, wobei es ihm recht häufig zustößt, daß
er auf Nebensächlichkeiten gestützt, eine derartige Situation willkürlich erfindet. Oft mit großem Scharfsinne sucht er seinem Standpunkte logische Repräsentation zu verleihen, die nur der geübte Psychotherapeut durchschaut. Oder der Patient nimmt eine Wahnidee — wie bei der Paranoia, aber auch bei anderen Neurosen — zu
Hilfe, um das Unerklärliche seines Benehmens zu begreifen. Dabei fällt
immer die überraschende Häufung von Herabsetzungen und Demütigungen auf, denen solche Patienten ausgesetzt sind, bis man entdeckt, daß
sie sozusagen ihren Ohrfeigen nachlaufen[2]. Diese Strömung
stammt aus dem Unbewußten und führt meist vereint mit anderen
Regungen den masochistischen Charakter der Neurose herbei, der uns
den Patienten als Hypochonder, als Verletzten, Verfolgten, Herabgesetz-
ten, nicht anerkannten Menschen zeigt, für den es nur Leid, Unglück,
„Pech" gibt. Der Mangel an Lebensfreude, die stete Erwartung von

---

[1] Bleuler, Suggestibilität, Affektivität und Paranoia.

[2] Ein Fall für viele: Ein 36jähriger Patient gefährdete sein Fortkommen
dadurch in hohem Grade, daß er nach kurzer Zeit überall in Streit verwickelt wurde. In der Analyse gelang der Nachweis, daß in ihm ein heim-
liches Streben lag, der Vater möge ihn mißhandeln. Aus seiner Kindheit
und Pubertät lagen Erinnerungen vor, nach welchen er bei irgendeiner Herabsetzung in der Familie andernorts Streit anfing, um Prügel zu bekommen;
oder er ließ sich „zur Beruhigung" gesunde Zähne ziehen. Der Wunsch,
vom Vater mißhandelt zu werden, entsprach seinem Suchen nach Beweisen
des väterlichen Hasses, dessen und anderer Überlegenheit, um die masochistische,
„weibliche" Linie halten zu können und sich abzuhärten.

Unglücksfällen, Verspätungen, mißglückten Unternehmungen und Zurücksetzungen, schon in der Haltung und in den Gesichtszügen des Patienten erkennbar, die abergläubische Furcht vor Zahlen, Unglückstagen und der telepathische Hang, der immer Schlimmes vorausahnt, das Mißtrauen in die eigene Kraft, die den Zweifel an allem erst lebendig macht, das Mißtrauen in die anderen, das sozial zerstörend wirkt und jede Gemeinschaft sprengt, — so stellt sich zuweilen das Bild des überempfindlichen Patienten dar. Alle Grade der A g g r e s s i o n s - h e m m u n g, Schüchternheit, Zaghaftigkeit, Angst und Aufregungszustände b e i n e u e n, u n g e w o h n t e n S i t u a t i o n e n bis zu physischer und psychischer Lähmung können dem Bilde der Neurose eine besondere Färbung verleihen.

Wird so die Überempfindlichkeit zu einer „V o r e m p f i n d l i c h - k e i t", so sehen wir anderseits Erscheinungen in der Neurose auftreten, die man als „N a c h e m p f i n d l i c h k e i t" charakterisieren kann. S o l c h e P a t i e n t e n k ö n n e n e i n e n s c h m e r z l i c h e n E i n - d r u c k n i c h t v e r w i n d e n, u n d s i n d n i c h t i m s t a n d e, i h r e P s y c h e a u s e i n e r U n b e f r i e d i g u n g l o s z u l ö s e n. Man hat den Eindruck von e i g e n s i n n i g e n, t r o t z i g e n Menschen, die es nicht vermögen, durch „kulturelle Aggression" Ersatz zu schaffen, sondern starr und fest „auf ihrem Willen" bestehen. Und dies in jeder Sache und über ihr ganzes Leben hinaus. Gerechtigkeitsfanatiker und Querulanten weisen immer diesen Zug auf. Wir wollen einstweilen bloß hervorheben, daß diese angeführten Charaktere a l l e n N e u r o t i k e r n g e m e i n s a m s i n d u n d m i t d e r „Ü b e r e m p - f i n d l i c h k e i t" i n i n n i g s t e m Z u s a m m e n h a n g e s t e h e n.

D i e A n f ä n g e d i e s e r Ü b e r e m p f i n d l i c h k e i t g e h e n a u f o r g a n i s c h e Ü b e r e m p f i n d l i c h k e i t z u r ü c k, lassen sich sehr weit in das kindliche Leben zurückverfolgen und differieren von der normalen Empfindlichkeit in verschiedenem Grade. Man findet erheblichere L i c h t s c h e u, H y p e r ä s t h e s i e n d e s G e h ö r s, d e r H a u t, g r ö ß e r e S c h m e r z e m p f i n d l i c h k e i t, b e s o n d e r e E r r e g b a r k e i t d e r V a s o m o t o r e n, e r h ö h t e s K i t z e l g e - f ü h l, m u s k u l ä r e E r r e g b a r k e i t[1], H ö h e n s c h w i n d e l bis in

---

[1] Eine bestimmte Art der Nervenübererregbarkeit ist bekanntlich von Anomalien der Nebenschilddrüsen abhängig, so daß wir die angeborene Minderwertigkeit bestimmter Drüsen, der Schilddrüsen, des Pankreas, der Hypophyse, der Nebennieren, vielleicht auch der Prostata, der Hoden und Ovarien usw. als den Ausgangspunkt bestimmter Überempfindlichkeiten erkennen

die früheste Kindheit zurück verfolgbar und kann sie stets auf eine O r -
g a n m i n d e r w e r t i g k e i t beziehen. In meiner „S t u d i e ü b e r
M i n d e r w e r t i g k e i t d e r O r g a n e" (Verlag Urban und Schwarzenberg, Berlin, Wien 1907) habe ich bereits die Beziehungen dieser
Organminderwertigkeit zur Neurose aufgedeckt und habe nach viel-
fachen Untersuchungen noch festzustellen, daß die Überempfindlichkeit
eines Organes in den Kreis der Minderwertigkeitserscheinungen aufzunehmen ist. Ebenso die Unterempfindlichkeit, wie wir sie bei Idioten,
Verbrechernaturen, bei Personen mit moral insanity so häufig beobachten können, zuweilen auch bei den Neurosen, als Verlust oder Einschränkung des Schmerzgefühles, des Kitzelgefühles, der Tätigkeit der Haut-
vasomotoren. Die Herabsetzung der Empfindlichkeit zeigt uns, — was
aus der Betrachtungsweise der Organminderwertigkeitstheorie hervorgeht, — den von iden Vorfahren ererbten Defekt, d i e Ü b e r e m p f i n d -
l i c h k e i t deckt die K o m p e n s a t i o n s t e n d e n z a u f , die aus
den Kämpfen der Vorfahren oder des Trägers um den Bestand eines geschädigten Organes erfließt. Immer finden sich nebenbei auch andere
Organminderwertigkeitszeichen wie Degenerationszeichen, Schleimhaut-
und Hautreflexanomalien, Kinderfehler und Erkrankungen des betreffenden Organs oder Organsystems, wenn auch häufig, wie schon beschrieben, am Stammbaume des Patienten v e r s t r e u t. So kommt in
die Grundlagen der psychologischen Forschung ein phylogenetisches Moment, das bis auf die organischen Wurzeln der Neurose und auf das
Problem der Heredität zurückreicht. Die Überempfindlichkeit samt
ihrem psychischen Substrat machen es aus, daß die aus den Organen
stammenden Triebtendenzen ungesättigt bleiben und so den Aggressionstrieb in einen andauernden Reizzustand versetzen [1]. Erhöhte Reizbarkeit,
Jähzorn, Neid, Trotz, Ängstlichkeit bleiben nicht aus und erfüllen die
Gedankenkreise des Kindes frühzeitig m i t e i n e m i n n e r e n W i d e r -
s p r u c h gegen die ihm aufgezwungene Kultur, die nur bei geringer
Widerstandsleistung des Kindes leicht haftet. Nun kann sich auch die
einsichtsvollste Erziehung bis heute nur schwer von ihrem Grundprinzipe

werden. In vielen Fällen geht dann die auslösende Wirkung nicht von der
ursprünglich minderwertigen Drüse aus, sondern kommt durch Überkompensation einzelner Teile oder anderer Organe zustande, die qualitativ oder
quantitativ den Ersatzzweck verfehlt. So auch durch das Zentralnervensystem oder bestimmte Nervenbahnen, wenn sie zur Überkompensation gezwungen sind. Eine eingehende Erörterung siehe in Adlers „Studie über
Minderwertigkeit der Organe".

[1] Siehe „Der Aggressionstrieb im Leben und in der Neurose".

losmachen, welches nach dem Schema „S c h u l d — S t r a f e" [1] zu erziehen verpflichtet. Dies und der Lauf der Dinge, der so oft nach dem gleichen Schema gerichtet ist, erfüllt die Gedankenwelt vor allem jener Kinder,
die frühzeitig in den inneren Widerspruch geraten m i t e i n e r E r -
w a r t u n g e i n e s u n h e i l v o l l e n A u s g a n g e s s e i n e r v e r -
b o t e n e n W ü n s c h e u n d H a n d l u n g e n. Anderseits bringen es
die Überempfindlichkeit sowie die sekundär verstärkte Triebintensität
und -extensität mit sich, daß sich die gereizte Aggressionstendenz des
Kindes g e g e n P e r s o n e n r i c h t e t, d i e i h m d i e a l l e r n ä c h -
s t e n, z u w e i l e n a u c h d i e a l l e r l i e b s t e n s i n d, g e g e n V a -
t e r, M u t t e r o d e r G e s c h w i s t e r. Ist es ein Knabe, so wird er in
der Regel nach den väterlichen Prärogativen verlangen, ein Mädchen,
nach den mütterlichen. F i n d e t s i c h d a s K i n d i n s e i n e r G e -
s c h l e c h t s r o l l e n i c h t z u r e c h t, so beginnt es zu schwanken,
und d e r Z w e i f e l beginnt seine frühesten Wurzeln zu schlagen. Zuweilen kann sich die feindliche Aggressionsneigung im Kinde entfalten,
dann kommt es zu feindseligen Gedanken und Regungen gegen Personen
der Familie. Gewöhnlich widerstreitet diesen ein Gefühl der Zärtlichkeit,
der Liebe, der Dankbarkeit, die Aggression wird eingeschränkt oder so weit
abgeschwächt, daß ihr Ursprung nur schwer zu finden ist oder sich nur in
Träumen und im Charakter auch der späteren Jahre a l s S c h e m a verrät.
Schon auf dieser Stufe der Entwicklung ergeben sich verschiedene
p s y c h i s c h e Z u s t a n d s b i l d e r, deren Zahl noch namhaft vergrös-
sert wird, wenn wir andere gleichzeitig oder nacheinander wirksame psychische Einschläge und Regungen in Betracht ziehen. So ist die teilweise
Emanzipation des Kindes von seinem Stuhl- und Harntrieb vor sich
gegangen, und diese Emanzipation hat ihm im Zusammenhange mit
der Entwicklung des Schau- und Riechtriebes e i n e d a u e r n d e R e -
a k t i o n g e g e n S c h m u t z und schlechte Gerüche hinterlassen. Ich
muß auch bei diesem Punkte darauf hinweisen, wie sehr dieses Resultat
v o n d e r W e r t i g k e i t u n d E m p f i n d l i c h k e i t d e s A u g e s,
d e r N a s e a b h ä n g i g i s t, so daß die Entscheidung gleichfalls von
der Organminderwertigkeit abhängig wird. Haben nun schon das Organ
und sein Trieb, sowie alle ihre differenzierten Fähigkeiten, wie Empfindlichkeit usw., auf der primitivsten Stufe ihren psychischen Ausdruck und
Charakter, so fallen die Erscheinungen der Hemmungen, der Reaktion,
g a n z i n s G e b i e t d e r p s y c h i s c h e n P h ä n o m e n e und präsen-

---

[1] A s n a o u r o w, Sadismus und Masochismus in Erziehung und Kultur.
E. Reinhardt, München, 1913.

tieren sich als Furcht, Idiosynkrasie, Ekel, Scham. Die ganz psychisch
gewordene Überempfindlichkeit erfaßt j e n a c h d e r I n d i v i d u a -
l i t ä t, d. h. je nach der Beeinflussung der Psyche durch
d a s m i n d e r w e r t i g e O r g a n, alle Beziehungsmöglichkeiten, die
ihr widerstreiten und sucht sie aus dem Erleben auszuschalten[1]. Aus
diesen Affektlagen, die, mit Überempfindlichkeit und starker Reaktionsmöglichkeit ausgestaltet, sozusagen den wunden Punkt der Psyche darstellen, entspringt bald eine passive, bald eine aktive Konstellation,
überwiegt bald das A u s w e i c h e n vor Verletzungen der Empfindlichkeit, bald das aggressive V o r b a u e n o d e r V o r s c h a u e n, meist beides.
    Die Stärke des ursprünglich vorhandenen Aggres-
sionstriebes sowie der Aggressionsfähigkeit ist
offenbar vererbt und als Ausdruck der Kompensationstendenz zu betrachten. Physiologisch betrachtet handelt
es sich um die Leistungsfähigkeit der kortiko-muskulären Bahn, und
eines der Zeichen ihrer angeborenen Minderwertigkeit wird sich als
„körperliche Schwäche", d. h. in erster Linie als m u s k u l ä r e I n -
s u f f i z i e n z darstellen. In der Tat ist es ein nahezu regelmäßiger Bericht
der Frühanamnese neurotischer Patienten, daß sie schwächliche Kinder
waren. Oder aber man erfährt, daß die Patienten als Kinder auffallend
„l i n k i s c h" (linkshändig?) u n d u n g e s c h i c k t waren und sich dadurch viele Blamagen und Strafen zugezogen haben. Ich muß an dieser
Stelle darauf verweisen, daß auch manche der „Kinderfehler", wie Enuresis, Stuhlinkontinenz, Stammeln, Stottern, Sprachfehler usw., die ich als
Zeichen der Organminderwertigkeit hingestellt habe, neben der Tatsache der primären Überempfindlichkeit diesen Eindruck der U n g e -
s c h i c k l i c h k e i t hervortreten lassen, so daß auch die Ungeschicklichkeit als ein Beweisstück des Kampfes angesehen werden muß,
den gewisse Organsysteme bei ihrer Domestikation, bei ihrer Einfügung in das Kulturmilieu zu führen haben.

---

[1] Ein dreijähriges Mädchen zeigt seit einiger Zeit Mangel an Eßlust. Befund negativ. Bei der Untersuchung fällt auf, daß das Kind wiederholt aus-
ruft: „Es stinkt!" Die Eltern geben an, daß das Kind seit einiger Zeit
bei allen Gelegenheiten diesen Ausruf gebrauche. Die weitere Exploration
ergab eine überaus starke familiäre Geruchsüberempfindlichkeit und Defä-
kationsanomalien. Die Nase macht ihre Idiosynkrasien als Trotz geltend. Die
Geruchstoleranz ist so niedrig geworden, daß auch auf normale Gerüche
mit Widerwillen reagiert wird. Der Mangel an Eßlust stammt aus dieser
tendenziös verminderten Toleranz. — Vor allem kommt das Ziel in Betracht, das Gefühl der Überlegenheit durch Negativismus zu erreichen.

Spuren dieser Ungeschicklichkeit kann man ebenso wie Reste des Kinderfehlers im Leben des erwachsenen Neurotikers oft nachweisen[1]. Häufig bleibt eine psychische Unbeholfenheit zurück, die mit der späteren häufig hervorragenden geistigen Schärfe lebhaft kontrastiert und den Schein geistiger Minderwertigkeit hervorrufen kann. Zumeist aber resultiert ein Zustand der Ratlosigkeit, Schüchternheit, Zaghaftigkeit, der weit vor Beginn der Neurose einsetzt. Die Entwicklung des Selbstvertrauens, der Selbständigkeit bleibt mangelhaft, das Anlehnungs- und Zärtlichkeitsbedürfnis steigert sich ins Unermeßliche, so daß den Wünschen des Kindes unmöglich Genüge geleistet werden kann. So kommt es, daß die von Haus aus vorhandene stärkere Empfindlichkeit ungemein gesteigert wird und zu einer Überempfindlichkeit anwächst, die fortwährend zu Verwicklungen und Konflikten Anlaß gibt. Anfänglich besteht ein Gefühl des Zurückgesetztseins, der Vernachlässigung, „man ist ein Stiefkind, ein Aschenbrödel", daran knüpfen Gedanken und Phantasien an, die sich wieder im Leben des Kindes äußern, als Entfremdung, Hang zum Mißtrauen und als der brennende Ehrgeiz, es den anderen zuvorzutun, besser zu sein wie diese, schöner, stärker, größer und klüger. Daß diese ununterbrochen andauernden Wünsche einen mächtigen psychischen Antrieb bilden, und daß sie in der Tat vielen von diesen Kindern zur Überwertigkeit verhelfen, ist keine Frage. Oft aber tritt aus dieser Konstellation vorwiegend die Kehrseite an die Oberfläche, die wirklich geeignet ist, dieses Menschenmaterial unbeliebt zu machen, so daß sie mit ihren Befürchtungen der Herabsetzung, der Mißgunst, der allgemeinen menschlichen Schlechtigkeit und Gehässigkeit zum Schlusse scheinbar recht behalten. Damit nun hängt es zusammen, daß sich gewisse Charakterzüge immens verstärken, daß wir Regungen des Hasses, des Neides, des Geizes vorfinden, die sonst in der Kinderseele nicht diese große Rolle spielen, und daß wir in der fertigen Neurose diese Stimmungslagen individuell nachweisen können. Aus der Weiterentwicklung dieser Regungen, die in der verwegensten Weise die Gedankenwelt und die Phantasie des Kindes befruchten, sowie der

---

[1] Daß diese Unbeholfenheit oft in eine auffallende Geschicklichkeit, Kunstfertigkeit oder in künstlerisches Wesen übergeht, und zwar auf dem Wege der psychischen Überkompensation, habe ich in meiner „Studie" (l. c.) hinlänglich betont. Ich bin der Ansicht, daß die häufige Erscheinung der Linkshändigkeit bei Künstlern (siehe Fließ), aber auch bei Neurotikern die gleichen Grundlagen der cortico-muskulären Systemminderwertigkeit aufweist.

psychischen Überempfindlichkeit, mittels deren das Kind Blamage und Strafe nicht nur härter empfindet wie andere, sondern auch — zuweilen grundlos — v o r a u s a h n t , ergibt sich von selbst ein f o r t w ä h r e n - d e r   i n n e r e r   K o n f l i k t in der kindlichen Psyche, der der Umgebung nur selten bekannt wird. Denn das Kind lernt sich verstellen und schweigt, — eben aus Überempfindlichkeit, aus Furcht vor Strafe oder Herabsetzung.

Dieses Schweigen aber, das G e h e i m n i s   d e s   K i n d e s , verrät uns, daß in ihm Bewußtseinsregungen wirksam geworden sind, die es nicht merken lassen will. Und es ist die Vorstellung gerechtfertigt, daß das Kind vor anderen schweigt, a b e r   a u c h   s e i n e n   e i g e n e n G e d a n k e n   ü b e r   b e s t i m m t e   W ü n s c h e ,   ü b e r   g e w i s s e T r i e b r e g u n g e n a u s z u w e i c h e n s u c h t , w e i l e s s i c h d u r c h d a s   B e w u ß t s e i n   d e r s e l b e n   b e s c h m u t z t ,   h e r a b g e s e t z t , l ä c h e r l i c h   g e m a c h t f ü h l t ,   o d e r ,   — u n d d i e s i s t b e r e i t s e i n   E r f o l g   s e i n e r   V o r e m p f i n d l i c h k e i t ,   — weil es solche unangenehmen Folgen erwartet und befürchtet. Während sich einerseits eine Weltanschauung des Kindes Bahn bricht, die oft nur in Spuren rekonstruierbar oder zu erkennen ist, aus der eine Erwartung entspringt, wie: „man wird mich strafen", — „man wird mich auslachen", identisch mit einer tiefgefühlten Überzeugung, wie: „ich bin ja böse, sünd- haft" oder „ich bin zu plump und ungeschickt", versucht die Über- empfindlichkeit j e n a c h d e m v o r h a n d e n e n M a t e r i a l u n d z u - m e i s t   a u s g e h e n d   v o n   d e n   s c h w ä c h s t e n   P u n k t e n   d e s S e e l e n l e b e n s oft die entgegengesetzten Charaktere und Eigenschaf- ten zu entwickeln. Man wird in diesen Fällen Tendenzen wahrnehmen, die auf Hemmung der primären Triebregungen (des Mundes, der Augen, der Exkretionsorgane) gerichtet sind, oder die imstande sind, das Pein- liche der Minderwertigkeitserscheinungen oder gleichgeachteter Schwä- chen besonders tief empfinden zu lassen (das Erröten, die Schmerz- empfindlichkeit, Schwächlichkeit, Unverständnis, geringe Körpergröße[1]). Dicht daneben bemerkt man aber bereits die Ansätze, die als die p s y - c h i s c h e n   S c h u t z v o r r i c h t u n g e n deutlich zu erkennen sind, berufen, einem Umkippen in den alten Fehler und damit einer Ver- letzung der Überempfindlichkeit vorzubauen. Hierher gehören alle Züge von P e d a n t e r i e , die nur den einen Sinn haben, eine Sicherung der Lage herbeizuführen und, wie ich später fand, zum Druck auf die Um-

---

[1] Erythrophobie, Stottern, Hypochondrie und verwandte Züge in den Neurosen lassen diesen Mechanismus stets erkennen.

ebung bestimmt sind. Aber ebenso machen sich a b e r g l ä u b i s c h e
der einem A n l e h n u n g s b e d ü r f n i s entspringende Re-
;ungen breit, die wie S i c h e r u n g s v o r k e h r u n g e n die Höhe
ler neugewonnenen moralischen oder ästhetischen Kultur garantieren müs-
en (Gebete, Zeichen- und Zahlensymbolik, Z a u b e r g l a u b e n usw.[1]).
Jnd wieder nebenan, aus der gleichen Weltanschauung stammend, findet
nan Erscheinungen der S e l b s t b e s t r a f u n g oder der B u ß e,
sthetische Anwandlungen, Tendenzen, sich Schmerzen, Entbehrungen,
Leistungen aufzuerlegen [2], sich vom Spiel, von Vergnügungen, von der
leinen Welt der Gespielen zurückzuziehen [3]. Dabei ist das Kind stets
m Werke, mit äußerster Vorsicht sein Geheimnis zu wahren und kann
labei so weit kommen, bei jedem Menschen, insbesondere aber beim
Arzt, die Absicht zu vermuten, dieses Geheimnis auszukundschaften [4].
Mißtrauen und der Verdacht, man habe etwas mit ihm vor, entstehen
eim Kinde. Dieses Ensemble führt zu den von mir (siehe: „Der
Aggressionstrieb") beschriebenen Formen der Aggressionshemmung, und
ch muß weiterhin die Behauptung aufstellen, d a ß d i e A g g r e s -
s i o n s h e m m u n g z u s t a n d e k o m m t d u r c h d i e K o n k u r -
enz anderer O r g a n m i n d e r w e r t i g k e i t s e r s c h e i n u n -
gen, i n s b e s o n d e r e d e r Ü b e r e m p f i n d l i c h k e i t.

Von der moralischen Seite betrachtet, mündet der psychische Entwick-
ungsprozeß der Organminderwertigkeit in ein vergrößertes S c h u l d b e -
vu ß t s e i n und in eine Überempfindlichkeit gegen Selbstvorwürfe und
Vorwürfe der Umgebung [5]. Diese drückende Konstellation bewirkt es, daß

[1] D i e s e Z ü g e f i n d e n s i c h s p ä t e r i n s b e s o n d e r e b e i d e r
Zwangsneurose.

[2] Einer meiner Patienten mußte jedesmal im Bade den Kopf so lange unter
Wasser halten, als er bis 49 gezählt hatte; vor allem, um sich seine Über-
egenheit zu beweisen.

[3] Erscheinungen, die wir in der Hysterie, Hypochondrie und Melancholie
wiederfinden. Auch hier: „Aus der Not eine Tugend machen", im kleinen
Kreise überlegen zu sein, nicht „mitzuspielen".

[4] Ist diese Tendenz besonders ausgebildet, so stellt sie das normale Analogon der Paranoia dar. Auch bei der Hysterie finden sich diese Züge.

[5] Die Bedeutung der „tragischen Schuld" im Drama entspricht ungefähr der Stellung des Schuldbewußtseins in der Neurose. Viele Dichter
insbesondere Dostojewsky, haben die Zusammenhänge von Schuldbewußtsein
und Psyche meisterhaft dargestellt. Spätere Befunde legten mir nämlich
nahe, das Schuldbewußtsein als ein Mittel zur Aggressionshemmung, als
Sicherung aufzufassen, dem gleichwohl oft das G e f ü h l d e r Ü b e r l e g e n h e i t über
andere sich anschließt oder entstammt. (Ethik, religiöse Erhebung.)

die psychische Arbeitsleistung eine namhafte Erhöhung erfährt, da das ganze weitere Leben unter dem Drucke der Überempfindlichkeit steht, die wie ein allzeit bereiter Motor das Triebleben modifiziert, die Triebrichtung hemmt und beeinflußt. Anderseits besteht dauernd ein lastendes, drückendes Gefühl einer begangenen oder zu verhütenden Schuld[1], das abstrakt geworden ist und ständig nach einem Inhalte sucht. Zuweilen ist dieses Suchen nach dem Inhalte des Schuldvollen, Strafbaren besonders akzentuiert (dann entsprechen ihm später oft Zwangshandlungen und Zwangsideen, Aufspüren des „Lasters" in jeder Form). Das Gefühl, ein „Verbrecher", ein „Auswürfling" zu sein, beginnt zu dominieren und steigert die Überempfindlichkeit gerade gegen Vorwürfe und Konstellationen entsprechender Art.

Es scheint, daß gewisse Entwicklungspunkte diese innere Spannung, den primären inneren Konflikt steigern und mit ihrem Inhalt erfüllen können. So vor allem sind es die ersten Berührungen mit dem Sexualproblem, die etwa um das fünfte Lebensjahr statthaben, ferner die Masturbation und die Sexualbeziehungen des Erwachsenen. Man gewinnt dabei den Eindruck, daß alle die späteren Konflikte zur manifesten Neurose führen können, sobald der primäre, aus der Organminderwertigkeit stammende innere Widerspruch besteht, und man kann bei allen zur Neurose Disponierten von einem Zustande der „psychischen Anaphylaxie" sprechen, der sein materielles Analogon bei bakteriellen Erkrankungen hat, wo bei gewissen Vorimpfungen eine Überempfindlichkeit gegen das ursprüngliche Gift erlangt wird.

Die ersten Sexualerkenntnisse, die sich dem Kinde auf Schleichwegen ergeben, verletzen eine vorhandene Überempfindlichkeit auf das allerheftigste. Das Kind kann sich betrogen, gefoppt, ausgeschlossen vom allgemeinen Wissen vorkommen. Es empfängt den Eindruck, daß man Komödie vor ihm spiele, es sieht sich einem Geheimbunde der anderen gegenüber und ist, was insbesondere bei Minderwertigkeit der Sexualorgane und der sie häufig begleitenden größeren Empfindlichkeit anbelangt, mit seinem frühzeitig gesteigerten Sexualtriebe in eine schwierige Lage versetzt. Das „sexuelle Trauma", ebenso die Frühmasturbation ergeben sich dann von selbst, wichtiger aber sind die frühen Ge-

---

[1] Die Erbsünde der religiösen Anschauung ist das normale Gegenstück.

dankenregungen und Phantasien, die ins I n z e s t u ö s e [1] geraten können und mangels wichtiger Orientierung p e r v e r s e Z ü g e verraten oder das S c h w a n k e n und den Z w e i f e l [2] des Kindes ungemein verstärken. Und über alle Regungen des Kindes legt sich drohend das nunmehr vertiefte Schuldbewußtsein, d a m i t die Hemmung jeder Aggression, die Buße und die Erwartung einer Strafe, eines unglücklichen Ausganges. Ähnliche Vorgänge steigert die Masturbationsperiode. Und es bleibt Sache des Schicksals des einzelnen, vor allem aber der jeweiligen Konstellation, aus welchen der oben geschilderten Minderwertigkeitserscheinungen und a u s w e l c h e r Z e i t i h r e r E n t w i c k l u n g d i e N e u r o s e i h r e B i l d e r z u n e h m e n g e z w u n g e n i s t.

Nach diesen Vorbemerkungen will ich einige psychotherapeutische Ergebnisse zu dem Falle des siebenjährigen Mädchens mit „nervösem Kopfschmerze" vorbringen. Meine erste Frage betraf die Empfindlichkeit des Kindes. Die Mutter berichtete, daß das Mädchen gegen Schmerz, gegen Kälte und Hitze sehr empfindlich sei. In seelischer Beziehung sei die Empfindlichkeit geradezu krankhaft. Sie lerne ungemein fleißig und komme ganz verstört nach Hause, wenn sie einmal in der Schule eine Frage nicht beantworten konnte.

„Wie verträgt sie sich mit ihren Mitschülerinnen?"

„Sie streitet nicht, rauft nicht, hat aber keine eigentliche Freundin. Auch will sie immer alles besser wissen und besser machen als die anderen."

„Können Sie etwas darüber sagen, ob sie den Vater vorzieht?"

„Der Vater ist häufig auf Reisen. Sie ist ihm sehr zugetan. Eher möchte ich glauben, daß sie mich vorzieht."

„Woraus schließen Sie das?"

„Es ist eine ständige Redensart meiner Tochter: wenn ich einmal groß bin, w e r d e i c h a u c h e i n e n H u t, e i n K l e i d, usw. w i e d i e M a m a h a b e n."

„L e i d e n S i e d e n n a u c h a n K o p f s c h m e r z e n ? "

„O h, i c h h a b e s e i t J a h r e n d i e e n t s e t z l i c h s t e n K o p f s c h m e r z e n."

---

[1] Wie sich mir diese Regung später als eine Täuschung des Nervösen tendenziöser Art, als „Inzestgleichnis", erwies, siehe „Über den nervösen Charakter" l. c.

[2] Der Wiener Dialekt hat für den Fall des äußersten Zweifels und der lähmenden Ratlosigkeit den Ausruf: „Jetzt weiß ich nicht, ob ich ein Mandl oder ein Weibl bin."

„Nun, da hat die Kleine eben auch Kopfschmerzen wie die Mama!"

Solche Behauptungen aufzustellen, dürfte manchem gewagt erscheinen. Eine gewisse Erfahrung in der analytischen Psychologie läßt aber ein solches Vorgehen gerechtfertigt, ja noch mehr als notwendig erscheinen. So viel ist aus der kurzen Bekanntschaft bereits zu erschließen, daß dieses Mädchen den angestrengten Versuch macht, sich in die Rolle der Mama hineinzudenken, woraus wir entnehmen können, daß sie sich über ihre Stellung als Mädchen und zukünftige Frau unzweifelhaft im klaren ist. Was die Mutter als Bevorzugung ihrer Person ansieht, kann nicht als solche zugegeben werden. Es gewinnt vielmehr den Anschein, als wähle die Kleine für ihr Benehmen in manchen Punkten die Beziehung der Mutter zum Vater als Ausgangspunkt, wobei sie der Mutter möglichst gleich zu werden trachtet. Diese Tendenz sowie der unverkennbare Ehrgeiz des Mädchens, ihre gereizte Überempfindlichkeit, wenn sie Kameradinnen gegenüber zurückstehen soll, müssen notwendigerweise nach außen hin das Gepräge des Neides erhalten. Eine diesbezügliche Frage wird von der Mutter bejaht mit dem Hinweise, daß es sich dabei vorwiegend um Futterneid, — Obst und Näschereien bezüglich, — handle. Der Vater der kleinen Patientin leidet an Cholelithiasis (Minderwertigkeit des Ernährungsapparates), die Kleine hat in den ersten zwei Lebensjahren an Diarrhöen, seither an Obstipation (Darmkompensation) gelitten. Sollte die Kleine im allgemeinen die Mutter beneiden und bereits Zeichen von Wissensneid (Vorbereitung für die zukünftige Rolle!) äußern?

Weitere Erkundigungen ergeben, daß das Kind schon vor längerer Zeit eine Neigung zu masturbatorischen Berührungen zeigte, daß es seit Geburt im Schlafzimmer der Eltern schlief, daß es kokett sei und sich gern in schönen Kleidern im Spiegel betrachte. Als ich der Mutter meine Vermutung über die Ursache der Kopfschmerzen mitteilte, rief die Mutter aus: „Oh, deshalb peinigt mich der Fratz immer mit der Frage, woher die Kinder kämen!" Sie erzählte mir weiter, sie habe dem Kinde auf seine Fragen vor längerer Zeit geantwortet, die Kinder kämen aus einem Teiche. Seither bringe das Mädchen sehr häufig das Gespräch wieder auf diesen Punkt. Eines Tages fragte es: „Und wozu braucht man die Hebamme?" Die Mutter antwortete ihr, die hole eben das Kind aus dem Teiche Nach einiger Zeit fragte das Mädchen: „Du sagst also, daß man die kleinen Kinder aus einem Teiche bringe? Was geschieht aber im

Winter, wenn der Teich zugefroren ist?" Darauf konnte die Mutter nur ausweichend antworten.

Man sieht hier deutlich, wie die sexuelle Neugierde den Witz und Scharfsinn des Kindes zur Entfaltung bringt und im allgemeinen seine Wißbegierde steigert[1]. — Von Zornausdrücken, Jähzorn, Wut ist bei dem Kinde keine Spur wahrzunehmen. Der Aggressionstrieb vermeidet offenbar bei gegebener Verletzung der Überempfindlichkeit diese aktivsten Bahnen. Außer den Fragen an seine Mutter, die aber auch ä u s - s e r s t v o r s i c h t i g gefaßt sind, findet man keinerlei Zeichen einer äußeren Aggression. Es ist daher die Vermutung berechtigt, daß der stürmische Wissensdrang, der in dem Kinde tobt, auf die Schmerzbahnen abgelenkt wird (Imitation der Mutter), dabei einen ererbten Locus minoris resistentiae ergreift und so das Symptom der Kopfschmerzen erzeugt.

Bleibt noch die Frage, wodurch wird jedesmal dieser nervöse Mechanismus ausgelöst? Ich frage die Mutter, wann der letzte Anfall aufgetreten ist. „Gestern nachmittag; auf der Straße!"

„Können Sie einen Grund ausfindig machen?"

„Nein. Ich wollte mir ein Kleid bestellen."

„Haben Sie das Kleid bestellt?"

„Nein. Die Kleine jammerte so entsetzlich, daß mir nichts übrig blieb, als unverrichteter Dinge nach Hause zu fahren."

Das heißt, das Kind hat es durch seine Kopfschmerzen vorübergehend v e r h i n d e r t , daß die Mutter ein neues Kleid bekommt. Dann muß aber, wie wir vorausgesetzt haben, der Neid (ursprünglich Futterneid, später durch Verschränkung Augenneid, Wissensneid) eine maßgebende Rolle spielen. Wir erinnern uns der Worte des Kindes: „Wenn ich groß bin, werde ich auch einen solchen Hut, solche Kleider wie die Mutter haben." Die Überempfindlichkeit des Mädchens ist also gegen jeden Vorzug gerichtet, durch den die Mutter vor ihr ausgezeichnet erscheint, gegen die Anschaffung neuer Kleidungsstücke, gegen das bessere Wissen über die Herkunft der Kinder, und es wäre nur zu

---

[1] Für die Pädagogik möchte ich daraus die Folgerung ableiten, mit der Sexualaufklärung des Kindes so lange zu warten, bis diese Förderung der Wißbegierde erfolgt ist. Allerdings auch nicht länger. (Nachträglich: Heute würde ich diesen Fall etwas anders ansehen. Das Mädchen machte offenbar erhöhte Anstrengungen, um in der w e i b l i c h e n R o l l e , da sie kein Mann werden konnte, die Mutter zu überflügeln. Daher auch die zu diesem Zwecke der Überlegenheit brauchbaren Kopfschmerzen.)

verwundern, wenn sich die gleiche Überempfindlichkeit des frühreifen Kindes nicht auch gegen die zärtlichen Beziehungen des Vaters
zur Mutter richten würden. — Es ist sicher vorauszusetzen,
daß die Zärtlichkeit des Vaters gegen die Mutter gerade zur Zeit
der Kopfschmerzen besonders augenfällig wurde, was die Mutter auch
lächelnd zugibt. Die Fixierung des gleichen Symptoms beim Kinde
zeigt also in die gleiche Richtung: R i v a l i t ä t g e g e n d i e M u t t e r.
Der etwas ängstliche Vater, aber auch die Mutter b e g i n n e n n u n
d a s K i n d z u v e r h ä t s c h e l n.

Damit erspart sich das Kind eine große Anzahl von Verletzungen
seiner Überempfindlichkeit. Aber schon zeigt sich von ferne die Gefahr,
die dem Kinde droht. Es hat keine Freundin, meidet Gesellschaft, wird
schüchtern und feige, zeigt sich aufgeregt, wenn Besuche zu erwarten
sind. Es ist kein Zweifel, daß seine „kulturelle Aggression" gehemmt ist.

Welches ist nun die Kraft, die imstande ist, eine solche Hemmung
durchzuführen und dem Kinde die ungehinderte, freie Auswahl der
Mittel, seine Triebe zu befriedigen, unmöglich zu machen? Nach
meiner Erfahrung erfährt man dies von den Kindern selten. Es sei
denn unter ganz günstigen Bedingungen, bei noch ungebrochenem
Mute des Kindes, und wenn man sein volles Zutrauen hat. Man ist darauf angewiesen, die aus der Individualpsychologie Neurotischer gewonnenen Erfahrungen zu Rate zu ziehen, aus denen auch die vorange-
schickten Beobachtungen stammen. Die volle Beruhigung über die Richtigkeit und Konformität des Zusammenhanges wird sich dann aus der
Anwendbarkeit und dem Verständnisse für mehrere oder alle Symptome
der kindlichen Psyche ergeben. So auch in diesem Falle. Der innere
Widerspruch, der zum primären Konflikte und damit zur Unausge-
glichenheit und Zaghaftigkeit dieser Kinderseele führte, muß in dem
Zusammenstoße seiner Triebe und einer sie verurteilenden Instanz gelegen sein, wobei eine kleine Erfahrung peinlicher Erlebnisse (Organ-
empfindlichkeit, Blamagen, Strafen) zur Intoleranz gegen Herabsetzung
führte. Damit war ein mächtiger I m p u l s z u m N e i d und der A n -
s a t z z u s t ü r m i s c h e m E h r g e i z gegeben, der größeren, erfahre-
neren Mutter gleich zu werden. Die Verschränkung mit dem frühzeitig
erwachenden Sexualtriebe könnte in das ganze Ensemble von Regungen
einen feindseligen, aber straffälligen Zug gegen die Mutter bringen. Es
ergibt sich deshalb ein s i c h e r n d e s S c h u l d g e f ü h l, dessen Basis
und Inhalt aus dem Bewußtsein gestoßen wird, ein sozusagen abstraktes
Schuldgefühl, das sich mit jedem m ö g l i c h e n Inhalte verbinden kann,

durch seine Inkongruenz aber leicht auffällig wird. Dieses Schuldgefühl bewirkt die Hemmung der Aggression, — „so macht Gewissen Feige aus uns allen", — und so entsteht eine S i t u a t i o n , der die Ausgleichsmöglichkeit fehlt, eine Konstellation, auf deren Bahnen sich die Symptome der Neurose entwickeln, die aber wieder dem ehrgeizigen Ziele des Kindes, allen überlegen zu sein, genügen.

Dementsprechend wird der Aufbau einer Neurose in jedem Falle Erscheinungen n a c h w e i s e n lassen, die auf diese Konstellation und ihr vorläufiges Resultat (je nach der Wirksamkeit der angeborenen Aggressionsfähigkeit) reduzierbar sind, sich auch von diesem Punkte aus verstehen und kurieren lassen. Ein Schema der Neurose und ihrer Erscheinungen, das auf Vollständigkeit oder Abgeschlossenheit keinen Anspruch erhebt, hätte folgende Punkte r e g e l m ä ß i g zu berücksichtigen:

I. Erscheinungen, die den ursprünglichen Triebregungen sowie den Merkmalen der Organminderwertigkeit entsprechen.

Psychischer Verrat des Unsicherheits- und Schuldgefühles.

II. Überempfindlichkeit, die sich gegen Herabsetzung, Beschmutzung, Bestrafung kehrt.

III. Erwartung von Herabsetzung, Beschmutzung und Bestrafung (siehe II), Vorkehrungen gegen dieselben. Angst.

IV. Selbstvorwürfe, Selbstbeschuldigung.

V. Selbstbestrafung, Buße, Askese[1].

VI. Ursachen des Schuldgefühles: Immer tendenziöse Verfehlungen infolge von festgehaltener Organminderwertigkeit, und feindselige Aggression gegen den gleichgeschlechtlichen Teil der Eltern (letztere kann bei zweifelhafter sexueller Orientierung in der Kindheit fehlen), Masturbation. Alle anderen Ursachen des Schuldgefühles lassen sich als Verschiebungen erkennen. Auch diese Hervorhebungen des Nervösen erwiesen sich später als tendenziöse Mittel zum Zweck.

VII. Als Folge einer der möglichen Konstellationen eine sich ergebende Aggressionshemmung, die als brauchbares Arrangement festgehalten wird.

---

[1] Zuweilen kommen hier Erscheinungen zutage, die dem Punkte I gleichzeitig entsprechen: Selbstbeschmutzungen, Selbsterniedrigungen, Masturbationszwang oder Verschiebungen ins Psychische: Ungeschicktheiten, gesuchte Blamagen und Schmerzen; Bevorzugung von Dirnen u. a.; die „Wollust der Askese", Masochismus gehören in dieses Kapitel. Erstere sind ursprünglich als Realien, später, aus letzteren gebaut und als tendenziöse Mittel aufzufassen.

Eine zusammenfassende Betrachtung ergibt zunächst den e i n h e i t -
l i c h e n A u f b a u b e s t i m m t e r N e u r o s e n , zu denen ich H y -
s t e r i e , Z w a n g s n e u r o s e , P a r a n o i a , N e u r a s t h e n i e u n d
A n g s t n e u r o s e rechnen muß. Alle diese Erkrankungen [1] befallen
nur jenes Menschenmaterial, das als Träger von Organminderwertigkeiten die größeren Schwierigkeiten bei Einfügung in die Kultur zu überwinden hat.

Diese S c h w i e r i g k e i t e n , v o n d e n e n i n m e i n e r „ S t u d i e "
(l. c.) u n d i m v o r h e r g e h e n d e n a b g e h a n d e l t w i r d , l i e g e n
d e r D i s p o s i t i o n z u r N e u r o s e z u g r u n d e u n d s i n d i d e n -
t i s c h m i t i h r . Die Möglichkeit einer glatten Überwindung durch
Kompensation und Überkompensation ist allerdings gegeben. Oft stellen
sich aber neue Erschwerungen ein, die a u s d e m F a m i l i e n z u -
s a m m e n h a n g e stammen. Wie weit die gegenwärtige Erziehung
einen Einfluß hat, ist in jedem Falle besonders abzuschätzen, verdient
aber eine gesonderte Besprechung. Da ihr Prinzip fast allgemein die
E r z i e l u n g v o n F e i g h e i t ist, kommt sie oft in die Lage, das
Schuldbewußtsein zu verstärken.

Wer für die Einheit und den einheitlichen Aufbau der Psychoneurosen eintritt, dem erwächst naturgemäß die Pflicht, die Besonderheiten zu erklären. Die vorliegende Arbeit hat an verschiedenen
Punkten dazu Stellung genommen. Je nach Art, Ausbildung und Zusammenwirken der vorhandenen Organminderwertigkeiten wird das Bild
der Neurose sich gestalten. Von Wichtigkeit ist die Größe, Verwand-
lungsfähigkeit und Ausdauer des angeborenen Aggressionstriebes, weil
diese Faktoren es sind, die das Kind „schuldig werden lassen", ihm
anderseits die Möglichkeit geben, teilweise oder ganz auf weniger
strafbare Gebiete auszuweichen. Von großer Bedeutung ist ferner
d i e S t e l l u n g d e s z u r N e u r o s e d i s p o n i e r t e n K i n d e s i n
d e r F a m i l i e , insbesondere, w e i l s i c h d a r a u s d i e S i t u -
a t i o n e r g i b t , d i e z u m G r u n d r i s s e d e r N e u r o s e w i r d .
I n d i e s e r S i t u a t i o n i s t b e r e i t s a l l e s a n g e d e u t e t , w a s
d e r f e r t i g e N e u r o t i k e r a n k r a n k h a f t e n E r s c h e i n u n g e n
a u f b r i n g t , u n d e s l i e g e n d i e U r s a c h e n f ü r d e n k r a n k -
h a f t e n C h a r a k t e r i n i h r z u t a g e . D i e z u r N e u r o s e d i s -
p o n i e r e n d e t r a u m a t i s c h e S i t u a t i o n s e t z t s i c h u n g e -

---

[1] Vielleicht wird eine reichere Erfahrung gestatten, auch die Dementia
praecox, Melancholie, das manisch-depressive Irresein und die Manie auf
dieses Schema zu beziehen.   82

fähr im Areale der oben angeführten sieben Grundlinien durch und erzeugt den Zustand einer bestimmten psychischen Anaphylaxie, der entsprechend
gleichgerichtete psychische Schädigungen des späteren Lebens den verstärkten Zustand der ursprünglichen traumatischen Situation erzeugen: **die besondere individuelle Neurose.**

Der psychische Hermaphroditismus im Leben und in der Neurose.

(Zur Dynamik und Therapie der Neurosen.)

Von Dr. Alfred Adler, Wien (1910).

I. Tatsachen des psychischen Hermaphroditismus.

Von den Autoren, die der Frage des Hermaphroditismus beim Menschen nachgingen, hat fast jeder die Tatsache gestreift oder hervorgehoben, daß unter den abgeleiteten Geschlechtscharakteren sich häufig oder regelmäßig Charakterzüge und psychische Eigenschaften des anderen Geschlechtes vorfinden. So Krafft-Ebing, Dessoir. Halban, Fließ, Freud, Hirschfeld und andere. Unter ihnen hat Freud die Erscheinungen der Inversion in der Neurose besonders studiert und hat festgestellt, daß in keinem Fall von Neurose invertierte Züge fehlen. Seither hat sich diese Beobachtung reichlich feststellen lassen. Ich habe in einer kleinen Arbeit[1] auf den Zusammenhang von Prostitution und Homosexualität hingewiesen, Fließ meinte schon früher, daß der männliche Neurotiker an der Unterdrückung seiner weiblichen. der weibliche an der Verdrängung seiner männlichen Züge erkranke. — Ähnlich Sadger.

Eine eingehende Untersuchung der Neurosen in bezug auf hermaphroditische Züge ergibt folgende Resultate:

1. Körperliche Erscheinungen des gegensätzlichen Geschlechts finden sich auffallend häufig. So weiblicher Habitus bei männlichen Neurotikern, männlicher bei weiblichen. Ebenso gegensätzliche sekundäre Geschlechtscharaktere, insbesondere aber Minderwertigkeitserscheinungen an den Genitalien, wie Hypospadie, paraurethrale Gänge, kleiner Penis, kleine Hoden, Kryptorchismus usw., andererseits große Labia minora, große Klitoris, Infantilismus des Sexualapparates[2] u. a. m., zu denen sich in der Regel Minderwertigkeitserscheinungen an anderen Organen hinzugesellen.

Ob diese körperlichen Erscheinungen von vorne herein in irgendeinem genetischen Zusammenhange mit einer gegengeschlechtlichen Psyche

---

[1] Adler, Träume einer Prostituierten. Zeitschr. f. Sexualwissenschaft, 1908.
[2] Siehe Adler, Studie über Minderwertigkeit von Organen. Urban & Schwarzenberg. Berlin und Wien, 1907.

hres Trägers stehen, wie F l i e ß annimmt und wie K r a f f t - E b i n g usführte, so daß beim Manne die weibliche Psyche, beim Weib die männliche stärker entwickelt wäre, läßt sich derzeit nicht erweisen. Es läßt sich aber zeigen, daß Motilität und körperliche Entwicklung olcher Kinder mit minderwertigen Organen, Organ- und Drüsensystemen oft von der Norm Abweichungen zei- ren, daß ihr Wachstum und ihre Funktionstüchtigkeit Mängel auf- weisen, daß Krankheiten und Schwächlichkeit gerade am Beginn ihrer Entwicklung hervortreten, die später allerdings oft einer robusten Ge- undheit und Kraft weichen. —

Diese objektiven Erscheinungen geben vielfach An- aß zu einem subjektiven Gefühl der Minderwertig- keit, hindern dadurch die Selbständigkeit des Kindes, steigern sein nlehnungs- und Zärtlichkeitsbedürfnis und charakterisieren eine Person ft bis ins späteste Alter. — Schwächlichkeit, Plumpheit, linkisches Benehmen, Kränklichkeit, Kinderfehler wie Enuresis, Incontinentia alvi, 'latulenz, Stottern, Kurzatmigkeit, Höhenschwindel, Insuffizienzen des eh- und Hörapparates, angeborene und früherworbene Verunstaltungen, uffallende Häßlichkeit usw. sind imstande, das Gefühl der Inferiorität egenüber den Stärkeren, insbesondere gegenüber dem Vater, ief zu begründen und fürs Leben, selbst über das Grab des Vaters hinaus. auernd festzulegen. Bedeutsame Züge von Gehorsam, Unterwürfigkeit und ingebungsvolle Liebe gerade dem Vater gegenüber zeichnen viele Kinder, nsbesondere aber die zur Neurose neigenden, aus[1]. Und sie werden adurch oft in eine Rolle gerückt, die ihnen als nmännlich erscheint. Alle Neurotiker haben eine indheit hinter sich, in der sich der Zweifel in ihnen egte, ob sie zur vollen Männlichkeit gelangen könn- en. Der Verzicht auf die Männlichkeit aber scheint für das Kind leichbedeutend mit Weiblichkeit[2], und damit ist ein reicher reis ursprünglich kindlicher Werturteile gegeben, ach welchen jede Form der ungehemmten Aggression, der Aktivität, es Könnens, der Macht, mutig, frei, reich, angreifend, sadistisch, als nännlich, alle Hemmungen und Mängel (auch Feigheit, Gehorsam, Armut

---

[1] Siehe auch C. G. J u n g , Die Bedeutung des Vaters für das Schicksal des inzelnen. Jahrbuch für psychoanalytische und psychopathologische Forschun- en, 1. Bd., 1909.

[2] Übrigens nicht allein für das Kind, sondern für den größeren Teil unseres ulturbewußtseins.

usw.) als weiblich aufgefaßt werden können[1]. Man kann nun leicht erkennen, d a ß d a s K i n d e i n e Z e i t l a n g e i n e D o p p e l r o l l e s p i e l t, daß es einerseits Tendenzen zeigt, die seine Unterwerfung unter die Eltern, Lehrer und Erzieher verraten, andererseits Wünsche, Phantasien und Handlungen, die sein Streben nach Selbständigkeit, freiem Willen und Geltung („der kleine Gernegroß") zum Ausdruck bringen. Da von dem einen mehr die Mädchen und Frauen, von letzterem mehr die Knaben und Männer zur Schau tragen[2], so kann es nicht wundernehmen, daß die Weltanschauung des Kindes zu Werturteilen gelangt, wie sie von den Werturteilen der Erwachsenen gar nicht so sehr abweichen: d i e H e m m u n g e n d e r A g g r e s s i o n a l s w e i b l i c h, d i e g e s t e i g e r t e A g g r e s s i o n s e l b s t a l s m ä n n l i c h a n z u s e h e n.

Dieser innere Zwiespalt in der Kinderseele, Vorbild und Grundlage der wichtigsten psychischen Phänomene zumal der Neurose, der S p a l - t u n g d e s B e w u ß t s e i n s u n d d e s Z w e i f e l s, kann mannigfache Ausgänge im späteren Leben erfahren. I n d e r R e g e l w i r d m a n E i n s t e l l u n g e n d e s I n d i v i d u u m s b a l d m e h r n a c h d e r f e m i n i n e n, b a l d m e h r n a c h d e r m a s k u l i n e n R i c h - t u n g f i n d e n, daneben aber vielleicht immer Versuche und Bestrebungen, d i e E i n h e i t l i c h k e i t d e s B i l d e s a u s d e m I n n e r n h e r a u s z u s t ä r k e n; das männliche Material hindert eben ein völliges Aufgehen in einer weiblichen Rolle, das weibliche erweist sich als Hindernis, sich ganz männlich zu gebärden. Dadurch wird meist ein Kompromiß eingeleitet: weibliches Gebaren mit männlichen Mitteln (z. B. männliche Schüchternheit und Unterwerfung, männlicher Masochismus, Homosexualität usw.), männliche Rolle mit weiblichen Mitteln (Emanzipationstendenzen der Frauen, Polyandrie, Zwangsneurosen als Störung der Frauenrolle u. a.). Oder man findet ein s c h e i n b a r r e g e l l o s e s N e b e n e i n a n d e r v o n m ä n n l i c h e n u n d w e i b - l i c h e n C h a r a k t e r z ü g e n.

In der Neurose, wo es sich stets um Inkongruenzen solcher oft maßlos verstärkter Charakterzüge handelt, gelingt die Sichtung und Reduktion all dieser Tendenzen und die Aufdeckung des psychischen Hermaphroditismus stets mit den Mitteln der Individualpsychologie. Als Vorbedingung hat allerdings zu gelten, daß der Arzt nicht sein eigenes Werturteil über männliche und weibliche Züge in die Analyse hineinträgt,

---

[1] Siehe „Der Aggressionstrieb im Leben und in der Neurose".
[2] „Schlimm sein" bedeutet für das Kind oft: männlich sein.

sondern sich dem gefühlsmäßigen Empfinden des Patienten anpaßt, demselben nachspürt.

II. Über Verstärkungen des psychischen Hermaphroditismus. Der männliche Protest als Endziel[1].

Wir haben oben als Ausgangspunkt für die weiblichen Tendenzen des Nervösen das Schwächegefühl des Kindes gegenüber den Erwachsenen hingestellt, aus dem ein Anlehnungsbedürfnis, ein Verlangen nach Zärtlichkeit erwächst, eine physiologische und seelische Unselbständigkeit und Unterordnung. Auch darauf wurde oben bereits hingewiesen, wie diese Züge bei frühzeitig und subjektiv empfundener Organminderwertigkeit (motorische Schwäche, Ungeschicklichkeit, Kränklichkeit, Kinderfehler, verlangsamte Entwicklung usw.) intensiver zum Ausdruck kommen; wie dadurch die Unselbständigkeit wächst, wie dieses verstärkt empfundene Gefühl der eigenen Kleinheit und Schwäche (Wurzel des Kleinheitswahns) zur Aggressionshemmung und damit zur Erscheinung der Angst führt, wie die Unsicherheit bezüglich des eigenen Könnens den Zweifel auslöst, ein Schwanken einleitet, das bald mehr von den weiblichen Tendenzen (Angst und verwandte Erscheinungen), bald mehr von den männlichen (Aggression, Zwangserscheinungen) beeinflußt wird, läßt sich von diesem Gesichtspunkt aus leicht nachweisen. Die Struktur der Neurosen (Neurasthenie, Hysterie, Phobie, Zwangsneurose, Paranoia) zeigt uns, am schönsten die Zwangsneurose, die vielfach verschlungenen weiblichen Linien, sorgsam verdeckt und überbaut durch hypertrophisch männliche Wünsche und Bestrebungen. Dieser männliche Protest erfolgt zwangsmäßig, als Überkompensation, weil die „weibliche" Tendenz vom kindlichen Urteil etwa wie ein Kinderfehler abfällig gewertet und nur in sublimierter Form und wegen äußerer Vorteile (Liebe der Angehörigen, Straffreiheit, Belobung des Gehorsams, der Unterordnung usw.) festgehalten wird. Jede Form von innerem Zwang bei Normalen und Neurotikern ist aus diesem Versuch eines männlichen Protestes abzuleiten. Wo er sich durchzusetzen vermag, verstärkt er natürlich die männlichen Tendenzen ganz ungemein, steckt sich die höchsten, oft unerreichbaren Ziele, entwickelt eine Gier nach Befriedigung und Triumph, peitscht alle Fähigkeiten und egoistischen Triebe, steigert den Neid, den

[1] Siehe Schiller, Männerwürde: „Ich bin ein Mann" usw.

Geiz, den Ehrgeiz und führt eine innere Unruhe herbei, die jeden äußeren
Zwang, die Unbefriedigung, Herabsetzung und Beeinträchtigung als unerträglich empfinden läßt. Trotz, Rachsucht, Nachträglichkeit sind seine
steten Begleiter, und durch maßlose Steigerung der Empfindlichkeit führt
er zu fortwährenden Konflikten. Normale und krankhafte G r ö ß e n -
p h a n t a s i e n und T a g t r ä u m e werden von solchem überstarken
männlichen Protest erzwungen und als vorläufige Surrogate der Triebbefriedigung empfunden. Aber auch das T r a u m l e b e n gerät ganz
unter die Herrschaft dieses männlichen Protestes, und j e d e r T r a u m
z e i g t u n s b e i s e i n e r A n a l y s e d i e T e n d e n z, v o n d e r w e i b -
l i c h e n L i n i e z u r m ä n n l i c h e n a b z u r ü c k e n.

 ̄ S i e h t s i c h d e r P a t i e n t v o n j e d e m p e r s ö n l i c h e n E r -
f o l g a b g e s c h n i t t e n, i s t i h m d i e B e f r i e d i g u n g s e i n e s
m e i s t z u w e i t g e h e n d e n m ä n n l i c h e n P r o t e s t e s[1] a u f
e i n e r H a u p t l i n i e, d i e i m m e r **auch** v o m S e x u a l t r i e b
k o n s t i t u i e r t w i r d, m i ß l u n g e n, d a n n k o m m t e s z u m
A u s b r u c h d e r l ä n g s t v o r b e r e i t e t e n N e u r o s e. Dann versucht er die Befriedigung seines männlichen Ehrgeizes auf Neben-
linien, durch Verschiebung auf andere Personen, andere Ziele.
Oder die Hemmung und Sperrung wirkt intensiver, und es kommt zu
jenen Verwandlungen des Aggressionstriebes, die ich in der Arbeit über

---

[1] Gilt natürlich in gleicher Weise für weibliche wie männliche Personen.
Der männliche Protest des Weibes geht nur meist verdeckt und verwandelt
und sucht den Triumph mit weiblichen Mitteln. Sehr häufig findet man in
der Analyse den Wunsch, sich in einen Mann zu verwandeln; Vaginismus,
sexuelle Anästhesie und viele bekannte neurotische Erscheinungen stammen
aus dieser Tendenz. — Folgt man der von mir hier angeregten „d y n a m i -
s c h e n B e t r a c h t u n g s w e i s e", so wird man bald erkennen, daß allen
diesen Erscheinungen das Streben gemeinsam ist, sich von der weiblichen Linie
irgendwie zu entfernen, um die männliche zu gewinnen, so daß man als
psychische Lokalisationsstelle der neurotischen Symptome bald mehr die weibliche, bald mehr die männliche Seite erkennen kann. Demnach stellt jedes
neurotische Symptom einen Hermaphroditen vor. Der n e u r o t i s c h e
Z w a n g zeigt den männlichen Protest, dem Z w a n g erliegen, ist w e i b l i c h. —
Beim Z w a n g s e r r ö t e n (E r y t h r o p h o b i a) z. B. reagiert der Patient mit
(männlicher) Wut und Unmut auf gefühlte oder befürchtete Herabsetzungen.
Aber die Reaktion geschieht mit weiblichen Mitteln, mit Erröten oder Furcht
vor Erröten. Und der Sinn des Anfalles ist: „Ich bin ein Weib und will ein
Mann sein." So s i c h e r t sich der Nervöse vor gefahrvoll scheinenden Ent-
scheidungen, u. a. indem er einen eigenen Zwang statt des fremden setzt.
S. F u r t m ü l l e r, Psychoanalyse und Ethik, E. Reinhardt, München, 1912.

den „Aggressionstrieb im Leben und in der Neurose" beschrieben
habe. Für die Struktur der Neurose gewinnen alle diese Variationen
große Bedeutung, die (im Sinne des Patienten) weibliche, masochistische Tendenz schlägt vor und schafft das weibliche, masochistische
Bild der Neurose, während gleichzeitig der Patient mit der äußersten
Empfindlichkeit gegen jedes Versinken in die „Weiblichkeit", gegen
jede Herabsetzung, Unterdrückung, Beeinträchtigung, Beschmutzung
ausgestattet wird. Der schwache Punkt, das Gefühl der Minderwertigkeit, die weiblichen Linien werden verdeckt oder durch Kompromißbildung maskiert oder durch Sublimierung und Symbolisierung unkennt-
lich gemacht, gewinnen aber an Breite und Intensität, dauernd oder
anfallsweise, und präsentieren sich in der Aboulie, in der Verstimmung,
in der Depression, in der Angst, in den Schmerzen, im Gefühl der bangen Erwartung, im Zweifel, in Lähmungen, Impotenz, Insuffizienz usw.

Das Gefühl der Minderwertigkeit peitscht also das
Triebleben, steigert die Wünsche ins Ungemessene,
ruft die Überempfindlichkeit hervor und erzeugt
eine Gier nach Befriedigung, die keine Anspannung
verträgt und in ein dauerndes überhitztes Gefühl der
Erwartung und Erwartungsangst ausmündet. In dieser
hypertrophischen Gier, der Sucht nach Erfolg, in dem
sich toll gebärdenden männlichen Protest liegt der
Keim des Mißerfolges, allerdings auch die Prädesti-
nation zu den genialen und künstlerischen Leistungen. Die Neurose setzt nun ein beim Scheitern des
männlichen Protestes auf einer Hauptlinie. Die weiblichen Züge erhalten scheinbar das Übergewicht,
allerdings nur unter fortwährenden Steigerungen des
männlichen Protestes und unter krankhaften Versuchen eines Durchbruchs auf männlichen Neben-
linien. Das Schicksal dieser Versuche ist verschieden. Entweder gelingen sie, ohne daß eine rechte Befriedigung und Harmonie eintritt, oder sie mißlingen
gleichfalls, wie oft in der Neurose, und drängen den
Patienten immer weiter in die weibliche Rolle, in die
Apathie, in die Angst, in die geistige, körperliche,
sexuelle Insuffizienz usw., die weiterhin als Mittel
zur Macht ausgenützt werden.

Die Untersuchung der fertigen Neurose wird dem-

nach stets folgende Züge aufdecken und ihre dynamische Wertigkeit feststellen müssen:

A. Weibliche Züge.
B. Hypertrophischen männlichen Protest.
C. Kompromißbildung zwischen A und B.

Das Scheitern des männlichen Protestes bei psychischem Hermaphroditismus wird durch folgende Faktoren begünstigt, ja geradezu
herbeigeführt:

1. Durch die Überspannung des Protestes. Das Ziel ist im allgemeinen oder für die Kräfte des Patienten unerreichbar.

2. Durch die Überschätzung des Zieles. Diese Überschätzung (Don Quichoterie z. B.) geschieht unbewußt tendenziös, um
die Heldenrolle des Patienten nicht zu stören. Auf diesem Wege ergeben
sich Enttäuschungen von selbst.

3. Die weiblichen Tendenzen schlagen vor und hemmen die Aggression. Oft im wichtigsten Moment oder vor der be-
absichtigten Leistung erwacht das „weibliche" Gefühl im Sinne eines
übertriebenen Autoritätsglaubens, des Zweifels, der Angst und führt zur
Demütigung und Unterwerfung unter andauernder Protest-
bildung oder macht aus dem Zweifel, der Angst usw. eine Waffe
und führt so die Unterwerfung ad absurdum.

4. Ein aus der Kindheit überkommenes, reges, leicht
verschiebliches Schuldgefühl[1] protegiert die weiblichen Züge und schreckt den Patienten mit möglichen
Folgen seiner Tat. (Hamletnaturen).

Ich muß nun noch weiterer Verstärkungen der weiblichen Linien
beim Kinde gedenken, die mehr oder weniger über das physiologische
Maß hinausgehen und die regelmäßigen Veranlassungen darstellen, um
den männlichen Protest in der geschilderten Weise zu übertreiben. Ein
nicht unbeträchtliches, sorgfältig analysiertes Material von männlichen
und weiblichen Neurotikern ließ mich regelmäßig diese Ursprünge und den
gleichen Mechanismus erkennen, so daß ich wohl von einer allgemeinen Geltung dieser Befunde sprechen darf, um so mehr,
als durch Aufdeckung derselben die Heilung der Neurose eingeleitet wird.

Zur Verstärkung der weiblichen Züge, damit aber auch zum sekundären, verstärkten männlichen Protest auf Umwegen, tragen folgende Momente bei:

1. Furcht vor Strafe. Als begünstigend wirken besondere Weh-

[1] Siehe Adler, die vorige Arbeit „Über neurotische Disposition".

eidigkeit und Hauthyperästhesien, Strenge der Erzieher, Prügelstrafe. Als männliche Reaktion ist zu verstehen: Gleichgültigkeit gegen Strafe, trotzige Gleichgültigkeit, Ertragen von Schmerzen, oft Aufsuchen von Qualen (s c h e i n b a r e r M a s o c h i s m u s[1]), und demonstrativer Hinweis des Patienten, wie viel er vertragen könne, Erektion und aktive Sexualbetätigung, wenn Strafe droht, was zuweilen durch individuelle Eigenart physiologisch vorgebildet sein könnte. (Siehe A s n a o u r o w, Sadismus und Masochismus", E. Reinhardt, München.)

2. A u f s u c h e n d e s M i t l e i d s durch Demonstration der eigenen Schwäche, des eigenen Leidens. Männlicher Protest: Größenideen zur Kompensation des weiblichen Kleinheitswahns), Empörung gegen das Mitleid der anderen, Lachen statt Weinen usw. — („Sich lustig machen über sich selbst"). Mischbildungen treten regelmäßig auf. — Kinderfehler wie Enuresis, Stottern, aber auch Kränklichkeit, Kopfschmerzen, Appetitlosigkeit usw. können durch Spekulation auf das Mitleid oder trotzig fixiert werden. Fast regelmäßig kommt es aber zur Kompromißbildung. Die männliche Reaktion verwendet die Schwäche zum Ärgernis der Eltern und trotzt mit Beibehaltung des Fehlers, um nicht nachgeben zu müssen. Deutlich geht dies aus der Festhaltung der Enuresis und anderer Kinderfehler hervor. J e d e r e n u r e tische T r a u m z e i g t d e n V e r s u c h d e s o d e r d e r T r ä u m e n d e n, s i c h w i e e i n M a n n z u g e b ä r d e n. (Stehend zu urinieren, männliches Pissoir, großer Bogen des Urinstrahls, Ziffern in den Sand urinieren.) — Gleichzeitig als männliche Reaktion gegen 1., oft unter tendenziöser Anwendung von Fiktionen, als ob der Topf, das Klosett bereit stünden. —

3. F a l s c h e A u f f a s s u n g d e r S e x u a l r o l l e n, U n k e n n t nis d e s U n t e r s c h i e d e s z w i s c h e n M a n n u n d F r a u, G e danken ü b e r d i e M ö g l i c h k e i t e i n e r V e r w a n d l u n g d e r K n a b e n i n M ä d c h e n u n d u m g e k e h r t b e i K i n d e r n. Häufig besteht ein mehr oder weniger dunkles Gefühl, ein Zwitter zu sein. Körperliche Eigenschaften, Erziehungsfehler, mißverstandene Äußerungen der Umgebung (Mädchenkleider bei Knaben, lange Haare bei Knaben, kurze bei Mädchen, Bäder in Gemeinschaft mit dem anderen Geschlecht, Unzufriedenheit der Eltern mit dem Geschlecht des Kindes usw.) wecken oder steigern den Zweifel des Kindes, solange ihm der Sexualunterschied unklar ist. In gleicher Weise rufen Märchen über die Geburt der Kinder oder falsche Vorstellungen davon (Geburt durch den

[1] Siehe W e x b e r g, „Rousseau" in diesem Band.

After, Empfängnis durch den Mund, infolge eines Kusses, durch ·Gift oder durch Berührung) Verwirrung hervor. Perverse frühzeitige Sexual-erfahrungen oder Phantasien, bei denen der Mund oder After die Rolle des Sexualorgans spielt, helfen den Unterschied zwischen Mann und Frau verwischen und können tendenziös zur Fixierung gelangen.

Die Homosexualität geht aus vom Versuch des Wech-sels der Geschlechtsrolle. Homosexuelle Männer hatten in der Kindheit die Gabe, sich in eine Mädchenrolle hineinzudenken. Er-folgt, wie immer, der männliche Protest, so geht die Verwandlung in den Homosexuellen vor sich als Ausweichung vor der gefürchteten Frau.

Überhaupt kann das Verständnis nur erlangt werden, wenn man den männlichen Protestversuchen nachgeht. So beim Onaniezwang, der wie jeder Zwang den Versuch, sich quasi männlich zu gebärden und doch seiner Sexualrolle auszuweichen, bedeutet. Die gleiche Tendenz fin-det sich bei Pollutionen und bei der Ejaculatio praecox. Die Hast so-wie die begleitenden Erscheinungen (mangelhafte Erektion, zuweilen homosexuelle Träume) verraten uns den dahinter verborgenen schwachen Punkt. Bei der Analyse von Träumen achte man auf Alpträume, auf Träume von Gehemmtsein und Angstträume, die einer Ausmalung der weiblichen Linie, einer Niederlage, angehören; da-bei bricht doch fast regelmäßig die männliche Tendenz durch (Schreien, Flucht, Aufwachen), — als Protest.

Exhibitionistische Züge werden begünstigt durch die Ten-denz, sich als Mann zu zeigen. Bei Mädchen und Frauen scheint für diesen Zweck die Lossagung vom weiblichen Schamgefühl, die Ab-lehnung von weiblichen Kleidungsstücken zu genügen. Die gleiche Tendenz zur Macht charakterisiert den Narcissismus. Im Feti-schismus kommt regelmäßig die unmännliche Linie zur Geltung (Vor-liebe für Dessous, Blusen, Schürzen, Schmuck, Zöpfe usw.), aber stets begleitet von der männlichen Tendenz, nicht vom Partner beherrscht zu werden. Ursprünglich Ausdruck des Hermaphroditismus wie jeder Autoerotismus richtet sich der Schuhfetischismus auf die Umhüllung und gewinnt durch seine Distanz von der männlichen Rolle sein weibliches, masochistisches Gepräge.

Ursprünglich masochistische Züge, ebenso Hypochondrie und übertriebene Schmerzempfindlichkeit liegen im Bereiche der weib-lichen Züge des Duldens. Wie jede psychische Erscheinung entbehren sie nie weiterer Nebendeterminationen, die Größe des Leidens usw. zu zeigen.

Es ist leicht begreiflich, daß sich das Kind zur Darstellung seiner weiblichen Linien der Züge der Mutter bedient, zur Darstellung der männlichen Züge des Vaters („Vom Vater hab' ich die Statur" usw.). Der männliche Protest peitscht die Wünsche des Kindes auf, es sucht den Vater in jeder Hinsicht zu übertreffen, gerät in Konflikte mit ihm, und so kommen s e k u n d ä r jene Züge zustande, die auf die Mutter gerichteten Begehrungsvorstellungen entsprechen. (Oedipusgleichnis.)

Sache der Pädagogik und der Neurosentherapie ist es, diese Dynamik aufzudecken und bewußt zu machen. Damit verschwindet die tendenziöse Hypertrophie der „weiblichen und männlichen Züge", die kindliche Wertung macht einer gereifteren Weltanschauung Platz [1]. Die Überempfindlichkeit weicht und der Patient lernt die Anspannungen der Außenwelt ertragen, ohne das Gleichgewicht zu verlieren. Er, der früher „ein Spielball dunkler, unbewußter Regungen war, wird zum bewußten Beherrscher oder Dulder seiner Gefühle".

---

[1] Ebenso hören die dissoziativen Prozesse, die Bewußtseinsspaltung, das Double vie auf.

Trotz und Gehorsam.

Von Dr. Alfred Adler (1910).

Seit wir in der Individualpsychologie ein so wertvolles Hilfsmittel besitzen, um psychische Zustandsbilder und Charaktere aus ihrer frühkindlichen Entwicklung zu begreifen, zeigt sich die grundlegende Bedeutung der Pädagogik für die Entwicklung eines gesunden Seelenlebens in voller Klarheit. Jede Analyse erhellt Beziehungen zwischen den erzieherischen Beeinflussungen und dem Auftreten nervöser Erscheinungen. Ich zweifle nicht, daß diese Forschungsrichtung eine ungemeine Vertiefung der Pädagogik zustande bringen wird, so wie sie umgekehrt aus den sicheren Erfahrungen der Erziehungswissenschaft ihre wertvollsten Beweise und Hilfen entnimmt. Die meisten der bisherigen individualpsychologischen Arbeiten sind naturgemäß vom Standpunkte der ärztlichen Kunst aus geschrieben. Immerhin berücksichtigen sie eine ganze Anzahl erzieherischer Fragen so sehr oder stellen sie in den Vordergrund, daß man es wagen darf, sie den Nichtärzten, vor allem Eltern, Lehrern und Psychologen, als Probe vorzulegen.

Was ganz besonders die Eignung der Individualpsychologie für die Entwicklung der Pädagogik ausmacht, ist die sich ergebende Anschauung vom Wesen des Charakters. Ich kann hier nur die Ergebnisse aus einer großen Reihe von Erfahrungen, vor allem eigener Befunde, mitteilen, aus welchen hervorgeht, daß bestimmte Charakterzüge sich in gerader Linie von einem Organsystem ableiten lassen und dem daran haftenden Triebe entsprechen. So stammt vom Sehorgane und seinem Triebe die visuelle Neugierde und später die Wißbegierde, vom Nahrungsorgan der Charakter der Gefräßigkeit, hernach des Futterneides und, sobald das Geldäquivalent in Wirksamkeit tritt, des Geizes. Der Haut und ihren besonders gearteten Stellen entstammen bestimmte, dauernde Neigungen zur Berührung und sinnlichen Lustgewinnung. Die Absonderungsorgane, die ursprünglich bloß mit Entleerungsneigung behaftet sind, arbeiten zunächst im Triebleben gleichberechtigt mit, — bis endlich unter Aufgabe der fast noch vorgeburtlichen Arbeitsweisen der Organe eine Änderung eintritt, eingeleitet durch eine starke Unterordnung des gesamten Trieblebens unter den Zweck der Unlustverhütung, so gegen Ende des Säuglingsalters. Das Kind ist wissend geworden und nützt sein Bewußtsein aus, indem es sein Leben und Treiben auf Lustgewinnung einstellt. Kulturhistorisch wie in der Entwicklung des einzelnen zeigt sich die gleiche Stufenfolge: im allgemeinen werden die Befriedigungsarten bevorzugt und festgelegt, die entweder mehreren Organtrieben zugleich entsprechen oder Unlust vermeiden. Die Nahrung soll nicht nur angenehme Geschmackseigenschaften besitzen, sondern auch dem Auge, der Nase Lust bereiten. Die Kleidung soll die Haut vor Unlusterregung, vor Kälte, Nässe bewahren und zugleich dem Auge wohlgefällig sein. Das Gehaben des Kindes auf dieser Stufe der Entwicklung ist durchaus selbstsüchtig, nur auf Lustgewinnung eingestellt, nur sein Triebleben ist in seiner Ausbreitung durch innigeres Zusammenwirken, durch Triebverschränkung und gelegentliche gegenseitige Hemmung, durch Eigenerfahrung und Belehrung bestimmt. Immerhin lassen sich bereits Unterschiede, Ansätze zur Eigenart und Gesinnungsbildung erkennen. Bald ist der Schautrieb, bald der Eß- oder ein anderer Trieb die Hauptachse des Seelenlebens, bald treten Schwächen oder kennzeichnende Vorzüge eines Triebes (des Hör-, Schau-, Riechtriebes) so deutlich hervor, daß ein umschriebenes Charakterbild zutage kommt. Alle diese Eigenheiten, wie auch Plumpheit, Ungeschicklichkeit, Trägheit, auffallende Lebhaftigkeit, Wehleidigkeit, stammen in gerader Linie von Organminderwertigkeiten her, stehen mit organischen Empfindlichkeiten, scharf abgegrenzten oder abgeschwächten Sinnesempfindungen im Zusammenhang und fallen durch die andersartige Triebausbreitung und Triebbefriedigung als ursprüngliche und angeborene Charakterzüge auf, deren Material später zu einer einheitlichen Persönlichkeit umgeformt wird.

Denn in diese seelische Vorbereitung fallen nun die Wirkungen der Umgebung und der gesellschaftlichen Bedingungen. Von größter Tragweite sind die Einflüsse des Familienlebens. Sie bringen neue Einschränkungen der Triebausbreitung, und die Einstellung des Kindes auf Lustgewinnung gerät in Widerspruch mit ihnen. Hier liegen die Wurzeln des gewöhnlichen, sozusagen physiologischen Trotzes der Kindheit. Das Kind soll lernen, sich in den Kulturbetrieb einzufügen und seinen spielerischen Hang nach freier Organbetätigung aufzugeben. Diese Umwandlung gelingt nur dann leicht, wenn das Kind an Stelle ursprünglicher Triebbefriedigung einen Ersatz annimmt; die Liebe seiner Umgebung oder eine Ehrgeiz befriedigung. Dann kann es, ohne ungeduldig zu werden, au die Triebbefriedigung warten, die Einfügung ist gelungen, das Kin ist auf Gehorsam eingestellt. Andernfalls sträubt es sich gegen der Einklang des Familienlebens, verweigert den Gehorsam, geb seine eigenen Wege, die oft weitab vom Erziehungsziele führen, sträub sich gegen den Eß- und Reinigungszwang, leistet beim Schlafengehen später auch beim Lernen tätigen und leidenden Widerstand, nicht selter auch bei Verrichtung seiner Notdurft. Oder das Kind wird jähzornig neidisch, voll Ungeduld und stört den Frieden des Hauses durch stillen oder lauten Trotz. Immerhin sind es auf dieser Stuf der Entwicklung nur Spuren, die aber unter bestimmten Bedingunger immer stärker und stärker zur Ausprägung gelangen, bis sie sich zun hervorstechenden Charakterzug ausgebildet haben, der oft da Schicksal der Person und ihrer Umgebung wird.

*　　*　　*

Von verstärkenden Bedingungen für den Charakter des Trotzes habe ich vornehmlich zwei gefunden, die den Lauf der Dinge entscheiden. Die erste: Kinder, die infolge angeborener Organminderwertigkeit schwächlich, ungeschickt, kränklich, im Wachstum zurückgeblieben, häßlich oder entstellt sind, einen Kinderfehler haben, erwerben sehr leicht aus ihren Beziehungen zur Umgebung ein Gefühl der Minderwertigkeit, das sie schwer bedrückt und das sie mit allen Mitteln zu überwinden trachten. Ich darf wohl auch hier von einer anormalen Einstellung sprechen, deren Charakterzüge sich um dieses Minderwertigkeitsgefühl ordnen, nebenbei aber meist viel deutlicher um die daraus (nach dem Gesetze der Dialektik) folgende verstärkte Angriffsneigung gegen die Außenwelt. Dem Minderwertigkeitsgefühl entsprechen Züge wie Ängstlichkeit, Zweifel, Unsicherheit, Schüchternheit, Feigheit und verstärkte Züge von Anlehnungsbedürfnis und unterwürfigem Gehorsam. Daneben finden sich Phantasien, ja auch Wünsche, die man als Kleinheitsideen oder masochistische Regungen zusammenfassen kann. Über diesem Gewebe von Charakterzügen finden sich regelmäßig — in abweisender und ausgleichender Absicht — Frechheit, Mut und Übermut, Hang zur Auflehnung, Starrköpfigkeit und Trotz, begleitet von Phantasien und Wünschen nach einer Helden-, Krieger-, Räuber-

96

olle, kurz von Größenideen und sadistischen Regungen. — Das Minderwertigkeitsgefühl gipfelt schließlich in einem nie
versagenden, stets übertriebenen Gefühl der Zurückgesetztheit, und die Aschenbrödelphantasie ist fertig, fertig auch mit ihrer
sehnsüchtigen Erwartung der Erlösung und des Triumphes. Hierher gehören auch die häufigen Phantasien der Kinder
von ihrer geheimen fürstlichen Abstammung und ihrer vorübergehenden Verbannung aus dem „wirklichen" Elternhause. Die Wirklichkeit
aber spottet der Harmlosigkeit des Märchens. Das ganze
Triebleben des Kindes wird aufgepeitscht und
übermächtig, Rachegedanken und Todeswünsche gegen die
eigene Person wie gegen die Umgebung werden bei der leisesten Beeinträchtigung laut, Kinderfehler und Unarten werden trotzig
festgehalten, und sexuelle Frühreife, sexuelles Begehren bricht aus der
Kinderseele hervor, um nur so zu sein wie die Erwachsenen, Vollwertigen. Der Große, der alles kann, alles hat, — das ist der Vater,
oder wer ihn vertritt, die Mutter, ein älterer Bruder, der Lehrer. Er
wird zum Gegner, der bekämpft werden muß, das Kind wird blind und
taub gegen seine Leitung, verkennt alle guten Absichten, wird mißtrauisch und äußerst scharfsinnig allen Beeinträchtigungen gegenüber,
die von ihm kommen, kurz, es ist auf Trotz eingestellt, hat
sich aber gerade dadurch von der Meinung und Haltung der andern völlig abhängig gemacht.

Oder das Kind ist durch seine Anlage und durch Lebenserfahrungen
um seine Aggressionstendenz gekommen, ist durch Schaden „klug"
geworden und sucht seine Triebbefriedigung und seinen endlichen Triumph durch passives Verhalten herbeizuführen, durch Unterwerfung,
durch ehrlichen und unehrlichen Gehorsam. Freilich lodert zuweilen
die Flamme des Hasses auf, oft nur in den Träumen und nervösen
Symptomen dem Kundigen ein Zeichen, daß der Boden unterwühlt,
zur Neurose oder zu verbotenen Handlungen geeignet ist, wenn sich
das Kind nicht zu triumphalen Leistungen oder zur Indolenz fähig erweist. Überwiegt die Einstellung auf Gehorsam und Unterwerfung, dann beglückwünschen sich die Angehörigen nicht selten
zu ihrem Musterkinde, ohne zu ahnen, daß das Leben, die Liebe, der
Beruf in ungünstigen Fällen gar leicht den Verfall, das Versinken in
die Nervosität herbeiführen kann.

In beiden Hauptgruppen von Charakterzügen also sehen wir die
Wirkung falscher Einstellungen, deren kompensatorische Bedeutung,

wie ich zuerst gezeigt habe, in der Vernichtung des Minderwertigkeitsgefühls durch einen ausgleichenden Protest und durch Größenphantasien besteht. In der Mehrzahl findet man Mischfälle, so daß Züge von Gehorsam und Trotz nebeneinanderlaufen, wobei eine starke Überempfindlichkeit jeden Schein von Beeinträchtigung mit Abwehrregungen im Denken, Phantasieren oder Handeln beantworten läßt. Für diese große Zahl von Kindern, aus welchen ungünstigenfalles nervöse Menschen herauswachsen, können wir diese Behauptung aufstellen, daß sie ihr Gehorchen nicht vertragen, oder bestenfalls wieder nur dann, wenn sie einen Ersatz in der Liebe oder in der Ehrgeizbefriedigung finden.

Die zweite der verstärkenden Bedingungen für die Einstellung auf Trotz habe ich in der subjektiven Unsicherheit der Geschlechtsrolle des betreffenden Kindes nachgewiesen. Diese Bedingung steht durchaus nicht vereinzelt da, sondern schließt sich eng an die vorige an. Das Suchen nach der Geschlechtsrolle beginnt gewöhnlich um das vierte Lebensjahr. Der Wissensdrang des Kindes erfährt dabei eine starke Steigerung. Der Mangel an geschlechtlicher Aufklärung macht sich für das Kind gerade in diesem Punkte fühlbar. In Unkenntnis der Bedeutung der Geschlechtswerkzeuge sucht das Kind den Unterschied der Geschlechter in der Kleidung, in den Haaren, in körperlichen und geistigen Eigenschaften und geht dabei vielfach irre. Dabei befestigen manche Mißbräuche diesen Irrtum. So die Neigung mancher Eltern, Knaben bis über das vierte Lebensjahr hinaus Mädchenkleider mit breiten Schärpen und Spitzen, oder gar Arm- und Halsbänder tragen zu lassen, eine Neigung, die auf einer falschen Einstellung der Mutter beruht, die sich ein Mädchen gewünscht hatte. Auch das Tragen langer Haare, stärkere Entwicklung der Brüste, blasse Gesichtsfarbe und Mißbildungen der Genitalien können den Knaben in der Auffassung seiner Geschlechtsrolle unsicher machen. Ja selbst wenn das Kind den Unterschied der Geschlechtsorgane in seiner Bedeutung für die Geschlechtsrolle erkannt hat, bleibt oft ein Rest von Unsicherheit, weil Gedanken von Veränderungen der Geschlechtsorgane plötzlich oder veranlaßt durch Drohungen der Eltern zur Erwägung kommen. Bei Mädchen wird diese Unsicherheit oft verstärkt durch ein knabenhaftes Aussehen oder durch ein solches Benehmen, wobei entsprechende Bemerkungen der Umgebung („die ist gar kein Mädel") stark ins Gewicht fallen. Dazu kommt noch der Krebsschaden unserer Kultur, der zu starke Vor-

rang der Männlichkeit. Nun setzt die gleiche Kraft wie oben, nur
maßlos verstärkt, ein. Alle Kinder, die so im Zweifel über ihre
Geschlechtsrolle waren, übertreiben die ihnen männlich erscheinenden Eigenschaften, in erster Linie
den Trotz. Der Gehorsam, die Unterwerfung, schwach, klein, dumm,
passiv sein, werden als weibliche Merkmale gefühlt, denn der Vater,
der männliche Richtschnur bleibt, zeigt in der Regel die entgegengesetzten Eigenschaften. Der Sieg wird als männlich, die Niederlage als
weiblich erfaßt, und ein hastiges Drängen und Suchen nach
männlichem Protest verstärkt in hervorragender
Weise die Einstellung auf Trotz, verstärkt sie deshalb, weil nunmehr zu dem Ausgangspunkt dieser Beeinflussung, dem Gefühl der Minderwertigkeit, ein
besonderes Minderheitsgefühl hinzutritt, in der er-
wogenen Möglichkeit, wie eine Frau zu werden. Und eine
Frau zu werden bedeutet für diesen Typus von Kindern mit ihrem
Gefühl der Zurücksetztheit und Beeinträchtigung eine Erwartung
von unausgesetzten Plagen und Schmerzen, von Verfolgungen und Niederlagen. So suchen sie seelisch wett zu machen, was sie etwa körperlich vermissen, und sie steigern ihren männlichen Protest, damit ihren
Trotz oft ins Ungemessene. Wie oft da die beste Erziehung versagt,
weiß jeder Erzieher. Worte, Lehren, Beispiele dringen fast nie bis
zum Urgrund dieser Charakterzüge, dem Gefühl eines vermeintlichen
Hermaphroditismus. Sie wollen alles besser wissen, verbeißen sich
in den Gedanken ihrer Einzigartigkeit, dulden niemand über sich und
wollen sich durch nichts belehren lassen. Dabei treten oft verbrecherische Instinkte zutage, Selbstsucht, Hang zur Lüge, zu Diebstahl.
Auch hier kann die Liebe, sicher nicht der Haß oder die Strafe, bessernd
wirken, ja diese Kinder stellen zuweilen in ihrer immerwährenden Gier
nach Triumph im späteren Leben das Material, aus dem unter günstigen Bedingungen die großen Menschen, Künstler und Dichter hervorgehen. — Für die andern aber, — und nur diese können Gegenstand
der Pädagogik sein —, für die Kinder, die durch die falsche Einstellung
Schaden leiden, muß behauptet werden, daß nur die Individualpsychologie imstande ist, eine Änderung herbeizuführen. Denn Ausgangspunkt, die falsche Einstellung und das Endziel, der männliche Protest,
sind dem Bewußtsein entzogen, und die ganze Folge von
Wirkungen wickelt sich zwangsmäßig im Unbewußten ab.

Hier seien zwei Krankengeschichten vorgeführt, die die ursprüngliche Einstellung auf Trotz und Gehorsam zeigen.

Der eine Patient, ein 26jähriger Mediziner, beklagte sich über nervöse Beschwerden (Angstanfälle, Prüfungsangst, Kopfschmerzen, Unfähigkeit zu lesen). Ich kann die Erörterung dieser Zustände an dieser Stelle übergehen, indem ich darauf hinweise, daß sie alle einer unbewußten Absicht dienten, den Beweis herzustellen, daß dem Patienten alle Aussichten versperrt seien, a l l e i n d u r c h   d a s   L e b e n   z u   g e h e n. Die wirkliche, dem Patienten über unbewußte letzte Ursache, die diesen Beweis forderte, fand sich in seiner Unzufriedenheit in der gegen den Willen seines Vaters geschlossenen Ehe. Konnte er nun lebenswichtige Handlungen a l l e i n nicht vollbringen, so war auch die Trennung von seiner Frau ausgeschlossen. So oft er nun Ursache zu haben glaubte, sich von dieser zu entfernen, so oft hinderte ihn daran die alte trotzige Einstellung gegen den Vater. Sein Trotz ließ sich bis in die früheste Kindheit verfolgen und zeigte den oben geschilderten Aufbau. Er war ein übermäßiges plumpes Kind gewesen, von der ganzen Umgebung verspottet und verlacht, wobei Vergleiche mit e i n e r   s c h w a n g e r e n   F r a u recht häufig wiederkehrten. Seine Unsicherheit in der Auffassung seiner Geschlechtsrolle wurde noch erheblich gesteigert, als ihm eine Gouvernante drohte, er werde sich in ein Mädchen verwandeln, wenn er unzüchtige Berührungen an sich vornähme.

Vermeintliche oder wirkliche Zurücksetzungen fehlten auch in diesem Falle nicht, so daß der Boden genügend vorbereitet war, um den Knaben aus seinem Gefühl der Minderwertigkeit heraus zu unbeugsamem Trotze und überstiegenem Ehrgeize zu treiben. Überall wollte er d e r   E r s t e,   d e r   K l ü g s t e,   d e r A u s g e z e i c h n e t s t e   s e i n. Daß er auf diesem Wege zu hohen sittlichen Werten gelangte, wird uns nicht wundernehmen; er wollte sich auch durch unerschütterliche W a h r h e i t s l i e b e,   R e i n h e i t   d e r   S i t t e n   u n d   g r o ß e s   W i s s e n hervortun. Andererseits fehlten Züge abträglicher Art keineswegs, er wurde h e r r s c h s ü c h t i g,   s t a r r k ö p f i g,   s e l b s t b e w u ß t und leicht geneigt, das Wissen und die Erfahrung anderer zu unterschätzen. Frühzeitig schritt er zur Verehelichung, um in diesem Verhältnisse den T r i u m p h   s e i n e r   M ä n n l i c h k e i t zu finden. Je mehr sein Vater ihn hiervon mit guten Gründen abzuhalten suchte, um so trotziger bestand er auf seinem Plane, den er auch bald nachher ausführte. Weil sich die Frau doch nicht in dem Maße unterwarf, wie es seinen unbewußten Erwartungen entsprochen hätte, und weil sie ihm wegen seines fortgesetzten Mißtrauens und Nörgelns mit immer stärkerer Widerspenstigkeit begegnete, o f f e n b a r   u m i h r e   „M ä n n l i c h k e i t"   z u   b e w e i s e n, war er vor eine Niederlage gestellt, die ihn vor der Welt, vor seinem Vater und vor seiner Frau als minderwertig, d. h. als „weiblich" (unmännlich) erwiesen hätte. Zu trotzig, um zu einer bewußten Erfassung dieser Lage zu schreiten, fand er den Ausweg in die Krankheit und versuchte sich derart vor dem Wiedererwachen der alten schmerzlichen Erinnerungen an Spott und Herabsetzung zu schützen. Die Klärung dieser Zustände brachte es dahin, daß der Patient auf den scheinbaren Vorteil seiner Krankheit verzichtete, und, unbekümmert um die

Meinung seiner Umgebung, beherzt an die Ordnung seiner häuslichen Verhältnisse schreiten wollte.

Ein zweiter Fall betrifft eine Patientin, Beamtin, 34 Jahre alt, die wegen Aufregungszuständen, nervösen Herzklopfens und nächtlichen Aufschreiens in die Behandlung kam. Der Vorteil dieser Erkrankungsform lag darin, daß die Patientin in den Brennpunkt der Aufmerksamkeit ihrer Umgebung trat, stets nur in Begleitung ihrer Schwester ausging und sich aller gesellschaftlichen Pflichten entledigen durfte. Die uneingestandene Absicht war dabei, sich allen Heiratsplänen zu entrücken. Als Kind zeigte sie frühzeitig knabenhaftes Aussehen, ungebärdiges Benehmen und Kinderfehler, wie Bettnässen und Daumenlutschen. Sie bewegte sich nur in Knabenkreisen, an deren Balgereien und grausamen Spielen sie Gefallen fand. In der Pubertät brachte sie ihr aggressives Vorgehen einigemal in Gefahr, sich zu verlieren. Diese Gefahr und die Einschüchterungen durch die Mutter führten dazu, daß das in sexuellen Dingen schlecht unterrichtete Mädchen für ihre „männliche Rolle" zu fürchten begann. Ihre persönlichen Erfahrungen über eheliche Verhältnisse waren gleichfalls nicht danach angetan, ihr die Rolle einer Frau sympathisch zu machen. Sie sah in ihrer Umgebung die Gattin stets als minderwertiges und unterdrücktes Wesen behandelt und fürchtete, dem gleichen Lose anheimzufallen. So wuchs ihre Abneigung gegen die Ehe bis zu einem solchen Grade, daß sie es vorzog, als kranke, zur Ehe untaugliche Person durch das Leben zu gehen. Durch das Herzklopfen bewies sie sich und anderen, daß sie als Herzkranke der Gefahr einer Schwangerschaft ausweichen müsse; die Gesellschaftsflucht und die Angst, allein auf die Straße zu gehen, sollte dazu dienen, die Bekanntschaft mit Männern zu verhüten. In diesem Falle hat die Abneigung, die natürliche weibliche Aufgabe auf sich zu nehmen, die Patientin dazu gebracht, den Einschüchterungen durch die Mutter, der sie in anderen Dingen seit jeher trotzig und auflehnend gegenüberstand, mit übertriebenem Gehorsam zu folgen. Die Einstellung auf Gehorsam diente dem gleichen Zwecke wie ihr Trotz, der Aufrechterhaltung eines scheinbar männlichen Charakters. Eine gute Schilderung ihrer knabenhaften Kindheit folgt später. (S. „Kindheitserinnerungen".)

*　　*　　*

Ich habe in knappen Umrissen zu zeigen versucht, daß die Charakterzüge des Trotzes und des Gehorsams auf unbewußten und falschen Einstellungen des Kindes beruhen[1] und darf nun wohl anschließen, daß die erziehlichen Mittel des Hauses und der Schule solange dagegen nicht aufkommen können, als sie nicht imstande sind, die falsche Einstellung zu verbessern. Welches sind nun die Forderungen, die der Nervenarzt an den Pädagogen stellen darf?

In erster Linie solche vorbeugender Natur. Die Erziehung

---

[1] v. Kries hat auf den „Einstellungsmechanismus" als erster hingewiesen.

muß dem Kinde die Möglichkeit nehmen, — sei es
wegen seiner Schwäche, Kleinheit oder Unkenntnis,
— ein Gefühl der Minderwertigkeit aufkommen zu
lassen[1]. Kranke und schwächliche Kinder müssen
tunlichst rasch geheilt und gekräftigt werden. Wo
dies auch durch soziale Maßnahmen ausgeschlossen
ist, hat sich der Erziehungsplan besonders darauf zu
richten, das Kind zu selbständigem Urteil zu bringen,
es von der Meinung der anderen unabhängiger zu
machen und Ersatzziele aufzustellen. Die Unsicherheit der Geschlechtsrolle ist ein ungemein schädigender Zustand und muß von vorneherein durch da-
hinzielende Belehrung und Haltung ausgemerzt werden.

Die Gleichstellung der Frau ist eine sehr dringende pädagogische Forderung. Herabsetzende Bemerkungen oder Handlungsweisen, die den Wert der Frau
im allgemeinen bezweifeln, vergiften das Gemüt des
Kindes und nötigen Knaben wie Mädchen, sich frühzeitig den falschen Schein einer übertriebenen Männlichkeit beizulegen. Man erziehe nicht zum Gehorsam, wenn man die Einstellung auf Trotz vermeiden
will.

Die falsche Einstellung auf Trotz oder Gehorsam ist bei Verfolgung
obiger Schilderung leicht wahrzunehmen. Hat man es mit einem
solchen Kinde zu tun, so zwingt ja die Frage nach dessen späterem
Schicksal zu bestimmten Maßnahmen. Auch die Gefahr einer nervösen
Erkrankung ist in Betracht zu ziehen. In der Schule verraten sie sich
zuweilen dadurch, daß sie träumerisch oder aber stumpfsinnig dasitzen, erschrecken und zittern oder erröten, wenn sie aufgerufen werden
und ständig oder nur bei der Prüfung „ein böses Gesicht" machen.
Werden sie ausgelacht oder bestraft, so erfolgt eine unerwartet heftige
Gegenwirkung. Manchmal sind sie Muster von Folgsamkeit in der

---

[1] Von diesem Standpunkte aus erscheint das System der „Förderklassen"
als gefährlich, weil es den männlichen Protest aufs heftigste steigern muß,
eine entsprechende Begrenzung desselben in der Schule aber unmöglich ist.
Was das eine Kind etwa aus der Förderung gewinnen mag, wird durch die
Schädigung der Überzahl, durch Vermehrung ihres Trotzes und ihrer Ver-
bitterung, mehr als aufgewogen.

Schule, quälende Tyrannen aber zu Hause[1]. Es versteht sich leicht, daß weder der Trotz gereizt, noch der Gehorsam vertieft werden darf, wie es öfter zu geschehen pflegt, wenn man im ersten Fall die Hilflosigkeit des Kindes lächerlich zu machen sucht, im zweiten sichere Belohnung in Aussicht stellt, die das Leben ja doch nicht gibt. Wo man aber den Gehorsam nur des Gehorsams wegen antrifft, da verdankt er, ähnlich wie bei manchen religiösen Übungen, der tiefsten Zerknirschung, einem übermächtigen Gefühl der Minderwertigkeit seinen Ursprung und nähert sich dem masochistischen Kleinheitswahn, um heimliche Triumphe zu feiern. Gelingt es, dem Kinde die abnorme Einstellung nachzuweisen und zu zeigen, seine falschen Werungen von eigener und fremder, von männlicher und weiblicher Bedeutung zu entwerten, ihm den Zwangsmechanismus klar zu machen, der von der psychischen Zweigeschlechtlichkeit zum aufgepeitschten männlichen Protest führt, seinen Trotz der Gehorsam als auf diesen Linien gelegen aufzudecken, so ist das Spiel gewonnen. Das Kind wird innerlich frei und äußerlich unabhängig, und kann sich nunmehr mit seiner vollen, nicht mehr gebundenen Kraft zu selbständigem Denken und Handeln aufraffen.

Wenn dabei auch ein großes Stück von Autoritätsglaube fällt, — und auch das trotzige Kind trotzt nur der Autorität! — wir wollen es nicht bedauern. Wir steuern ja einer Zeit entgegen, wo jeder selbständig und frei, nicht mehr im Dienste einer Person, sondern im Dienste einer gemeinsamen Idee seinen gleichberechtigten Platz ausführen wird, im Dienste der Idee des körperlichen und geistigen Fortschritts.

---

[1] Ich meine, daß sie sich am deutlichsten in freien oder selbstgewählten Aufsätzen, wo ihnen das Thema nicht allzu nahe gelegt wird, verraten müßten, indem sie etwa Probleme oder Problemlösungen im Sinne der oben dargestellten Regungen zur Darstellung brächten. Für derartige Beobachtungen hätte man allen Grund, den Lehrern dankbar zu sein. Herrn Professor Oppenheim, Frau Dr. Furtmüller, Herrn und Frau Dr. Kramer und anderen danke ich an dieser Stelle für die freundliche Ausführung dieser Anregung, die im folgenden zur Darstellung gelangt.

Zur Kritik der Freudschen Sexualtheorie der Nervosität.

I.

Die Rolle der Sexualität in der Neurose.

Vortrag, gehalten im Januar 1911. Von Dr. Alfred Adler.

Die Frage ist müßig, ob eine Neurose ohne Einbeziehung des Sexualtriebes möglich sei. Hat er doch im Leben aller eine ähnlich große Bedeutung. Fragt sich also, ob in seinen Schicksalen der Anfang und das Ende, alle Symptombildungen der Neurose zu erblicken seien. Ich muß darauf mit einer kurzen Schilderung; — nicht des losgelösten Sexualtriebs, sondern seiner Entwicklung im Ensemble des Trieblebens antworten. Biologisch wäre die Auffassung nicht zu halten, daß jeder Trieb eine sexuelle Komponente habe, also auch der Freßtrieb, der Schautrieb, der Tasttrieb usw. Man muß vielmehr annehmen, daß die Evolution im organischen Reich zu Ausgestaltungen geführt hat, die wir uns als Differenzierung ursprünglich vorhandener Zellfähigkeiten zu denken haben. So ist dem Willen und der Not zur Assimilation ein Nahrungsorgan gefolgt, ein Tast-, Gehörs-, Gesichtsorgan dem Willen und Zwang zum Fühlen, Hören, Sehen, ein Zeugungsorgan dem Willen und Zwang zu Nachkommenschaft. Die B e h ü t u n g aller dieser Organe war so sehr nötig, daß sie von zwei Seiten in Angriff genommen wurde: durch Schmerz- und durch Lustempfindung. — Da dies nicht genügte, durch eine dritte Sicherung, durch ein Organ der Voraussicht, dem Denkorgan, dem Gehirn. Auf dem Experimentierfelde der Natur finden sich Variationen aller drei S i c h e r u n g s g r ö ß e n. Der Anstoß kommt aus Angriffen in der Aszendenz, die Deszendenz weicht aus. Bald kommt es zu peripheren Defekten, bald zu erhöhten Schmerz- und Lustempfindungen im minderwertigen Organ. Der variabelste Anteil, das Zentralnervensystem, übernimmt die endgültige K o m - p e n s a t i o n. Es ist ein zweifaches Unrecht, den Begriff des minderwertigen Organs und den der „erogenen Zone" Havelok Ellis zu konfundieren. Nur ein kleiner Teil der minderwertigen Organe zeigt erhöhte Lust- oder Kitzelgefühle im peripheren Anteil. Will man, wie Sadger versucht, einen minderwertigen Nierenleiter, eine Gallenblase, Leber-Pankreas, adenoide Vegetationen und Lymphdrüsen zu den erogenen Zonen zählen? Die Otosklerose zeigt nach neueren Untersuchungen einen Mangel des Kitzelgefühls im äußeren Gehörgang. Ferner: wo stellen Sie bei der Auffassung von den erogenen Zonen die Gehirnkompensation und Überkompensation hin?

Zweitens: es präjudiziert der Begriff „erogene Zone", und zwar mit Unrecht. Nicht als ob ich leugnen wollte, daß sich am minderwertigen Organ bewußte und unbewußte perverse Phantasien anknüpfen könnten. Aber erst im späteren Leben, unter Zuhilfenahme falscher Sexualvorstellungen oder unter dem Drucke bestimmter Sicherungstendenzen. Um erogen zu werden, bedürfen diese Zonen einer sekundären Triebverschränkung unter dem Drucke falscher Sexualtheorien oder gegensätzlicher ü b e r f l ü s s i g e r   S i c h e r u n g s t e n d e n z e n. Die Behauptung, daß das Kind p o l y m o r p h - p e r v e r s ist, ist ein Hysteron-Proteron, eine dichterische Lizenz. Die „s e x u e l l e K o n s t i t u t i o n" kann durch Erlebnisse, durch Erziehung, insbesondere auf Basis der Organminderwertigkeit beliebig gezüchtet werden. Selbst die F r ü h r e i f e kann niedergehalten oder gefördert werden. S a d i s t i s c h e   u n d m a s o c h i s t i s c h e   R e g u n g e n aber entwickeln sich erst aus den harmloseren Beziehungen von regelmäßig vorhandenem Anlehnungsbedürfnis und Selbständigkeitsregungen, sobald der männliche Protest in Frage kommt, mit seiner Aufpeitschung von Wut, Zorn und Trotz.

Das Sexualorgan entwickelt einzig und allein den sexuellen Faktor im Leben und in der Neurose. Sowie die Sexualität Beziehungen eingeht zum gesamten Triebleben und seinen Ursachen, so gilt dies von jedem anderen Trieb. Bevor der Sexualtrieb eine nennenswerte Größe erreicht, etwa am Ende des ersten Jahres, ist das psychische Leben des Kindes bereits reich entwickelt. F r e u d erwähnt die Auffassung alter Autoren, denen sich Czerny anschließt, daß Kinder, die sich beim Stuhlabsetzen trotzig benehmen, oft nervös werden. Im Gegensatz zu anderen Autoren führt er ihren Trotz darauf zurück, daß sie bei der Stuhlverhaltung sexuelle Lustgefühle haben. Ich habe keinen einwandfreien derartigen Fall gesehen, will aber nicht leugnen, daß Kinder, die derartige Kitzelgefühle bei der Retention haben, wenn sie in die Trotzeinstellung geraten, g e r a d e   d i e s e   A r t des Widerstandes bevorzugen. Dabei ist aber doch der Trotz maßgebend, und die Organminderwertigkeit ist für die Lokalisation und Auswahl des Symptoms ausschlaggebend. Ich habe viel öfters beobachtet, daß derartige trotzige Kinder den Stuhl knapp vor oder nach der Inszenierung des nötigen Apparates oder auch neben dem Apparat produzieren. Dasselbe gilt vom Urinieren solcher Kinder, dasselbe aber auch vom Essen und

Trinken. Man braucht gewissen Kindern das Trinken bloß einzuschränken, und ihre „libido" steigt ins Unermeßliche. Man braucht
ihnen nur zu sagen, daß man auf regelmäßiges Essen Wert legt, und
ihre libido sinkt auf Null. Kann man diese „Libidogrößen" ernst
oder gar energetisch nehmen und zu Vergleichen benützen? Ich sah einen
dreizehn Monate alten Knaben, der kaum stehen und gehen gelernt
hatte. Setzte man ihn in seinen Sessel, so stand er auf. Sagte man ihm:
„Setze dich nieder", so blieb er stehen und sah schelmisch drein.
Seine sechsjährige Schwester rief ihm bei einer solchen Gelegenheit
zu: „Bleib stehen!" und das Kind setzte sich nieder. Dies sind die
Anfänge des männlichen Protestes, und die inzwischen aufkeimende
Sexualität ist seinen Stößen und seinem Drängen fortwährend ausgesetzt. Auch die Wertschätzung des Männlichen beginnt auffällig
früh. Ich sah einjährige Kinder, Knaben und Mädchen, die männliche Personen sichtlich bevorzugten. Vielleicht ist es der Klang der
Stimme, das sichere Auftreten, die Größe, die Kraft, die Ruhe, die
dabei den Ausschlag gibt. Ich habe auf diese Wertschätzung in einem
Referat über Jungs „Konflikte der kindlichen Seele" kritisch[1] hingewiesen. Sie löst regelmäßig den Wunsch aus, auch ein Mann zu
werden. Neulich hörte ich ein Kind von zwei Jahren, einen Knaben,
sprechen: „Mama dumm, Fräulein dumm, Toni (Köchin) dumm, Usi
(Schwester) dumm, O-mama (Großmama) dumm!" Als er gefragt
wurde, ob der Großpapa auch dumm sei, sagte er: „O-papa doß
(groß)." — Allen fiel es auf, daß er den Vater ausgenommen hatte.
Man hielt es für ein Zeichen des Respektes. Es war leicht zu verstehen, daß er die sämtlichen w e i b l i c h e n Mitglieder seiner Umgebung für dumm erklären wollte, sich und die männlichen für klug.
Er identifizierte dumm und weiblich, klug und männlich, a b e r d i e s e
I m i t a t i o n v e r h a l f i h m z u r G e l t u n g.

Ich habe in mehreren Arbeiten hervorgehoben, daß vor allem die
Kinder mit fühlbarer Organminderwertigkeit, Kinder, die an Fehlern
leiden, deren Unsicherheit größer, deren Furcht vor Blamage und
vor Strafe ausgiebiger ist, jene Gier und jene Hast entwickeln, die
schließlich zur Neurose disponieren. Sie sehnen sich frühzeitig schon
nach dem B e w e i s i h r e s W e r t e s o d e r w e i c h e n V e r l e t z u n-
g e n i h r e r E m p f i n d l i c h k e i t a u s. Sie sind schüchtern, erröten
leicht, fliehen vor jeder Prüfung ihres Könnens und verlieren frühzeitig

---

[1] Wie ich derzeit sehe, mit Erfolg. Siehe H i t s c h m a n n, Freuds Neurosenlehre, II. Aufl., und J u n g (Bleuler-Freudsches Jahrbuch 1913).

die Natürlichkeit des Benehmens. Dieser unbehagliche Zustand drängt mit Macht n a c h S i c h e r u n g e n. Bald wollen sie gehätschelt sein, bald alles allein machen, sie schrecken vor jeder Arbeit zurück oder lesen ununterbrochen. In der Regel sind sie frühreif. Ihre Wißbegierde ist ein k o m p e n s a t o r i s c h e s P r o d u k t i h r e r U n s i c h e r h e i t und greift frühzeitig nach den Fragen über den Geburtshergang und über den Geschlechtsunterschied. Diese angestrengte und andauernde Phantasietätigkeit muß als ein Reiz für den Sexualtrieb aufgefaßt werden, sobald primitive Kenntnisse von Sexualvorgängen zustande gekommen sind. Auch hier gilt ihnen als Ziel der B e w e i s i h r e r M ä n n l i c h k e i t. Ich habe in der „Minderwertigkeitslehre" hervorgehoben, daß die Sexualminderwertigkeit mit ihrer oft größeren Lustempfindung zur Frühreife disponiert. Treffen, wie so häufig, männlicher Protest und größere Lustempfindung am Genitale zusammen, so resultieren Frühmasturbation und frühzeitige Sexualwünsche. Vorstellungen von den Schrecken und Schmerzen des Geburtsaktes, des Geschlechtsverkehres sind es, die den P r o t e s t i n m ä n n l i c h e r R i c h t u n g weitertreiben. Wo in der Neurose Geburtsphantasien, Kastrationsgedanken oder analog zu verstehende Gedanken vom Untensein, von Atemnot, vom Überfahrenwerden usw. auftauchen, sind es weder Wünsche noch verdrängte Phantasien, sondern s y m b o l i s c h g e f a ß t e B e f ü r c h t u n g e n, z u u n t e r l i e g e n, gegen die sich der Neurotiker zu sichern trachtet oder die er als W a r n u n g e n sich vor die Seele ruft. Ein nicht seltener Typus, den ich bisher nur selten in den Kreis meiner Erwägungen gezogen habe, meist Söhne starkgeistiger, männlicher Mütter, hat die A n g s t v o r d e r F r a u tief im Gemüte. In ihren Phantasien spielt die männliche Frau häufig eine Rolle, das ist die Frau, die oben, ein Mann sein will. Oder sie haben die symbolische Phantasie des Penis captivus, d. h. sie fürchten, von der Frau nicht loszukommen, wobei das Bild vom Sexualverkehr der Hunde entlehnt ist. Um nun recht acht zu geben, übertreiben sie maßlos. Ihre eigene Sinnlichkeit erscheint ihnen riesenhaft, das Weib wird zum Dämon, und so wächst ihr Mißtrauen soweit, daß es sie geschlechtlich unbrauchbar macht. Sie müssen j e d e s M ä d c h e n p e i n l i c h p r ü f e n, b e l a u e r n, a u f d i e P r o b e s t e l l e n (Griselda!). Auch bei ihnen geht die Natürlichkeit der Beziehungen verloren.

Und es erhebt sich wieder die Frage: I s t d a s, w a s u n s d e r N e u r o t i k e r a n L i b i d o z e i g t, e c h t? Seine Frühreife ist erzwungen, sein Onaniezwang dient dem Trotz und der Si-

7

cherung gegen den Dämon Weib, seine Liebesleidenschaft geht bloß auf den Sieg, seine Liebeshörigkeit ist ein Spiel, darauf berechnet, sich dem ernsthaften Partner nicht zu unterwerfen, seine perversen Phantasien, ja selbst seine aktiven Perversionen dienen ihm nur dazu, sich von der Liebe fernzuhalten. Wohl sind sie ihm ein Ersatz, aber nur, weil er seine Heldenrolle spielen will, und weil er fürchtet, auf normalem Wege unter die Räder zu kommen. Zumal das sogenannte „Kernproblem" der Neurose, die Incestphantasie, hat meist die Aufgabe, den Glauben an die eigene, übermächtige Libido zu nähren und deshalb jeder „wirklichen" Gefahr so weit als möglich aus dem Wege zu gehen.

Ich gehe nunmehr an die Analyse eines Falles aus der letzten Zeit. Der betreffende Patient ist noch nicht entlassen. Die Struktur seiner Neurose liegt aber so weit klar, daß ich sie auszugsweise vortragen kann, um an ihr meine Behauptungen noch deutlicher zu machen.

Ein 22jähriger Bauzeichner klagt über Anfälle von Zittern in den Händen seit 1¹/₂ Jahren und häufige nächtliche Pollutionen. Die ersten Erkundungen ergaben: Verlor den Vater im fünften Lebensjahr. Der Vater konnte die letzten drei Jahre kaum allein stehen oder gehen und war auf beiden Augen erblindet. Erst in seinem siebzehnten Lebensjahre erfuhr der Patient, daß sein Vater an Rückenmarksschwindsucht gestorben war; gleichzeitig gab man ihm als Ursache dieses Leidens übermäßigen Geschlechtsverkehr an. Diese Mitteilungen fielen in eine Zeit heftiger Masturbation und erfüllten den Patienten mit großem Schrecken für seine eigene Zukunft.

Für seine eigene Zukunft hatte er schon oft zu fürchten Gelegenheit gehabt. Zuerst als kleiner Knabe, da er, schwächlich und kleiner als seine Geschwister und Gespielen, stets Schutz bei seiner Mutter suchte, die ihn als Jüngsten auffällig verhätschelte. Ängstlichkeit und Schüchternheit hafteten seinem Wesen stets an. Doch wurde er bald rechthaberisch, wollte unter seinen Gespielen stets die erste Rolle spielen und konnte deshalb nie Freunde erwerben. Sein Wissensdrang zeigte sich bald, und zwar sowohl in sexuellen Dingen als in der Schule. Seine Sehnsucht war, ein großer Mann zu werden. Und so kam er als einziger einer großen Geschwisterschar in die Mittelschule. Eine Kindheitserinnerung, in der sich der männliche Protest seiner Kindheit widerspiegelt, ist folgender: W e n n e r i m G r a s e a u f d e m R ü c k e n l a g , s a h e r o b e n i n d e n W o l k e n das B i l d s e i n e s V a t e r s . Er, der weibliche Schwächling₁₀₈in der weiblichen Position;

oben der Vater, der Mann. Er hatte bis in die letzten Jahre weibliche Züge und mußte oft in seiner Kindheit beim Theaterspielen in weiblichen Kleidern Mädchenrollen spielen. Er schlief lange mit der um zwei Jahre älteren Schwester in einem Bett und befriedigte dort seine sexuelle Neugierde. In seinen Träumen gab es vereinzelt Incestphantasien, die sich auf Mutter und Schwester bezogen. — Die Mutter hielt strenge auf Moral, und er hatte Gelegenheit, ihre Härte gegenüber den älteren Brüdern, sobald Liebesaffären vorfielen, zu beobachten. Bezüglich der Ehen ihrer Kinder sah sie in erster Linie auf materielle Güter und verfolgte eine ihrer Schwiegertöchter viele Jahre mit ihrem Hasse, weil sie arm in die Ehe getreten war. Alles in allem beherrschte ihn die Mutter in jeder Beziehung.

Erregungen und masturbatorische Beziehungen kamen bei unserem Patienten vom neunten Lebensjahre an vor. Später hatte er häufig Sexualerregungen, wenn er in Mädchengesellschaft war. Als er im vierzehnten Lebensjahr Masturbation zu üben begann, wurde ihm dadurch jede Mädchengesellschaft so sehr verleidet, daß er am liebsten allein blieb. Er vertiefte seine Überzeugung, daß seine Sexuallibido ungeheuer groß war und kaum zu bewältigen. Als er von der Krankheit seines Vaters erfuhr und gleichzeitig annehmen mußte, daß dieser ebenso sinnlich wie er gewesen, gab ihm dies einen gewaltigen Ruck: er ließ von der Masturbation! Oft ließ er sich hinreißen, trotz seiner Furcht vor Erektionen, Mädchen zu küssen, um nachher längere Zeit alle Orte zu meiden, wo er Mädchen treffen konnte.

War nun seine Libido wirklich so groß, als er a n n a h m? War sie vor allem so groß, daß er zu Sicherungen, wie die der Gesellschaftsangst, greifen m u ß t e? Manches spricht strikte dagegen. Er war in Verhältnissen auf dem Lande aufgewachsen, später allein an einer Provinzrealschule, wo Gelegenheiten zum Geschlechtsverkehr reichlich zu finden waren. Manches der Mädchen war ihm weit genug entgegengekommen. Als er von der Krankheit des Vaters hörte und von deren angeblicher Veranlassung, setzte er sofort mit der Masturbation aus. Er nahm bald nachher normalen Verkehr auf, übte diesen aber selten aus und ließ sich durch Gedanken an die Geldausgaben leicht davon abhalten. Mädchen, die ihm freiwillig entgegenkamen, verließ er nach ihrer Eroberung, aus Befürchtung, nicht mehr von ihnen loszukommen. Er stellt sich jedes Weib als einen Dämon vor und äußerst sinnlich, der ihn beherrschen will, dem gegenüber er schwach sein könnte, und er bleibt s t a r k. Dabei verachtet er die

Frauen, hält sie für minderwertig, mißtraut ihnen und mutet ihnen stets egoistische Motive zu. Vor zwei Jahren wurde er mit einem schönen, aber armen Mädchen bekannt, zu dem er sich anfangs hingezogen fühlte. Als beide eine Heirat in Aussicht nahmen, war die Konsequenz die, daß er massenhafte Pollutionen bekam und bei Prostituierten Evaculatio praecox oder Impotenz zeigte. Gleichzeitig machte er die Wahrnehmung, daß er im Amte zu zittern begann und seine Zeichnungen nur mit Mühe fertig brachte. Eine genauere Untersuchung ließ erkennen, daß er nur dann Zittern und Stocken beim Sprechen zeigte, wenn er tags vorher Verkehr oder eine Pollution gehabt hatte. Die naheliegende Annahme, daß er das Zittern bei seinem Vater gesehen habe und nunmehr nachahme, um sich zu schrecken, konnte Patient nicht bestätigen. Dagegen fiel ihm ein alter Professor der Mittelschule ein, der sowohl Zittern als Stocken in der Stimme zeigte, Erscheinungen, die unser Patient damals als Alterserscheinungen bei Leuten deutete, die in der Jugend viel Sexualverkehr gehabt hatten. Eine zweite Quelle, die er verwendete, ergab sich in einer Schrift über Pollutionen, in der als Folgen Zittern und Stocken der Stimme beschrieben wurden. Nähere Aufklärungen brachten seine Gedanken über die bevorstehende Heirat. Die Mutter wird unzufrieden sein. Seine reichen Verwandten würden ihn verachten. Das Mädchen heirate ihn nur aus materiellem Interesse. Sie sei sinnlich und werde ihn in den Taumel ihrer Sinneslust hineinziehen. Er selbst sei sinnlich. Die Folgen seiner Masturbation, seiner Pollutionen und seines Verkehrs träten bereits ein. Und so zog er sich a u f G r u n d d i e s e r A r r a n g e m e n t s wieder von dem Mädchen zurück, ohne recht zu wissen, wie er ganz von ihr loskommen könne. D i e s e s S c h w a n k e n i s t e i n e m N e i n g l e i c h w e r t i g , s i - c h e r t i h n a u c h z u g l e i c h g e g e n ü b e r a n d e r e n M ä d - c h e n.

Er zittert also jetzt schon, um sich daran zu erinnern, was ihm dereinst droht. Er zittert, um seiner Urangst zu entgehen, wieder, wie einst bei der Mutter, unter die Gewalt eines Weibes zu kommen. Er zittert, um sich vor dem Schicksal des Vaters, vor dem Schicksal jenes alten Lehrers zu bewahren. Er zittert, um dem Dämon Weib, und um seiner eigenen Sinnlichkeit wie der des Mädchens zu entgehen. Und er zittert, um, entgegen seinem eigenen Wunsch, d e m d e r M u t t e r z u g e n ü g e n , die der Heirat abhold wäre, was aber in letzter Linie ihm nur wieder seine Abhängigkeit vom Weibe be-

weisen soll. — Deshalb seine Auffassung von seiner übergroßen
Sinnlichkeit, sowie von der des Weibes, darum die häufigen Erektionen
und Pollutionen, die zum größten Teil zustande kommen, w e i l e r
s i e w i l l , weil er sie braucht, und weil er, um sie zu
konstruieren, ununterbrochen an sexuelle Dinge
denkt. Und ich frage nochmals: Wie soll man die Libido
dieses Neurotikers abschätzen, wo alles gemacht,
arrangiert, vergrößert, verzerrt, ein tendenziös gekünstel-
tes und unnatürliches Produkt, Aktivum und Passivum zugleich, geworden ist?

Ein Traum des Patienten, der alle diese Züge wiedergibt, gleichzeitig auch die bedeutsamste Tendenz des Traumes, die
Sicherungstendenz, hervorhebt, ist folgender:

„Ein Mädchen, jung, frisch, mit vollem Busen, sitzt nackt hin-
gelehnt auf einem Diwan. Was sie sagte, weiß ich nicht. (Denkt an
eine Dirne und zugleich, daß ihm beim Anblick der nackten Frau
die Sinne schwinden.) Sie suchte mich zu verführen. (Der Dämon
Weib.) Ich wollte darauf eingehen, aber im letzten Moment bekam
ich das Bewußtsein, vor einer Pollution zu stehen und hielt mich
von ihr zurück. (Versuch, einen Weg ohne Frau zu nehmen. —
Der ganze Traum zeigt die warnende Perspektive auf Pollutionen
und Verkehr als die auslösenden Momente einer Tabes.)“

Die einfache Aufklärung, daß Tabes eine Folge von Lues sei, hatte
keinerlei Wirkung. Erst das Verständnis für seine übertriebenen Sicherungstendenzen beendete das Zittern.

Wo ist nun das Kernproblem dieser Neurose? Die Incestphantasie hatte gerade nur den Wert, ihm den Glauben an seine
übergroße, verbrecherische Phantasie zu verbürgen. — Die Verdrängung der Onanieneigung, die leicht gelang, mußte
von einer anderen gleichwertigen oder besseren Sicherung gefolgt sein, von den Pollutionen. Erst als
er vor einer Ehe stand, als er fürchtete, wieder wie einst
„unten“ zu sein, nicht wie der Mann, der Vater „oben“, unter
den Einfluß einer Frau zu geraten und so seine Minderwertigkeit vor
allen eingestehen zu müssen, wurde er „krank“. Daß er es ebensowenig vertrug, unter einem Manne zu stehen, den Kollegen gegenüber,
die er fortwährend herabsetzen wollte, und mit denen er sich stets
zerschlug, den Professoren gegenüber, die ihm in häufigen Prüfungs-
träumen drohend erschienen, seinen Vorgesetzten gegenüber, vor dem

ihn an den bestimmten Tagen sein Zustand gewöhnlich überfiel, will ich nur nebenbei erwähnen. **Wie kommt die Sexualität in die Neurose** und welche **Rolle spielt sie also?**

Sie wird frühzeitig geweckt und gereizt bei vorhandener Minderwertigkeit und starkem männlichen Protest, sie wird als **riesenhaft angesetzt und empfunden, damit der Patient rechtzeitig sich sichert,** oder sie wird entwertet und als Faktor gestrichen, wenn dies der Tendenz des Patienten dient. Im allgemeinen ist es nicht möglich, die Sexualregungen des Neurotikers oder Kulturmenschen als echt zu nehmen, um mit ihnen zu rechnen, geschweige sie, **in welcher Anschauungsform immer,** als den grundlegenden **Faktor des gesunden oder kranken Seelenlebens** weiterhin auszugeben. Sie sind niemals Ursachen, sondern bearbeitetes Material und Mittel des persönlichen Strebens.

Die wahre Einstellung zum Leben kann man **schon in den ersten Träumen und erinnerten Erlebnissen eines Menschen** deutlich wahrnehmen, ein Beweis, daß auch die Erinnerung an sie im Sinne eines planmäßigen Vorgehens konstruiert ist. Unser Fall gibt als die weitest zurückliegenden Träume, etwa aus dem fünften Lebensjahre, folgende an:

Erstens: „Ein Stier verfolgt mich und will mich aufspießen."

Der Patient glaubt, den Traum kurz nach dem Tode seines Vaters geträumt zu haben, der an einer Rückenmarksschwindsucht lange Zeit siech zu Bette lag. Ziehen wir eine Verbindungslinie zu dem Phantasiebild des Vaters in den Wolken (Gott?), so drängt sich der Gedanke an eine Todesfurcht des Knaben auf. Die spätere „Rekonstruktion" (Bierstein) dürfte auf die Tabes des Vaters und dessen Tod, die den Patienten so stark ergriffen hatte, Rücksicht genommen haben. Der Stier muß ferner dem auf dem Lande aufgewachsenen Knaben als **männlich** erschienen sein, was ihn, den Verfolgten, in einer unmännlichen, für die primitiv gegensätzliche Anschauung des Kindes also weiblichen Rolle des Verfolgten zeigte. Auch wer nicht so weit in der Deutung gehen will, dürfte aber das Gemüt dieses Kindes als von düsteren Ahnungen erfüllt nachempfinden können.

Der zweite Traum setzt diese schlimmen Erwartungen fort. **Es war ihm, als sei er abgestürzt und auf eine harte Unterlage gefallen.** Solche Fallträume deuten immer auf eine ins Pessimistische gerückte Vorsicht des Träumers, die mit bösen Möglichkeiten, mit dem „Untensein", schreckt.

Die älteste Erinnerung seines wachen Lebens glaubt er darin zu finden, daß er am ersten Schultag mit u n a u f h a l t s a m e r S c h n e l l e in die Mädchenschule seinen Weg nahm und sich nur unter Tränen in die Knabenschule abweisen ließ. Wir dürfen dies als ein Gleichnis seiner Sehnsucht ansehen, nicht krank, elend, tot, „unten", wie der Vater, sondern entsprechend einer weiblichen Rolle, die er bei seiner starken Mutter fand (die nach allgemeiner Aussage w i e e i n M a n n die Wirtschaft führte), gesund, kraftvoll und lebendig seine Zukunft zu suchen.

Das Verzögern in seiner männlichen Rolle mit allen dazugehörigen Erscheinungen, auch der krankhaft-nervösen, war also die Achse seines Seelenlebens geworden. Ihr entsprachen dann freilich auch die mit Notwendigkeit erwachsenen Erscheinungen seines S e x u a l l e b e n s.

II.

„V e r d r ä n g u n g" und „m ä n n l i c h e r P r o t e s t"; ihre Rolle und Bedeutung für die neurotische Dynamik (1911).

Ich darf in diesem Kreise die Kenntnis des Wesens der „Verdrängung", wie es von F r e u d entworfen und geschildert wurde, als gegeben voraussetzen. Die Ursachen der Verdrängung aber und der Weg, der von der Verdrängung zur Neurose führt, sind durchaus nicht so klar, als man in der Freudschule gemeiniglich annimmt. Die Zahl der Hilfsvorstellungen, die bei den Erklärungsversuchen zutage treten, sind überaus groß, und sie erweisen sich oft als unbewiesen oder aber gar als unbeweisbar. Gar nicht von denen zu reden, die (in plattester Weise) eine Analogie aus der Physik oder Chemie zu Hilfe nehmen, von „Stauung" und „erhöhtem Druck", von „Fixierung", vom „Zurückströmen in infantile Bahnen", von „Projektionen" und „Regression" reden.

Schon die Ausführungen über die Ursachen der Verdrängung erweisen sich in den Arbeiten dieser Schule als äußerst summarisch gefaßt, als dogmatisch gebrauchte Klischees, freilich auch als Intuitionen, deren Grundlagen festzustellen sich immer lohnt. Das Problem der gelungenen und mißlungenen Verdrängung wird nur rätselhafter, wenn man es auf die „sexuelle Konstitution" zurückführt, die einfache Konstatierung zeigt aber nur den Mangel einer gegenwärtigen psychologischen Einsicht. Die Ursachen der „Sublimierung", der „Ersatzbildungen", sind ebenfalls nicht ergründet, wenn man einfach Tautologien als Tatsachen hinnimmt. Die „organische Verdrängung" erscheint da nur als ein Notausgang, als Beweis einer Möglichkeit von Umänderungen der Betriebsformen und hat mit der Theorie der Neurosen kaum etwas zu schaffen.

So kommen zur Betrachtung: verdrängte Triebe und Triebkomponenten, verdrängte Komplexe, verdrängte Phantasien, verdrängte Erlebnisse und verdrängte Wünsche. Und über allen schwebt als Deus ex machina eine Zauberformel: die Lust, von der Nietzsche so schön sagt: „Denn alle Lust will Ewigkeit, will tiefe, tiefe Ewigkeit." Und Freud: „Der Mensch kann auf jemals empfundene Lust nicht verzichten." Und so kommen dann — unter dieser Voraussetzung — jene drastischen Gebilde zustande, die jede Schülerarbeit aufweisen muß: der Knabe, der an der Brust der Mutter saugen muß, der Neurotiker, der den Genuß, mit Wein oder Fruchtwasser bespült zu werden, immer wieder sucht, bis hinauf zu den reineren Sphären, wo dem Suchenden kein Mädchen recht ist, weil er die unersetzliche Mutter sucht. War diese Art der Beobachtung, so bedeutend auch der Fortschritt war, den hier diese Methode schuf, geeignet, die in Wirklichkeit arbeitende und auf Zukünftiges bedachte Psyche zu vergegenständlichen und so in eine starre Form zu bringen, so war die Festlegung auf den Begriff des Komplexes ein weiterer Schritt, die räumliche Anschauung über die dynamische zu setzen. Natürlich ging dies nie so weit, daß man nicht das energetische Prinzip, das παντα 'ρει nachträglich hineinzubringen versucht hätte.

Die Frage lautet doch: ist das treibende Moment in der Neurose die Verdrängung oder, wie ich vorläufig unpräjudizierlich sagen will, die andersartige, irritierte Psyche, bei deren Untersuchung auch die Verdrängung zu finden ist? Und nun bitte ich zu beachten: Die Verdrängung geschieht unter dem Drucke der Kultur, unter dem Drucke der „Ichtriebe", wobei die Gedanken an eine abnorme sexuelle Konstitution, an sexuelle Frühreife zu Hilfe genommen werden. — Frage: Woher stammt unsere Kultur? Antwort: Aus der Verdrängung. — Und die „Ichtriebe", ein Begriff, so pleonastisch und inhaltslos wie wenig andere? Haben sie nicht den gleichen „libidinösen" Charakter wie der Sexualtrieb? Faßt man aber die Ichtriebe nicht als etwas Starrgewordenes, Individuelles, sondern als die Anspannung und Einstellung gegen die Außenwelt auf, als ein

Geltenwollen, als ein Streben nach Macht, nach Herrschaft, nach Oben, so muß man theoretisch wie praktisch zwei Möglichkeiten ins Auge fassen: I. Das Geltenwollen kann auf gewisse Triebe hemmend, verdrängend, modifizierend einwirken. II. Es muß vor allem steigernd einwirken. — Nun ist das Unwandelbare, für unsere Betrachtung Unveränderliche die Kultur, die Gesellschaft, ihre Einrichtungen, und unser Triebleben, dessen Befriedigung eigentlich als Zweck gedacht wird, muß sich begnügen, bloß als r i c h t u n g g e b e n d e s M i t t e l aufzutreten, um, zumeist in ferner Zeit, Befriedigungen einzuleiten. Unser Auge, das Ohr, auch die Haut haben die eigentümliche Fähigkeit erlangt, unseren Wirkungskreis über die körperlich räumliche Sphäre hinaus zu erstrecken, und unsere Psyche tritt auf dem Wege der Vorempfindlichkeit aus der Gegenwart, also zeitlich, außer die Grenzen dieser primitiven Triebbefriedigung. Hier sind e r h ö h t e A n s p a n n u n g e n ebenso dringlich als Verdrängungen, in diesen Beziehungen liegt die Nötigung zu einem ausgebreiteten S i c h e r u n g s s y s t e m, deren einen kleinen Teil wir in der Neurose zu erblicken haben.

Diese Anspannungen aber beginnen am ersten Tage der Kindheit und wirken dermaßen verändernd auf alle körperlichen und psychischen Tendenzen, daß das, was wir sehen, n i e m a l s e t w a s U r s p r ü n g l i c h e s, Unbeeinflußtes darstellt, etwa erst von einem späteren Zeitpunkt an Verändertes, sondern d i e E i n f ü g u n g d e s K i n d e s r i c h t e t und modifiziert sein Triebleben so lange, bis es sich in irgendeiner Art an die Außenwelt angepaßt hat. In dieser ersten Zeit eines psychischen Lebens kann von einer dauernden Vorbildlichkeit nicht gesprochen werden, auch nicht von Identifizierung, wenn das Kind sich nach einem Vorbild richtet. Denn dies ist oft der einzige Weg und die einzige Möglichkeit zur Triebbefriedigung.

Bedenkt man nun, in welch verschiedener Art und wie verschiedenem Tempo allerorts und zu allen Zeiten sich die Triebbefriedigung durchgesetzt hat, wie sehr sie von gesellschaftlichen Einrichtungen und von der Ökonomie abhängig war, so kommt man zu einem dem Obigen analogen Schlusse, daß die Triebbefriedigung und damit die Qualität und Stärke des Triebes jederzeit variabel und daher für uns unmeßbar ist. Erinnern Sie sich, daß ich in meinem Vortrage über „Sexualität und Neurose" aus den Beobachtungen über den Sexualtrieb der Neurotiker gleichfalls zu dem Schlusse gekommen bin, d a ß d i e s c h e i n b a r l i b i d i n ö s e n u n d s e x u e l l e n T e n d e n z e n i n d e r N e u r o s e w i e a u c h b e i m N o r m a l e n d u r c h a u s k e i n e n S c h l u ß a u f

Stärke oder Zusammensetzung seines Sexualtriebes
zulassen.

Wie vollzieht sich nun die Anpassung eines Kindes an ein bestimmtes,
familiär gegebenes Milieu? Erinnern wir uns, wie verschieden sich die
Äußerungen des kindlichen Organismus gestalten, und zwar, wo der
Überblick noch am ehesten möglich ist, in den ersten Monaten. Die
einen bekommen nie genug, die anderen verhalten sich recht gemäßigt
bei der Nahrungsaufnahme, manche lehnen Änderungen in der Nahrung
ab, andere wollen alles aufnehmen. Ebenso beim Sehen, beim Hören,
bei der Exkretion, beim Baden, bei den Beziehungen zu den Personen
der Umgebung. In den ersten Tagen schon fühlt sich das Kind beruhigt,
wenn man es auf den Arm nimmt, Erziehungseinflüsse, die dem Kind
den Weg ebnen, sind da von großer Tragweite. Schon in diesen ersten
Anpassungen liegen Gefühlswerte gegenüber den umgebenden Personen.
Das Kind ist beruhigt, fühlt sich sicher, liebt, folgt usw., oder wird unsicher, ängstlich, trotzig, ungehorsam. Greift man frühzeitig mit kluger
Taktik ein, so resultiert ein Zustand, den man etwa mit sorgloser Heiterkeit bezeichnen könnte, und das Kind fühlt kaum den Zwang, der in
jeder Erziehung steckt. Erziehungsfehler, insbesondere bei mangelhaft ausgebildeten Organen, führen zu so häufigen Benachteiligungen
des Kindes und zu Unlustgefühlen, daß es Sicherungen sucht. Im
großen und ganzen bleiben da zwei Hauptrichtungen bestehen: zu weit
gehende Unterwerfung oder Auflehnung und Hang
zur Selbständigkeit. Gehorsam oder Trotz, — die menschliche
Psyche ist fähig, in jeder dieser Richtungen zu arbeiten.

Diese beiden richtunggebenden Tendenzen modifizieren, verändern,
hemmen und erregen jede Triebregung so sehr, daß, was immer angeborenerweise sich als Trieb geltend macht, von diesem Punkte aus nur zu verstehen ist. „Schön ist häßlich, häßlich — schön", wie Macbeths Hexen
singen. Trauer wird Freude, der Schmerz wandelt sich in Lust, das
Leben wird verworfen, der Tod erscheint begehrenswert, sobald die
Trotzregungen stark ins Spiel eingreifen. Was dem andern lieb ist,
wird gehaßt, was andere verwerfen, hoch gewertet. Was die Kultur
verbietet, was Eltern und Erzieher widerraten, gerade das wird zum
heißersehnten Ziel auserkoren. Ein Ding, eine Person erlangen nur
Wert, wenn andere darunter leiden. Stets verfolgen sie andere und
glauben sich doch immer verfolgt. So wächst eine Gier, eine Hast
des Verlangens heran, die nur eine große Analogie besitzt, den mörderischen Kampf aller gegen alle, die Anfachung des Neides, des Geizes,

der Eitelkeit und des Ehrgeizes in unserer modernen Gesellschaft. — Die Spannung von Person zu Person ist beim Nervösen zu groß, sein Triebbegehren ist derart aufgepeitscht, daß er in unruhiger Erwartung stets seinem Triumph nachjagt. So erklärt sich das Festhalten an alten Kinderfehlern, wie Lutschen, Enuresis, Kotschmieren, Nägelbeißen, Stottern usw., und man kann in diesen Fällen getrost von Trotz reden, wenn einer derartige, scheinbar „libidinöse" Regungen dauernd beibehalten hat.

Das gleiche gilt von der sogenannten Frühmasturbation, von der sexuellen Frühreife und verfrühtem Geschlechtsverkehr. Ich kannte ein siebzehnjähriges Mädchen aus gutem Hause, das mit seinem vierzehnten Lebensjahr häufigen Geschlechtsverkehr hatte. Dabei war es frigid. So oft es mit der Mutter zankte, was immer nach kurzen Pausen eintrat, wußte es sich Geschlechtsverkehr zu verschaffen. Ein anderes Mädchen näßte das Bett nach jeder Herabsetzung von seiten der Mutter und beschmierte es mit Kot.

Schlechter Fortgang in den Studien, Vergeßlichkeit, mangelnde Freude am Beruf, Schlafzwang zeigen sich als Protesterscheinungen beim Nervösen und werden als wertvoll, ich sage nicht lustvoll, im Kampfe gegen einen Gegenspieler beibehalten. Einen Teil dieser Psyche schildert Siegmund in Wagners Walküre: „Wie viel ich traf, wo ich sie fand, ob ich um Freund, um Bruder warb, immer doch war ich geächtet, Unheil lag auf mir. Was Rechtes je ich riet, andern dünkte es arg, was schlimm immer mir schien, andre gaben ihm Gunst. In Fehde fiel ich, wo ich mich fand, Zorn traf mich, wohin ich zog. Giert' ich nach Wonne, weckt' ich nur Weh: drum mußt' ich mich Wehwalt nennen, des Wehes waltet' ich nur." —

So entwickelt sich die Charakterologie des Neurotikers, die ich am ausführlichsten in der „Disposition zur Neurose" geschildert habe[1].

Woher stammt nun diese Gier nach Geltung, diese Lust am Verkehrten, dieses trotzige Festhalten an Fehlern und diese Sicherungsmaßregeln gegen ein Zuviel und Zuwenig (siehe die Ausführungen über Pseudomasochismus in der „Psychischen Behandlung der Trigeminusneuralgie", Zeitschrift für Psychoanalyse 1910), in welch letzterem Falle der Patient zur Selbstentwertung schreitet, nur um sich hinterher oder andernorts zu behaupten?

Wie Sie wissen, habe ich zwei Durchgangspunkte der psychischen Entwicklung dafür verantwortlich gemacht, die ich hier nur kurz an-

[1] Später im „Nervösen Charakter". Bergmann, Wiesbaden 1912.

führe. Der eine liegt im Aufkeimen eines beträchtlicheren M i n d e r -
w e r t i g k e i t s g e f ü h l e s, das ich immer im Zusammenhang mit
minderwertigen Organen beobachtet habe, der andere ist ein mehr oder
weniger deutlicher Hinweis auf eine ehemalige Befürchtung vor einer
weiblichen Rolle. Beide unterstützen das Auflehnungsbedürfnis und die
Trotzeinstellung so sehr, daß stets neurotische Züge sich entwickeln
müssen, ob der Betreffende nun als Gesunder gilt, als Neurotiker in Behandlung steht, als Genie oder als Verbrecher sich einen Namen macht.

Und von diesem Punkte aus wird nun das Gefühlsleben v e r f ä l s c h t,
es handelt sich nicht mehr um einfache, natürliche Beziehungen, sondern um ein Hasten und Haschen nach vermeintlichen Triumphen, die
lockend und werbend in seiner Zukunft vor ihm zu liegen scheinen und
seine krankhafte Einstellung dauernd festhalten. Der Neurotiker lebt
und denkt auch viel weiter in die Zukunft als der Normale und weicht
meist den gegenwärtigen Prüfungen aus. Sehr häufig verbirgt sich der
Charakter des Neurotikers, und so konnte es geschehen, daß man, als
ich davon sprach, diese Charakterzüge als selten, als Eigentümlichkeiten
des Verschrobenen auffassen wollte. Was sagt der Neurotiker zu diesen seinen Charakterzügen? Manche wissen davon, wenn sie auch
nicht den ganzen Umfang oder gar die Tragweite kennen. Viele haben
es einmal gewußt und dann vergessen. Aus Ehrgeiz und Eitelkeit.
Sie sichern sich dann vor diesem sie entwürdigenden Egoismus durch
eine Art gegenteiligen Handelns. Immer sehen wir dabei, daß egoistische Triebregungen entwürdigender Art, z. B. Geiz, Rachsucht, Bosheit, Grausamkeit von solchen wertvollen, ethischen Gehaltes abgelöst
werden. A l s o m u ß d o c h d i e „ S u c h t z u g e l t e n " d r i n n e n
s t e c k e n , d i e F ü h r u n g ü b e r n o m m e n h a b e n ! Ein schönes
Beispiel dieser Triebverdrängung habe ich in einem Vortrage in der
Philosophischen Gesellschaft in Wien (S. III. dieses Bandes) mitgeteilt. Es betraf einen Fall von Stottern, einem Leiden, das in jedem
Punkte durch den Mechanismus des männlichen Protestes konstituiert
wird. Der Patient hatte ein Geschenk von 100 fl. im 7. Bezirke Wiens
zu wohltätigen Zwecken abgeliefert, sollte in einem vornehmen Restaurant der inneren Stadt pünktlich eintreffen, verspürte schon großen
Hunger und ging mißmutig und matt zu Fuß den weiten Weg. Er
wollte 12 Heller ersparen, wie sich bei der Analyse herausstellte.
Wie bei allen Neurosen, kam bei ihm zutage: er wollte a l l e s h a b e n,
alles Geld, alle Weiber, alle Seelen, und suchte beständig andere zu entwerten. Auf die Wertschätzung, die man ihm entgegenbrachte, achtete er

gierig. Er konnte asketisch leben, wo es ihm Geltung verschuf, konnte über-
eifrig studieren, wenn es sich darum handelte, anderen den Rang abzu-
laufen, konnte wohltätig sein, wenn man es sah, geizte aber im kleinen,
wenn er sich unbemerkt glaubte. Wo einer etwas leistete, war er
verstimmt, wo einer gefiel, griff er an. Unaufhörlich lag er mit seinem
Vater im Kampf und schreckte vor Selbstmorddrohungen nicht zurück,
wenn er seinen Willen haben wollte. Das Stottern war gegen seinen
Vater gerichtet, machte dem einen Strich durch die Rechnung und ver-
half meinem Patienten zu größerer Bewegungsfreiheit. Zugleich sicherte
es ihn vor der Ehe. Jedes Verhältnis brach er nach einiger Zeit ab mit
der Motivierung, solange er stottere, könne er nicht heiraten. Diese Erscheinung der „langen Liebesreihe", wie F r e u d sie nennt, kam in Wirklichkeit zustande, weil er alle Frauen wollte (wie Don Juan) und weil er
zweierlei fürchtete und sich davor sichern wollte: 1. daß er von einer
Frau beherrscht werden, ihr dienstbar sein, andere aber aufgeben sollte;
2. daß er bei seinem Egoismus, der ihm allerdings nur gefühlsmäßig,
nicht aber gedanklich bewußt war, ein schlechter Gatte und Vater sein
müßte, von Frau und Kindern deshalb zur Strafe betrogen werden müßte.
Die Aufdeckung dieser Protestcharakterzüge ergibt sich mir in der
Regel als erstes Stück der Analyse, ist gewöhnlich von einer Besserung
gefolgt, regelmäßig aber von heftig einsetzendem Widerstand, der sich
in Versuchen zur Entwertung meiner Person kundgibt. Einer meiner
Patienten kam aus Ungarn in meine Kur, wie sich in der Analyse
herausstellte, weil er es nicht vertragen konnte, daß seine von mir geheilte Schwester gut von mir sprach. Sie werden sagen, er war in
seine Schwester verliebt. Richtig! A b e r n u r d a n n , w e n n d i e s e
g u t v o n e i n e m M a n n e d a c h t e. Anfangs war er höflich, demütig
fast und bescheiden, strotzte von Biederkeit und Wahrheitsliebe. Als
ich ihm seine Rachsucht, Bosheit, Verlogenheit und seinen Neid nachwies, tobte er längere Zeit, gab schließlich alles zu, erklärte aber, er
müsse nun bei mir in der Kur bleiben, bis er gesund sei, und wenn
das mehrere Jahre dauerte. Als ich ihm antwortete, er werde so lange
bleiben, als ich es für gut befände, saß er einige Zeit lang sinnend da.
Dann fragte er mich lächelnd: „Hat sich bei Ihnen in der Kur schon
jemand das Leben genommen?" Ich antwortete ihm: „Noch nicht,
aber ich bin jederzeit darauf gefaßt[1]." — Dieser Patient litt unter

---

[1] „Die Waffen aus der Hand schlagen", d. h. die krankhaften Mittel
des Nervösen unwirksam erscheinen zu lassen, ist das Ziel jeder psycho-
therapeutischen Taktik.

anderem auch an Schlaflosigkeit. Er drängte auf Besprechung dieses Symptoms, mit der Erklärung, daß er schon zufrieden wäre, wenn er seine Potenz bekäme. Die Aufklärung ging glatt vonstatten und er hatte bereits längere Zeit seinen vollen Schlaf erreicht, bevor er mir davon Mitteilung machte. Also hatte ja dieser Patient seine Charakterzüge verdrängt? Keineswegs. Sein ganzer männlicher Protest kam klar zutage, allerdings in einer Art, daß er weder nach innen noch nach außen allzu viel Anstoß erregte. Ähnlich aber schildert ja F r e u d das Ergebnis der mißglückten Verdrängung. Die Spuren der verdrängten Triebregungen sind in der Neurose stets deutlich zu erkennen, eine Erkenntnis, zu der F r e u d selbst manches beigetragen hat. Sie sind zu erkennen nicht bloß in den Phantasien des Neurotikers und in seinem Traumleben, sondern vor allem mittels der psychologischen Analyse, die uns die kleinen und großen Disharmonien und Inkongruenzen des Seelenlebens sehen lernt und uns deren Einordnung gestattet.

Freilich ist die Arbeit noch recht unvollständig, wenn erst die Aufdeckung der neurotischen Charakterologie vorliegt. Aber sie ist wichtig vor allem, weil ihre Kenntnis den Patienten w a r n t. Das schwierigere Stück der Kur führt dann nach meinen Erfahrungen regelmäßig zu den zwei Durchgangspunkten der psychischen Entwicklung des Neurotikers, zu den Quellen der Neurose, d e m G e f ü h l d e r M i n - d e r w e r t i g k e i t u n d d e m m ä n n l i c h e n P r o t e s t.

Nun die von Ihnen gewiß schon mit brennender Begier erwartete Hauptfrage: Wodurch erkrankt der Neurotiker? Wann wird seine Neurose manifest? F r e u d hat diesem Punkte weniger Aufmerksamkeit geschenkt. Doch wissen wir, daß er eine Gelegenheitsursache annimmt, bei der die Verdrängung stärker, der alte psychische Konflikt wieder neu genährt wird. Es läßt sich nicht leugnen, daß hier Unklarheiten vorliegen. Vielleicht ist die heutige Diskussion berufen, sie zu lösen. — Nach meiner Erfahrung antwortet der neurotisch Disponierte, der eigentlich stets leidet, auf j e d e E r w a r t u n g o d e r a u f j e d e s G e f ü h l d e r H e r a b s e t z u n g mit einem akuten oder chronischen Anfall. Letzterer gibt uns den Zeitpunkt, von dem wir den Ausbruch der Neurose datieren. Wenn nun neuerlich Triebverdrängungen eintreten, so sind dies Begleiterscheinungen, die sich unter dem erhöhten Zwang des männlichen Protestes, unter dem Druck des Geltungsdranges und der Sicherungstendenzen bilden. Ich will dies an unserem Falle aus meinem letzten Vortrage demonstrieren. Unser Patient erinnert ich, zuerst beim Geigenspielen gezittert zu haben, zu einer Zeit, wo er mit einem Eheversprechen an Albertine, das von ihm scheinbar heißgeliebte Mädchen, herausrücken sollte. Er hörte deshalb auf, Violine zu spielen. Nun erfahren wir folgendes: Albertine war eine vorzügliche Klavierspielerin, weshalb er oft daran denken mußte, daß er sie gerne auf der Violine begleitet hätte, wenn er nur besser spielen gekonnt hätte. Und in der Ehe gar hätte es ein Konzert gegeben, bei dem ihm seine Frau entschieden ü b e r gewesen wäre. Solcher Art aber war die Furcht seines ganzen Lebens gewesen, eine Frau, die ihm überlegen wäre. Ich habe noch keinen Neurotiker getroffen, der nicht zumindest heimlich von dieser Furcht benagt würde. Aus der Literatur erwähne ich bloß den Fall Ganghofers, den Alexander W i t t im 2. Heft des Zentralblattes für Psychoanalyse, I. Jahrgang, zum Abdruck bringt, ferner einen ganz analogen Fall aus S t e n d h a l s Erinnerungen. In beiden Fällen handelt es sich um Kindheitserinnerungen, bei denen eine Frau über das Kind wegschreitet. Phantasien von Riesinnen, Walküren, von Frauen, die Knaben binden oder schlagen, die zuweilen im Pseudomasochismus zur Ausführung gelangen, Märchen von weiblichen Unholden, Nixen, Nymphen, Frauen mit männlichen Genitalien, mit einem Fischschwanz oder ähnlich der Jugenderinnerung Leonardo da Vincis sind häufig und finden ihr gleichwertiges und gleichsinniges Gegenstück in den ebenso häufigen Geburtsphantasien, Kastrationsgedanken und Wünschen nach einer Mädchenrolle. Letzterer Wunsch erscheint oft äußerst abgeschwächt, verblasst bis zur Frage: was wohl ein Mädchen fühle? —

Wie Sie sich entsinnen, hatte auch unser Patient eine analoge Kindheitserinnerung, daß eine Magd sich über ihm befunden habe[1]. Sie war nicht verdrängt, auch nicht vergessen, aber sie befand sich scheinbar a u ß e r a l l e m Z u s a m m e n h a n g m i t s e i n e m g e g e n w ä r t i g e n o d e r f r ü h e r e n psychischen Zustand. Sie war all' ihrer Bedeutung entkleidet worden. War sie etwa ein wirksames Agens gewesen? Niemand kann das annehmen. Aus seiner Vorgeschichte tauchen Erinnerungen auf, an die energische Mutter, die als Witwe ihr großes Gut verwaltete, die ohne Mann ihr Auskommen fand, und von der die Leute sagten, s i e s e i w i e e i n M a n n. Diese Mutter,

---

[1] Das heißt: „Die Frau ist stärker als der Mann!" In den ersten Kindheitserinnerungen steckt wie in den Berufswahlphantasien immer die gestaltende Weltanschauung des Menschen, gleichgültig, ob es sich um echte, phantasierte oder rekonstruierte (B i r s t e i n) Erinnerungen handelt. Adler „Zur Schlafstörung" in „Fortschritte der Medizin", Leipzig, 1913.

die ihn verhätschelte, aber doch auch strafte, war ihm entschieden überlegen. Als dann seine Sehnsucht erwachte, daß er, das schwächliche
Kind mit weiblichem Habitus, der oft verlachte und bestrafte Bettnässer,
zum Manne werde, als er in Gedanken, Träumen und im trotzigen Bettnässen seinem männlichen Protest Ausdruck verlieh, kamen ihm Erinnerungen zu Hilfe wie die, daß er oft in weiblicher Kleidung Theater spielte,
daß er am ersten Schultag mit seinen älteren Schwestern, an die er
sich am meisten gewöhnt hatte, in die Mädchenschule lief und
sich unter Tränen weigerte, zu den Knaben zu gehen. Und immer noch
gab es Verschärfungen, die ihn weiter in den männlichen Protest trieben.
Die Crines pubis ließen lange auf sich warten, sein Genitale schien ihm
kürzer als das seiner Altersgenossen. Er steckte sein Ziel nur
um so höher, wollte Hervorragendes leisten, der Erste in der Schule,
im Amte werden, bis er an Albertine kam, deren Überlegenheit er
fürchtete. Er hatte alle Mädchen und Frauen, seine Mutter insgesamt
entwertet, aber aus Furcht. Mit den gewöhnlichen Mitteln. Sie
hätten keinen Verstand, keine Selbständigkeit, seien leichtfertig. (Siehe
Hamlet: „O, ich weiß auch mit Euren Mätzchen Bescheid. Ihr tänzelt,
Ihr trippelt, Ihr gebt Gottes Kreaturen verhunzte Namen und stellt
Euch aus Leichtfertigkeit unwissend. Geht mir, es hat mich toll gemacht!") Auch hätten sie einen schlechten Geruch. — Nebenbei:
Diese „Geruchskomponente", der Freud wiederholt eine besondere
Wichtigkeit als libidinöser Komponente zugeschrieben hat, erweist sich mir immer mehr als neurotischer Schwindel. Eine Patientin,
54 Jahre alt, die aus Furcht vor dem Kindergebären schwer neurotisch
geworden ist, träumt gegen Ende der Kur den nicht mißzuverstehenden
Traum: „Ich packe Eier aus. Alle stinken. Ich sage: Pfui, wie sie stinken." Am nächsten Tage sollte ihr Mann kommen. Sie hat bereits alle medizinischen Kapazitäten Deutschlands und Österreichs entwertet. — Eine
neurotische Schauspielerin kam auf Liebesverhältnisse zu sprechen.
Sie sagt: Ich schrecke keineswegs davor zurück. Ich bin eigentlich
ganz amoralisch. Nur eins: Ich habe gefunden, daß alle Männer
stinken, und dagegen kehrt sich meine Ästhetik." Wir aber werden
verstehen: Bei einer derartigen Einstellung kann man ohne Gefahr
amoralisch sein. Im 4. Heft des Zentralblattes für Psychoanalyse 1911
(„Zur Lehre vom Widerstand") finden Sie einige solcher Fälle zusam-
mengestellt. — Die männlichen Neurotiker machen es ebenso. Es ist
die Rache an der Frau. Europäer und Chinesen, Amerikaner und
Neger, Juden und Arier werfen sich gegenseitig ihren Geruch vor.

Ein vierjähriger Knabe sagt, so oft er bei der Küche vorbeigeht: „Es stinkt." Er lebt mit der Köchin in Feindschaft. — So auch unser Patient. Wollen wir diese Erscheinung als E n t w e r t u n g s t e n d e n z bezeichnen, der analog die Fabel vom Fuchs und den sauren Trauben zusammengesetzt erscheint. —

Woher stammt die E n t w e r t u n g s t e n d e n z? Aus der Furcht vor einer Verletzung der eigenen Empfindlichkeit. Sie ist also gleichfalls Sicherungstendenz, eingeleitet durch den Drang nach Geltung. Und steht psychisch im gleichen Rang mit dem Wunsche, oben zu sein, sexuelle Triumphe zu feiern, zu fliegen, auf einer Leiter oder Treppe oder am Giebel eines Daches („Baumeister Solneß") zu stehen. Fast regelmäßig findet man beim Nervösen die Tendenz, die Frau zu entwerten und mit ihr zu verkehren eng nebeneinander. Ja, das Gefühl des Neurotikers spricht es deutlich aus: Ich will die Frau durch den Sexualverkehr entwerten, herabsetzen. Er läßt sie auch dann leicht stehen und wendet sich andern zu. Ich habe dies den D o n J u a n - c h a r a k t e r d e s N e u r o t i k e r s genannt, es ist nichts anderes als F r e u d s „Liebesreihe", die er phantastisch deutet. Und die Entwertung der Frau, der Mutter sowohl wie aller Frauen, führt dazu, daß sich mancher der Neurotiker zur Dirne flüchtet[1], wo er sich die Arbeit der Entwertung spart und noch obendrein seine Angehörigen vor Wut platzen sieht. Der Knabe sieht oder ahnt, daß es männlich ist, oben zu sein. Zumeist ist die Mutter die Frau, der gegenüber er das Pathos der Distanz herzustellen sucht. Ihr gegenüber will er den Mann spielen, um sie zu entwerten, sich zu erhöhen. Er schimpft sie wohl auch und schlägt sie oder lacht sie aus, wird unfolgsam und störrisch gegen sie, versucht zu kommandieren usw. Ob und wieviel Libido dabei im Spiele ist, ist vollkommen gleichgültig. Auch gegen andere Mädchen und Frauen wendet sich sein männlicher Protest, zumeist in der Linie des geringsten Widerstandes auf Dienstboten und Gouvernanten. Später verfällt er auf Masturbation und Pollution, nicht ohne damit Sicherungstendenzen gegen den Dämon Weib zu verbinden. So auch unser Patient. Als er sein Ziel bei der Mutter nicht erreichen konnte, ihr Herr zu sein, wendet er sich dem Dienstmädchen zu, wo ihm dies mit 6—7 Jahren besser gelingt. Er sieht sie nackt und greift ihr unter die Röcke. Bis in die Gegenwart war diese Art der sexuellen Aggression seine hauptsächlichste Betätigung. Nur bei Prostituierten kam er zum Ko-

---

[1] S. A d l e r, Neurologische Betrachtungen zu Bergers „Eysenhardt", Zeitschrift f. mediz. Psychologie und Psychotherapie, Stuttgart, 1913.

8

itus, — bis es sich als notwendig erwies, sich zu beweisen, daß er nicht heiraten könne. Da stellten sich Pollutionen und Impotenz ein, und die Furcht vor seiner unbändigen Sexualität samt ihren vermeintlichen Gefahren der Paralyse und des Zitterns im Alter trat ihm vor Augen. Oder besser gesagt: Zittern und Stammeln stellten sich ebenso wie Pollutionen und Impotenz ein, weil sie ihn vor einer Ehe zu sichern in der Lage waren. — Wahrscheinlich hätte er rechtzeitig abgebrochen und wäre vor der ausbrechenden Neurose verschont geblieben, wenn nicht ein Dritter am Plan erschienen wäre. Dies war für seinen Stolz zu viel. Nun konnte er nicht weichen und wollte doch nicht zugreifen. Seine „libidiösen" Strebungen, der Wunsch, Albertine z u b e s i t z e n , erfüllte sein ganzes Bewußtsein, aber das Unbewußte sagte ein starres Nein und drängte ihn von der Brautwerbung ab, indem es Symptome arrangierte, die gegen eine Ehe sprachen. Ganz gleichwertig im Bewußtsein ist der Gedanke: ich kann e r s t heiraten, w e n n ich eine gute Stelle bekleide. Gleichzeitig aber stellen sich Krankheitserscheinungen ein, die eine Vorrückung im Amte unmöglich machen.

Was hat unser Patient „verdrängt"? Seinen Sexualtrieb, seine libido etwa? Er war sich ihrer so sehr bewußt, daß er fortwährend daran dachte, sich davor zu sichern. Eine Phantasie? Kurz ausgedrückt war seine Phantasie d i e F r a u ü b e r i h m , die Frau als die Stärkere. Es bedurfte aller meiner Vorarbeiten, um den Zusammenhang dieser und ähnlicher Phantasien und der Neurose sichtbar zu machen. Und nun stellt sich heraus, diese Phantasie ist selbst nur e i n S c h r e c k - b i l d für den Patienten, aufgerichtet und festgehalten, u m s e l b s t a u f S c h l e i c h w e g e n G e l t u n g z u e r h a l t e n! Hat er libidinöse Regungen zur Mutter verdrängt? Das heißt, ist er am Ödipuskomplex erkrankt? Ich sah genug Patienten, die ihren „Ödipuskomplex" genau kennen, ohne Besserung zu empfinden. Wenn man erst dem männlichen Protest darin Geltung trägt, dann kann man gerechterweise nicht mehr von einem Komplex von Phantasien und Wünschen reden, sondern wird auch den scheinbaren „Ödipuskomplex" a l s k l e i n e n T e i l d e r ü b e r s t a r k e n n e u r o t i s c h e n D y n a m i k verstehen lernen, als ein an sich belangloses, im Zusammenhang allerdings l e h r r e i c h e s S t a d i u m des männlichen Protestes[1], von der aus die wichtigeren Einsichten in die Charakterologie des Neurotikers ebenfalls möglich werden.

---

[1] Als eine symbolisch aufzufassende Situation.

Zur Erziehung der Eltern.

Vor Dr. Alfred Adler (1912).

Ob es wohl noch Erzieher gibt, die dem lehrhaften W o r t e allein eine bessernde Kraft zuschreiben? Man fühlt sich versucht, diese Frage nach allen pädagogischen Erfahrungen und Belehrungen zu verneinen, wird aber gut tun, der menschlichen Psyche genug Fehlerquellen zuzutrauen, daß irgendwer, der sich mit Bewußtsein ganz des Erziehens durch Worte entschlagen hat, in einer Art Anmaßung immer wieder seinem Wort so viel Gewicht beimessen könnte, um ins Reden statt ins Erziehen zu verfallen.

Aber das Kind zeigt von seinen frühesten Tagen an eine Neigung, sich gegen das Wort wie gegen das Machtgebot seiner Erzieher aufzulehnen. Verschiedene dieser aggressiven, aus einer gegnerischen Stellung zur Umgebung stammenden Regungen sind uns zu vertraut, als daß man sie nicht als Auflehnung fühlte. Wer seine Aufmerksamkeit auf die Aggression des Kindes richtet, wird sich bald die feinere Witterung aneignen, die nötig ist, um zu verstehen, d a ß s i c h d a s K i n d i m G e g e n s a t z e z u s e i n e r U m g e b u n g f ü h l t und sich im Gegensatze zu ihr zu entwickeln sucht. Und es fällt weiter nicht schwer, alle sogenannten Kinderfehler und psychischen Entwicklungshemmungen, wenn bloß ein organischer Defekt ausgeschlossen werden kann, auf diese mißratene Aggression gegen die Umgebung zurückzuführen. Trotz und Jähzorn, Neid gegen Geschwister und Erwachsene, grausame Züge und Erscheinungen der Frühreife, aber auch Ängstlichkeit, Schüchternheit, Feigheit und Hang zur Lüge, kurz alle Regungen, die die Harmonie des Kindes mit Schule und Haus oft dauernd stören, sind als schärfere Ausprägungen dieser gegnerischen Stellung des Kindes zur Umgebung zu verstehen, ebenso die krankhaften Ausartungen wie Sprachfehler, Eß- und Schlafstörungen, Bettnässen, Nervosität wie Hysterie und Zwangserscheinungen.

Wer sich kurzerhand von der Richtigkeit dieser Behauptungen überzeugen will, beachte nur, wie selten das Kind imstande ist, „aufs Wort" zu folgen oder sofort einer Ermahnung nachzukommen. Noch lehrreicher vielleicht ist die Erscheinung des „g e g e n t e i l i g e n E r f o l g e s".

Es wäre oft nicht schwer, Kinder wie auch Erwachsene durch An-

8*

befehlen des Gegenteils auf den richtigen Weg zu bringen. Nu
liefe man dabei Gefahr, alle Gemeinschaftsgefühle zu untergrabe
ohne die Selbständigkeit des Urteils zu fördern; und „negative Abhängig
keit" ist ein größeres Übel als Folgsamkeit.

Bei diesen Untersuchungen und bei dem Bestreben einer Heilun
der mißratenen Aggression wird man bald belehrt, daß zwei Punkt
vor allem in Frage kommen. Der — wie ich glaube — natür
liche Gegensatz von Kind und Umgebung läßt sic
nur durch das Mittel der Liebe mildern. Und der Gel
tungsdrang des Kindes, der den Gegensatz so sehr ver
schärft, muß freie Bahn auf kulturellen Linien haben
muß durch Zukunftsfreudigkeit, Achtung und liebe
volle Leitung zum Ausleben kommen.

Dies soll sich nun jeder vor Augen halten, der seine Feder eintauch
um über Erziehungsfragen zu schreiben. Und ferner auch, daß ma
all die Regungen der Kinder mühelos wiederfindet im Leben der Er
wachsenen, nicht anders, als wäre das Leben eine Fortsetzung de
Kinderstube, nur mit schwerwiegenden Folgen und persönlicherer Ge
fahr. Und der Prediger muß gewärtig sein, entweder gleich ar
Anfang niedergeschrien oder erst angehört und bald vergessen z
werden. Wie recht hat doch jene Anekdote, die von zwei Freunde
erzählt, daß sie eines Tages über eine Frau in Streit gerieten, wo
bei der eine sie als dick, der andere als mager hinstellte! Unse
geistiges Leben ist hochgradig nervös geworden, reizsam, möcht
der Geschichtsforscher Lamprecht sagen, so sehr, daß jede lehr
hafte Meinung oder Äußerung in der Regel den Widerspruch de
andern wachruft. Und dies ist noch der günstigere Fall. Denn is
so das Gleichgewicht zwischen Schriftsteller und Leser einigermaße
hergestellt, dann wagt sich schüchtern auch die Anerkennung hervo
oder man trägt fürsorglich eine gewonnene Einsicht nach Hause. Be
sonders dem Erzieher, aber auch dem Arzte geht es so. Die Früch
ihrer sozialen Leistungen reifen spät. Denn wo gibt es einen Mensche
der sich nicht zum Erzieher oder Arzt geschaffen glaubte und deshal
munter herumdokterte an Kindern und Kranken?

Am besten, man lernt an den Kindern, wie man den Eltern m
Ratschlägen beikommt. Da muß nun in erster Linie anerkannt werde
was gut und klug erscheint. Und zwar unbedingt, womöglich ohn
Übertreibung. Aber dieses Zugeständnis dürfen wir Pädagogen de
Eltern machen, daß sie viele Vorurteile aufgegeben haben, daß si

bessere Beobachter geworden sind und daß sie nur selten mehr den Drill für ein Erziehungsmittel halten. Auch die Aufmerksamkeit und das Interesse für Wohlergehen des Kindes sind ungleich größer geworden, wo nicht das Massenelend allen Eifer und alles Verständnis erstickt oder den Zusammenhang von Eltern und Kindern zerreißt. Man trachtet mehr als früher nach körperlicher Ausbildung, weiß Verstocktheit und Krankheit besser zu trennen, sucht seine Grundsätze über Kinderhygiene den modernen Anschauungen anzupassen und beginnt sich loszulösen vom Wunderglauben an den Stock, von der Fabel, daß die Strafe im Kinderleben die Sittlichkeit stärke.

Und wir Pädagogen wollen uns nicht aufs hohe Roß setzen. Wir wollen gerne zugeben, daß unsere Wissenschaft keine allgemeingültigen Regeln liefert. Auch daß sie nicht abgeschlossen, sondern in Entwicklung begriffen ist. Daß wir das Beste, was wir haben, nicht erdenken oder erdichten können, sondern in vorurteilsloser Beobachtung erlernen. Auch läßt sich Pädagogik nicht wie eine Wissenschaft, sondern nur als Kunst erlernen, und daraus geht hervor, daß mancher ein Künstler sein kann, bevor er ein Lernender war.

Das „Werk der guten Kinderstube", — dieses Wort verdanke ich einer klugen Mutter, — ist unvergänglich und ein sicheres Bollwerk fürs Leben. Wer möchte es nicht seinen Kindern schaffen? Am Willen fehlt es wohl nie. Was am meisten die ruhige Entwicklung des Kindes stört, ist die Uneinigkeit der Eltern und einseitige, oft unbewußte Ziele und Absichten des Vaters oder der Mutter. Von diesen soll nun die Rede sein.

Wie oft ist eines oder beide der Elternteile in seiner geistigen Reifung vorzeitig stecken geblieben! Nicht wissenschaftliche, sondern soziale Reife kommt in Betracht, die Schärfung des Blicks für Entwicklung, für neue Formen des Lebens. Schon das Leben in der Schule und der Umgang mit Altersgenossen fördert häufig innere Widersprüche zutage, in denen die Achtung vor dem Elternhause verfliegt. Wird diese nun gar mit Gewalt festzuhalten versucht, so kommt das Kind leicht zu offener oder heimlicher Auflehnung. Es sieht die Eltern so oft im Unrecht, daß sein Geltungstrieb in ein einziges trotziges Sehnen ausläuft: alles im Gegensatz zu den Eltern zu tun! In den äußersten Fällen merkt man leicht am Gehaben des Kindes: die Eltern sollen nicht recht behalten! Der rückwärts gewandte Blick der Eltern hindert oft ihr Vorwärtsschreiten, sie hängen oft an Dogmen und veralteten Erziehungsweisen fest, weil sie im Kampf des

Lebens sich und ihre Familie isoliert haben. Nun ist der Fortschritt des sozialen Lebens an ihnen vorübergegangen, sie sind von der Überlieferung alter Erziehungsweisen gefangen gesetzt, bis das Kind aus der Schule die neuen Keime nach Hause trägt und die Erkenntnis seines Gegensatzes zu seinen Eltern täglich stärker fühlt und erlebt. Auch die Verschiedenheit der Wertschätzung fällt ins Gewicht. In der engen Kinderstube gilt der Knabe als Genie, in der Schule stößt man sich an seinen frech-albernen Äußerungen. Zu Hause zurückgesetzt, bringt das Kind sich in der Schule zur Geltung. Oder es tauscht eine traditionell unzärtliche Häuslichkeit gegen verständnisvolles Entgegenkommen bei Altersgenossen und Lehrern. Dieser Umschwung in den Beziehungen tritt häufig ein und macht das Kind für lange Zeit unsicher.

Es muß ein Einklang bestehen zwischen den Forderungen in der Kinderstube und der Entwicklung unseres öffentlichen Lebens. Denn gerade die Kinder, die erst in der Schule und in der Außenwelt umsatteln müssen, die auf andersgeartete, kaum vermutete Schwierigkeiten stoßen, sind am meisten gefährdet. Die Eltern könnten es zur Not erreichen, daß sich das Kind ihnen völlig unterordnet und seine Selbständigkeit begräbt. Die Schule aber und die Gesellschaft von Kameraden, von der Gesellschaft der Erwachsenen ganz zu schweigen, wird sich gerade an dieser Hilflosigkeit und an diesem unselbständigen Wesen am meisten stoßen, sie werden den Schwächling verwerfen, krank machen oder erst aufrütteln müssen, wobei recht oft der kaum gebändigte Trotz über alles Maß hinauswächst und sich in allerlei Verkehrtheiten austobt.

Zeitigt die Isolierung der Familie oft solche Fehler, so sollte man meinen, daß ein einfacher Hinweis bereits genügt. Weit gefehlt! Eine genaue Einsicht hat gelehrt, daß die Eltern oder wenigstens ein Teil derselben nicht imstande sind, ihre oft unbewußte Stellung zur Gesellschaft aufzugeben, und daß sie immer wieder versuchen, innerhalb ihrer Familie sich die Geltung zu verschaffen, die ihnen die Außenwelt verwehrt hat. Wie oft dieses Gehaben in offene oder versteckte Tyrannei ausartet, lehren die Krankheitsgeschichten der später nervös gewordenen Kinder. Bald ist es der Vater, der seine eigenen schlimmen Instinkte fürchtet, sie mit Gewalt bezähmt und nun bei den Kindern deren Ausbruch und Spuren mit Übereifer zu verhüten sucht, bald eine Mutter, die ewig ihre unerfüllten Jugendphantasien betrauert und ihre Kinder zum Opfer ihrer unbefriedigten Zärtlichkeit oder ihrer Launenhaftigkeit auserwählt. Oder: der Vater sieht sich von einem heißersehnten Lebensziel abgeschnitten und peitscht nun den Sohn mit ängstlicher Hast, daß der ihm die Erfüllung seines Sehnens bringe. Hier eine Mutter, die sich zum übereifrigen Schutzengel ihrer Kinder aufwirft, jeden Schritt der vielleicht bereits Erwachsenen belauert, überall Ängstlichkeit und Feigheit züchtet, jede Willensregung des Kindes als gefahrvoll bejammert, vielleicht nur, um sich ihre Unentbehrlichkeit zu beweisen, vielleicht nur um „der Kinder wegen" in einer liebeleeren Ehe standzuhalten.

Im folgenden will ich einige dieser typischen Situationen zu schildern versuchen. Immer werden wir es mit Eltern zu tun bekommen, die einem Gefühl der eigenen Unsicherheit durch übertriebene Erziehungskünste zu entkommen suchen. Ihr ganzes Leben ist mit ausgeklügelten „Sicherungstendenzen"[1] durchsetzt. Mit letzteren greifen sie in die Erziehung ein, machen ihre Kinder ebenso unsicher und im schlechten Sinne weibisch, wie sie selbst es sind, und legen so den Keim zu den stürmischen Reaktionen des „männlichen Protestes", durch die der Geiz, der Ehrgeiz, der Neid, der Geltungsdrang, Trotz, Rachsucht, Grausamkeit, sexuelle Frühreife und verbrecherische Gelüste maßlos aufgepeitscht werden können. Trotz des fortschreitenden Zusammenbruchs ihres Erziehungswerkes halten sich solche Eltern häufig für geborene Pädagogen. Oft haben sie den Schein für sich: sie haben alle kleinen Möglichkeiten in den Bereich ihrer Erwägungen gezogen. Nur ein kleines haben sie vergessen: den Mut und die selbständige Energie ihrer Kinder zu entwickeln, den Kindern gegenüber ihre Unfehlbarkeit preiszugeben, ihnen den Weg frei zu geben. Mit beharrlicher Selbstsucht, die ihnen selbst nicht bewußt wird, lagern sie sich vor die Entwicklung der eigenen Kinder, bis diese gezwungen sind, über sie hinwegzuschreiten.

Manchmal wird ihnen der Schiffbruch offenbar. Dann sind sie geneigt, diesen „Schicksalsschlag" als unbegreiflich hinzustellen und die Flinte rasch ins Korn zu werfen. In solchen Fällen muß man — man hat es ja mit nervös Erkrankten zu tun — vorsichtig eingreifen. Belehrungen werden regelmäßig als Beleidigungen aufgenommen.

---

[1] Der Nervenarzt muß sie zu den „Nervösen" rechnen, mögen sie in Behandlung stehen oder nicht. Ihre übertriebene Empfindlichkeit, ihre Furcht vor Herabsetzung und Blamage rufen die oben erwähnten „Sicherungstendenzen" hervor, die ich als den wesentlichen Charakter der Neurose wiederholt beschrieben habe.

Manche verstehen es mit großer Geschicklichkeit, ein Fiasko der pädagogischen Ratschläge herbeizuführen, um den Arzt und Pädagogen
bloßzustellen. Feines Taktgefühl, unerschütterliche Ruhe und Vorher-
sage der zu erwartenden Schwierigkeiten bei Eltern und Kindern sichern
den Erfolg.

Und nun zu unseren Typen, zu den Fragen nach der Erziehung der
Eltern.

I. Schädigung der Kinder durch Übertreibung der Autorität.

Ich habe den bestimmten Eindruck gewonnen, daß die menschliche
Psyche eine dauernde Unterwerfung nicht verträgt. Nicht unter die
Naturgesetze, die sie durch List und Gewalt zu überwinden trachtet,
nicht in der Liebe und Freundschaft, und am wenigsten in der Erziehung. In diesem Ringen frei, selbständig zu werden, oben zu
sein, liegt offenbar ein Teil jenes übermächtigen Antriebes zutage,
der die ganze Menschheit empor zum Lichte führt. Selbst die Frommen
und Heiligen hatten ihre Stunden des inneren Aufruhrs, und die fuß-
fällige Anbetung der Naturgewalten dauerte nur so lange, bis ein Mensch
den Blitz den Händen des Gottes entriß, bis die gemeinsame Einsicht
den tobenden Gewalten des Meeres und der Flüsse Dämme erbaute
und die Herrschaft erlistete.

Über die Herkunft dieses Drängens nach oben erfährt man
durch genaue Einzelbeobachtungen folgendes: Je kleiner oder schwächer
ein Kind sich in seiner Umgebung fühlt, desto stärker wird sein
Hang, seine Hast und Gier, an erster Stelle zu sein; je unsicherer und
minderwertiger es den Erziehern gegenübersteht, um so stürmischer
sehnt es deren Überwindung herbei, um Anerkennung und Sicherheit
zu finden. Jedes Kind trägt Züge dieser Unsicherheit und zeigt die
Spuren des Weges dauernd in seinem Charakter, wie es sich zu schützen
suchte, fürs ganze Leben. Bald sind es Charakterzüge, die wir als
aktive, bald solche, die wir als passive empfinden. Trotz, Mut, Zorn,
Herrschsucht, Wißbegierde sollen uns als aktive Sicherungstendenzen gelten, durch die sich das Kind vor dem Unterliegen,
vor dem „Untensein" zu schützen sucht. Die deutlichsten
Sicherungstendenzen der passiven Reihe sind Angst, Scham,
Schüchternheit und Unterwerfung. Es ist wie beim Wachstum der
Organismen überhaupt, etwa der Pflanzen: die einen durchbrechen
jeden Widerstand und streben mutig empor, die andern ducken sich

und kriechen ängstlich am Boden, bis sie sich zögernd und anklammernd erheben. Denn hinauf, zur Sonne, wollen sie alle. Das organische Wachstum des Kindes hat in dem seelischen Aufwärtsstreben, in seinem Geltungsdrang eine durchaus nicht zufällige Parallele.

Wie gesagt, da gibt es nun Eltern, — und vielleicht sind wir alle ihnen ähnlich —, die sich nicht vollends ausgewachsen haben. Irgendwo sind sie im Wachstum gehemmt, geknickt, nach unten gebeugt, und nun steckt noch das machtvolle Drängen und Sehnen nach aufwärts in ihnen. Die Außenwelt nimmt keine Rücksicht auf sie. Aber innerhalb ihrer Familie darf nur ihr Wort gelten. Sie sind die brennendsten Verfechter der Autorität. Und wie immer, wenn einer die Autorität verteidigt, meinen sie stets die ihrige, nie die des anderen. Nicht immer sind sie brutale Tyrannen, obgleich sie die Neigung dazu haben. Auch Schmeichelei und List wenden sie an, um die andern zu beherrschen. Und immer sind sie voll von Grundsätzen und Prinzipien. Alles müssen sie wissen und besser wissen, stets soll ihre Überlegenheit zutage treten. Die anderen Familienglieder sind strenge verpflichtet, die Ehre und Bedeutung der herrschenden Person in der Außenwelt zu bekunden. Nur Lichtseiten des Familienlebens müssen der Umgebung vor Augen geführt werden, in allen anderen Beziehungen muß gelogen und geheuchelt werden. Der geistige und körperliche Fortschritt der Kinder soll dem Ruhme des Vaters oder der Mutter dienen, jeder Tadel in der Schule und alle die kleinen Streiche der Kindheit werden zum Elternmord aufgeblasen und ununterbrochen verfolgt. Vater oder Mutter spielen dann lebenslänglich den Kaiser, den unfehlbaren Papst, den Untersuchungsrichter, den Weltweisen, und die schwache Kraft des Kindes zwingt sich vergeblich zum Wettlauf. Ewig beschämt und verschüchtert, bestraft, verworfen und von Rachegedanken gequält, verliert das Kind allmählich seinen Lebensmut oder flüchtet sich in den Trotz. Allenthalben schwebt das Bild des Erziehers als Autorität um den Heranwachsenden, droht und fordert, hält ihm Gewissen und Schuldgefühl rege, ohne daß dabei mehr herauskommt als feige Unterwerfung mit folgender Wut oder trotziges Aufbäumen mit folgender Reue.

Des Kindes ferneres Leben verrinnt dann in diesem Zwiespalt. Seine Tatkraft wird gelähmt; die ihm auferlegten Hemmungen erscheinen ihm unerträglich. Man kann solche Menschen im späteren Leben leicht erkennen: sie zeigen auffällig viele Halbheiten in ihrem Wesen, stets ringen zwei entgegengesetzte Regungen um die

Herrschaft in ihrer Seele, lösen jederzeit den Z w e i f e l aus, der sich gelegentlich in die A n g s t vor der Tat oder in den Z w a n g zur Tat auflöst. Der Idealtypus dieser Art Menschen, der p s y c h i s c h e H e r m a p h r o d i t, ist auf halb und halb eingestellt.

II. Schädigung der Kinder durch die Furcht vor Familienzuwachs.

Wer wollte die große Verantwortlichkeit aus dem Auge lassen, die der Eltern wartet, sobald sie Kinder in die Welt setzen. Die Unsicherheit unserer Erwerbsverhältnisse, die Rücksicht auf die eigene Kraft, wie oft erfüllen sie ein Ehepaar mit Sorgen, wenn sie an die Erhaltung und Erziehung von Kindern denken! Nicht anders die Schmerzen und Qualen, die Krankheiten, Mißwuchs und schlechtes Gedeihen der Kinder dem Elternherzen bereiten können. Dazu kommen noch andere Bedenken. Man war vielleicht selbst einmal krank. Irgendwer in der Familie litt an Nervosität, an Geisteskrankheit, an Tuberkulose oder Augen- und Ohrenkrankheiten. Wie leicht kann das Kind ein Krüppel, ein Idiot, ein Verbrecher werden. Wie leicht könnte die Mutter selbst unter der Mühe des Gebärens, der Pflege, des Stillens zusammenbrechen. Soll man so viel Schuld auf sich laden? Darf man ein Kind einer gefährlichen Zukunft aussetzen?

Solche Einwendungen werden oft mit unheimlichem Scharfsinn erdacht und begründet. Und doch! Manche der obigen Fragen sind bis heute noch nicht einwandfrei gelöst.

Aber gerade deshalb eignen sie sich ganz ausgezeichnet, den Schreckpopanz abzugeben. Und sobald diese Frage, d i e n u r s o z i a l g e l ö s t w e r d e n k a n n, innerhalb der Familie oder durch private Initiative behandelt wird, muß sie notwendigerweise zu Schädigungen führen. Wir wollen bloß hindeuten auf die Verdrossenheit und Unbefriedigung, die dem Prohibitivverkehr zuweilen folgen. Ebenso ist zu bedenken, daß die künstliche Behinderung der Befruchtung meist ein Verhalten nötig macht, das vorhandene Nervosität steigert. Nicht weniger fällt ins Gewicht, daß es meist die allzu vorsichtigen Menschen sind, die dem Kindersegen vorzubeugen trachten, daß diese ein ganzes Sicherungssystem ausbauen, wodurch ihre Vorsicht sich erheblich auswächst und auf alle Beziehungen des Lebens ausgedehnt wird. Ist in solchen Ehen noch kein Kind vorhanden, so zwingt die Sicherungstendenz die Eltern, ihre Lage grau in grau anzusehen. Allerlei hypochondrische Grübeleien werden angesponnen und festgehalten, damit die Gesundheit nur nicht einwandfrei erscheint. Fragen der Bequemlichkeit und des Luxus nehmen einen ungeheuren Raum ein und züchten einen ungemein verschärften Egoismus, so daß sich dieser Egoismus wie eine unübersteigliche Schranke gegen die Eventualität einer Nachkommenschaft aufrichtet. Kommt aber dann doch ein Kind, so befindet es sich in einer so untauglichen Umgebung, daß seine leibliche und geistige Gesundheit in Frage gestellt ist. Jedes der Elternteile sucht dem andern die Last der Erziehung zuzuschieben, wie wenn er ihm die Schwierigkeit der Kinderpflege verkosten lassen wollte, um vor weiterer Nachkommenschaft abzuschrecken. Alle Leistungen werden als Qual empfunden, das Stillgeschäft wird oft zurückgewiesen, die gestörte Nachtruhe, die Abhaltung von Vergnügungen überaus schwer und unter fortwährenden Klagen ertragen. Allerlei nervöse Symptome, Kopfschmerz, Migräne, Mattigkeit setzen ein, und machen den Angehörigen recht deutlich, daß ein weiterer Zuwachs eine Gefahr, gewöhnlich für die Mutter, bedeuten würde. Oder die Eltern übertreiben ihr Pflichtgefühl in einer Weise, daß sie sich und das Kind dauernd schädigen. Fortwährend sind sie mit dem Kinde beschäftigt, belauschen jeden Atemzug, wittern überall Krankheitsgefahr, reißen das Kind aus dem Schlafe und überschreiten jede Maßregel so sehr, bis „Vernunft Unsinn, Wohltat Plage" wird. So daß in allen Beobachtern der Gedanke laut wird: wie schrecklich wäre es, wenn diese Eltern ein zweites Kind hätten.

In späterer Zeit werden alle die fehlerhaften Eigenschaften des „einzigen Kindes" klar zutage treten. Das Kind wird selbst übertrieben ängstlich, lauert auf jede Gelegenheit, die überängstlichen Eltern unterzukriegen, mit ihrer Sorge zu spielen und sie in ihren Dienst zu stellen. Trotz und Anlehnungsbedürfnis wuchern ins Ungemessene, und eine Sucht, krank zu sein, zeichnet solche Kinder aus, weil sie durch Krankheit am leichtesten zu Herren der Lage werden.

III. Schädigung des „Lieblingskindes" und des „Aschenbrödels".

Es ist für Eltern gewiß nicht leicht, ihre Sorgfalt und Liebe gleichmäßig auf mehrere Kinder zu verteilen. Der gute Wille fehlt selten.

Was bedeutet dies aber gegenüber einer unbewußten Einstellung, die ständig das Urteil und die Handlungsweise der Eltern zu beeinflussen versucht; was bedeutet dies vollends gegenüber dem feinen

Gefühle der Kinder für Gleichberechtigung, oder gar gegenüber einem einmal erwachten Mißtrauen!

Schon unter den günstigsten Verhältnissen in der Kinderstube wird sich das jüngere von den Kindern hinter die älteren zurückgesetzt fühlen. Des Kindes Wachstumsdrang verleitet es dazu, sich ständig mit seiner Umgebung zu messen und stets seine Kräfte mit denen der andern Geschwister zu vergleichen. In der Regel stehen die jüngsten Kinder unter einem verstärkten seelischen Antriebe und entwickeln die größere Gier nach Geltung, Besitz und Macht. Solange dieses Streben in den Grenzen des kulturellen Ehrgeizes bleibt, kann man davon die besten Früchte erwarten. Nicht selten aber kommen starke Übertreibungen aktiver Charakterzüge zustande, unter denen Neid, Geiz, Mißtrauen und Roheit besonders stark hervorstechen. Die natürlichen Vorteile der älteren Kinder drücken wie eine Last auf dem Kleinsten und zwingen es zu verstärkten S i c h e r u n g s t e n d e n z e n , wenn es sich auf ungefähr gleicher Höhe der Geltung erhalten will.

Nicht anders wirkt die Bevorzugung eines Kindes auf die anderen. Ein Gefühl und die Befürchtung der Zurückgesetztheit mischt sich dann stets in alle seelischen Regungen, die Aschenbrödelphantasie breitet sich mächtig aus, und bald setzen Schüchternheit und Verschlossenheit ein. Das zurückgesetzte Kind sperrt sich seelisch ab und versetzt sich bei allen denkbaren Anlässen in eine Stimmung der Gekränktheit, die endlich in dauernde Überempfindlichkeit und Gereiztheit übergeht. Verzagt und ohne rechte Zuversicht blickt es in die Zukunft, sucht sich durch allerlei Winkelzüge vor stets erwarteten Kränkungen zu sichern und fürchtet jede Prüfung oder Entscheidung. Seine Tatkraft leidet durch die ewige Angst vor dem Nichtankommenkönnen, vor der Blamage, vor der Strafe. In den stärker ausgeprägten Fällen wandelt sich das Kind so sehr zu seinen Ungunsten, seine gereizte Trotzigkeit wird ein derart bedeutsames Hindernis für seine Entwicklung, daß es schließlich die Zurücksetzung gegenüber den andern Kindern zu verdienen scheint. Wenn dann bei unliebsamen Zufällen und Streichen, an denen gerade dieses Kind beteiligt erscheint, die ,Eltern oder Lehrer zornig hervorheben: „Wir haben es immer gewußt! So mußte es kommen!" — dann ist die bescheidene Erinnerung am Platze: „Gewußt? Nein! Ihr habt es gemacht!" — Zuweilen sind solche „z u r ü c k g e s e t z t e" Kinder bloß in ihrem Verwandten- und Bekanntenkreis befangen, legen ihre Zurückhaltung aber ab, sobald sie in fremder Gesellschaft sind, so als ob sie unter dem Druck ihrer bekanntgewordenen Sünden stünden. Da hilft freilich dann nur Entfernung aus dem oft ungeeigneten Kreis oder — in schwereren Fällen — vollkommene Erfassung der Lage durch das Kind und Loslösung, Erziehung zur Selbständigkeit durch Heilpädagogik.

Oft liegt der Grund zur Zurücksetzung im Geschlecht des Kindes; sehr häufig wird der Knabe dem Mädchen vorgezogen, wenn auch das Gegenteil manchmal vorkommt. Unsere gesellschaftlichen Formen sind dem männlichen Geschlecht um vieles günstiger. Dieser Umstand wird von den Mädchen ziemlich früh erfaßt, und das Gefühl der Zurücksetzung ist unter ihnen ziemlich allgemein verbreitet. Entweder wollen sie es in allem den Knaben gleich tun, oder sie suchen in ihrer, der weiblichen Sphäre, ihr Gefühl der Zurückgesetztzeit wettzumachen, sichern sich vor Demütigungen und Beeinträchtigungen durch übergroße Empfindlichkeit und Trotz, und nehmen Charakterzüge an, die sich nur als Schutzmaßregeln verstehen lassen. Sie werden geizig, neidisch, boshaft, rachsüchtig, mißtrauisch, und zuweilen versuchen sie sich durch Verlogenheit und Hang zu heimlichen Verbrechen schadlos zu halten. In diesem Streben liegt durchaus kein weiblicher Zug, sondern dies ist der Protest des in seinem innersten Wesen unsicher gewordenen Kindes, es ist der unbewußte, unabweisbare Zwang, die gleiche Höhe mit dem Manne zu halten, kurz: der männliche Protest. Nicht etwa die Tatsache der Zurücksetzung fällt dabei ins Gewicht, sondern ein recht häufig verfälschtes, unrichtiges Gefühl einer Zurückgesetztheit. Mit der Zeit freilich, wenn das überempfindliche Kind unleidig wird, stets störend in die Harmonie des Zusammenlebens eingreift und seine überspannten, aufgepeitschten Protestcharaktere entwickelt, wird die Zurücksetzung zur Wahrheit, und das nervös disponierte Kind wird bestraft, strenger behandelt, gemieden, oft mit dem Erfolg, daß es sich in seinen Trotz versteift.

Oder die Umgebung gerät unter das Joch des zügellos gewordenen Kindes, für das jede persönliche Beziehung zu einem Kampf wird und jedes Verlangen in einen Hunger nach Triumph, nach einer Niederlage des andern ausartet. Damit gerät das Kind an die Schwelle der Neurose, des Verbrechens, des Selbstmordes. Zuweilen freilich auch an das Eintrittstor zur genialen Schöpfung. Aus dem Gefühl der Zurückgesetztheit, der persönlichen Unsicherheit, aus der Furcht vor der zukünftigen Rolle und vor dem Leben entwickeln sich machtvoll übertriebene Regun-

gen nach Geltung, Liebe und Zärtlichkeit, deren Befriedigung fast nie gelingt, geschweige denn sofort. Im letzten Augenblicke noch schreckt das nervös disponierte Kind vor jeder Unternehmung zurück und ergibt sich einer Zagheit, die jedes tatkräftige
Handeln ausschließt. Alle Formen der Nervosität schlum-
mern hier im Keime und dienen, einmal zum Ausbruch
gekommen, dieser Furcht vor Entscheidungen. Oder
die aufgepeitschten Affekte durchbrechen alle moralischen und seelischen
Sicherungen, drängen mit Ungestüm zur Tat, die freilich oft genug
auf den verbotenen Wegen des Verbrechens und des Lasters reif wird.
Was das Lieblingskind, das verhätschelte, verzogene Kind anlangt, so besteht dessen Schädigung vor allem darin, daß es schon
frühzeitig seine Macht fühlen und mißbrauchen lernt.
Infolgedessen ist sein Geltungsdrang so wenig eingeschränkt und füg-
sam, daß das Kind jede Unbefriedigung, mag sie noch so sehr durch
das Leben bedingt sein, als eine Zurücksetzung fühlt. Die
Eltern schaffen also mit Fleiß und Absicht für ihren Liebling Zustände,
die ihm die gleiche Gereiztheit und Überempfindlichkeit anheften
wie dem zurückgesetzten Kinde. Dies wird freilich zumeist erst in
der Schule oder außerhalb der Kinderstube klar. Die gleiche Unsicherheit, die gleiche Ängstlichkeit und das Bangen vor dem Leben charakterisieren die Lieblingskinder. Zuweilen sind diese Züge bloß durch
anmaßendes Benehmen und Jähzorn verdeckt. Da diese Kinder gewohnt
waren, sich ihrer Umgebung als einer Stütze zu bedienen, den Eltern
und Geschwistern eine dienende Rolle zuzuweisen, suchen sie in ihrem
ferneren Leben stets wieder nach ähnlichen Stützen, finden sie nicht
und ziehen sich verschüchtert und grollend zurück.

Beiderlei Erziehungsweisen führen also zu Steigerungen der Affekt-
größen und drohen mit dauernder Unzufriedenheit, Pessimismus, Weltschmerz und Unentschlossenheit. Nicht selten betrifft die Verzärtelung ein einziges Kind. Wie oft sich da die Schädigungen der Verwöh-
nung mit jenen summieren, die aus der Furcht vor weiterem Nach-
wuchs entstehen, ist leicht einzusehen. Auch übertriebenes Autoritäts-
gelüste der Eltern wirkt schärfer, sobald es sich nicht auf mehrere
Kinder verteilen kann, sondern bloß auf ein einziges drückt.

Nun gibt es gerade in Hinsicht auf die Ursachen der Verzärtelung
eine Anzahl von Schwierigkeiten, zu deren Beseitigung ein besonders
heller Blick der Eltern und hervorragendes erzieherisches Feingefühl
gehören. So in dem Falle, wenn es sich um ein kränkliches oder

krüppelhaftes Kind handelt. Wen rührt nicht der Gedanke an die Liebe und treue Pflege der Mutter am Bett des kranken Kindes! Und doch kann dabei leicht ein Übermaß von Zärtlichkeit einfließen, besonders dort, wo dauernd kränkliche Kinder in Betracht kommen. Das Kind findet sich leicht in dem Gedankengang zurecht, daß ihm die Krankheit zur „Sicherung" im Leben dienlich sein kann, daß sie ihm zu vermehrter Liebe, zur Schonung und zu mehreren anderen Vorteilen verhilft. Von den kleinen, aber für das spätere Leben oft so bedeutsamen Vergünstigungen, — im Bett der Eltern, in ihrem Schlafzimmer schlafen zu dürfen, beständig unter ihrer Obhut zu stehen, jeder Mühe überhoben zu werden, — bis zum Verlust jeder Hoffnung und jedes Wunsches nach selbständigem Handeln führt eine gerade Linie. Der Raub aller Lebenszuversicht, der an diesen von der Natur zurückgesetzten Kindern begangen wird, wirkt um so aufreizender, weil er oft nur mit Mühe umgangen werden kann. Aber so stark muß die Liebe und das erzieherische Pflichtgefühl sein, daß es auch um den Preis des eigenen Schmerzes den Krüppeln und Bresthaften zum Lebensmut und zum selbständigen Wirken und Ausharren verhilft.

Auch die Bevorzugung schöngebildeter und besonders wohlgeratener Kinder entspringt meist einer begreiflichen Stellungnahme der Eltern und Erzieher, geht aber oft, da unbewußte unkontrollierte Gefühle mitsprechen, um ein Erhebliches zu weit. Man muß nur auch den Fehler zu vermeiden trachten, den gesunden und geratenen Kindern ihrer natürlichen Vorzüge wegen schärfer zu begegnen, wozu man sich manchmal aus übertriebenem Gerechtigkeitsgefühl gedrängt glaubt.

Nun gibt es eine Art der Bevorzugung, die mehr als alle anderen ins Gewicht fällt, die aus gesellschaftlichen, realen Ursachen hervorgeht, von den Eltern und Erziehern aber oft bedeutsam gefördert wird, so daß häufig genug nicht bloß das bevorzugte, sondern auch das zurückgesetzte Kind Schaden leidet. Ich meine die überaus großen Vorteile, deren sich im allgemeinen das männliche Geschlecht erfreut. Diese Vorteile beeinflussen das Verhalten der Eltern allzusehr, und es ändert an dem Schaden nur wenig, wenn Mädchen in der Familie keine Zurücksetzung erfahren. Das Leben und unsere gesellschaftlichen Zustände legen den Mädchen das Gefühl ihrer Minderwertigkeit so nahe, daß der Psychologe ausnahmslos die Regungen erwarten darf, die einer Reaktion auf dieses Gefühl der Zurückgesetztheit entspringen: Wünsche, es dem männlichen Geschlecht gleich zu tun, Widerstand gegen jeden

Zwang, Unfähigkeit, sich zu unterwerfen, sich zu fügen. Selbst be
der geeignetsten Erziehung wird sich des Mädchens, aber auch de
mädchenhaften Knaben ein Gefühl der Unsicherheit, ein Hang zu
Verdrossenheit und eine meist unbestimmte Empfindung von ängst
licher Erwartung bemächtigen. Die Einordnung in die Ge
schlechtsrolle geht unter ungeheurer Anspannun
der Phantasie vor sich. Eine Phase der Undifferenzierthe:
(Dessoir) läßt regelmäßig Regungen erstarken, die eine Hast
männlich zu werden, verraten, stark, groß, hart, reich, hers
schend, mächtig, wissend zu erscheinen, die von Furchtregungen be
gleitet werden, als deren psychologischen Ausdruck man eine gewiss
Unverträglichkeit gegen Zwang, gegen Gehorsam, gegen Unterwerfun
und Feigheit, kurz, gegen weibliche Züge finden wird. Alle Kinder nu
deren Undifferenziertheit länger und deutlicher zum Ausdruck komm
— psychische Hermaphroditen —, werden kompensatorisch a
Gegengewicht gegen das wachsende Gefühl ihrer Minderwertigkeit nega
tivistische Züge entwickeln, Knaben wie Mädchen, Züge von Trotz, Grau
samkeit, Unfolgsamkeit, ebenso auch von Schüchternheit, Angst, Feig
heit, List und Bosheit, oft ein Gemisch mehr oder weniger aggressive
Neigungen, die ich den männlichen Protest genannt habe. S
kommt ein aufgepeitschtes Verlangen in diese Kinderseelen, aus unbe
wußten Phantasien reichlich genährt: männlich zu scheine
und sofort den Beweis von der Umgebung zu verlangen
Und nie fehlt die Gegenseite dieses Verlangens: die Furcht vor de
Entscheidung, vor der Niederlage, vor dem „Untensein". Aus diese
Kindern werden die Stürmer und Dränger in gutem wie in schlechten
Sinne, die stets Verlangenden, nie Zufriedenen, hitzige, aufbrausend
Kampfnaturen, die doch stets wieder an den Rückzug denken. Stet
leiden ihre sozialen Gefühle, sie sind starre Egoisten, haben aber of
die Fähigkeit, ihre Selbstsucht vor sich und anderen zu verstecken, un
arbeiten ununterbrochen an der Entwertung aller Werte. Wir finde
sie an der Spitze der Kultur, ebenso im Sumpfe. Der größte Teil vo
ihnen scheitert und verfällt in Nervosität.

Ein Hauptcharakter ihrer Psyche ist der Kampf gegen da
andere Geschlecht, ein oft heftig, oft still, aber erbittert ge
führter Kampf, dem stets auch Züge von Furcht sich beimengen. E
ist, als ob sie zur Erlangung ihrer erträumten Männlichkeit die Nieder
lage eines Geschlechtsgegners nötig hätten. Man glaube aber nicht
daß die Züge offen zutage liegen. Sie verstecken sich gewöhnlich unte

thische oder ästhetische Rücksichten und gipfeln in den Jahren nach der Pubertät in der Unfähigkeit zur Liebe und in der Furcht von der Ehe.

Was können Eltern und Erzieher tun, um diesem Schaden vorzubeugen, der aus dem Umstande entspringt, daß das Kind die Frau und ihre Aufgaben geringer wertet? Die Wertdifferenz zwischen männlichen und weiblichen Leistungen in unserer allzusehr auf Werte erpichten Gesellschaft können sie nicht aus der Welt schaffen. Sie können aber dafür sorgen, daß sie im Rahmen der Kinderstube nicht allzu aufdringlich hervortritt. Dann wird die Angst vor dem Schicksal der Weiblichkeit nicht aufflammen können, und die Affekte bleiben ungereizt. Man darf also die Frau und ihre Aufgaben in der Kinderstube nicht verkleinern, wie es oft zu geschehen pflegt, wenn der Vater seine Männlichkeit hervorzuheben sucht oder wenn die Mutter verdrossen über ihre Stellung im Leben zürnt. Man soll Knaben nicht zum Knabenstolz anhalten, noch weniger dem Neid der Mädchen gegenüber den Knaben Vorschub leisten. Und man soll in erster Linie den Zweifel des Kindes an seiner Geschlechtsrolle nicht nähren, sondern von der Säuglingszeit angefangen seine Einfügung in dieselbe durch geeignete Erziehungsmaßnahmen fördern.

9

Organdialekt.

Von Dr. Alfred Adler (1912).

Im Jahre 1910 habe ich in einer Arbeit über „Psychische Behandlung der Trigeminusneuralgie" (Zeitschrift für Psychoanalyse, Heft 1) von einer allgemein verbreiteten menschlichen Neigung gesprochen, die seelische Überwältigung einer Person durch die andere, ihre Überlegenheit in einem sexuellen Bild zu erfassen oder auszudrücken. Besonders bei nervösen Personen kann die Wirkung eines solchen „inneren Schlagwortes" (Robert Kann) so weit gehen, daß dabei auch die Geschlechtsorgane in die entsprechende Angriffsstellung geraten. Die Sprechweise bedient sich oft solcher bildlichen Eindrücke. Beispiele scheinen mir in den Wörtern: vergewaltigen, übermannen, Jungfernrede, schicksalschwanger und in zahllosen Schimpf- und Spottreden vorzuliegen, wie sie uns die Volkskunde liefert.

Diese Tatsachen, die es mir erlaubten, in der Kritik der Freudschen Libidotheorie einen weiteren Schritt vorwärts zu gehen und zu zeigen, daß auch das geschlechtliche Gebaren und Fühlen des Nervösen und Gesunden nicht in „banaler" Weise als ausschließlich geschlechtlich zu verstehen ist, geschweige denn seine übrige psychische Haltung, werden heute auch von den ehemaligen Gegnern anerkannt. Insbesondere die Arbeiten der Schweizer Psychoanalytiker tragen dieser Auffassung in weitestem Maße Rechnung.

Der psychologische Vorgang dieses Übergreifens aus einer Denk-, Gefühls- und Willenssphäre, z. B. des Willens zur Macht, auf eine zweite, z. B. der Sexualvorgänge, geschieht offenbar zum Zweck einer Verstärkung des Affekts, der auf eine Erhöhung des Persönlichkeitsgefühls hinzielt. Und eine solche Person spricht, denkt, handelt dann so, als ob sie einen Sexualakt letzter Linie vorhätte. Dabei ist es fraglos, daß diese Person, — abgesehen vom Wahn in der Neurose und Psychose, im Traum, im Mythos und im Märchen, — im klaren ist, daß ihr Endziel nicht durch das Sinnbild, nicht durch das bildliche Element gegeben ist, sondern daß dieses nur als Modus dicendi, als Form des Redens, als Dialekt angesehen werden kann, wogegen das Handeln und Denken auf die wahre Natur der Dinge gerichtet bleiben muß. Im Sinne Vaihingers haben wir es demnach

---

[1] Vaihinger, Die Philosophie des Als-Ob, Berlin, Reuther & Reichard, 1911.

mit einer echten „Als-Ob"-Konstruktion, mit einer Fiktion, mit einem Kunstgriff des Geistes zu tun, und es obliegt uns noch die weitere Erörterung der Frage, was mit der Sexualisierung oder mit einem anderen Organdialekt des Denkens und Fühlens bezweckt ist. Leichtverständlicherweise ist auch unser Begriff: O r g a n d i a l e k t als eine „Als-Ob"-Bildung zu nehmen, weil auch er sich auf das Fühlen und Handeln erstreckt, und nicht bloß auf die Sprache.

Die allgemeine Antwort, die ich oben gegeben habe, daß diese Kunstgriffe auf eine Erhöhung des Persönlichkeitsgefühls hinzielen, erfordert auch noch eine Beschreibung der Wege, auf denen dieses Ende zu erreichen gesucht wird. Der eine Weg verläuft in der künstlich hinzugesellten Bahn, lenkt also vom ursprünglichen Ziele ab und schafft einen Ersatz. In der „Liebkosung des Windes", in der „seligen Hingabe" an die Kunst, in der „Vermählung" mit der Muse kann ebenso wie im „Klingen kreuzen" mit einem wissenschaftlichen Gegner etwa eine solche Ablenkung vom ursprünglichen Ziele liegen, wo wir unter Umständen annehmen dürfen, daß der geradlinige Weg zur Liebe, zum Kampf aus Gründen einer inneren Vorsicht gemieden wird (Furcht vor der Entscheidung). In anderen Fällen bringt diese „Triebverschränkung" oder „das Junktim" die zur Persönlichkeitserhöhung nötige Resonanz hervor, bedient sich die Person zum Zwecke des eindrucksvollen Sprechens, Denkens und Handelns der daraus fließenden fälschenden Affektbegleitung, um ihr Ziel zu sichern. So wenn ich das Weib als Sphinx, den Mann als Angreifer denke, wo immer ein sexuelles Schicksal mit dem Gedanken einer Niederlage verbunden ist. Ein zweiter Weg ergibt sich geradliniger, sobald die Phantasie die Lockung eines gesetzten Zieles dadurch verstärkt, daß sie auf bekanntere oder besonders reizvolle Genüsse auffordernd hinweist: Rosenlippen, Mannesehre, Paradies der Kindheit usw.

Unfaßbare Qualitäten werden dabei durch einfachere, faßbare erklärt, ergänzt, verstärkt und übertrieben. Bei günstiger Darstellung fehlt nie der „Naturlaut". Was den einen besonders ergreift oder ihn selbst zum Organdialekt treibt, stammt aus seiner Vorgeschichte, wesentlich aus seinen Hauptinteressen und aus seiner körperlichen Anlage, soweit sie sich einem Endziel ausgleichend eingeordnet hat. Menschen mit empfindlichen Sehorganen werden bis in ihre Ausdrucksweise hinein eine Häufung von Begriffen des Sehens, Einsehens, der Anschauung usw. aufweisen, wie kürzlich erst v o n d e r P f o r d t e n in geistreicher

Weise wieder gezeigt hat[1]. Überhaupt spielt in die Begriffswelt der
Menschen der Abglanz ihrer minderwertigen, empfindlicheren Organe
hinein. In den nervösen Symptomen kommt diese Beziehung zu greif-
barer Gestalt. So kann ein nervöses Asthma (minderwertiger Atmungs-
apparat, Czernys exsudative Diathese) eine bedrängte Lage ausdrücken
helfen, in der einem „die Luft ausgeht", eine Hartleibigkeit unter
anderem Sperrung von Ausgaben, nervöser Trismus (Kieferkrampf)
auf Denkumwegen, aber gehorchend dem „inneren Schlagwort", Hintanhaltung von Einnahme, etwa auch von Empfängnis (Schwangerschaft)[2].

Die verstärkende Wirkung dieses fiktiven Denkens[3], Sprechens und
Handelns ist leicht einzusehen. Auch versteht es sich, daß Sexual-
gleichnisse dabei gehäuft auftreten, weil u. a. der männliche Einschlag
(männlicher Protest) im Leitideal solche Wendungen fördert.

Es ist leicht nachzuprüfen, wie sehr die Sprache und Gestaltungskraft

---

[1] O. v. d. P f o r d t e n , Weltanschauung und Weltgestaltung (Deutsche
Revue, 1912) sagt in einer Polemik gegen den Begriff „Weltanschauung":
„Es ist nirgends Sicheres zu finden, wer zuerst den Terminus ‚Weltanschauung' geprägt hat. Es heißt, Goethe sei es gewesen. Es würde sehr gut zu
seiner ganzen Denkart passen, die durchaus auf Intuition gegründet war.
Jedenfalls wimmeln seine Werke, vor allem der Faust, besonders der 2. Teil,
von den Worten: s c h a u e n , a n s c h a u e n , A n s c h a u u n g . — Darin
liegt eine Einseitigkeit, denn Worte haben ihre Sous-entendus, die an ihnen
hängen: die Nebengedanken, die sie unweigerlich erwecken, möge man sie
definieren wie man will. — Immer hat ‚Anschauung' einen optischen —
und einen kontemplativen Charakter." Bekannt ist die Kurzsichtigkeit Goethes.
Auf dieser baut sich vielleicht bei allen Dichtern die visuelle Begabung auf.
Siehe auch A d l e r , „Organminderwertigkeit in ihrer Beziehung zur Philosophie und Psychologie", mit einem solchen Hinweis auf Schiller.

[2] Das Übergreifen auf das veranlagte Organ ist bei Kundgabe des Schlagwortes fast regelmäßig zu finden. Die Annahme einer „Verschiebung" ist
überflüssig.

[3] B l e u l e r s a u t i s t i s c h e s (selbstisches) D e n k e n deckt sich fast
mit unserem H e r v o r t r e t e n d e r f i k t i v e n (e r d i c h t e t e n) L e i t -
l i n i e . Leider ist uns dieser hervorragende Forscher auf diesem Gebiete
noch die Antwort auf die Frage nach den Ursachen dieser Anomalie schuldig
geblieben. F r e u d hat mit dem Hinweis auf das Lustprinzip und seine Geltung
beim Nervösen die gleiche Lücke gelassen, ohne den ganzen Kreis des
„autistischen Denkens" zu erschöpfen. Erst als r i c h t e n d e s V o r a u s -
d e n k e n , v e r l o c k t v o n e i n e m ü b e r s p a n n t e n E n d z i e l , wie
ich es im p s y c h i s c h e n H e r m a p h r o d i t i s m u s als Forderung für
die Erforschung der Neurose gesetzt hatte, wird dieser Mechanismus der Abkehr
von der Wirklichkeit und seine Ursache klarer.

von Dichtern durch die Überkompensation ihrer minderwertigen Augen beeinflußt wird, und wie ihnen darnach ihre wirksamen Probleme geraten. So weist Goethes Farbenlehre mit Sicherheit auf die ursprüngliche, aber mit größerer Empfindlichkeit bedachte Augenminderwertigkeit hin. Irgendwo schildert J u l e s V e r n e einen Journalisten und hebt von ihm hervor, daß er die Verkörperung eines Auges sei. Dies und die gesteigerten psychischen Leistungen könnten zur Not im Sinne Freuds als gesteigerte sinnliche Begabung, als erogene Sehzone erfaßt werden. Wenn wir aber regelmäßig Anzeichen finden, wie diese begabteren Organe und ihr Überbau mit innewohnenden Minderwertigkeiten, mit Zeichen des Niedergangs, mit Erkrankungen und mit erblichen und familiären Schwächen im Bunde stehen, so daß man zur unsicheren Annahme einer stärkeren Sinnlichkeit erst recht eine Organminderwertigkeit als Erklärungsgrund fordern muß, dann bleibt wohl keine andere Wahl als die Libidotheorie zu verwerfen und an ihre Stelle die Lehre von der Organminderwertigkeit und ihrer Folgen zu setzen. So ist die spätere Erblindung von Jules Vernes phantastischen Augen ein Beweisstück, das hundert ungestützte Spekulationen aufwiegt.

Die Wirkung dieser allgemein verständlichen und somit leichter fühlbaren Leistungen des Organdialektes kann bei Rednern und Dichtern, in der symbolischen Ausdrucksweise, in Gleichnissen und im Vergleich am besten erwogen werden. So werden in der folgenden Stelle aus Schillers Maria Stuart (2. Aufzug) die Keuschheit als Festung und sinnliche Wünsche als französische Kavaliere geschildert, während Engländer die Sicherungen herstellen. Der auffallende Zug in der Schillerschen Geistesrichtung, Überschätzung der Frau, wie er in der Jungfrau von Orleans, Maria Stuart, in zahlreichen Gedichten durchbricht, gelegentlich begleitet von starken männlichen Protestregungen („Ich bin ein Mann"), führt auch an dieser Stelle wieder zur Eingebung, die Frau siegen zu lassen. Das Problem Mann—Frau wird in ein Junktim mit einer kriegerischen Leistung gebracht, und dies führt eine besondere. eindrucksvolle Wirkung herbei:

> K e n t : . . . denn, wißt,
>> Es wurde vorgestellt die keusche Festung,
>> Die Schönheit, wie sie vom Verlangen
>> Berennt wird — — Der Lord Marschall, Oberrichter,
>> Der Seneschal nebst zehen andern Rittern
>> Der Königin verteidigten die Festung,
>> Und Frankreichs Kavaliere griffen an.

... Umsonst! Die Stürme wurden abgeschlagen,
Und das Verlangen mußte sich zurückziehen.

Der gesteigerte Aggressionstrieb führt demnach im Denken und
Handeln und Sprechen zu solchen Ausgleichungen, die über die ursprünglich gegebene Machtsphäre (des Wortes, der Tat, des Gedankens)
hinausreichen, damit ein höheres Ziel erreicht werde. Und wir haben
gesehen, wie selbst im Bereich der Sprache, des Denkens dieser Weg
zur Kraftsteigerung durch die Heranziehung eines aus dem Organleben
stammenden Gleichnisses betreten werden kann [1].

Es wird uns deshalb nicht wundernehmen, zu erfahren, daß die
Seelentätigkeit, um zu einem wirkungsvolleren Ergebnis zu gelangen, sich
außerhalb der Sprache ähnlicher Kampfesmittel bedient, einen Organdialekt spricht, der in der Mimik und Physiognomie, in den Ausdrucksbewegungen der Affekte, in den Rhythmen des Tanzes, der religiösen
Verzückung, in der Pantomime, in der Kunst, vor allem ausdrucksvoll
in der Musik auf die Verständigungsmittel der Sprache verzichtet, um
auf uns einzuwirken. Die Gemeinsamkeit des Kulturkreises, die ähnlich
tätigen und ähnlich erregbaren Aufnahmsorgane der Menschen lassen
solche Wirkungen ohne weiteres zu. Und sie geben wohl nicht die
Eindeutigkeit des wirkenden Wortes, eher die s t ä r k e r e R e s o n a n z
der bildlichen Sprache, und verraten damit ihre Tendenz, sich als besondere Kunstgriffe durchzusetzen, wo das gesprochene Wort versagt, eine H e r r s c h a f t u n d Ü b e r l e g e n h e i t zu erringen über
die Grenzen des Gewöhnlichen hinaus. So ist uns auch kraft der uns
innewohnenden Stärke der Persönlichkeit ein Einfluß gegeben, indem
die gewohnheitsmäßigen Äußerungsformen des Wirkens und Erregt-
werdens im Verkehr der Menschen aufeinanderstoßen. Das Hervortreten solcher Kunstgriffe aber erweist allein schon die Verstärkung
des Angriffs, den nun die Lenkerin jedes Fortschritts, αναγχη, die
innere Not, zu erringen imstande ist. Die Lehre von der Organminderwertigkeit und ihrer Folgen (Gefühl der Minderwertigkeit — Unsicherheit — Kompensation und Überkompensation — stärkeres Drängen
nach höheren Zielen — verstärkter Wille zur Herrschaft) kann allein
uns über die Bedeutung dieser Kunstgriffe belehren und uns die Halbheit begreiflich machen, zu der wir durch das verstärkte Wollen im
Gegensatz zu einem gering eingeschätzten Können gelangen. Denn die

---

[1] Über das verstärkende oder affektauslösende Arrangement in der Neurose
siehe A d l e r , „Individualpsychologische Behandl. der Neurosen". Jahreskurse
für ärztliche Fortbildung. Lehmann, München 1913.

urcht vor der Entscheidung bringt es zuwege, daß solche Menschen uf „halb und halb" eingestellt sind.

Diese Betrachtung zeigt uns auch den Weg des Verständnisses für lie auffälligeren Erscheinungen des krankhaften Seelenlebens, und wie s sich durch körperliche Haltungen und Ausdrucksweisen, abermals lurch einen Organdialekt, auf die Bahn der Kunstgriffe begibt, um die Persönlichkeit zur Geltung zu bringen. Da tauchen schon in der Kindheit Empfindungen des minderwertigen Organs uf, deren sich der Wille zur Macht bedient, und verbleiben bei dem ungeheilten Nervösen das ganze Leben lang. Der Verdauungsapparat, die Atmungsorgane, das Herz, die Haut, der Sexualapparat, die Bewegungsorane, der Sinnesapparat, die Schmerzbahnen werden je nach ihrer Wertigkeit und nach ihrer Brauchbarkeit für den Ausdruck des Machtbegehrens, lurch die Neigung zu herrschen in Erregung versetzt und zeigen die Formen des feindseligen Angriffs, der Aggression oder des Stillstands und der Flucht, Aggressionshemmung, beides in Übereinstimmung mit ler Lebenslinie des Patienten, mit seinem heimlichen Lebensplan. Um kurz auf Beispiele von Organdialekt hinzuweisen: Trotz kann durch Verweigerung normaler Funktionen, Neid und Begehren durch Schmerzen, Ehrgeiz durch Schlaflosigkeit, Herrschsucht durch Überempfindlichkeit, durch Angst und durch nervöse Organerkrankungen zum Ausdruck kommen. Sexualerregungen entstehen dabei gelegentlich als gleichgerichtete Formen der Ausdrucksbewegungen, ihre Analyse erweist sie als besondere Art und Leistung des Aggressionstriebes, die ursprüngliche und grundlegende Bedeutung der Sexualität aber, lie die Freudsche Schule immer wieder zu behaupten versucht, läßt sich nirgends in den Erscheinungen des krankhaften Seelenlebens und einer Ausdrucksformen erweisen. Die Flucht in die Begriffserweiterung aber, wie: daß man dem Begriff der „libido" (deutsch: Liebe) eine sexuelle Bedeutung zu geben trachtet, oder daß man gemäß unserer Anschauung ein Verständnis zu schaffen sucht, um hinterdrein im Sexualdialekt eine symbolische sexuelle Formulierung anzustreben, lie naturgemäß kein weiteres Verständnis ermöglichen kann, ist auf die Dauer aussichtslos und schrullenhaft[1]. Bei dem stetigen Ziele von Denkern und Forschern, mit der Wirklichkeit so innig als möglich zusammenzutreffen, kann als Prüfstein der Echtheit wohl angesehen

[1] Siehe Hinrichsen, „Unser Verstehen der seelischen Zusammenhänge in der Neurose und Freuds und Adlers Theorien", Zentralblatt für Psychoanalyse, Bergmann, Wiesbaden, 1913.

werden: die Fähigkeit, Irrtümer aufzugeben und haltbarere Anschau
ungen o f f e n anzuerkennen.

Unter den Autoren, die in der Erfassung der Grundlagen und gewisse
Ausführungen der hier behandelten Fragen auffällige Leistungen auf
weisen, müssen wir in erster Linie Dr. L u d w i g K l a g e s nennen
der in den „Problemen der Graphologie" und in den „Prinzipien de
Charakterologie" (Leipzig, J. A. Barth, 1910) besondere Ergebniss
aus seiner Lehre der Ausdrucksbewegungen mitteilt. Schon im Jahr
1905 hat dieser Forscher in einer Arbeit über „Graphologische Prin
zipienlehre" zur persönlichen Ausdrucksform Gedanken entwickel
(Graphologische Monatshefte, München, 1905, Seite 7 und 8), die wi
wegen ihrer Bedeutung und klassischen Form mit Zustimmung de
Autors hieher setzen wollen.

„J e d e i n n e r e T ä t i g k e i t nun, soweit nicht Gegenkräfte si
durchkreuzen, w i r d b e g l e i t e t v o n d e r i h r a n a l o g e n B e w e
g u n g: das ist das Grundgesetz des Ausdrucks und der Deutung.

Mit ihren allgemeinsten Zustandsmerkmalen beispielsweise müsse
folgende der Bewegung korrespondieren: mit dem Streben vordringend
mit dem Widerstreben rückläufige Bewegungen; mit dem inneren Fort
schreiten der Bewegungsabfluß, mit dem Stillestehen die Bewegungs
unterbrechung; mit den Widerstands-, Hemmungs- und Spannungs
gefühlen diejenigen Funktionen, die als gegen p h y s i s c h e W i d e r
s t ä n d e gerichtet befähigt wären, gesteigerte Kontaktempfindunge
wachzurufen. (Man denke etwa an das Sich-Ballen der Fäuste!)

Von zahllosen subtil unterschiedenen Zuständen läßt sie (die Sprache
uns wissen, welches ihre Art des Daseins w ä r e, wofern sie sich ver
wandeln könnten in Körper, Formen, Farben, Vorgänge, Temperature
oder Gerüche. Sie sagt uns, daß, falls es anginge, innere ‚Weichhei
z. B. als ein Weiches, ‚Schwermut' als ein Schweres, ‚Trübsinn' al
ein Trübes, ‚Kälte' als ein Kaltes, ‚Bitterkeit' als ein Bitteres in di
Erscheinung träte[1], und sie wählt diese Formen ihrer möglichen Er
scheinungsweisen, um die Zustände für uns festzuhalten.

---

[1] So gewiß wir zwar für jeden der betreffenden Zustände mancherle
andere, obwohl schwerlich prägnantere Sinnbilder angeben könnten, so gewi
doch hat die Sprache die ihrigen aus einer objektiven Nötigung des Geiste
gewählt: daher auch der gleiche Zustand in den verschiedensten Sprache
an ähnlichen Bildern versinnlicht wird. Die „Schwermut" etwa kehrt in
lateinischen „gravitas mentis", der damit fast identische „Trübsinn" in
französischen „sombre" (von umbra) wieder. Und wenn auch andere Völke
andere Sinnesqualitäten bevorzugen, so gibt es doch keines, das mit den

Für die Psychologie von größter Wichtigkeit, aber ungleich schwieriger verwertbar als die abstrakten Metaphern sind zumal die unter ihnen, welche innere Vorgänge nach b e s t i m m t e n V e r r i c h t u n g e n u n d O r g a n e n d e s K ö r p e r s benennen. Das geschieht etwa, indem man durch die Attribution ‚beißend' die Ironie mit den Zähnen und ihrer Tätigkeit oder durch den Zusatz ‚verknöchert' pedantisches Wesen speziell mit den Knochen in Verbindung bringt oder ersichtlich zwar nicht den ‚Sitz', wohl aber das Organ der Beredsamkeit substituiert in der Kennzeichnung des Redegewandten als eines, der ‚nicht auf den Mund gefallen'. Unter derartigen Wendungen wieder die größte Bedeutung hat die uralte Scheidung von ‚Kopf' und ‚Herz', deren dieses in zahlreichen Kombinationen mit staunenerregender Konsequenz für Gefühl und Pathos, jener ebenso ausnahmslos für Intellekt und Willen steht, womit übereinstimmend ‚K o p f l o s i g k e i t' die Abwesenheit der Einsicht, ‚H e r z l o s i g k e i t' hingegen die Abwesenheit des Gemütes bedeutet[1]. Neben gewissen Körperempfindungen (worüber sogleich Genaueres) haben zu solchen Organunterschiebungen auch noch beigetragen symbolische Vorstellungen mannigfachster Art[2], die als aufs engste mit philosophischen und religiösen Lehren verflochten in

Kummer etwa die Helle, Höhe und Bewegtheit, mit der Freude die Finsternis, Niedrigkeit und Bewegungslosigkeit in Verbindung brächte.

[1] Zum Belege führen wir aus der großen Anzahl einschlägiger Wörter und Wendungen folgende an: Herzenskälte, Herzenswärme, Herzlichkeit, hartherzig, weichherzig, mildherzig, herzlos, gutherzig, herzzerreißend, offenherzig, Mutterherz (G e f ü h l). — Herzensangst, Herzensfreude, Engherzigkeit, Männerherz, Weiberherz, Hasenherz, hochherzig, kleinherzig, leichtherzig, mattherzig, herzhaft, beherzt (P a t h o s). — Ein schweres Herz haben, das Herz auf dem rechten Fleck haben, sich etwas zu Herzen nehmen, etwas nicht übers Herz bringen können, jemandem sein Herz ausschütten, es geht einem etwas zu Herzen, jemandem ins Herz sehen, jemanden im Herzen tragen, gebrochenes Herz, sein Herz verlieren (G e f ü h l). — Scharfer Kopf, klarer Kopf, offener Kopf, kopflos, etwas im Kopf haben, etwas im Kopf behalten, sich den Kopf zerbrechen, Dummkopf, Kindskopf (I n t e l l e k t). — Querkopf, starrköpfig, hartköpfig, seinen eigenen Kopf haben, Dickkopf, sich etwas in den Kopf setzen, seinen Kopf durchsetzen, mit dem Kopf durch die Wand wollen; kalter Kopf, den Kopf oben behalten, den Kopf verlieren, kopfscheu werden; Brausekopf, hitzköpfig (Eigensinn — Selbstbeherrschung — Reizbarkeit: W i l l e).

[2] So bildet der Kopf zu Geist und Willen schon darum eine Analogie, weil er als den Körper überragend ihn so zu beherrschen scheint wie jene beiden die Seele.

die Vergangenheit der Geistesgeschichte und selbst auf die Besonderheiten altertümlicher Bräuche zurückweisen können. Das jetzt für Übelreden gebrauchte ‚Anschwärzen' z. B. gibt von einer nicht mehr vorhandenen Sitte des gegenseitigen Schwarzmachens bei gewissen Gelegenheiten Kunde; ‚linkisch' hieß ursprünglich nur linkshändig und verblaßte zum Synonym für ‚unbeholfen' erst mit zunehmender Verpönung der Linkshändigkeit; die ‚Einbildungskraft' führt uns den fast vergessenen Bildzauber vor Augen, indem sie früher einmal wörtlich die Kraft bedeutete, etwas ‚einzubilden', d. h. durch Willenskonzentration und magische Beihilfen ein, sei es heilsames, sei es schädliches ‚Bild' (z. B. die Vorstellung einer Krankheit) auf eine andere Person zu übertragen. Man sieht, die konkreten Metaphern bergen an physiognomischen Winken zwar manchen Schatz; aber es bedarf ihn zu heben oft entlegener Studien und um nichts weniger nahe liegender Erwägungen. Die drei zuletzt genannten Beispiele leiten zu einer dritten Gruppe von Bezeichnungen über, die wieder unmittelbar belehrend ist: zu den unbildlich gemeinten, den direkten Namen.

Wenn ältere Mediziner mit der Wendung, beim Erschrecken ‚erstarre das Blut in den Adern' oder werde ‚zu Eis', die Ansicht stützten, das es tatsächlich koaguliere, so ist das zwar eine Naivität. Allein schon das für verwandte Gefühle gebrauchte ‚Schauern' oder ‚Gruseln' nennt zweifellos Körperempfindungen, welche von der Blutleere der Haut herrühren. Das Volksmärchen läßt durchaus folgerichtig die Wirkung greulicher Spukgesichte auf den, der ‚auszog, das Fürchten zu lernen', übertroffen werden von einem Guß kalten Wassers, in welchem Gründlinge schwimmen. Auch die ‚Finsterkeit des Gemütes' und, was ihr gemäß, ‚alles in den schwärzesten Farben zu sehen', hat noch andere als nur metaphorische Gründe. Es wird dem Erregten tatsächlich wohl einmal ‚dunkel vor den Augen', und längere Depressionen können unserem Weltbild dauernd die Farbe rauben, indem sie machen, daß wir Helles nimmer hell, Dunkles noch dunkler nicht zwar sehen, aber zu sehen meinen. Unfraglich vollends nehmen auf Wahrgenommenes Bezug viele Wendungen, die vom Herzen handeln. Aussagen wie: etwas ‚schneide ins Herz' oder ‚nage am Herzen' oder ‚ziehe das Herz zusammen' sind zu besonders, als daß sie nur gleichnishaft verstanden sein wollen. Dasselbe gilt von den die Atmungstätigkeit betreffenden Redensarten wie: es sei uns ‚beklommen' oder ‚schwül' zumute, oder wir hätten ein Gefühl der ‚Erleichterung'. Die volkstümliche Terminologie ist überaus reich an solchen Beobachtungsniederschlägen, an deren einigen wir endlich abermals das Grundgesetz des Ausdrucks illustrieren.

Von der Redewendung, daß ihm jemand ‚geneigt' sei, pflegt wohl niemand mehr den Ursinn mitzudenken, den das Wort uns bewahrt hat: die vorgeneigte Körperhaltung nämlich des freundlich Gestimmten. Auch die zwar ist nur teilweise Ausdruck, teilweise Geste, wovon wir für unseren Zweck jedoch absehen. Der Charakter der Positivität in der Tätigkeit des bezeichneten Gefühls müßte nach dem Gesetz jedenfalls zu adduktiven oder vordringenden Bewegungen führen, was außer ‚geneigt' auch ‚zugeneigt', ‚entgegenkommend', ‚zuvorkommend', ‚verbindlich' bestätigen. Mit dem W i d e r streben der umgekehrten Stimmung andererseits sollten rückläufige Funktionen korrespondieren, und in der Tat lassen Wörter wie ‚abgeneigt', ‚zurückhaltend', ‚ablehnend' keinen Zweifel übrig, daß es sich wirklich so verhalte. — Schließlich sei noch des Zustands der Trauer, des Kummers, des Grams gedacht. Dem inneren Druck entspricht hier laut Namenszeugnis des Körpers: der Bekümmerte fühlt sich ‚niedergeschlagen', er ist ‚sorgenbeladen', der Kummer ‚lastet' auf ihm; und so sehr gibt davon seine Haltung Kunde, daß sein zuschauender Nebenmensch diese Gemütsverfassung ‚kopfhängerisch' taufte."

In Fortsetzung dieser Gedanken gelangt der Autor zu dem Ergebnis: „Die Ausdrucksbewegung ist ein generelles Gleichnis der Handlung." Es waren in vielen Punkten ähnliche Betrachtungen, die mich später zu dem Schlusse führten: A u s d r u c k s b e w e g u n g, H a n d l u n g, A f f e k t, P h y s i o g n o m i e und a l l e a n d e r e n s e e l i s c h e n P h ä n o m e n e, d i e k r a n k h a f t e n m i t - i n b e g r i f f e n, s i n d e i n G l e i c h n i s d e s u n b e w u ß t g e s e t z - t e n u n d w i r k e n d e n L e b e n s p l a n e s[1].

---

[1] Diese Arbeit war bereits gesetzt, als Hofrat S. E x n e r über A f f e k t - ä u ß e r u n g e n a l s A u s d r u c k s b e w e g u n g e n vorgetragen hat.

Der nervöse Charakter.

(Vortrag im „Sozialwissenschaftlichen Bildungsverein" in Prag, 1913.)

Von Dr. Alfred Adler.

Stets wird die Darstellung seelischer Erscheinungen in der Wissenschaft mit zwei Mängeln zu rechnen haben. Das stetige, allseitige Weben der Psyche kann in der sachlichen Wissenschaft nur streckenweise und als ruhendes Material erfaßt werden. Und das Abbild, das sie liefert, muß so viel Gehalt besitzen, daß es, durch seine Andeutungen bloß, vorhandene Empfänglichkeiten des Lesers und Zuhörers in Schwingung bringen kann. Nicht anders als die Kunst verlangt auch die Seelenkunde jenes starke, intuitive Erfassen ihres Stoffes, ein Ergreifen und eine Ergriffenheit, die über die Grenzen der Induktion und Deduktion hinausgehen. Wenn ich den Namen N i e t z s c h e nenne, so ist eine der ragenden Säulen unserer Kunst enthüllt. Jeder Künstler, der uns seine Seele schenkt, jeder Philosoph, der uns verstehen läßt, wie er sich geistig des Lebens bemächtigt, jeder Lehrer und Erzieher, der uns fühlen läßt, wie sich in ihm die Welt spiegelt, geben unserem Blick Richtung, unserem Wollen ein Ziel, sind uns die Führer im weiten Land der Seele. In den Denkgewohnheiten und in der seelischen Blickrichtung des wissenschaftlichen Forschers liegt viel geheiligte Tradition, die sich im Wort und im Satzbau nicht verraten. Und doch ist sie gebändigter künstlerischer Urinstinkt, der tragende Geist seiner Arbeit. Bis die heiligere Not ihn zwingt, wie ein suchendes Kind altes Räderwerk zu zerbrechen. Neue Wege zu ersinnen, Kunstgriffe und Finten aneinanderzureihen, die Schwierigkeiten des Lebens zu umgehen, die realen gegebenen Widerstände zu beschleichen lehrt ihn sein schaffender Geist. In den Rätseln des Lebens, in seelischer Not ist jedermann ein Forscher und Dichter. Um die Übel und Widerwärtigkeiten zu bestehen, findet jeder einen Weg, gestalten alle ihre Lebenslinie aus, von der sie erwarten, daß diese endlich dorthin mündet, wo sie hoch über allem Leid, über aller Entbehrung, über aller Mühsal thronen. In allen ihren Handlungen, in der Art, wie sie das Leben, die Gegenwart, die Zukunft erfassen, wie sie sich die Lehren der Vergangenheit aneignen, erklingt immer wieder des Menschen leitende Idee, das Ziel, das er sich schöpferisch gesetzt, und der Weg, den er gesucht hat, um dorthin zu gelangen. Wenn wir die flüchtigen Handlungen und Ausdrucksbewegungen eines

Menschen, seine Haltung, Sprache, Mimik und Gebärde analysieren, zerlegen, ohne sie auf uns und auf unsere schöpferische Gestaltungskraft wirken zu lassen, geben wir dann in unserem Urteil nicht zu wenig? Durch die bloß objektive Analyse gelangen wir nie zum Verständnis eines Eindruckes, eines Erlebnisses, aber ohne daß wir es merken, oft ohne daß wir es zugeben wollen, sind die aufnehmenden und urteilenden Instanzen in einer durch unsere Persönlichkeit vorbereiteten Form. Die Bearbeitung, Hervorhebung und Abschwächung aller Eindrücke, die auf uns wirken, sind durch unsere unbewußte Erfahrung im voraus bestimmt und lassen nicht leicht Änderungen zu. Wir müssen diese vorbereitenden Haltungen und Bereitschaften auch bei anderen herausfühlen, ihre Tendenzen erkennen, wenn wir den gegebenen Ausdruck verstehen wollen. Die gleichen Eigenschaften mehrerer Menschen lassen sich wohl vergleichen, aber niemals gleichstellen. Der Zorn des einen ist als Erlebnis von dem des anderen grundverschieden; in dem Ehrgeiz einer Menschenseele liegt nicht bloß eine Gegenwart, sondern die ganze Vorgeschichte, die Zukunft und ein erdichtetes Finale.

Die Schwierigkeit einer Darstellung seelischer Erscheinungen liegt also darin, daß man gezwungen ist, ein planmäßiges Werden in einer Ausdrucksbewegung als ruhendes Material zu erfassen, doch so wiederzugeben, daß der Eindruck eines Geschehens lebendig wird. Dieser Aufgabe ist eigentlich nur der Künstler gewachsen, voran der Dichter und etwa der Musiker. Dagegen erledigt sich eine andere scheinbare Schwierigkeit aus der vorliegenden Betrachtung selbst. Ich meine die F l ü c h - t i g k e i t der meisten Ausdrucksbewegungen. Ständige Erscheinungen, wie körperliche und seelische Haltung, auch die Schrift, bieten wertvolles Material, das einen vorläufig leitenden Eindruck fördert. Unschätzbar sind für das Verständnis eines Menschen seine gewohnheitsmäßigen, immer wiederkehrenden Stellungnahmen und Attitüden, körperliche sowohl wie insbesondere seelische. Zu diesen gehören in erster Linie alle Eigenschaften, aus denen wir auf den Charakter schließen, und die mehr absonderlich erscheinenden S y m p t o m e d e r N e r v o s i - t ä t, die wir nach einer schwer haltbaren Analogie als Krankheit empfinden, weil sie a u c h wie diese die Lebens- und Arbeitsfähigkeit beeinträchtigen. Aber auch gegenüber den flüchtigen, kaum je wiederkehrenden Ausdrucksbewegungen versagt unsere Arbeitsmethode nicht. Kehrt doch in jeder Bewegung das alte System wieder, der einheitliche Lebensplan, aufgebaut auf den Individualerfahrungen der Vergangenheit und hinzielend auf den erdichteten fünften Akt. Wir müssen nur vergleichen, den Eindruck empfindend auf uns wirken lassen, um die Einheit jener Bewegungen zu fühlen und zu verstehen. Nicht anders als wir bei einem Kunstwerk vorgehen, wenn wir die Synthese eines Dramas nacherleben, oder wenn wir neben den einzelnen Tönen einer Melodie ihren S i n n , ihre lückenlose Linie empfinden.

Diese Forschungsmethode der v e r g l e i c h e n d e n I n d i v i d u a l - p s y c h o l o g i e ergibt für jeden Fall, der zur Untersuchung kommt, als bedeutsames Resultat die Einheit der Persönlichkeit. Und diese Einheit ist derart geschlossen, daß sie sich in jeder Einzelerscheinung widerspiegelt. Der unumstößliche Eindruck der Richtigkeit einer solchen Erforschung geht erst daraus hervor, daß man in allen Schichten des Seelenlebens die gleiche Lebenslinie wiederfindet. Als wichtige Bestätigung und als Probe aufs Exempel darf es gelten, wenn diese Linie, zuweilen in den sonderbarsten Umbiegungen und Ausbiegungen, von u n t e n nach o b e n führt. Bei g e r a d l i n i g e n Charakteren und Kampfnaturen wird sich diese Linie etwa in der Kopfhaltung, im Ansteigen ihrer Stimme, ihrer Schrift, in Bewegungen ihrer Arme abzeichnen, nicht weniger deutlich auch in allen ihren Unternehmungen und ebenso in ihren Träumen und Phantasien, wenn sie sich im Flug über die anderen erheben. Sie werden nur ungern einsam sein, weil ihre v o r g e s c h r i e - b e n e R e i s e sie zu den Menschen führt, sich mit ihnen zu messen, alle zu übertreffen, überall die ersten zu sein. Es bedeutet schon eine kleine Ablenkung, sobald sie den Partner wählen, etwa bloß Männer und Frauen beherrschen wollen, die sie als schwächer eingeschätzt haben. Oder wenn sie den als schwächer Erkannten zuerst erhöhen, um ihn dann unter ihre Herrschaft zu bringen. Bei Nervösen gelingt es immer, ihre Lebenslinie auf eine knappe Formel zu bringen, da bei ihnen, wie wir sehen werden, jeder Charakter prinzipieller und schärfer hervor-tritt. Als Gegenstück kann schematisch der s c h l a n g e n a r t i g e , vorsichtige Charakter angesehen werden. Sein Ziel ist nicht weniger hoch gesetzt, aber sein Weg führt in unglaublichen Windungen und Ausbiegungen zur Höhe. Selbst auf der Höhe, nach der er sich sehnt, fühlt er sich nicht sicher. Seiner Höhenangst gleichgeordnet ist seine Furcht zu stürzen, und seine Träume vom Fallen führen eine beredte Sprache. Überall bringt er einen Sicherungskoeffizienten an und ver-zichtet, ohne die unsichere Zukunft zu versuchen. Er ist der Standard-typus des Nervösen, der sich allenthalben von Unheil bedroht sieht. Sein Weg ist allerorts mit Sicherungen versehen, aus jedem Erlebnis zieht er eine warnende Moral, Prinzipien und Leitsprüchlein begleiten

ihn jederzeit, und seinen Wirkungskreis hat er durch allerlei Empfindlichkeiten, durch körperliche und durch seelische Intoleranz aufs engste
eingeschränkt, um ihn so besser zu erschüttern. Listig zuweilen und ver-
schlagen oder ängstlich, vor dem eigenen Mut erschrocken, immer in
zögernder Haltung, ist er stets auf dem Rückzug oder verschleiert ihn
durch ein zweifelndes Hin und Her. Er hat jede männliche Haltung ab-
gelegt, um desto sicherer den Schein seiner unbesiegbaren Männlichkeit
zu behalten.

Es ist nun am Platz, das heimliche Ziel und den unbewußten Lebensplan des Nervösen, die sich von denen des Normalen nur durch den Grad
ihrer Deutlichkeit unterscheiden, näher zu beleuchten. Dieses Vorhaben
führt uns zur Betrachtung der kindlichen Seele. Die Erziehung richtet
den Blick des Kindes vom ersten Tag an auf die Zukunft und ihre Gefahren. Wohl auch auf ihre Glücksgüter. Im Rahmen der Familie
selbst gibt es immer Vorbilder an Kraft und Stärke, die häufig genug
sich den Schein der Unerreichbarkeit erborgen. Freiheit und Gleichberechtigung des Kindes könnten als beruhigende Abschlagszahlungen gelten. Aber wie selten erfreut sich ein Kind ihres Besitzes! Kein Wunder,
daß sich der meisten Kinder ein Gefühl der Unsicherheit bemächtigt,
das in zwei verschiedenen Richtungen ihre Seele bewegt. Die eine Erregung macht sich als ein Gefühl der Minderwertigkeit, der Hilflosigkeit und der Schwäche geltend und zeitigt ein Bedürfnis nach Anlehnung, Zärtlichkeit und Unterstützung. Recht häufig findet das Kind
jetzt den Weg, aus seiner Schwäche Nutzen zu ziehen: es beginnt seine
Ängstlichkeit zu fördern und als wertvollen Charakterzug zu stabili-
sieren, weil es in diesem Zeichen seinen Angehörigen überlegen wird.
Die gleichen Vorteile können ihm durch die Unterstreichung von Krankheitserscheinungen und durch das Festhalten an Kinderfehlern erwachsen.

Die zweite Erregung, die wir bereits im Werden gesehen haben, zeigt
sich als ein verstärkter Drang nach Überlegenheit, als eine dauernde
Sehnsucht aus der Unsicherheit zur Überlegenheit, aus dem Gefühl der
Schwäche zur Sicherheit zu gelangen. Je minderwertiger sich das Kind
fühlt, um so stärker wird dieser Drang. Und so finden wir neben den
geradlinig aufsteigenden Charakterzügen des Ehrgeizes, der Tapferkeit,
des Sichmessens mit der Umgebung bald mehr, bald weniger C h a r a k -
t e r s c h w ä c h e n, die gleichwohl beibehalten werden, wenn sie in
irgendeiner Weise zum Ziel der Überlegenheit führen: Neid, Geiz,
Lügenhaftigkeit, Feigheit und andere.

Ein siebenjähriges Mädchen, das zwischen einem nachgiebigen Vater, einer strengen Mutter und einer von dieser verzärtelten jüngeren Schwester aufwuchs, erkrankte an nächtlichen Angstanfällen, die sich bald auch auf den Tag fortsetzten. Wie sich leicht nachweisen ließ, war das Kind von einem unheimlichen Ehrgeiz beseelt, mochte die vorgezogene Schwester nicht leiden und zeigte häßliche Züge der Eifersucht und des Neides, nicht nur der Schwester gegenüber, sondern auch in der Schule. Wir können die fortwährende Pein dieses Kindes verstehen, das also vergebens um den Vorrang mit der Schwester rivalisierte, vergebens auch an den festgefügten nervösen Charakteren der Mutter rüttelte. Langsam schlich sich eine Neigung ein, ein Kranksein in die Länge zu ziehen, eine Unpäßlichkeit als unerträglich zu empfinden, da das Kind während der Krankheit keine Zurücksetzung zu erdulden hatte. Der Vater war aufmerksam geworden und nahm sich vor, die Bevorzugung der jüngeren Tochter durch die Mutter wettzumachen, indem er nun die ältere verzärtelte. Mit schlechtem Erfolg. Das heimliche Ziel nach Überlegenheit war bereits so weit gefestigt, der Charakter des Ehrgeizes, des Neides, der Herrschsucht so weit vorgebaut, daß man eine Diktatur des Mädchens zu gewärtigen hatte. Eines Tages machte die Mutter dem Vater Vorwürfe, daß er für das Mädchen so viel Geld ausgäbe, auf den Semmering fahre, im Wagen mit ihr herumkutschiere, während sie und die jüngere Schwester zu Hause bleiben müßten. In der Nacht darauf brach der erste Angstanfall bei dem Kinde aus, der in unserem Sinne als überaus kräftige R e v o l t e gelten muß. Denn nun war der Vater mehr als je gezwungen, seine Liebe dem nunmehr kranken Kinde zuzuwenden, und der Widerstand der Mutter war lahmgelegt. Die ursprüngliche Benachteiligung des Kindes erwies sich jetzt als kompensiert, seine Zurücksetzung und die Bevorzugung der jüngeren Schwester hatten ein Ende.

Vergleicht man aber die heimliche Linie dieser Angstanfälle, ihren Sinn und ihre M e l o d i e mit dem früheren seelischen Zustande des Kindes, mit seinem gesteigerten Ehrgeiz, seiner Empfindlichkeit und seinem Neid, verfolgt man diese Charakterzüge bis zu jenem Punkt, wo sie sich schneiden, so kommt man a u f d i e g l e i c h e L e i t l i n i e, die zur Überlegenheit über Mutter und Schwester führt und ebenso darauf hinzielt, den Vater in den Dienst zu stellen. Die Angst aber, die das Mädchen bei banalen Anlässen kennen gelernt hatte, war ihm zur Sicherung und zur Waffe geworden, mit der es sich vor einer Herabsetzung seines Persönlichkeitsgefühles zur Wehr setzte. Ich wäre in Verlegenheit, wenn ich ein besseres Mittel nennen sollte, als es dieses Kind gefunden hatte, richtiger: in das es nach mannigfachen Vorbereitungen und Vorversuchen hineingewachsen war. An der konsequenten, kunstvollen Konzeption des nervösen Systems ist kein Fehl; jede Kritik, die an diesem Punkt einsetzt, ist übel angebracht. Der Fehler kann nur an einer anderen Stelle liegen: an der Zielsetzung, die das Kind instinktiv vorgenommen hat.

Wenn wir die bisher gewonnenen Resultate überblicken, so ergibt sich uns eine fundamentale Anschauung über den Zusammenhang von kindlichem Minderwertigkeitsgefühl, beruhigender und orientierender Zielsetzung und den Anstrengungen und Wegsicherungen, die ein Näherkommen an das Ziel ermöglichen sollen. Es läßt sich nun leicht nachweisen, daß ein verschärftes Unsicherheitsgefühl in der Kindheit eine höhere und unabänderlichere Zielsetzung, ein Streben über das menschliche Maß hinaus und zugleich auch die geeigneten Anstrengungen und Sicherungen herbeiführt, ein Ensemble, das uns das Bild jener Erscheinungen gibt, die wir Nervosität nennen, aus denen sich, auffallend und schärfer hervortretend, mit aufgepeitschter Aktivität oder im Schein einer irreparablen Passivität, zuweilen in der Maske des Zweifelns und des Schwankens der nervöse Charakter hervorhebt.

In diesem psychologischen Schema gibt es zwei annähernd feste Punkte: die niedrige Selbsteinschätzung des Kindes, das sich minderwertig fühlt, und das überlebensgroße Ziel, das bis zur Gottähnlichkeit reichen kann. Zwischen diesen beiden Punkten liegen die vorbereitenden Versuche, die tastenden Kunstgriffe und Finten, bilden sich auch fertige Bereitschaften und gewohnheitsmäßige Haltungen, aus denen sich das verborgene Ziel erschließen läßt. Eine der Formen dieser vorbereitenden Haltungen, Saugadern vergleichbar, wenn sie die Erfahrungen, Aufmunterungen und Warnungen der Vergangenheit in Spuren aufweisen, tastenden Fühlern ähnlich, wenn sie dem fiktiven Ziel im Gedränge der Wirklichkeit näherzukommen suchen, sind die Charakterzüge. Sie, die der Persönlichkeit Haltung und Gestalt verleihen, sind die eigentlichen Mittler zwischen Vergangenheit und Zukunft und dienen als geistige Bereitschaften dem leitenden Ideal des Menschen: je nach ihrer Art nehmen sie bald Fühlung, bald leiten sie den Kampf mit der Umwelt ein oder erzwingen einer Entscheidung gegenüber eine zögernde oder eine ausweichende Attitude. Das kindliche Gefühl der Unsicherheit bedarf solcher Richtungslinien und bereitgestellter Fertigkeiten. Es läßt sie schärfer hervortreten und macht sie zu kategorischen

Imperativen, sobald das erhöhte Minderwertigkeitsgefühl dazukommt. Was solchen Kindern einmal nützlich war, wird wegen seiner beruhigenden Wirkung zu verewigen, zu vergöttlichen gesucht. Und nur deutliche Niederlagen sind imstande, einen Frontwechsel zu erzwingen und damit eine Änderung der Charaktere. Dann tritt die Notwendigkeit stärkerer Leitlinien ein; das Individuum ist aber an das Kreuz seiner Idee geschlagen, und jetzt erscheint als fertige Nervosität, was vorher nervöse Disposition war. Der weitere Erfolg dieser Tatsachen führt auf medizinisches Gebiet. Ich muß daher hier abbrechen.

Wenn es mir bisher nicht geglückt sein sollte, den Beweis der dominierenden Stellung des fiktiven Leitideals für alle seelischen Erscheinungen, speziell auch für den Charakter, aus der Einheitlichkeit ihrer Zielrichtung zu erbringen, so möchte ich noch folgende Betrachtungen anreihen. Wir sind nicht imstande, auch nur die geringfügigste körperliche oder geistige Bewegung zu vollführen, ohne daß uns in der Idee ein Bild des Zieles vorschwebte. Dies gilt sowohl für die Fortbewegung als auch für das Sprechen und Denken und Wollen. Durch diese Fiktion einer Zielsetzung kommt erst Ordnung und Richtung in unser Tun; das Chaos der Welt scheint überwunden und der Weg gegeben, auf dem die Bewältigung des Lebens und seiner Mühsal möglich erscheint. Im Leben des Kindes läßt sich leicht beobachten, wie beim Erlernen des Gehens, des Schauens, des Hörens, des Sprechens ein vorläufiges Ziel des Gelingens organisch vorbereitet ist. Bei komplizierteren Haltungen und bei seelischer Tätigkeit steht immer ein Vorbild als Leitideal vor der Seele des Kindes, dem es gleichzukommen sucht oder das es übertreffen will. Drückt dieses Vorbild auf das Empfinden des Kindes, dann gerät es in eine Kampfesstellung und wird häufig im Trotz, zuweilen auch mit übertriebener Unterwürfigkeit und mit Gehorsam sein Ziel der Überlegenheit zu erreichen suchen. Die entscheidende Instanz aber für die seelischen Leistungen des Kindes und später des Erwachsenen ist jene höchste Spitze seines Machtgefühls, bis zu der es in der Zukunft durchzudringen verlangt.

Es wurde bereits hervorgehoben, daß diese Spitze im Kampf um die Selbstbehauptung um so höher angesetzt wird, je niedriger die Selbsteinschätzung ausfällt, zu der das Kind gezwungen ist. Da lag es nun nahe, auf jene Kinder zu achten, die durch eine erschwerte körperliche Entwicklung, durch Verunstaltung, organische Mängel und Kinderfehler, wie sie einer angeborenen Organminderwertigkeit entspringen, ihre Geltung schwerer und später erringen. Diese Kinder sind es auch, die in ihrem späteren Leben, noch bis ins Greisenalter, meist also in einer Zeit, wo ihre Mängel längst nicht mehr fühlbar sind, mit erhöhten Anstrengungen und mit aufgepeitschtem Empfinden ihr kindliches Leitideal verfolgen, bei dem ihre Sehnsucht nach Überwindung des Todes, nach männlicher Kraft, nach Ansehen, Schönheit und Reichtum, kurz, nach Triumphen aller Art Befriedigung fände. Sie werden sich immer mit allen messen, werden alle in ihren Dienst stellen wollen, werden in Unruhe und voll Empfindlichkeit ihre Forderungen kundgeben, werden aber auch, wenn sie gewitzigt sind, in nervöser Unsicherheit nach Kunstgriffen suchen, um einer für sie fatalen Entscheidung, meist jeder Entscheidung, auszuweichen. Ihre Charakterzüge zielen weit über menschliches Maß hinaus, mischen sich aber mit anderen von solch ausweichenden Linien, daß man leicht ersieht: hier fehlt der Glaube an sich selbst. Letzter Linie erheben sie sich nicht mehr zum Willen zur Macht, sondern wollen nur mehr den S c h e i n für sich gewinnen. Je mehr sie sich in ihrer Kindheit dem Nichts, dem Staub verwandt gefühlt haben, desto mehr ringen sie nach Gottähnlichkeit. Sie fühlen sich dem Gott, dem Künstler verwandt, wenn sie aus nichts etwas machen können, das ihre Phantasie mit willkürlicher Wertung ungeheuer übertreibt.

Diese Tatsachen stellen den Wissenschaften neue Probleme oder verstärken die Wucht alter brennender Fragen. Die rasche Behandlung und tunlichste Heilung von Kindern mit Organminderwertigkeiten ist eine dringende Forderung der vorgetragenen Anschauungen. In gleicher Weise erscheint durch sie der Wert und die Bedeutung der sozialen Medizin betont. Der Bekämpfung der Volksseuchen, der Lues, der Tuberkulose und der Trunksucht muß auch aus dieser Rücksicht besonderes Augenmerk geschenkt werden, da sie der Keimverschlechterung hervorragend Vorschub leisten. In gleich schädigender Weise wirken Pauperismus und Überarbeit, die schlechte Konjunktur beherrscht und verschlechtert das Keimplasma und steigert die Häufigkeit minderwertiger Organe.

Das Grenzgebiet der Sozialwissenschaft birgt gemäß den vorgetragenen Anschauungen noch manche wichtige Frage. Die soziale ebenso wie die Familienerziehung müssen Zustände schaffen, die das Kind vom Druck eines stärkeren Minderwertigkeitsgefühles entlasten. Die Kenntnis und Vertiefung in die Anschauungen der vergleichenden Individualpsychologie geben dem Erzieher rechtzeitig die Möglichkeit einzugreifen, setzen ihn instand, Übertreibungen einzuschränken und die Furcht vor der Unsicherheit der Zukunft zu mildern.

10*

Der speziellen Probleme unserer Wissenschaft, die vorwiegend in das Gebiet der Nervenheilkunde und Psychotherapie fallen, gibt es eine unergründliche Zahl. Eines der wichtigsten, das wegen seiner Beziehung zur Pädagogik besprochen werden soll, betrifft die Beziehung der Geschlechter. Es hängt mit der wirkenden Kraft des fiktiven Leitziels beim Nervösen zusammen, daß er in seiner neurotischen Perspektive und bei der Konstruktion seiner Charakterzüge auch alle Beziehungen der Liebe und den sozialen Zusammenhang der Geschlechter auflöst und zu einer Kampfposition macht. Auf welche Weise macht sich dabei das leitende Ziel geltend? Es ergibt sich nun bei näherer Betrachtung in einwandfreier Weise, daß der Gottähnlichkeitsgedanke des Nervösen, sein Ideal der Vollkommenheit, das er zu erreichen strebt, einen überaus starken m ä n n l i c h e n Einschlag aufweist. So daß jedes nervös disponierte Kind, Knabe wie Mädchen, imstande ist, sein ganzes Streben und seine ganze Zielrichtung in das Schema zu fassen: Ich will ein voller Mann werden. Denn in dieser Idee gipfelt jeder Wunsch nach Herrschaft, Macht, Reichtum und Sieg. Kein Wunder. Aus den Eindrücken der Außenwelt schöpft das zur Nervosität geneigte Kind schon zu einer Zeit, wo ihm die Unveränderlichkeit des Geschlechtscharakters meist noch unbekannt ist, die Empfindung, daß nur der Mann zum Herrscher geboren ist.

Freilich gehört im Anfang Mut dazu, spärliche Ausdrucksbewegungen, zumal bei Mädchen, in dieser Art zu deuten. Erst wenn es wieder gelingt, auf diesem Weg die einheitliche Leitlinie zu entdecken, kommt allmählich die Überzeugung auf. Die Verschwommenheit eines Eindruckes hindert oft unser Verständnis. Wenn aber etwa ein vierjähriges Mädchen erklärt, es werde, wenn es groß sei, die Mutter heiraten, wenn dieses Kind dann auch noch befiehlt, man müsse es Hans nennen, wenn es später Neigung zeigt, Knabenkleider anzulegen, Mädchenspielen auszuweichen, mit Knaben herumzutollen und selbst zu äußern, es möchte ein Knabe sein, dann bleibt wohl kaum mehr ein Rest des Zweifels übrig. Ein achtjähriges Mädchen, das manche dieser Züge zeigte, hatte ich Gelegenheit kennen zu lernen, weil es neben unbändigem Trotz an einem Kinderfehler und an Ohnmachtsanfällen litt, die es instand setzten, jede Folgsamkeit und jedes erzieherische Einwirken abzuweisen. Im Gespräch mit mir zeigte es eine auffallend trotzige Attitüde und verschränkte plötzlich die Arme. Auf die Frage an die begleitende Tante, wer in der Umgebung des Kindes die Arme derart verschränkte, erhielt ich die Antwort: der Vater. Wächst ein solches

Mädchen heran, dann kommt es immer auch zu einem Formenwandel der männlichen Fiktion, aber das leitende Ziel wird um nichts erreichbarer. Das Prinzessinnenideal, ein häufiger Formenwandel, zeigt sich ungemein oft und schafft wie andere Ideale eine ungeheuere Überempfindlichkeit. Die Einfügung in die Wirklichkeit wird dauernd erschwert, und trotz aller Kompromisse im Leben tritt die Unzufriedenheit mit der weiblichen Rolle immer wieder hervor. Eines dieser Mädchen hatte, wie man mir erzählte, im 20. Lebensjahr, in der Zeit der Heiratsmöglichkeit also, einen Selbstmordversuch unternommen, als es in Weiningers „Geschlecht und Charakter" eine Bestätigung für seine Auffassung von der Minderwertigkeit der Frau zu erblicken glaubte. Wir sehen hier, wie die Herabsetzung der Frau in unserer Gesellschaft mit Notwendigkeit zu ihrer psychischen Vermännlichung, zum männlichen Protest führt, gleichwie der erzieherische Druck im Leben des Kindes, wie die Rechtsentziehungen im Staat zu Revolten. Wahrlich, es ruht kein Segen darauf, und der zur Minderwertigkeit Verdammte wird durch Kunstgriffe und Finten zur Geißel seines Herrn.

Eine 40 jährige Frau, die an Berührungsfurcht und einer Zwangshandlung im 20. Jahre bereits erkrankt war, läßt diese männliche Lebenslinie ziemlich eingehend verfolgen. Eines ihrer kindlichen Leitideale war, wie ein Indianer (männlich) alles zu ertragen und ihre Wünsche zu unterdrücken. Später wurde dieses Ideal von einem scheinbar weiblichen abgelöst: wie die Jungfrau von Orleans zu sein. Der Sinn der Berührungsfurcht wird hier schon klarer. Mit zwanzig Jahren trat sie in Beziehung zu einem tuberkulösen, dem Tode geweihten Manne und dachte an eine Ehe, die von ihren Angehörigen nie zugegeben worden wäre. Im Sommer desselben Jahres kamen mehrere Freier. Da stellte sich die Zwangshandlung ein. Sie konnte nichts von ihren Beschäftigungen fertig machen. Insbesondere war es eine Handarbeit, die sie immer wieder auftrennen mußte. Jeder wird hier unwillkürlich an Penelope denken müssen. Das heißt, sie wollte auf den als unmöglich erkannten Gatten warten. Auf meine Frage, ob ihr diese Geschichte nicht bekannt vorkäme, ob sie nicht jemanden kenne, der auch nichts zu Ende gebracht habe, antwortete sie: „Freilich, Sysiphus und Tantalus und die Dardanellen." Rasch verbesserte sie: „Danaiden." Auf mein Drängen, noch eine Person zu nennen, da sie mit ihrem Ausflug ins griechische Altertum offenbar auf dem richtigen Weg sei, fällt ihr niemand mehr ein. Und doch wird sie die richtige, leitende Idee P e n e -

lope auf der Zunge gehabt haben, da der Weg von den Danaiden zu den Dardanellen durch das n e l aus Penelope bezeichnet ist. Ihr Unvermögen aber, sich der Penelope zu erinnern, zeigt die starke Verschleierung der leitenden Idee an; ebenso wie wir in anderen Fällen den Sinn einer Ausdrucksbewegung erfassen müssen, ohne daß die Untersuchte ihn uns verrät, so auch bei diesem Fall, wo ihn die Patientin durch eine harmonische Bindung zweier Linien an den Tag bringt. Penelope aber ist für diese Frau ein Sinnbild: die Frau, die keinen Freier gelten läßt, die Frau, die keine Frau sein will [1].

In der seelischen Entwicklung der Knaben finden wir den gleichen m ä n n l i c h e n P r o t e s t. Sie handeln so, als ob die Frau das Maß ihrer Kräfte wäre. Oft hört man von kleinen Knaben, wie auf den Unterschied hinweisend, daß sie sich von einer Frau nichts befehlen lassen. Kommt dann das Alter, wo die Liebe doch befiehlt, so gibt es ungeheuere Schwierigkeiten, ebenso wie in der Ehe. Denn beide werden als Kampfpositionen erfaßt, wo es gilt, für jeden Teil den Beweis oder den Scheinbeweis seiner Überlegenheit immer wieder zu versuchen. So zerstören die nervöse Perspektive und das Leitideal des m ä n n l i c h e n P r o t e s t e s immer wieder die Unbefangenheit und Kameradschaftlichkeit beider Teile und erzwingen eine bleibende Unzufriedenheit der Geschlechter miteinander.

Damit glaube ich eine der tiefsten Wunden unseres Gesellschaftslebens berührt zu haben. Die Gefahr ist größer als man ahnt. Auch in dieser Beziehung ist die seelische Gesundung von einer Pädagogik zu erwarten, die nicht mit dem Kinde nur redet, sondern es versteht, das Gefühl der Gleichberechtigung der Geschlechter trotz der Gegenwart, die das Gegenteil zeigt, in den Kindern wachzurufen.

---

[1] Wichtiger als die Anschauung Freuds von dem Versprechen, die in diesem Fall auch zu Recht kommt, ist der Umstand, daß ihr nur männliche Typen über die Zunge wollen; Herr Dr. Martin, Freiburg, hat mich auf den Umstand hingewiesen, der ganz im Sinn meiner Auffassung liegt.

Betätigungstrieb und Nervosität.

Prof. Johs. Dück.

Noch war der Menschheit goldener Frühling nicht vorbei. Kraftvoll stand der Mann im selbstverständlichen und täglich geübten Kampfe mit der Natur. Kein Titel, keine Würde trat als Symbol des Seins für ihn ein, kein Geldsack brachte den Schein zustande, als ob er etwas leiste, was doch einem anderen zuzuschreiben war. Er galt nur das, was er selbst im Augenblick wert war. Wohlgemerkt: er selbst! Offen wurde es bekannt: „Jeder Fremdling ist zugleich Gegner und wird demgemäß behandelt." Das Weib barg sich an der Brust des Tüchtigsten, um durch ihn Anteil an der Geltung der Kraft zu nehmen. Noch stellte sich kein weichliches Gesetz dem Kampfe des Besseren gegen das Gute, der Auslese des Besten entgegen, und was im Kampfe unterging, wurde nicht als unersetzlich betrauert. Was zu schwach zum Leben war, galt eben für nicht mehr wert, als unterzugehen. Unbefangen und glücklich trat der Mensch den Dingen entgegen, er wußte, was er wollte, er wußte, was er konnte, und aus diesem Wissen ergab sich seine Betätigung. Es galt allein, was wirklich war.

Doch der Menschen wurden immer mehr, die Bewegungsfreiheit geringer, die Interessenkreise kreuzten sich öfter, die ganze Lage wurde verworrener, die Arbeitsteilung führte von selbst zu Titel und Würden, und nun war der Augenblick gekommen, wo der schwarze Engel im glitzernden Gewand dem Menschen mit süßer Schmeichelrede das Gift beizubringen verstand, das seitdem die Menschheit nicht mehr los werden konnte: den Schein! Und hatte sich der Mensch erst einmal dank diesem Kunstgriff einen Erfolg zuzuschreiben, so war er ihm meist für immer verfallen. Es lockte und reizte ihn stets aufs neue, diesen Weg zur Macht zu gehen und versetzte ihn doch in dauernde Furcht, das Sein möchte unter dem Luftgebilde des Scheins zutage kommen und er dann zu einer minderwertigen Persönlichkeit herabgestürzt werden. Der Wurm saß in seinem Herzen und fraß sich immer tiefer in seine Lebenskraft, bis sich einmal jener Zustand zeigte, den wir heute so oft sehen und den wir landläufig „Nervosität" nennen. Der Mensch mußte sich insgeheim gestehen, daß er nicht in Wahrheit könne, was er scheinen wollte.

Doch nehmen wir unseren Kulturzustand, wie er nun einmal als gegeben vor uns liegt!

•

Was macht den Menschen vor allem nervös? Der dauernde, unüberbrückbare Gegensatz zwischen Wollen und Können einerseits und Nichtwollen und Müssen anderseits. Beste Seelenmedizin enthält daher der Spruch:

> „Das ist der Weisheit letzter Schluß:
> Der Mensch soll w o l l e n lernen, was er m u ß.‟

Leider aber muß diese Weisheit nur allzu oft eine papierene genannt werden, denn manches W o l l e n beruht auf einem so starken und ununterdrückbarem T r i e b, daß seine Beherrschung eben nur für kurze Zeit trotz besten Wissens gelingt. Wer kennt nicht die Fabel, in der ein Bauer seinem Esel das Fressen abgewöhnen will und dieser „unglücklicherweise gerade dann stirbt, als ihm sein Herr das Fressen abgewöhnt hatte!‟ Mancher Trieb, zum Beispiel der Selbsterhaltungstrieb, ist eben mit allen „geistreichen‟ Gründen nicht aus der Welt zu schaffen, und wie die Massen nach dem Gesetz der Schwere dem Mittelpunkt der Erde zustreben, so stellen sich ungeachtet der Hindernisse eben immer wieder diese Triebe ein. Sogar die Selbstmorde beweisen mitunter das Vorhandensein dieser Triebe in deutlicher Weise: eben weil sich der einzelne in der Befriedigung seiner Triebe dauernd gestört sieht und diese ihm das Leben bedeuten, so sucht er noch durch eine frei gewählte Schlußtat den verhaßten Zwang abzuschütteln. Nicht in allen Fällen braucht sich dieser Zwiespalt bis zur Katastrophe zuzuspitzen; oft wird der Trieb eben doch teilweise und vorübergehend befriedigt, und es führt dann dieses Spiel bei stärkeren Naturen zur Überlegenheit, bei schwächeren aber zur „Nervosität‟. Nicht selten bringt die Beobachtung, daß durch Mitleid etwas erreicht wurde, was durch ehrliches Streben nicht erlangt werden konnte, zu mehr oder weniger bewußten und eingestandenen Sicherungen durch das Auftreten eben dieser Mitleid verursachenden Umstände im gegebenen Augenblick.

Zu diesen Trieben gehört aber nicht bloß der Selbsterhaltungstrieb, sondern auch der Geltungstrieb (das Geltungs„bedürfnis‟), oft auch der Sexualtrieb, und ganz besonders häufig einfach der Betätigungstrieb. Letzterer soll nun mit besonderer Berücksichtigung der Schule in seinem Ursprung erhellt werden.

L e b e n ist stets mit Veränderung verbunden; Veränderungen aber können aktiv oder passiv bedingt sein. Angenehm werden nur die ersten gefühlt, und von den passiven die gewünschten oder gern zugelassenen; unerwünschte passive rufen stets als Gegenwirkung eine Bremsung, eine W i d e r s t a n d s k r a f t hervor, die sich mitunter nur in der Versagung der Mitarbeit äußert (passive Resistenz). Dieser Kampf gegen ungewollte Veränderungen oder gar Zustände aber ist mit gewaltigem E n e r g i e v e r b r a u c h verbunden, und zwar um so mehr, als die bei rein aktiver Veränderung so wohltätigen und meist willkürlichen Ruhepausen fehlen, als häufig ein d a u e r n d e r Qui-vive-Zustand, eine d a u e r n d e Paradestellung die Folge ist, die selbstverständlich an die Nervenkraft außerordentliche Anforderungen stellt und daher eine ständig gereizte Stimmungslage erzeugt; übrigens werden auch durch gegenseitige Beeinflussung von Körper und Geist die Muskeln in einen dauernden Spannungszustand versetzt und sogar die Drüsen betroffen, was sich in mannigfachen Störungen zeigt. Es ist naheliegend, daß alle Ausdrucksbewegungen diesem „chronischen" Reizzustand entsprechen, wie man das ja bei der Sprache, beim Mienenspiel, beim Gang und nicht zuletzt bei der einzigen schon im Entstehen fixierten Ausdrucksbewegung, bei der Schrift, tagtäglich beobachten kann.

Die Widerstandskraft der einzelnen Zellen und daher auch der einzelnen Organe und Individuen ist aber durchaus nicht gleich, sondern je nach V e r e r b u n g und nach Beeinflussung durch die Umwelt sehr verschieden; ebenso ist der A b l a u f d e r L e b e n s v o r g ä n g e, zu denen auch die Bewegungen gehören, sehr verschieden: langsamer, rascher, regelmäßig, stoßweise; das liegt in der „Individualität" begründet. Auch gibt es ganze Gruppen von Menschen, die unter ähnlichen Lebensbedingungen auch so ziemlich zu einem ähnlichen Ablaufe der Lebensvorgänge gekommen sind; Gegensätze bilden zum Beispiel der Bauernsproß und das Großstadtkind. Der Einfluß der Erziehung und der Umwelt macht sich eben hier nicht bloß im Laufe des einzelnen Menschenlebens, sondern auch bei l a n g e n G e n e r a t i o n s - r e i h e n geltend. Nun ergibt sich sofort der natürliche Widerspruch, ich möchte sagen: das aufs Psychische übertragene Beharrungsvermögen, die oben geschilderte Bremskraft, wenn wir zum Beispiel den Bauern, der an langsame Abwicklung gewohnt ist, zu rascherer Tätigkeit antreiben, oder das Großstadtkind aufhalten, hinhalten, vertrösten, warten lassen — beide werden zunächst „akut", später, bei allzu langer Dauer, „chronisch" nervös. So habe ich schon manchen „nervösen" Bauernjungen frisch vom Lande weg beobachten können.

Ebenso ist es für den leichtbeweglichen Menschen eine Qual, stille

zu sitzen, für den begabten, bei ewiger Wiederholung aufzupassen;
diese zwangmäßige Müßigkeit, die Nichtbetätigung vorhandener Energie, macht ihn eben „nervös". Gewiß läßt sich durch Erziehung hier
viel erreichen. Der Schwerbewegliche wird durch die fortdauernde Aus-
schleifung der Nervenbahnen allmählich leichter beweglich; der Leicht-
bewegliche aber, bei dem durch die ständig und rasch wechselnden
Eindrücke die Gefahr der Oberflächlichkeit und der Halbheit sehr nahe
liegt, kann durch sachkundige und andauernde Anleitung zur Selbstzucht zur schärferen und länger dauernden Beobachtung bezw. Beschäftigung mit einem Gegenstand geführt werden. Wenn wir Ostwalds klassisches energetisches Grundgesetz (den energetischen Imperativ): „Vergeude keine Energie, verwerte sie" anerkennen, so ist auch
im Schulbetrieb nach jeder Richtung durch passende Arbeitsverteilung
eine Sparsamkeit im Energieverbrauch bei Lehrer und
Schüler und damit auch eine wirklich wertvolle Höchstleistung zu verlangen. Durch die Gewöhnung an eine solche Arbeitsweise zieht schließlich auch der Staat den größten Nutzen aus so vorgebildeten Beamten
und Staatsbürgern. Wer tiefer sieht, muß zugeben, daß gerade in unserem Kulturleben eine unrichtige, unkaufmännische Verteilung
der Arbeit und der verfügbaren Arbeitskräfte (Bureaukratismus) die
Schuld an vielen Übelständen trägt. Alle wahren Vaterlandsfreunde
werden daher die Bestrebungen der Schulmänner nach dieser Richtung
wärmstens unterstützen müssen; wie die Schule, so die Zukunft!
Zu dieser unrationellen Verwertung der Energie zum Schaden des Lehrers wie des Schülers gehört auch die in den letzten Jahren gewünschte
große Nachsicht gegenüber schwächeren Schülern. Es hat das zu einer
Überfüllung unseres gesamten höheren Schulwesens mit teilweise
ganz unmöglichem Schülermaterial geführt, so daß gerade die
tüchtigsten und gewissenhaftesten Lehrer ihre besten Kräfte an Un-
würdige vergeuden müssen und doch das allgemeine Lehrziel nicht
mehr erreicht werden kann. Weil nun sofort Zeter und Mordio über
die „tyrannischen" und „unfähigen" Lehrer geschrien und sogar mit
Zeitung und Parlament gedroht wird, so ist in der Regel eine Herabsetzung der Anforderungen die ganz selbstverständliche Folge, sehr zum
Schaden des Schülers, aber auch des Lehrers, der eben durch diesen andauernden Zwiespalt zwischen Wollen und Können nicht selten vor der
Zeit aufgebraucht, „nervös" werden muß. Das gesamte Wirtschaftsleben wird durch das Verhältnis von Nachfrage und An-
gebot geregelt, und nun, wo ohnehin schon so starke Überproduktion

an Gebildeten vorhanden ist, daß viele zum bedauernswerten Proletariat gehören und so wieder den Staat in irgendeiner Form schädigen, erleichtert man es noch unfähigen Elementen, eine ihren Kräften nicht entsprechende Stellung zu erlangen: zu ihrem eigenen Schaden, noch mehr aber zum Schaden der besseren Elemente, die man eben durch eine stärkere Siebung schützen sollte; nicht immer holt das Leben diese in der Schule versäumte Auslese nach[1]. Die Setzung von S c h e i n an Stelle des S e i n s, diese V e r g e u d u n g v o n E n e r g i e, dieser Widerspruch zwischen Können und Wollen in den verschiedensten Formen muß zu einer H e r a b d r ü c k u n g u n s e r e r g e s a m t e n K u l - t u r, unserer gesamten Volkskraft führen. Gar mancher hätte es zum Beispiel als Mechaniker zu einem höchst brauchbaren und innerlich und äußerlich zufriedenen Staatsbürger gebracht, der nun ein unfähiger und unzufriedener Beamter ist. Österreich hat heute noch 36%, Ungarn noch 48% Analphabeten; dürfen wir uns da wundern, wenn auch an den höheren Schulen je nach der Lage sehr verschiedene Ansprüche gestellt werden, wenn im Leben höchst verschieden zu bewertende Elemente durch gleiche Zeugnisse dieselben Vorrückungsverhältnisse haben und dann dank dieser Ungerechtigkeit reger Betätigungstrieb zur Geltendmachung der eigenen Kraft — des höheren Energiewertes — und wegen unüberwindlicher äußerer Hindernisse „Nervosität" entsteht? Wir bleiben dabei: die G e s u n d u n g unserer zweifellos kranken Kulturverhältnisse muß von der S c h u l e ausgehen! Auch die japanischen Siege hat in letzter Linie der S c h u l m e i s t e r gewonnen, wie überall die künftige rationelle Ausnutzung der Energie, die günstige Umwandlung der Energieformen und damit der Sieg oder Untergang des einzelnen wie des gesamten Volkes auf die Schulverhältnisse zurückzuführen ist. Die unvernünftige Ausnützung des Betätigungstriebes (Umwandlung der Energieformen) hat aber unsere ganze Gemeinschaft „nervös", d. h. krank gemacht.

Wie ist nun dieser Lehrbetrieb aufzufassen? Man hat in den letzten Jahren sehr viele auf diese Fragen bezügliche Erlasse herausgegeben und damit höchsten Orts den besten Willen gezeigt; doch wird man kaum leugnen können, daß wir in W i r k l i c h k e i t noch recht weit von einer a l l g e m e i n e n Durchführung dieser Weisungen entfernt sind, die übrigens kein „Allheilmittel" darstellen können; auch der

---

[1] Auch auf der Hochschule ist es für eine zweckmäßige Siebung schon zu spät, da in der Regel kein innerlich befriedigender Lebensberuf für durchgefallene Hochschüler mehr gefunden werden kann.

beste Lehrer, die weiseste Schuleinrichtung und die idealste Durchfüh
rung aller Erlasse können aus einem zu minderwertigen Elemen
nicht ein genügendes Ergebnis erzielen, aus einem Weidenstab keine
Apollo schnitzen. Darum ist Auslese zur richtigen Kraftverwer
tung unerläßlich.

Als Mittel sind im wesentlichen folgende Punkte empfohlen worden

1. Möglichst wenig dozieren, dafür aber möglichst viele Schüle
zur Mitarbeit heranziehen. Das sprungweise Abfragen aber ha
sich in der Praxis eher als eine Veranlassung zur Spekulation und zu
Unruhe, besonders in einer großen Klasse, erwiesen. Viel eher kan
man bei der Durchnahme des neuen Stoffes die schon vorhandene
Kenntnisse einzelner besserer Schüler benutzen und so auch gleich da
Motiv des Ehrgeizes nutzbringend im Unterrichtsbetrieb ver
werten. Auch sollte manchmal eine Hausübung schon in der letzte
Unterrichts-Viertelstunde begonnen werden, wobei die äußere Forr
zu überwachen wäre und der einzelne nach seiner Eigenart arbeite
könnte, was er als Erholung fühlen wird. Auch ist freiwillig geleistet
schriftliche oder zeichnerische Arbeit zu begünstigen. Man möge d
Schüler möglichst frühzeitig zu geregelter, zielbewußter Arbei
auch außerhalb der Schule ermuntern, zu Sammlungen, Musi
usw., ohne die persönliche Neigung zu unterdrücken, die vielmeh
sorgfältig berücksichtigt werden sollte. Durch Schulaufsätze und durcl
Rundfragen, die an verschiedenen Anstalten, bei Knaben und Mädchen
nach meiner Anregung unternommen wurden, und die gelegentlicl
veröffentlicht werden sollen, habe ich erfahren, daß bei den Knabe
schon sehr frühzeitig eine starke Neigung zur „Bastelei" be
steht, die sich engstens an den Unterricht in den naturwissenschaftliche
Fächern anschließt und durch diese, wie durch Tagesereignisse (z. B
Luftschiffahrt) sehr befruchtet wird. Es kann keinem Zweifel unter
liegen, daß diese Beschäftigung in höchstem Grade geeignet ist, da
etwa verlorene seelische Gleichgewicht wieder herzustellen, ganz abge
sehen natürlich von dem Nutzen für Kenntnisse, Fertigkeiten und Leibes
übung. Bei den Mädchen stehen obenan darstellende Kunst und Musik
wogegen Lesen mehr bei den bequemeren Schülerinnen angeführt er
scheint. Es zeigt sich deutlich, daß der beiden Geschlechtern gemein
same Durst nach Ausübung von Fertigkeiten einem Bedürfni
nach Ausgleich der mehr aufnehmenden Tätigkeit in der Schul
entspricht, einem Betätigungstrieb, der in der Schule ebe
nicht oder nicht genügend befriedigt wurde. Wollen wir also wirklich

Pädagogen sein, so müssen wir auch durch Anregungen nach dieser
Richtung zu wirken suchen. Die günstige Rückwirkung auf den Schul-
betrieb bleibt nicht aus: es wird eine fröhliche, dem Lehrer freundliche
Grundstimmung (Reaktion im guten Sinne) bei den Schülern erzeugt,
die die Grundlage jedes Lernfortschrittes ist; ja es kann das mehr oder
weniger unbewußte Gefühl einer natürlichen Gegnerschaft zwischen
Lehrer und Schüler beseitigt und damit der größte pädagogische
Erfolg erzielt werden[1].

2. Mit besonderer Vorliebe hat man in den letzten Jahren das Tur-
n e n und die B e w e g u n g s s p i e l e begünstigt; doch dürfte zuweilen
hier des Guten etwas zu viel geschehen sein. Wo diese Dinge, vor allem
das Skilaufen, bis zur Ü b e r m ü d u n g betrieben werden, so daß dann
des andern Tags eine deutliche Abspannung zu bemerken ist, wo gar
Gipfelleistungen angestrebt werden und die Schüler sich mit den Vorbereitungen zu einem Skiwettrennen und dergleichen in der Schule
entschuldigen — da ist sicher über das Ziel hinausgeschossen worden.
Jedenfalls paßt auch hier nicht alles für alle. Was ein besonders kräftiger Bursche aushält, das schadet einem andern für das Leben. Man
wird mir vielleicht von turnerischer und ärztlicher Seite recht geben,
wenn ich behaupte, das erstrebenswerte Ziel seien bei jungen Leuten niemals Gipfelleistungen („Höherhinaus-Wollen"), sondern neben allseiti-
ger individuell fein abgestufter körperlicher Tätigkeit vor allem eine
B e h e r r s c h u n g der einzelnen Muskelgruppen und eine E i n o r d -
n u n g d e r P e r s ö n l i c h k e i t in ein Ganzes, also auch psychische
Errungenschaften. Gerade deswegen sind alle nach militärischem Zu-
schnitt geübten Spiele und Sportarten aufs wärmste zu unterstützen,
wie auch der späteren militärischen Ausbildung dadurch wesentlich
Vorschub geleistet wird. Wer einmal Gelegenheit gehabt hat, in der
Schweiz, zum Beispiel in St. Gallen, die mit Gewehren und Geschützen
ausrückende Jungmannschaft zu beobachten, konnte sich wohl nicht
des Eindrucks erwehren, daß wir hier eine nach jeder Richtung geradezu ideale Ergänzung des Schulunterrichts haben. Überhaupt sollte man
sich zum Grundsatz machen, nur solche Spiele zu pflegen, die eine
möglichste Anlehnung an die B e d ü r f n i s s e d e s L e b e n s enthalten;
so dringt auch beim Turnen immer mehr dieser Grundsatz durch,

---

[1] Im übrigen verweise ich hier auf die ausführlichen Tabellen zu meiner
in der September-Nummei 1913 der „Sexualprobleme" erschienenen Abhandlung: „Ober den Reizwert geschlechtlicher Anklänge — ein Beitrag aus der
Werkstatt des Experimental-Psychologen". Sauerländers Verlag, Frankfurt a. M.

und die langsamen, mit großer Kraftentfaltung und unter Anhaltung
des Atems ausgeführten Übungen verschwinden immer mehr zugunsten
der mit richtiger Atemgymnastik verbundenen und dem natürlichen
Leben entnommenen Übungen. Hier heißt es also dem Betätigungstrieb in trefflicher Weise entgegenzukommen, indem diese Übungen nie
im Gegensatz zur Schule, sondern in inniger Verbindung mit
ihr ausgeführt werden. Nur sollte man sie für alle Schüler, ausgenommen die vom Schularzt für eine bestimmte Zeit als untauglich
erklärten, zu diesen militärischen Übungen heranziehen. Die Schieß-
übungen sind ein Schritt dazu, dem hoffentlich noch weitere folgen
werden! —

•

Es ist eine alte Erfahrung, daß Erreichung eines Zieles erhöhte Lebens- und Tätigkeitsfreude, Nichterreichung das Gegenteil hervorruft. Der Selbsterhaltungstrieb führt nun dazu, eine Lehre
daraus zu ziehen und für ähnliche Fälle der Zukunft andere Mittel
anzuwenden. Bewegen sich diese Mittel innerhalb des Rahmens, der
durch die Vernunft und durch die gegenseitigen Rechte gegeben ist.
so sind diese Sicherungen als völlig einwandfrei anzusehen. In diesem
Fall wird eben das Maß des eigenen Könnens richtig abgeschätzt und
mit der Umwelt in ein richtiges Verhältnis gebracht. Das
ist aber leider wohl nur in seltenen Fällen zutreffend. In unserer
Lügenkultur, die so außerordentlich oft Schein an Stelle von
Sein setzt, ist nicht bloß die Täuschung anderer, sondern ebenso oft
Selbsttäuschung anzutreffen. Das zeigt sich auch im Ablaufe
der Betätigungen, in einer Art, die ich als falschen Betätigungstrieb,
als eine Art Sicherung gegen die Aufdeckung der eigenen Hohlheit
bezeichnen möchte. Ich stelle diese Sicherung auf eine Stufe mit den
andern, Weinen, Krämpfen, besonders Schreibkrampf, Stottern usw.
Wir wissen, daß die Leute am meisten schwätzen, die am wenigsten
zu sagen haben, daß Verlegenheit von manchen Personen durch Pfei-
fen, Lachen, Trällern, Trommeln, Rauchen und viele andere Bewegungen verdeckt werden soll. Mit dem Bewußtsein dieses Zustandes
der Minderwertigkeit läuft stets Hand in Hand eine „Erhöhung
der Eigenbeziehungen", so daß sich diese Leute eben im Gefühl
ihrer Minderwertigkeit überall „gemeint" oder „betroffen" fühlen. „Freund, du hast unrecht, denn du wirst grob!", sagt ein sehr
tief blickender Mann, und so ist weiter sehr oft zu bemerken, daß Leute,
die nicht den Mut haben, einen Irrtum einzugestehen, durch erhöhte

Lungenkraft und großen Wortschwall, ja Gewalttätigkeit den Mangel ihrer G r ü n d e zu ersetzen suchen[1]. Haben sie darin gelegentlich Erfolg, so führt das allmählich zu einem krankhaften psychischen Zustand, der sie hindert, sich ordentlich in die menschliche Gesellschaft einzufügen, und mannigfache Konflikte hervorruft. Diese Konflikte sind um so folgenschwerer, je höher die Stellung der Betreffenden ist, weil sie dann unter Umständen ihren Untergebenen bitteres Unrecht zufügen können; und bekanntlich wird nichts schwerer ertragen als Unrecht, besonders von der Jugend. Ein Lehrer, der sich g a r n i e irrt, bei dem s t e t s die Schüler unrecht haben, wirkt zerstörend auf die kindliche Psyche ein und ruft bei vielleicht ohnehin schon psychisch geschwächten Kindern und jungen Leuten ein ganzes Heer von nervösen Erscheinungen wach. Ein Lehrer, der alle Augenblicke die Konferenz und den Direktor mit Disziplinarangelegenheiten beschäftigt, leidet in 90 von 100 Fällen s e l b s t an einem krankhaften Betätigungstrieb. Bekannt ist die Tatsache, daß die meisten a n g e h e n d e n Lehrer „z u s c h a r f" sind! Der beste Lehrer ist so wie die beste Hausfrau, die am wenigsten von ihrer Arbeit hören lassen wird. Beide b r a u c h e n eben nicht diese Sicherungen, weil sie in sich selbst gefestigt sind! Damit soll natürlich nicht den Beschwichtigungsräten das Wort geredet sein; das ist ein anderer psychischer Fehler, der nicht hierher gehört. — Das Gemeinwesen beruht darauf, daß die einzelnen Mitglieder sich in das Ganze einordnen können. Wird das unmöglich, so muß eben das Individuum ausscheiden, und daß das geschehen kann, dafür leben wir eben ein einem R e c h t s s t a a t e. Je mehr aber Gewalttätigk e i t e n geduldet werden, je mehr aus politischen und andern ungerechtfertigten Motiven solche Leute in ihren Stellungen gehalten werden, desto mehr muß eine allgemeine Nervosität die geschädigten und durch nichts entschädigten Personen aus dem Gleise bringen, weil die wenigsten sich zu einer über die Wechselfälle des Lebens erhabenen Weltanschauung oder Religion durchgerungen haben werden. Und immer doch gilt der Spruch: „Und 1000 Jahre Unrecht sind keine Stunde Recht!" —

Es liegt auf der Hand, daß oft die absichtlichen Einwendungen, die Hinhaltung und Verzögerung in nichts anderem ihren Grund haben, als in dem Bestreben, wenigstens durch eine Art passive Resistenz die „Macht" zu zeigen. Daß diese hindernde Art der Betätigung auf un-

---

[1] Vgl. dazu meine Ausführungen im Mai-Heft 1913 der „Monatshefte für Pädagogik", Wien, über „Wirtschaftspsychologie und Pädagogik".

gesunder Grundlage beruht, ist einleuchtend. Wenn man genauer zusieht, kann man jedesmal finden, daß sie von Personen ausgeht, bei denen eine, wenn auch uneingestandene Unzufriedenheit wegen ihrer Machtstellung vorhanden ist. Nicht selten hängt damit aufs engste eine Minderwertigkeit in der einen oder anderen Richtung zusammen, die dann eben zu diesem Verhalten als eine Art Kompensation — auch zuweilen Selbsttäuschung — führt.

In der Arbeit, in der eignem Wunsch entsprechenden Arbeit liegt die Gesundung von dem Volksübel der Nervosität; der Lehrer kann und muß daher auch psychotherapeutisch wirken und dadurch die richtige Einordnung des zukünftigen vollwertigen Staatsbürgers in die menschliche Gesellschaft vorbereiten.

Mit der dauernden unberechtigten Einschränkung des Betätigungstriebes bei andern, nicht nur als Sicherung gegen die Aufdeckung wirklicher eigener Minderwertigkeit, hängt auch eine gewisse nervöse Überspannung des G e l t u n g s b e d ü r f n i s s e s (entsprungen dem „Neid der besitzlosen Klassen", als Brotneid, Liebesneid, Geltungsneid [1], Wissensneid, selbst Zufriedenheitsneid oder Betätigungsneid, also ganz allgemein!) zusammen. Der wirklich geistig s t a r k e Mensch begeht nicht selten den Fehler, daß er auf äußere Anerkennung z u w e n i g Wert legt — wie Athleten oft am allergutmütigsten sind. Der S c h w a c h e jedoch legt im Gefühl seiner Ohnmacht und seines geringen wirklichen inneren Wertes großen Wert auf ä u ß e r e E h r u n g e n: das wird oft zu Konflikten und weiter zur Nervosität führen. Im Staatsleben ist das nicht selten in einer Wichtigtuerei der Fall, wobei der Schein erweckt wird, „als ob" sich die oberen Stellen um alles selbst kümmern würden und könnten, während eben dadurch bei den unteren Stellen auch da, wo sie selbständig handeln sollten, die Freude am Handeln vergällt und auch eine gewisse Ablehnung der eigenen Verantwortlichkeit erzielt wird. Daher stammt die oft ganz zwecklose „Vielschreiberei". Wie beim Eigentumsbegriff, muß auch bei der Arbeitsverteilung der Grundsatz gelten: Jedem das S e i n e! Das aber uneingeschränkt; denn nur dadurch, daß man der Arbeit eines Menschen Vertrauen entgegenbringt, spornt man ihn zur Einsetzung aller seiner Kräfte bei dieser Arbeit an. Es ist daher auch schon in der Schule notwendig, die Leute bei ihrer Arbeit an eine gewisse

---

[1] Warum sieht man so wenig Lehrer höherer Schulen und Hochschullehrer in öffentlichen Bädern, Turn- und Sportplätzen usw.? Sicher nicht bloß aus Zeitmangel! Man fürchtet hier eben den Wettbewerb!

Selbständigkeit zu gewöhnen, wie ich das in einem demnächst in der „Zeitschrift für pädagogische Psychologie und experimentelle Pädagogik" erscheinenden Aufsatz über den freien Vortrag an einem Beispiel genauer zeigen werde. Wir können eben keine stumpfsinnigen Maschinenteile im Leben brauchen, (nicht Leute, die, wie der Volksmund sagt, „ihr eigenes Todesurteil unterschreiben", weil sie nichts durchlesen!), sondern nur Glieder, die in voller, ungehemmter Verantwortlichkeit, aber auch im Vollbewußtsein ihrer Rechte ihre Stelle ausfüllen; nur dann findet eine harmonische Einfügung in das Kulturgetriebe statt, zum Besten für den einzelnen und zum Vorteil der Gesamtheit!

Nur so erziehen wir Menschen, die den Mut und die Kraft haben, gegen Mißbräuche aufzutreten, die sich vor Schreiern nicht fürchten, mögen diese auch noch so sehr durch die leider nicht seltene Übung, den ärgsten Schreiern durch Nachgiebigkeit den Mund zu stopfen, verwöhnt sein; was uns not tut, sind nicht Hasenfüße, keine Leisetreter, die zufrieden sind, wenn sich niemand rührt, sondern Leute mit Selbstbewußtsein und unbeirrter Pflichterfüllung; nicht nur Lärm und Streit, auch Grabesstille ist verdächtig! —

Der Betätigungstrieb ist also überall vorhanden, aber bei jedem Individuum verschieden. Er ist bedingt durch die Trias der jeden Menschen modelnden Ursachen: Vererbung, Erziehung und Umwelt. Die größte Rolle spielt vermutlich die Vererbung. Schon wie sich vom ersten Lebensaugenblicke eines Wesens an die chemisch-physiologischen Vorgänge abspielen, kann nicht ohne schwerwiegenden Einfluß auf die spätere Abwicklung auch der Nerven- und Gehirnvorgänge bleiben. Wie die Art des Verbrauchs und Wiederersatzes der in Frage stehenden Teile stattfindet, ob langsam oder rasch, ob vollständig oder in der einen oder andern Richtung ungenügend, das ist selbstverständlich nicht gleichgültig. Es wäre recht lehrreich, zu untersuchen, wieweit zum Beispiel die Pulszahl, die Ernährungsweise, das Alter bestimmend auf den Betätigungstrieb eines Menschen einwirken können. Wie verhalten sich zum Beispiel Leute, die rasch ermüden, aber auch wieder rasch erholt sind, gegenüber solchen, die lange ausharren, aber auch wieder lange Ruhepausen nötig haben[1].

Sicher scheint mir, daß bei unserer Kultur im allgemeinen die Abnutzung der Nervenkraft rascher und stärker als der Wiederersatz vor

[1] Vgl. Graßberger Roland, Der Einfluß der Ermüdung auf die Produktion in Kunst und Wissenschaft. Wien, 1912.

sich geht. Es ist gar nicht unwahrscheinlich, daß allmählich eine Heranziehung der Kräfte aus andern Körperteilen stattfindet — also eine
Transformation der Energie —, so daß schließlich der ganze Organismus durch diese unzweckmäßige Energieverwertung minderwertig werden muß. Das ist sicherlich auch für die Keimzellen im allgemeinen,
nicht bloß bezüglich differenzierter Energie der Fall; so ist es zu
erklären, daß einzelne besonders tüchtige Kopfarbeiter — hauptsächlich,
wenn die geistige Beanspruchung mehrere Generationen angedauert
hat — geistig und oft auch körperlich minderwertige Nachkommen
haben, obwohl scheinbar alles in bester Ordnung ist. Man kommt
also eigentlich zu dem Schlusse, daß geistig sehr tüchtige, gewissermaßen übertätige Leute keine Kinder zeugen sollten, sondern die
Fortpflanzung der Menschheit unverbrauchter Kraft anvertraut werden
müßte; zumindest dürften nicht Vater und Mutter die gleiche Energie-
art verbraucht haben. Theoretisch klingt das ja recht schön, läßt
sich aber, wie so vieles andere, praktisch wohl nur dem guten Willen
und der Einsicht des einzelnen empfehlen. Aber das eine ist zu
sagen: Wo sich bei Kindern besserer Leute Unlust und Unfähigkeit
zur Geistesarbeit zeigt, soll man diesen Wink der Natur nicht außer
acht lassen, sondern in einem Wechsel der Betätigung, vor allem in
einer Rückkehr zur Bauernarbeit (Garten- und Forstbeschäftigung)
eine Erholung für die betreffende Generation suchen. Es ist ja der
günstige Einfluß der schweren Bauernarbeit bei Auswanderern bekannt, warum sollte das nicht ebenso in der Heimat gelten? Das Vor-
urteil dagegen muß und wird einmal überwunden werden. Darin
haben wir das einzige Heilmittel gegen Nervosität zu suchen, alles
andere sind nur Mittel c h e n, die die gestörte Umwandlung der Energieformen nicht berichtigen können.

Ich wollte zeigen, wie der Betätigungstrieb bei jedem Menschen vorhanden ist, aber durch falsche Ausnutzung in einer einseitigen, verkehrten Richtung zum Schaden für das Individuum und weiterhin für
die Gesamtheit gereichen muß. Die sich zeigende Nervosität ist gewissermaßen der erste Warnruf der Natur.

*

Es fragt sich nun: Ist als Ideal jener Zustand anzusehen, in dem das
Leben in einer gleichmäßigen Betätigung ohne jeden Zwischenfall
verläuft, der etwa ein Mißverhältnis zwischen Wollen und Können
enthält? Mit nichten! Ein solches Leben würde jeden Reiz verlieren, es
würde schal werden, die meisten würden es als nicht mehr lebenswert

betrachten. Tatsächlich sind auch die, denen nichts abgeht, die jeden Wunsch erfüllen können, oft die allerunglücklichsten. Der Mensch b r a u c h t vielmehr einen gewissen Anreiz, ein Hindernis, das zu überwinden, ein Ziel, das zu erreichen ist. Der Stoiker mag mitunter mit seinem „Gleichmut in jeder Lebenslage" einem überlegenen Wesen g l e i c h e n, viel m e n s c h l i c h e r, viel n a t ü r l i c h e r kommt uns aber doch der vor, bei dem sich auch eine empfindlichere Affektlage zeigt, ein Mensch, der auch T e m p e r a m e n t hat, wie denn auch der beobachtende Dichter sagt:

> Etwas wünschen und verlangen,
> Etwas hoffen m u ß das Herz,
> Etwas zu verlieren bangen,
> Und um etwas fühlen Schmerz!

Und das sollen wir bei der Jugend mit ihrem so lebhaften Betätigungstrieb auch nach der affektiven Seite hin vor allem berücksichtigen! Der Knabe, der Jüngling i s t eben kein gereifter Mann, noch weniger ein Greis, der mit dem Leben schon abgeschlossen hat, und s o l l a u c h k e i n e s v o n b e i d e n s e i n. Es gibt keinen besseren Vergleich dafür als den „gärenden Most", und es wäre unnatürlich und darum auch unrecht, diese Betätigungsfreude hemmen zu wollen. Wir sollen sie in die richtigen, das heißt für den einzelnen passenden Wege leiten, überwachen und regeln. Geschieht das nicht, so dürfen wir uns nicht wundern, wenn das Kind „nervös" wird. Wer hat noch nicht gesehen, wie zuweilen bei einem jungen Menschen wie mit einem Schlag die „Nervosität" verschwand, als er in einer g e e i g n e t e n Beschäftigung gewissermaßen ein Ventil für seinen Betätigungstrieb gefunden hatte!

Ein Mißerfolg macht den normalen Menschen noch nicht nervös; auch das nicht, wenn er eines Irrtums überwiesen wird! Die f a l s c h e Konsequenz, die U n b e l e h r b a r k e i t, die Bockbeinigkeit ist allemal schon ein psychopathologisches Symptom, und wir tun gut, unseren jungen Freunden die hohe Sittlichkeit des Eingeständnisses von Fehlern schon so früh wie möglich und so eindringlich wie möglich einzuprägen:

> „Die durch den Irrtum zur Wahrheit reisen, das sind die W e i s e n,
> Die auf dem Irrtum beharren, das sind die N a r r e n."

Es ist übrigens eine Eigenschaft des A l t e r s, daß es nicht mehr gerne „umlernen" will, und das hat schon manchem jungen Forscher schwere Anfeindungen von seiten der „beati possidentes" eingetragen; in der Regel begnügt man sich allerdings mit einer vornehmen Nichtbeachtung! Wer nicht mehr lernen — auch umlernen — will, der hat eigentlich schon seine Daseinsberechtigung verloren. Gewiß: ein hartes Wort; aber Leben ist eben Veränderung.

Irrtümer und Mißerfolge führen den tüchtigen Menschen nur zu erneuter Tätigkeit; er erinnert sich, daß nur der Untüchtige d a u e r n d Mißerfolg hat. Es ist ein mehr stolzes als berechtigtes Wort, das dem alten B i s m a r c k in den Mund gelegt wird: „Ich habe alles erreicht, was ich wollte, weil ich nur wollte, was ich erreichen konnte!" Wir sind eben niemals in der Lage, mit Sicherheit unsere Leistungsfähigkeit für die Zukunft vorauszusagen.

Sorgen wir also, daß wir neben unserem Beruf, vielleicht in Verbindung mit ihm, ein „Steckenpferd" haben, an dem wir zu unserer Erholung unsern Betätigungstrieb in einer uns erfreuenden, darum auch erquickenden Weise ausüben können, so werden wir den Sieg über das Schreckgespenst „Nervosität" davontragen. Unsern Kindern aber lassen wir auch die möglichst natürliche Wahl bei ihrer Betätigung; dann werden wir weit weniger über nervöse Kinder zu klagen haben. Ein gewisses Maß der Freiheit braucht eben jeder Mensch als „E x i s t e n z- m i n i m u m".

•

Damit wären wir vom rein p ä d a g o g i s c h e n Standpunkt aus zu Ende; nicht aber vom a l l g e m e i n p s y c h o l o g i s c h e n! Wo haben wir denn die tiefste Wurzel für den Betätigungstrieb zu suchen? In nichts anderem als in dem P e r s ö n l i c h k e i t s g e f ü h l, das eben durch die T ä t i g k e i t seinen vornehmsten A u s d r u c k findet. Wir kommen damit zu demselben Ziel wie A l f r e d A d l e r in seinem geistreichen Buch: Über den nervösen Charakter. In einer Tätigkeit, die freiem Wollen entspringt, zeigt sich die „männliche Rolle", sie ist daher unter Umständen als „männlicher Protest" gegenüber der Passivität, der „weiblichen Rolle" aufzufassen. Die eingestandene Minderwertigkeit wäre nämlich nichts anderes als die Konkurserklärung eines Individuums in bezug auf seine Ziele wegen andauernder Unterbilanz der Energie in psychischem oder auch körperlichem Sinne. Gelingt es dem Psychotherapeuten, dem Patienten das klarzumachen, bevor die akute Minderwertigkeit durch dauernde falsche Bilanzierung der verfügbaren Kräfte eine chronische Schädigung der in Frage kommenden Teile, vor allem der Gehirnbahnen, hervorgerufen hat; gelingt es ihm, eine kraftentsprechende Betätigung auch als „dienendes Glied" als etwas durchaus Ehrenhaftes und dem Ganzen Förderliches zu

eigen, so ist eben dadurch der richtige Weg zur Bilanz, d. h. zur
Gesundung, beschritten. —

Das Persönlichkeitsgefühl ist etwas durchaus Normales, am einfach-
ten wohl durch die Summe der freien Energien erklärbar, die im
Sinne E x n e r s und F l e c h s i g s durch Assoziationszentren zu einer
Einheit verbunden werden. Störungen in der Energieumwandlung oder
n der Assoziation müssen auch im Persönlichkeitsgefühl zum Ausdruck kommen. Normal ist auch der Betätigungstrieb, der sich aus
diesem Überschuß an Energie ergibt, solange er sich in den Grenzen
des durch die Gesellschaft verlangten Grundsatzes „Jedem das Seine!"
bewegt. Immerhin ist das aber doch in dem Sinne aufzufassen, daß ein
Wettbewerb natürlich ist, solange die wirkliche Tüchtigkeit den Ausschlag gibt. Erst dann haben wir etwas Ungesundes, wenn die Betätigung zur Verdeckung einer vorhandenen Minderwertigkeit dienen soll.
Wenn auch das Ideal der reinen, durch nichts gehemmten Auslese des
Tüchtigsten, d. h. Passendsten, wie alle Ideale nicht durchaus erreichbar ist, so wollen wir doch unser möglichstes tun, es uns selbst gegenüber und dann in dem uns zugewiesenen Wirkungskreise zu verwirk-
ichen.

Dann ist die Forderung erfüllt, die offenbar einem Weltenergiegesetz
entspricht: eine dem vorhandenen Energievorrat entsprechende Betäti-
ungsmöglichkeit, ein Ausgleich, der als i n n e r e Z u f r i e d e n h e i t
gefühlt wird. Wir könnten uns das vielleicht so denken, daß von der
vorhandenen und ständig zugeführten Energiemenge ein Teil zu den
notwendigen vegetativen Funktionen verwendet wird, der Überschuß
aber zu freier Betätigung des Menschen, sowohl in physischer als auch
n psychischer Hinsicht dienen kann. Durch die Möglichkeit der Über-
eitung einer Energieform in eine andere wäre dann bei größerer An-
orderung an die Tätigkeit, als die verfügbare überschüssige Energie zu-
äßt, eine Entnahme aus der für die vegetativen Funktionen bestimm-
en Energiemenge die Folge, was dann natürlich schädigend auf diese
Funktionen einwirken muß. Umgekehrt würde schließlich die Auf-
peicherung überschüssiger Energie[1] zu Krankheiten der Organe (Ver-

---

[1] Ob es eine e i g e n e Nervenenergie (von Ostwald psychische Energie genannt) gibt, ist heute noch eine offene Frage; es kommen wohl auch elek-
rische Spannungserscheinungen usw., also nicht eigentlich „anatomisch" nach-
weisbare Zustände, in Betracht. Vermutlich werden wir einmal sehr unter-
chiedliche Formen, jedenfalls sehr differenzierte Änderungen der „psychischen"
Energie nachweisen können; dementsprechend kommen wir eben zu verschie-
lenen „Trieben", wogegen „Betätigungstrieb" mehr die allgemeine — nach

fettung, Ablagerung von Salzen usw.) bezw. zu dem führen, was wir als „Betätigungstrieb" empfinden, beides ist ja bis zu einem gewissen Grade ganz normal und nötig zur Erhaltung des Individuums (potentielle Energie).

Da bei jeder Umwandlung einer Energieform in eine andere nur ein Teil als reiner Nutzeffekt in Betracht kommt, ein anderer aber als unbeabsichtigte Wärme für den gewollten Zweck verloren geht, so ergibt sich auch für den einzelnen in psycho-physiologischer Hinsicht, was der geniale Ostwald als allgemeine Aufgabe der gesamten Kultur hinstellt: „die Transformationskoeffizienten der umzuwandelnden Energien so günstig wie möglich zu gestalten."

Greifen wir auf den Ausgangspunkt unserer Betrachtungen zurück, so werden wir also sagen:

Betätigungstrieb ist die freie Energie, die nicht vegetativ verbraucht wird;

Nervosität ist der Ausdruck der Störung im günstigen Ablauf der Umwandlung der Energieformen, eine Bilanzstörung im Transformationsprozeß der Energien, daher auch eine Störung in dem Persönlichkeitsgefühle.

Wir werden uns auch nicht wundern dürfen, wenn dabei die Nerven- und Gehirnbahnen oder die Ganglienzellen als Transformatoren zunächst und am schwersten geschädigt erscheinen. Die Störung zu verhindern, ist also grundlegende Kulturaufgabe. —

Die Übertragung psychischer Energie kann neben der Belehrung durch alle anderen Arten der Beeinflussung — auch nach dem Gesetz der Kontraimitation — erfolgen, und es ist ganz gut möglich, daß sich in den Ganglienzellen der Assoziationszentren auch auf diese Weise eine Anhäufung von Spannkraft vollzieht, die dann als regelnde und hemmende Tätigkeit dieser Zentren gegenüber den die Sinneseindrücke vermittelnden Teilen des Gehirns verwendet wird.

Ziel der Erziehung muß also die Stärkung jener Zentren sein, die in dem „Kampf der Vernunft mit der Sinnlichkeit" mitwirken; eine Energieaufspeicherung im Wege der Belehrung, sittlichen Begrün-

---

ihrem Endziele noch im Unterbewußtsein gelegene — überschüssige, „freie" Energie darstellt. Am häufigsten gefühlt wird wohl der Spannungsausgleich durch Befriedigung des Sexualtriebes, wie denn wohl dieses Gebiet als Grenzgebiet zwischen Körper und Geist eine weitere Energieforschung am meisten interessieren muß.

dung und des Beispiels, womit von der psychischen Seite auf dasselbe Ziel losgegangen wird, auf das die Ärzte hauptsächlich von der somatischen hinarbeiten: Gesundung des einzelnen wie der Gesamtheit durch die Ordnung der Energieumwandlung. Daß wir einstweilen von einem vollen Einblick in diese Zusammenhänge noch weit entfernt sind, tut für die praktische Anwendung ebensowenig, wie dem Ingenieur seine Unkenntnis vom tiefsten Wesen der Elektrizität ein Hindernis für deren Ausnützung ist. Es spielt sich dann im gesunden, veredelten menschlichen Gehirn durch Selbstzucht dasselbe ab, was Tigerstedt als ideale Gesellschaftsordnung mit Recht hinstellt: Die blinden Triebe der moralisch und intellektuell Minderwertigen der tieferen Einsicht und dem besseren Wollen einer geistig-sittlichen Aristokratie zu unterwerfen.

Die psychologische Bedeutung der Psychoanalyse.

Von Dr. Carl Furtmüller.

I.

Die moderne Psychologie hat zu wiederholten Malen von der Beschäftigung mit dem anormalen Seelenleben her bedeutsame Anstöße erfahren. Nie aber waren die Brücken, die von der Betrachtung der kranken zu der der gesunden Psyche führten, so zahlreich und so tragfähig als die von der Psychoanalyse errichteten, die, ursprünglich eine ärztliche Heilmethode zur Behandlung neurotischer Erkrankungen, heute den Anspruch erhebt, uns auch den psychischen Organismus des Gesunden in ganz neuem Lichte zu zeigen. So darf sie heute wohl auf das zumindest prüfende Interesse eines jeden rechnen, der ein Psychologe in dem tieferen Sinne ist, daß es ihn nach einer Aufdeckung des inneren Zusammenhanges unseres Seelenlebens verlangt. Rechtfertigt dies den Versuch einer übersichtlichen Darstellung der Probleme der Psychoanalyse, so sind die entgegenstehenden Schwierigkeiten doch nicht gering. Auf eine ausführliche Darlegung bestimmter Fälle muß eine solche Arbeit mit Rücksicht auf ihren Umfang von vornherein verzichten; aber sie kann nicht hoffen, ohne sie volles Verständnis zu vermitteln, geschweige denn volle Überzeugung herbeizuführen. Dazu kommt noch, daß die Psychoanalyse, wie es bei einer so jungen Wissenschaft selbstverständlich ist, sich in rascher Entwicklung und ständigem Flusse befindet und sich in ihr entgegengesetzte Anschauungen oft recht schroff gegenüberstehen. Der Verfasser würde also seine Absicht für erreicht halten, wenn er durch die folgenden Ausführungen den Leser überzeugte, daß eine Sache vorliegt, die des eigenen Nachprüfens wert ist, wenn er ihn anregte, die psychoanalytische Literatur zu verfolgen, aber auch seinem eigenen Seelenleben nachzuspüren.

Die grundlegende Entdeckung der Psychoanalyse ist dem Wiener Arzte Josef Breuer zuerst gelungen. In den Jahren 1881/82 behandelte er ein junges Mädchen, das zu der Zeit, als es den geliebten Vater in seiner Todeskrankheit aufopfernd pflegte, an schweren hysterischen Erscheinungen erkrankt war, von welchen Lähmung der rechtsseitigen Extremitäten, schwere Sprachstörungen, Nahrungsverweigerung und die zeitweilige Unfähigkeit zu trinken hervorgehoben seien. Die Behandlung zog sich monatelang hin und der Arzt vermochte nicht mehr als eine vorübergehende Erleichterung des Zustandes zu erreichen, indem er sich in der Hypnose die Phantasien, die sie während ihrer Anfälle plagten, erzählen ließ. Dann aber gelang es ihm, die Patientin wieder in der Hypnose dahin zu bringen, daß sie die Vorfälle reproduzierte, die das erste Auftreten der einzelnen Symptome veranlaßt hatten. Die Erinnerung an diese im Wachzustand völlig vergessenen Ereignisse geschah unter großer Erregung und von da an war das betreffende Symptom für immer geschwunden. Ein Vergleich aber zwischen dem in die Erinnerung beschworenen Vorfall und der Krankheitserscheinung ergab, daß zwischen beiden ein innerer Zusammenhang bestanden hatte. So überraschte die Patientin einst die ihr unsympathische englische Gesellschafterin, wie diese ihren kleinen Hund, „das ekelhafte Tier", aus einem Glase hatte trinken lassen. Aus Höflichkeit unterdrückte sie damals Ärger und Ekel. Die neurotische Wirkung dieses Anlasses war nun die Unfähigkeit, zu trinken.

So ergänzungsbedürftig auch die Aufklärung dieses Falles vom heutigen Standpunkt der Analyse aus erscheinen müßte, so ergaben sich doch schon aus ihm, abgesehen von seiner praktischen Bedeutsamkeit für den Arzt, wichtige theoretische Schlüsse:

1. Die Patientin hat durch ihre Handlungsweise auf ein Erinnerungsbild reagiert, ohne daß dieses in ihrem Bewußtsein vorhanden gewesen wäre. Ebenso konnte in der Folge die Psychoanalyse immer wieder zeigen, daß gewisse Handlungsweisen und Gedankengänge des Patienten (oder auch des Normalen) unverständlich blieben, bis eine Bewußtseinslücke ausgefüllt wurde. Dann aber stellte sich heraus, daß die Betreffenden auch früher schon so gehandelt hatten, als ob die erst jetzt ins Bewußtsein gehobenen Erinnerungen (Phantasien, Gedanken) schon bestimmend gewirkt hätten. Um diesen Tatbestand festzustellen, hat die Psychoanalyse den Hilfsbegriff der unbewußten Vorstellung gebildet. Es handelt sich also bei diesem Terminus, wie ihn die Psychoanalyse gebraucht, nicht um psychische Phänomene, die wegen zu geringer Bedeutung unter der Schwelle des Bewußtseins bleiben, sondern um psychische Kräfte, die ungeachtet ihrer hohen Wertigkeit, ja gerade derenthalben, vom Bewußtsein ausgeschlossen bleiben.

2. Wird eine solche unbewußte Vorstellung bewußt, so lernt das Individuum nicht nur seinen Zustand verstehen, sondern es ändert auch sein Verhalten; es wird ein neuer Teil der Lebensäußerungen der Person ihrer bewußten Leitung unterstellt.

3. Für Breuer entstand die psychische Erkrankung dadurch, daß

wegen der Verdrängung des Erlebnisses aus dem Bewußtsein der damit verbundene Affekt an seinem normalen Ablauf gehindert war. Die Kur machte mit der Erinnerung auch den Affekt wieder frei und führte ihn der Erledigung zu. Er nannte deshalb seine Methode „kathartisches (reinigendes) Verfahren". Haben diese Aufstellungen auch in der Folge mannigfache Korrekturen erfahren, so bieten sie im Kerne doch eine Erkenntnis von bedeutender Tragweite. Sie zeigen, daß man bei sich und anderen gegen unerwünschte psychische Angriffe nicht dadurch wirksam ankämpfen kann, daß man ihnen einfach den Weg zur Äußerung und Betätigung versperrt; sie wirken dann unerkannt und unbewacht um so gefährlicher. Und so gelangen wir schon von den Anfängen der Psychoanalyse aus zu dem wichtigen pädagogischen Grundsatze, der mit der Theorie weniger in Widerspruch steht als mit unserer Praxis in Haus und Schule: F r u c h t b a r e s i t t l i c h e E r z i e h u n g ist nur möglich durch Erweiterung des Bewußtseins (nicht Wissens!), nicht durch seine Einschränkung. War auch das schon Erreichte wichtig genug, so bedeutete das neue Verfahren auf dieser Stufe doch nicht mehr als eine ärztliche Heilmethode. Die Möglichkeit, sich darüber hinaus zu einem neuen und unentbehrlichen Forschungsmittel der Psychologie zu entwickeln, erhielt es erst durch einen Schritt S i g m u n d F r e u d s, der, Breuers Schüler und Mitarbeiter, das von diesem Begonnene bald selbständig und genial fortsetzte. Praktische Erwägungen legten es ihm nahe, einen Weg zu suchen, der die Anwendung des neuen Verfahrens ohne Hypnose ermöglichte. Der Gedankengang, der Freud dabei leitete, läßt sich ungefähr so formulieren: Wenn von den unbewußten psychischen Inhalten des Patienten eine solche Energie ausgeht, daß sie quälende und hartnäckige Krankheitserscheinungen erzeugen, dann ist wohl anzunehmen, daß ihre Wirkungen sich auch sonst im seelischen Leben des Individuums, wenn auch unscheinbarer und nur spurweise, fühlbar machen; dann darf man hoffen, ihren Einfluß überall dort nachweisen zu können, wo die bewußte Lenkung unserer Vorstellungen nachläßt. So kam Freud nach einem Übergangsstadium zu folgendem Verfahren: Der Patient wurde aufgefordert, sich dem freien Lauf seiner Vorstellungen zu überlassen und zu sagen, was ihm einfalle. Bedingung war dabei, daß er wirklich alle Einfälle dem Arzte mitteilte, auch wenn sie ihm unsinnig, nicht zur Sache gehörig, peinlich erschienen. Indem nun der Arzt im Auge behielt, wo verschiedene Reihen von Einfällen sich einem gemeinsamen Knotenpunkt zu nähern schienen, vor allem aber,

indem er festhielt, daß die scheinbar zufällige Aufeinanderfolge zweier
Einfälle auf einen inneren Zusammenhang hinweise, konnte er erraten,
in welche Richtung die Gedankengänge des Patienten drängten. Er vermochte diesem dann durch einzelne Aufklärungen, bei denen er seine
an anderen Patienten erworbenen Erfahrungen verwertete, vor allem
aber, indem er Abbiegen und Steckenbleiben zu verhindern suchte,
bei seiner Selbstbesinnung zu unterstützen. Denn im Wesen ist ja die
psychoanalytische Methode nichts anderes als kunstmäßig geleitete
Selbsterforschung.

Bei dieser Art der Kur nun war es notwendig, daß sich im Laufe der
Zeit — eine psychoanalytische Behandlung dauert oft viele Monate, mitunter Jahre — das ganze Leben des Patienten, von der frühesten Jugend
bis auf die Gegenwart, in seinen großen Erlebnissen und in den scheinbar unwichtigsten Details, in seinen offensichtlichen Handlungen wie
in seinen geheimsten Wünschen und Befürchtungen vor den Augen
des Arztes abrollte. Er erhielt so eine Biographie seines Patienten,
vermehrt um das, was man bei der Niederschrift einer Lebensbeschreibung unterdrückt; dazu kam noch, was vor der Behandlung der Patient
nicht einmal sich selbst eingestehen konnte und wollte. Hier scheint
mir das Moment zu liegen, durch das das neue Verfahren am tiefsten
in den Entwicklungsgang der Psychologie einzugreifen bestimmt ist.
Dadurch, daß sich dem Psychoanalytiker das Seelenleben nicht eines
Menschen, sondern einer großen Zahl in einer Breite und einer Tiefe
erschließt wie nie vor ihm einem anderen Psychologen, muß sich für
die wissenschaftliche Seelenkunde eine ganz neue Einstellung, ein grund-
sätzlich neues Problem ergeben. Die bisherige Psychologie verfährt
so, daß sie aus dem Zusammenhang des psychischen Lebens einzelne
Erscheinungen oder Reihen und Gruppen von Erscheinungen heraus-
greift. Indem sie diese jetzt weiter zu zergliedern sucht und untereinander vergleicht, kommt sie allerdings zu wissenschaftlichen Beschrei-
bungen und zur Feststellung gesetzmäßiger Abläufe; aber durch das
Wesen ihres Verfahrens selbst hat sie sich zwei Grenzen gesteckt. Einmal erstreckt sich ihre Betrachtung immer auf das Formale des psychischen Ablaufs: die Materie des Seelenlebens entzieht sich aber ihrer
Untersuchung. Beim Urteil zum Beispiel beschäftigt sie sich mit dem
Urteils a k t; der I n h a l t des konkreten Urteils in seiner Bedeutung
für das Individuum ist ihr jedoch gleichgültig. Bei der Assoziation
untersucht sie die Beziehung der einzelnen Glieder zueinander: diese
Glieder an sich bedeuten ihr nichts. Und damit steht dann ein Zweites

in innerem Zusammenhang: es war der bisherigen Psychologie versagt, zum Verständnis der lebendigen Einheit des individuellen Seelenlebens vorzudringen[1]. Die wissenschaftliche Bearbeitung des Inhaltes der Psyche und die Erforschung der Persönlichkeit sind also die beiden wesentlichen neuen Aufgaben, die die Psychoanalyse stellt, und deren Lösung sie ermöglicht. Und man kann die Bedeutung eines psychoanalytischen Forschers für die Psychologie nach dem Grade der Klarheit abschätzen, mit der er diese Aufgaben erkennt, und nach der Intensität, mit der er sich ihrer Erledigung widmet.

Dieser allgemeine Gedankengang zeigt uns schon, daß die Psychoanalyse dahin kommen mußte, ihr ursprüngliches Arbeitsgebiet wesentlich zu erweitern, daß sie sich nicht mehr auf die Erforschung des krankhaften Seelenlebens beschränken konnte, sondern auch das Studium der normalen Psyche in ihre Untersuchungen einzubeziehen gezwungen war. Es lag in der Natur der Sache, daß sie sich dabei zunächst jenen Erscheinungen zukehrte, die schon äußerlich eine gewisse Verwandtschaft mit den als krankhaft angesehenen psychischen Störungen darbieten. So hat Freud die „Psychopathologie des Alltags" untersucht, jene Fälle von Fehlhandlungen, Vergreifen, Versprechen, Verlesen, Verschreiben, Vergessen, in denen unser seelischer Apparat bei einer sonst spielend zustande gebrachten Leistung in auffallender Weise versagt. Er konnte nachweisen, daß, zumindest in sehr vielen Fällen, dieses Versagen nicht „zuffällig", sondern psychisch, wenn auch unbewußt, genau bestimmt ist. Er befaßte sich auch mit den Phantasien, denen sich die Menschen in unbeschäftigten Augenblicken hingeben, den „Tagträumen". Seine bedeutendste Leistung aber vollbrachte er durch die Aufhellung jenes Gebietes, auf dem das Seelenleben des Gesunden sich am meisten dem des psychisch Gestörten zu nähern scheint, durch seine Erforschung des Traumlebens. In seiner „Traumdeutung" hat er gezeigt, daß in jedem Traume, ungeachtet seiner scheinbaren Rätselhaftigkeit, Verworrenheit, ja Absurdität, ein Sinn steckt. Freilich finden wir diesen Sinn nicht unmittelbar in den Bildern, die uns der Traum zeigt, oder in dem, was uns der Träumer erzählt, sondern wir müssen hinter diesen kundgetanen Trauminhalt zurück-

---

[1] Daher kommt es, daß die Psychologie bisher mit „Menschenkenntnis" so wenig zu tun hatte und daß sie nicht imstande war, intuitive Selbsterkenntnis, wie sie z. B. in den Werken großer Dichter niedergelegt ist, systematisch zu verwerten.

gehen, um zu den in ihm verborgenen Traumgedanken zu gelangen. Diese psychologische Analyse wird uns dadurch ermöglicht, daß uns der Träumer die Einfälle mitteilt, die bei ihm durch die einzelnen Traumstücke ausgelöst werden. Wir müssen bei der Traumdeutung gefaßt sein, daß an Stelle der inneren Assoziationen, wie sie das logische Denken des Wachen kennzeichnet, ganz äußerliche treten, und das vieles von dem, was uns der Traum zeigt, als bildliche Darstellung, als S y m b o l, aufzufassen ist. Eine solche Traumdeutung zeigt uns, daß das, was man früher oft als das Entscheidende für die Traumbildung angesehen hat, Leibesreize und Sinneseindrücke während des Schlafes, nur soweit von Bedeutung ist, als es dem Traum Material liefert. Eine viel wichtigere Rolle spielen schon Gedanken und Eindrücke des Tages, die im Wachleben keine psychische Erledigung gefunden haben. Der Kern des Traumes aber zeigt uns den Menschen auch während des Schlafes mit Problemen beschäftigt, die den tiefsten Grund seiner Persönlichkeit ausmachen. Und zwar stellt für Freud jeder Traum, möge der Trauminhalt dem noch so zu widersprechen scheinen, eine Wunscherfüllung dar und in seinem tiefsten Sinne die Erfüllung eines alten, im Lauf der Entwicklung des Individuums aus dem Wachbewußtsein längst verdrängten Kinderwunsches.

Der Begriff der Wunscherfüllung nimmt im Zusammenhang der Freudschen Lehren eine beherrschende Stellung ein. Von hier aus kann man vielleicht am besten den inneren Entwicklungsgang der Psychoanalyse überschauen und erkennen, wie weit Freud vorgedrungen und wo er stehen geblieben ist. Die erste Tatsache, die die Psychoanalyse zutage gefördert hatte, war die, daß scheinbar vergessenen Erinnerungen doch eine sehr starke psychische Wirksamkeit zukommen kann. Dadurch wurde die seelische Bedeutung der eigenen Vergangenheit ganz besonders in den Vordergrund gerückt und man kam zu der Formel: Der Hysterische leidet größtenteils an unklaren Erinnerungen. So schien anfänglich das Unbewußte etwas rein Rückschauendes zu sein, ein Ballast der Vergangenheit, der dem Individuum zwecklos und störend anhing und es für seine eigentliche Aufgabe, die Bewältigung der Zukunft, untüchtig machte. Von zwei Seiten her aber mußten sich gegen diese Auffassung Schwierigkeiten ergeben. Was vorstellbar war, solange man das Vorhandensein unbewußter Vorstellungen an sich als krankhafte Störung auffaßte, wurde unhaltbar in dem Moment, wo man die Rolle des Unbewußten auch in der Psyche des Normalen erkannte. Man konnte nicht auch den psychisch Gesunden mit rückwärts gewandten Augen durch das Leben gehen lassen. Und dann mußte sich ein Widerstreit ergeben mit dem Wesen der psychoanalytischen Methode selbst, die ja die Zielstrebigkeit der Assoziation, also das Vorwärtsdrängen der Gedanken, zur notwendigen Voraussetzung hat. Bei dieser Schwierigkeit setzt nun Freuds Theorie von den unbewußten Wünschen ein. Ihre Bedeutung liegt darin, daß es ihr gelingt, Vergangenheit und Zukunft zu verbinden. Das Unbewußte hält das Gewesene fest, aber nur um des Künftigen willen, weil es möchte, daß das, was war, wieder werden soll.

Trotz der großen Bedeutung der Wunschtheorie war es doch ausgeschlossen, daß die Psychoanalyse sich dauernd bei ihr hätte beruhigen können. War früher das Unbewußte ein rückwärts gewandter Prophet, so ist es jetzt ein vorwärts gewandter Historiker; die Zukunft ist ihm nur ein Umweg zur Vergangenheit. Auch jetzt noch hat die Vergangenheit, außer ihrer sozusagen historischen Bedeutung, daß sie nämlich das Individuum zu dem gemacht hat, was es jetzt ist, einen so entscheidenden Einfluß,˙ daß sie Gegenwart und Zukunft in ihre Farben kleidet. Wenn man nach Freudschen Gesichtspunkten ein Menschenschicksal erforscht, so kann man weit und immer weiter zurückgehen, bis in die frühesten Kinderjahre, und nie findet man eigentlich den Augenblick, wo der Mensch seine Zukunft selbständig aufbauen will, immer finden wir ihn dabei, die Vergangenheit wiederherzustellen.

An dieser Stelle der Entwicklung hat die Psychoanalyse durch Alfred Adler eine entscheidende Förderung erfahren. Er sieht die Rolle der Vergangenheit in einem anderen Lichte und so kann er auch die Stellung des Individuums zur Zukunft besser verstehen. Was wir die historische Bedeutung der psychischen Vergangenheit genannt haben, schätzt er mindestens ebenso hoch ein wie Freud, und er hat gerade hier, z. B. was die psychische Nachwirkung kindlicher Minderwertigkeiten betrifft, unsere Erkenntnis sehr gefördert. Aber seine Auffassung der aktuellen Rolle der psychischen Vergangenheit ist eine gänzlich verschiedene. Für ihn sind nicht konkrete Wünsche und Gedanken das Wesentliche am Unbewußten, sondern der unbewußte Lebensplan, eine unbewußte Vorstellung von der Rolle, die man in der Welt spielen will. Dieser Lebensplan ruft fortwährend Versuche hervor, sich vorbauend und vorausdenkend für alle möglichen Fälle zu rüsten. Bei diesen tastenden Versuchen nun dient die ganze Vergangenheit als Material. Als Mittel also, nicht als Ziel, taucht sie immer dort auf, wo wir uns mit der Zukunft beschäftigen. In vielen Fällen, wo Freud eine objektive Wunschregung voll Heimweh nach der Vergangenheit sieht, erblickt daher Adler nichts als eine symbolische Vorbereitung für die Zukunft.

So scheint mir Adler das Problem, das sich gleich zum Beginne der Psychoanalyse erhob, das Problem nach der seelischen Rolle der Erinnerungen, gelöst zu haben, indem er den von Freud betretenen Weg bis ans Ende verfolgte. Ich halte es daher für ein Widerstreben gegen die innere Logik des Entwicklungsganges der Psychoanalyse, wenn die vollständig auf Freud festgelegten Autoren Adlers Befunde zwar in vielem einzelnen, oft stillschweigend, übernehmen, den großen Zusammenhang seiner Forschungen aber ablehnen [1].

Die Differenz dieser beiden Standpunkte kann uns jedoch erst dann völlig klar werden, wenn wir uns endlich der Frage zuwenden: Was hat die Psychoanalyse über den Inhalt der Psyche zutage gebracht?

II.

Wenn dieser Aufsatz es unternehmen will, das, was die Psychoanalyse über den Inhalt der Psyche zutage gefördert hat, kurz darzustellen, so kann das — wie schon hervorgehoben wurde — nicht in einem Zuge geschehen, sondern nur so, daß wir die Standpunkte F r e u d s und A d l e r s einander gegenüberstellen. Die Tatsache eines solchen Zwiespalts allein scheint freilich den Gegnern ein sehr wirksames Argument in die Hand zu geben. Wenn die Anwendung der psychoanalytischen Methode zu so verschiedenen Ergebnissen führt, könnten sie sagen, so beweist das doch, daß wir es bei dieser Methode keineswegs mit einem neuen Weg zu tun haben, psychische T a t s a c h e n ans Licht zu ziehen — denn über Tatsachen könnte es keinen Streit geben —, sondern mit einer Reihe vielleicht geistreicher, jedenfalls aber willkürlicher Aufstellungen, denen gegenüber freilich dogmatische Rechtgläubigkeit und heftige Opposition gleich möglich seien. Ganz derselben Waffe, nur von einem anderen Standpunkt aus, bedienen sich übrigens manche Psychoanalytiker, indem sie jeden Widerspruch mit dem Hinweis ablehnen, was sie vortrügen, seien nicht Theorien, über die sich streiten lasse, sondern nur eine nüchterne Zusammenfassung der mit Hilfe ihrer Methode objektiv festgestellten psychischen Tatsachen. Die Un-

---

[1] In den letzten Veröffentlichungen der sogenannten Züricher Schule der Psychoanalyse (Jung Maeder) findet man allerdings vom Einflusse Adlers schon auf Schritt und Tritt deutliche Spuren.

haltbarkeit dieser beiden entgegengesetzt gerichteten und doch im Kern
übereinstimmenden Beweisführungen wird sofort klar, wenn man sich
das Wesen wissenschaftlicher Arbeit im allgemeinen und psychologischer im besonderen vor Augen hält. Die Frage der Nachprüfung der
Einzelbeobachtungen sei hier völlig ausgeschaltet. Aber die Richtigkeit
aller Einzelbeobachtungen zugegeben, so kann doch das Tatsachenmaterial, auf das sich eine Wissenschaft stützt, an sich nichts anderes
sein als eine Unzahl einzelner, zusammenhangloser Fakten. Damit aus
diesem Chaos zusammenhängende, einheitliche E r k e n n t n i s werde,
ist es nötig, die Einzeltatsachen zusammenzufassen, zu ordnen, unter
leitende Gesichtspunkte zu bringen. So tritt also in jeder wissenschaftlichen Theorie dem objektiven Faktor ein in gewissem Sinne
subjektives Moment gegenüber. Der Widerstreit zweier Theorien spricht
daher keineswegs gegen die Richtigkeit ihrer gemeinsamen objektiven
Grundlage und die Richtigkeit dieser Grundlage a l l e i n spricht noch
nicht für eine Theorie. Das Tatsachenmaterial, auf dem sich das
ptolomäische und das kopernikanische Weltsystem aufbauen, ist das
gleiche; die Art seiner Bearbeitung und seiner Bewältigung ist allerdings grundverschieden. Freilich muß sich dieser subjektive Faktor
wieder den Tatsachen gegenüber bewähren. Aber gerade die praktische
Prüfung wird nur möglich durch das Gegenüberstellen und Ausproben
verschiedener Möglichkeiten.

Ist also ein subjektiver Anteil immer vorhanden, so muß er naturgemäß eine besondere Rolle spielen in einer wahrhaft psychologischen
Psychologie. Der Forscher kann ja fremdes Seelenleben nur verstehen,
indem er es nachzuerleben sucht, die E i n f ü h l u n g ist Voraussetzung
jeder psychologischen Arbeit. Bei genauester Beachtung aller objektiven
Befunde wird also das entstehende Gesamtbild doch immer wesentlich
beeinflußt sein von der Persönlichkeit des Psychologen, so redlich er
bemüht sein mag, allzu Individuelles auszuschalten. Die Unpersönlich-
keit kann hier wohl ein Ziel der nachprüfenden Kritik, nicht aber des
aufbauenden Forschers sein. So tritt uns denn auch in den Theorien
Freuds und Adlers ein Gegensatz der Weltanschauung entgegen, der
nicht etwa erst aus ihren psychologischen Anschauungen entspringt,
sondern ihnen zugrunde liegt.

Das Charakteristische der F r e u d schen Psychologie liegt einerseits
in der beherrschenden, ja alleinherrschenden Stellung, die sie der
Sexualität zuweist. Daß dieser bei einer vertieften Neurosenforschung
eine besondere Rolle zufallen müsse, war freilich klar. Auch früher

hatte man ja den Zusammenhang zwischen Neurosen und sexuellen Störungen bemerkt, ja mitunter für gewisse nervöse Erkrankungen direkt sexuelle Verursachung behauptet. Und anderseits brachte es die Eigenart der psychoanalytischen Behandlung, bei der der Kranke das sonst als persönlichstes Geheimnis Gehütete dem Arzt mitteilt, mit sich, daß das Sexualleben des Patienten bei jeder Kur eine ausführliche Erörterung erfuhr. Freud hat nun das so aufgeworfene Problem mit dem äußersten Radikalismus gelöst. Nach ihm ist jede Neurose im wesentlichen sexuell verursacht. Dieser Lehrsatz erfuhr noch eine weitere Bestimmung dadurch, daß die Psychoanalyse etwas konkret aufzeigen konnte, was man ja auch früher als allgemeinen Erfahrungssatz ohne speziellen Beweis willig geglaubt hatte: die entscheidende Bedeutung der Kindheitsjahre für das psychische Leben des Erwachsenen. So kam Freud zu der Behauptung, die Neurosen — mit Ausnahme der Neurasthenie und der Angstneurose, die er auf aktuelle Schädigungen zurückführte — beruhten auf Störungen der kindlichen Sexualität. Zunächst nahm er an, daß es sich dabei um ein Einzelerlebnis oder um eine Reihe von solchen handle, die gewissermaßen als psychische Verletzungen (Traumen) wirkten. Dem stand aber entgegen, daß für die krankheitserregende Kraft dieser an sich oft recht unscheinbaren Erlebnisse zwar die tatsächlich eingetretene Krankheit zu bürgen schien, daß man aber bald erkennen mußte, daß zahlreiche Gesunde Gleiches oder Ähnliches erlebt hatten, ohne Schaden zu nehmen. Das drängte dazu, die eigentliche Wurzel der Krankheit anderswo zu suchen, und Freud fand sie in der sexuellen Konstitution. Er kam so dazu, eine Sexualtheorie aufzustellen, die das Sexualleben nicht nur des Kranken, sondern auch des Normalen in ganz neuem Lichte erscheinen ließ und die der Sexualität nach Umfang und Intensität eine weit wichtigere Rolle zuwies, als dies je zuvor geschehen war.

Der zunächst in die Augen fallende Unterschied der Freudschen Auffassung von der verbreiteten Ansicht ist der, daß nach ihm die Sexualität nicht etwa erst im Stadium der Pubertät oder der Vorpubertät in den Menschen fährt „wie der Teufel in die Säue", sondern daß für ihn das Kind vom Moment seiner Geburt an, und zwar in hohem Grade, sexuell ist. Daraus geht schon hervor, daß der Ausdruck „sexuell" in einem weiteren Sinne nimmt, als dies sonst geschieht. Der Lustgewinn beim Saugen, die Freude am Lutschen, das Interesse für die Stuhlentleerung, das Vergnügen beim Schaukeln und Fahren erscheinen ihm als ebenso sexuell wie die von anderen oft als bedeutungsloses

Spiel aufgefaßte Beschäftigung des Kindes mit seinen Genitalien [1].
So stehen am Beginn der Entwicklung des Individuums verschiedene
„erogene Zonen" (vor allem die Mund-, die After- und die Genitalzone)
gleichberechtigt nebeneinander und erst im Laufe dieser Entwicklung
erlangt die Genitalzone gewissermaßen den Primat, so daß die Bedeutung der andern teils ganz zurücktritt, teils der von ihnen stammende
Lusterwerb nur den Charakter der Vorbereitung oder des Ersatzes trägt.

Die Sexualität des Kindes muß aber noch eine andere Entwicklung
durchmachen. Zuerst genügt ihm zum Lusterwerb der eigene Körper,
daneben tritt dann der Lusterwerb durch Hinzutreten einer zweiten
Person; so schreitet es vom Autoerotismus zur Objektliebe. Die Sexual-
objekte wieder wählt es zuerst unterschiedlos in beiden Geschlechtern,
allmählich erst bildet sich die gegengeschlechtliche Objektwahl heraus.
Getreu seiner Grundanschauung faßt Freud alle Beziehungen zwischen
Menschen als sexuell auf. Nicht nur in der Liebe, auch in der Freundschaft, der Elternliebe, der Kindesliebe, der Geschwisterliebe erkennt
er das Walten der Libido.

Die von uns geschilderte Entwicklung setzt voraus, daß bestimmte
Komponenten der Libido, bestimmte Formen der Triebbefriedigung
teils durch die organische Entwicklung, teils unter dem Druck unserer
ethischen und kulturellen Anschauungen aus dem Bewußtsein des Individuums ausgelöscht, „verdrängt" werden. Die psychischen Energien,
die sich in ihnen ausgedrückt haben, können natürlich nicht verschwinden, sie sollen höheren kulturellen Aufgaben zugeführt, „sublimiert"
werden. Bei diesem verwickelten Vorgang nun sind Entwicklungsstörungen möglich. Unterbleibt die Verdrängung an einem oder mehreren Punkten, dann haben wir den sexuell Perversen vor uns.
Wird die Verdrängung vollzogen, aber gelingt es nicht, die beteiligte
Energie einer anderen Verwendung zuzuführen, so können diese jetzt
innerlich wirkenden Kräfte in einem gegebenen Zeitpunkt als Neurose oder Psychose hervorbrechen. Die mißglückte Verdrängung
libidinöser Regungen also ist es, was in der seelischen Erkrankung zum
Ausdruck kommt, und so konnte Freud die Neurose das Negativ der
Perversion nennen.

Eine besonders wichtige Rolle spielt nach Freud in der Entwicklung
der kindlichen Sexualität die Beziehung des Kindes zu den Eltern.
Wenn er uns sagt, daß die ursprünglich Vater und Mutter gleich

---

[1] Auch die Schaulust der Kinder, ihre Freude an der Entblößung und am
Schmutz gelten ihm als Äußerungen der kindlichen Sexualität.

geltende Neigung bald dem gegengeschlechtlichen Elternteil in besonderem Maße zugewandt werde, so scheint er sich freilich von dem
Boden früherer Beobachtungen noch nicht zu entfernen. Aber nach ihm
liebt der Knabe die Mutter eben als Geliebte und wünscht sie sexuell
zu besitzen nach Maßgabe der Vorstellungen, die sich sein kindlicher
Verstand über menschliche Liebesbeziehungen gemacht hat. Hier tritt
ihm nun ein Hindernis entgegen in der Person des Vaters, der ihm
jetzt als begünstigter Nebenbuhler erscheint. Nach dessen Entfernung
würde seinem Glück nichts mehr im Wege stehen. Weil nun nach
Freud dem Kinde die Bedeutung des Todes noch nicht klar geworden
ist und für dasselbe tot sein nur soviel bedeutet wie nicht mehr wieder-
kommen, so kann im Knaben der Wunsch entstehen, der Vater möge
sterben und ihm Platz machen. So sieht Freud in jedem Kind, wenigstens
in jedem künftigen Neurotiker, einen kleinen Ödipus, der seinen Vater
töten möchte, um dann die Mutter zu heiraten. Bei fortschreitender
ethischer Entwicklung des Knaben verfallen dann diese beiden Regungen,
der Haß und der Todeswunsch gegen den Vater und die sexuelle Liebe
zur Mutter, der Verdrängung und werden oft sogar durch entgegengesetzte Gefühle verdeckt. Aber ihre Wirkung vom Unbewußten her
und ihre Rolle bei der neurotischen Erkrankung scheinen Freud so
bedeutsam, daß er den Ödipuskomplex geradezu den Kernkomplex
der Neurose genannt hat.

Daß die hier umrissene Theorie Freuds auf einer großen Zahl neuer
und glücklicher Beobachtungen beruht, daß sie vielem, was früher
gesehen, aber nicht beachtet wurde, eine neue Bedeutung verleiht, kann
nur von denen geleugnet werden, die im Eifer der Ablehnung den unbe-
fangenen Blick für Tatsachen verlieren. Anderen Beobachtungen Freuds
merkt man es allerdings an, daß bei ihnen die fertige Theorie das Urteil
beeinflußt hat. Diese Theorie selbst wird den, der den anfänglichen
Widerstand überwunden hat und sich ihr willig überläßt, vor allem
durch ihre großzügige Einheitlichkeit bestechen. Die Sexualität, die
Libido, ist die gemeinsame Wurzel, aus der all die mannigfaltigen Erscheinungen des psychischen Lebens sprießen. Bei einer eingehenden
wissenschaftlichen Nachprüfung aber muß man freilich erkennen, daß
gerade diese Einheitlichkeit den schwächsten Punkt des ganzen Ge-
dankengebäudes deckt. Freud hat den Umfang des Begriffes Sexualität
erweitert, er hat es aber unterlassen, gleichzeitig den Inhalt dieses Begriffes neu zu bestimmen. Dadurch kommt in alle Äußerungen der
Freudschen Schule über Sexualität etwas Vages und Schillerndes. Man

hält sich zwei Wege offen: einmal erweitert man den Umfang des Begriffes Sexualität aufs radikalste, so daß man z. B. Lust ohne weiteres gleichsetzt sexueller Lust, und behält doch den Inhalt des Begriffes in seiner ganzen ursprünglichen Tragweite und Reichhaltigkeit bei. Das andere Mal vermeidet man diesen Fehler; da geht dann natürlich mit der Ausdehnung des Begriffes immer mehr von seinem Inhalt verloren, so daß man schließlich dazu kommt, Libido = Affektivität oder psychischer Energie zu setzen. Die Bezeichnung „sexuell" erscheint nunmehr als bloße terminologische Neuerung ohne Erkenntniswert. Diese Neigung zur einfachen Gleichsetzung von psychisch und sexuell wird besonders gefördert durch Freuds Theorie von der Sublimierung, die alle höheren psychischen Gebilde — Ethik, Wissenschaft, Kunst — als Produkte einer Richtungsänderung der Libido auffaßt. Die größte Gefahr aber liegt darin, daß die beiden von uns aufgezeigten entgegengesetzten Möglichkeiten nicht so scharf geschieden werden als man glauben sollte, sondern daß oft in derselben Arbeit erst der eine, dann der andere Weg beschritten wird.

Die Zwieschlächtigkeit der Freudschen Auffassung erleidet aber noch dadurch eine besondere Verschärfung, daß Freud, nachdem er erst alles psychische Geschehen auf Sexualität reduziert hat, dann doch einen Gegenpol zur Sexualität nicht entbehren kann. Die seelischen Konflikte, die zur Erkrankung führen, sind von seinem Standpunkt aus ja nur dadurch zu verstehen, daß der Libido eine andere Macht feindlich gegenübertritt. Daher die Verdrängung, daher der Gegensatz zwischen der unbewußten Libido und der bewußten Persönlichkeit. Und so beruht für ihn die Neurose auf einem Kampf der Sexualität mit den Ich-Trieben. Nur nebenbei sei hier bemerkt, daß sich bei dieser Gegenübersetzung die Unklarheiten im Freudschen Begriff der Sexualität empfindlich bemerkbar machen. Von der alten Anschauung aus war es allerdings ganz gut angängig, den Geschlechtstrieb als arterhaltende Funktion den Trieben der Selbsterhaltung gegenüberzustellen, obzwar man auch da sagen muß, daß dies biologisch und nicht psychologisch gedacht ist. Bei Freuds so erweiterter Auffassung von der Sexualität aber verliert diese Gegenübersetzung jede Berechtigung. Es ist nicht einzusehen, was die Lust des Kindes am Lutschen oder an seinen Darmfunktionen mit der Arterhaltung zu tun haben soll. Wir haben es in der so eigenartigen Gedankenwelt Freuds an dieser Stelle mit einem nicht amalgamierten Rest früherer Anschauungen zu tun. Weit schwerwiegender aber als dieser logische Schönheitsfehler ist es, daß dieser Gegensatz zwischen Sexualität und Ichtrieben, der bei Freud mit dem Gegensatz zwischen „bewußt" und „unbewußt" in Parallele gebracht wird, von dem stolzesten Ziel, das die Psychoanalyse sich stecken konnte, seitab zu führen droht. Sie wollte versuchen, mit Zuhilfenahme des Unbewußten das Seelenleben des Individuums in lückenlosem Zusammenhange aufzudecken. Jetzt aber haben wir vor uns zuerst die bewußte Persönlichkeit, die irgendwie ethisch wertvoll oder mangelhaft, gütig oder eigensüchtig, liebenswürdig oder abstoßend sein kann. Und in diese bricht dann aus dem Dunkel des Unbewußten eine fremde Macht herein, sie sekundär verändernd oder zerstörend. So müßten diese Gedanken Freuds, konsequent festgehalten, dazu führen, daß mit der Theorie von der sexuellen Wurzel aller psychischen Gebilde zugleich überhaupt die Möglichkeit zusammenbräche, den inneren Zusammenhang der Persönlichkeit zu begreifen.

Hier ist der Punkt, von dem aus der Psychologe am besten Einblick gewinnt in die Bedeutung der Forschung A l f r e d A d l e r s. Ihm steht der einheitliche Zusammenhang der Gesamtpersönlichkeit immer im Mittelpunkt der Betrachtung. Für ihn sind Bewußtes und Unbewußtes nicht gänzlich wesensverschiedene psychische Gebilde, sondern für ihn kommt im Unbewußten nur das klar und eindeutig zum Ausdruck, was sich auch im Bewußtsein, wenngleich versteckt, verzerrt und verfälscht, nachweisen läßt. Daher ist ihm auch die Neurose nicht ein plötzlicher Einbruch dunkler Gewalten in die Persönlichkeit, sondern sie wächst aus dem Boden einer ganz spezifisch geformten Persönlichkeit hervor. Daher ist für Adler die neurotische Disposition wichtiger als die Neurose. Sie ist die bleibende Grundlage, die Krankheit hingegen unter Umständen etwas Vorübergehendes. Das Zurückgehen der Krankheitssymptome an sich stellt daher auch keine eigentliche Heilung dar, weil der Patient dann noch immer die große Wahrscheinlichkeit einer neuen Erkrankung in sich trägt. Wirkliche Heilung liegt nur in der Behebung oder bedeutenden Herabsetzung der neurotischen Disposition, also in einer Umformung der Persönlichkeit, in einer Wandlung ihrer Zielsetzung und ihres Charakters. Beruht somit die Erkenntnis der Krankheit auf dem psychologischen Scharfblick des Arztes, so werden seine Heilerfolge nicht zuletzt von seinen pädagogischen Fähigkeiten abhängen.

Uns die mannigfaltigen und oft widerspruchsvollen psychischen Lebensäußerungen eines Individuums als die zusammenhängenden Funktionen einer Persönlichkeit verstehen zu lehren, ist also die Aufgabe, die Adler sich stellt. Es kann sich dabei nicht darum handeln, diese Mannigfaltigkeit materiell auf eine Einheit zu reduzieren. Denn daß ein solches Unterfangen scheitern muß, haben wir ja soeben bei der Kritik der Freudschen Gedanken gesehen. Das, worauf es Adler ankommt, ist, gewissermaßen den Kristallisationspunkt zu entdecken, um den herum das verschiedenartige Material sich gesetzmäßig anordnet, eine beherrschende Tendenz aufzuzeigen, in deren Dienst der psychische Rohstoff verarbeitet wird.

Diesen Angelpunkt findet Adler im Gefühl der Minderwertigkeit, das sich gegenüber den unendlichen Anforderungen der Außenwelt und dem kompakten Gefüge der Gesellschaft auch im stärksten Individuum geltend machen muß, das aber normalerweise beim Kinde infolge seiner natürlichen Schwäche und Ungeübtheit am intensivsten auftreten wird, besonders weil ihm die höheren Leistungen und die höhere soziale Wertung der Erwachsenen immer als Vergleichspunkt vor Augen stehen. Dieses Gefühl der Minderwertigkeit wird von außerordentlicher lebens- und entwicklungsfördernder Bedeutung dadurch, daß es nicht passiv bleibt, sondern ein energisches Streben nach Kompensation hervorruft. Vor allem in seiner „Studie über die Minderwertigkeit von Organen" hat Adler zahlreiche Beispiele sowohl aus der ärztlichen Kasuistik als auch aus der Lebensgeschichte bedeutender Männer dafür gegeben, wie sich auf Grund einer organischen Minderwertigkeit durch das Dazwischentreten dieser beiden seelischen Faktoren überwertige Leistungen entwickeln, die oft nicht nur für das Individuum, sondern für unsere ganze Kultur Bedeutung erlangen. Fälle von Malern mit Sehstörungen, von Musikern mit Schäden des Gehörorgans, berühmten Rednern, die stottern, sind ja allgemein geläufig, obzwar dieses Material nie systematisch durchforscht wurde und uns daher nur die besonders krassen Fälle zugänglich sind, die auch dem Laien auffallen mochten [1]. Hier sehen wir gleich, daß das Kompensationsstreben nicht dabei haltmacht. die Wagschalen wieder gleich zu stellen, sondern daß es darüber hinaus zu einer Überkompensation drängt. Darin liegt der Grund, daß diese psychische Reihe — Minderwertigkeitsgefühl mit darauf folgendem Kompensationsstreben — deren positive Seite wir bisher betrachtet haben, auch eine sehr gefährliche, mitunter verhängnisvolle Rolle in der Entwicklung des Individuums spielt. Je lebhafter das Gefühl der

---

[1] Den Einfluß dieser Faktoren auf die Entwicklung einiger bedeutender Naturforscher habe ich zu zeigen versucht in meiner Besprechung von Ostwalds „Große Männer" (Zentralblatt für Psychoanalyse, 1. Band).

Minderwertigkeit, desto stürmischer wird das Kompensationsstreben sein. Das Individuum wird dann zu Ansprüchen an sich selbst, an seine Umgebung, an das Leben kommen, die durchzusetzen seine Kraft nicht ausreicht, ja, die überhaupt über das Maß des menschlich Erreichbaren weit hinausgehen. So ist es auf eine Bahn gedrängt, die es einer sicheren Niederlage, ja einer fortgesetzten Reihe von Niederlagen entgegenzuführen droht. Hier setzt nun eine rückläufige Bewegung ein. An Stelle der „Leitlinien", die mit der Wirklichkeit allzusehr in Konflikt geraten, treten andere, sekundäre, die ihr besser entsprechen. Dort, wo die direkte Verfolgung eines Ziels eine Niederlage befürchten läßt, werden Zwischenglieder eingeschoben — „Sicherungen" —, die es gewissermaßen ermöglichen, dem Kampf auszuweichen, ohne doch die Kampfstellung aufzugeben. Die Einsicht in dieses Kräftespiel bildet den Ariadne-Faden, der uns durch das oft verworrene Gestrüpp der Charakterzüge, Phantasien und Wünsche des Individuums, in weiterer Linie auch zum Verständnis der hysterischen Symptome, Zwangsgedanken und Zwangshandlungen des neurotisch Erkrankten führt. Festzuhalten ist dabei natürlich, daß die konkrete Ausfüllung dieses abstrakten Schemas die allermannigfaltigste sein wird, weil hierbei die gesamte Veranlagung und die ganze Erfahrungssumme der Persönlichkeit einerseits, die Umwelt mit ihren Einflüssen und Beziehungen andererseits bestimmend sind. Festzuhalten ist ferner, daß das Individuum vor erfolgter psychoanalytischer Aufklärung in die von uns dargelegten Kräfteverhältnisse keine oder höchstens eine ganz stückweise Einsicht besitzt. Sie sind es gerade, die für Adler das entscheidende Unbewußte bilden.

Ein grob gezeichnetes Beispiel möge das Gesagte einigermaßen veranschaulichen. In einem Kinde von besonders intensivem Minderwertigkeitsgefühl — durch eine Erziehung, die dem Kinde seine Schwäche allzu stark zum Bewußtsein bringt, vor allem aber durch die Wirkungen organischer Minderwertigkeiten (Rhachitis, Kinderfehler) verursacht —, werden sich kompensatorisch Größenideen entwickeln. Es wird immer beachtet werden, wird überall der Erste, der Stärkste, der Größte sein, wird alles haben wollen. Weil sich dieses Programm in seiner Allgemeinheit nicht durchführen läßt, so mag an seine Stelle als sekundäre Leitlinie der Wettkampf mit einer einzelnen Person, etwa mit dem Vater, treten. Infolge eines weiteren Zurückweichens kann dann auch die Gestalt des Vaters durch eine andere, eine Warteperson, einen älteren Bruder, ersetzt werden. Der sekundäre Charakter dieser

Leitlinien wird daraus klar, daß auch ihre vollständige Durchsetzung nicht zu dauernder Befriedigung und Beruhigung führt. Bei diesen Herrschversuchen wird das Kind auf den Widerstand seiner Umgebung stoßen. Und hier zeigt sich deutlich, wie eine solche psychische Entwicklung nicht von vornherein eindeutig bestimmt ist, sondern wie demselben Ziel auf scheinbar ganz entgegengesetzte Weise zugestrebt werden kann. Auf den Widerstand der Umgebung kann nämlich das Kind reagieren mit Trotz oder mit Gehorsam. Zeigt sich im ersten Falle der Wunsch, sich seiner Umgebung gegenüber zu behaupten, ganz unmittelbar, so wird er sich bei dem geschilderten Kindertypus dem feineren Beobachter auch im zweiten Falle verraten. Nur werden jetzt die Mittel indirekte sein; das Kind wird seine Schwäche, Hilfsbedürftigkeit, Ungeschicklichkeit besonders betonen und bewahren, um auf diesem Umwege die Umgebung doch in seinen Dienst zu zwingen.

Es bleibt uns aber noch ein Moment darzustellen, das die psychische Spannung außerordentlich verschärft und alle Verhältnisse kompliziert. Das Kind, das unter dem Druck eines außerordentlichen Minderwertigkeitsgefühls und des daraus folgenden Kompensationsstrebens steht, sucht krampfhaft nach Maßstäben, mit deren Hilfe es seine eigenen Leistungen abschätzen und sich anspornen und vorwärtstreiben kann. Da wird ihm nun inmitten unserer heutigen Kultur in tausend kleinen und großen Beispielen die allgemeine Ansicht von der Minderwertigkeit des Weibes dem Manne gegenüber klar. Bei der Neigung solcher Kinder, alles auf die Spitze zu treiben, werden sie diesen Wertungsunterschied bald ins Unendliche steigern. „Männlich" wird ihnen zum Ausdruck alles Starken, Edlen und Wahren, „weiblich" zu einem ausschließlich herabsetzenden Prädikat. Gefährlich und folgenschwer aber wird diese Wertung erst dadurch, daß sie sich in einer Zeit entwickelt, wo sich das Kind über die reale Bedeutung der Geschlechtsunterschiede noch nicht im klaren ist, wo es noch nicht begreift, daß ihm seine Geschlechtsrolle von der Natur unabänderlich zugewiesen ist. Wer zweifeln sollte, daß es eine solche Epoche im Kindesleben gibt, den verweisen wir auf die Erfahrungen der Kinderstube und auf manche gegenüber Kindern leider beliebte Scherze. Wie sehr kann man mitunter einen Knaben damit ängstigen, daß man ihm sagt, man werde ihn in Mädchenkleider stecken, davon bekäme er lange Haare und werde dann ein Mädchen sein. Aber auch die Kenntnis des Unterschiedes der Genitalien gibt dem Kinde keine entscheidende Sicherheit. Seine Phantasie setzt sich darüber, auch hiezu oft durch stupide Scherze der Wartepersonen veranlaßt, durch die Vorstellung späteren Wachstums einerseits, der Kastration andererseits, hinweg. So erfährt die kindliche Unsicherheit an einem entscheidenden Punkte eine verhängnisvolle Steigerung, und das Kind reagiert darauf mit dem Wunsche: „Ich will ein Mann sein." Das wird jetzt die oberste Leitlinie des Individuums, die sein ganzes stürmisches Verlangen, nach oben zu kommen, alle seine Forderungen an Natur und Gesellschaft in sich aufnimmt. Wir haben es aber dabei nicht mit einem einfachen Formwandel zu tun; sondern das Feld, auf dem sich die psychischen Konflikte abspielen, und damit ihre Breite und Tiefe, ist außerordentlich erweitert. Die gesamte Sexualität und alle menschlichen Beziehungen, die sich auf ihr aufbauen, werden jetzt in das Kräftespiel einbezogen. Natürlich wird bei fortschreitender Kenntnis der Realität die Formel „Ich will ein Mann sein" nicht in ihrer ursprünglichen Naivität aufrechterhalten. Aber die sekundären Leitlinien, die sich dafür einschieben, können wieder die allerverschiedensten sein. Sie haben alle das Gemeinsame, daß sie das Individuum von der normalen Stellung zur Sexualität und zum Leben überhaupt abdrängen; im Hintergrunde steht immer ein unrealisierbares Endziel (unrealisierbar auch beim Manne, denn der „Mann", der hier gesucht wird, ist ein Übermann, den es in Wirklichkeit nicht gibt), und das macht es unmöglich, sich mit dem Leben abzufinden und, wo es nottut, zu resignieren. Die Mannigfaltigkeit der möglichen sekundären Leitlinien soll durch einige extreme Fälle dargetan werden. Das Mädchen, das begriffen hat, daß es nicht wirklich ein Mann werden kann, wird doch „männlichen Protest" gegen seine weibliche Rolle einlegen. Es kann dies nun rein negativ tun, indem es die Sexualität überhaupt ablehnt, oder positiv, indem es sexuell so frei und ungebunden leben will wie ein Mann. So entwickeln sich aus derselben Wurzel Virginitäts- und Kurtisanenideal[1]. Ähnlich ist es in der Psychologie des Mannes. Seine Unsicherheit darüber, ob er als Mann werde voll bestehen können, und die Unerträglichkeit des Gedankens, vielleicht einem Weibe zu unterliegen, kann in ihm eine Furcht vor dem Weibe entwickeln, die ihn zur sexuellen Askese treibt; oder er kann sich durch die immer erneute Besiegung des Weibes seine Männlichkeit beweisen wollen. So sind auch Don Juan und der heilige Aloysius innerlich viel verwandter, als es von außen her scheinen mag.

Für die Theorie der Neurosen hat Adlers Lehre vom männlichen Pro-

---

[1] Letzterer Zusammenhang zeigt sich besonders deutlich in den Briefen der Ninon de Lenclos.

test die besondere Bedeutung, daß sie uns die Rolle der Sexualität in
der seelischen Erkrankung verstehen läßt, ohne deswegen bei der Sexualität als Ursache stehen zu bleiben. So kann Adler auch den Befunden
Freuds ihr Recht werden lassen, nur daß sie bei ihm in einen größeren
Zusammenhang gerückt werden und dadurch eine neue Bedeutung gewinnen.

•

Die hier gekennzeichneten Grundlinien können sich natürlich nur in
ständiger Anwendung auf die konkrete Wirklichkeit bewähren. Ihr Wert
will darin liegen, daß sie uns den einheitlichen Strom psychischer Kraft
aufzuspüren lehren, der die vielgestaltige Persönlichkeit durchflutet.
Und so stellt uns jeder neue Einzelfall, handle es sich nun um einen
Kranken, handle es sich um das psychologische Erfassen einer Künstler-
oder Denkerpersönlichkeit, handle es sich um das psychologische Eindringen in ein Kunstwerk, vor eine neue Aufgabe. Der neuen Seelenkunde, die sich hier anbahnt und für die die Erforschung der Persönlichkeit im Vordergrunde steht, soll eben nicht nur das Besondere den Weg
zum Allgemeinen, sondern auch ebenso das Allgemeine den Weg zum Besonderen bahnen. Diese lebendige Durchdringung des Konkreten und
Abstrakten auch in der Darstellung zum Ausdruck gebracht zu haben,
bildet einen besonderen Reiz von Adlers Buch „Über den nervösen
Charakter", in dem er die Ergebnisse seiner Forschungen vorläufig ab-
schließend dargestellt hat. In diesem Werke sehen wir die Grund-
legung einer weit- und tiefgreifenden Individualpsychologie.

Rousseau und die Ethik.

Von Leopold Erwin Wexberg.

I.

Es wäre eine ebenso dankbare wie überflüssige Aufgabe, aus Rousseaus Leben zu erweisen, daß auch er ein Neurotiker war. Von dieser Seite betrachtet, ist er ein „Fall" wie viele andere, und so sehr im allgemeinen die Veröffentlichung von Krankengeschichten zu begrüßen ist, so berechtigt ist andererseits das Widerstreben des wissenschaftlichen Publikums gegen Analysen hervorragender Menschen, wenn sie eben nichts anderes sind als Krankengeschichten. Wo sich aber die Psychologie bemüht, das W e r k eines Künstlers oder eines Philosophen aus den Notwendigkeiten seines Charakters abzuleiten, da begegnet sie sich mit der Arbeit der Biographen und Literaturhistoriker. Jede medizinische Betrachtungsweise fällt weg, und unterstützt von den psychologischen Erfahrungen am Kranken und am Gesunden, wird der Versuch unternommen, eine c h a r a k t e r o l o g i s c h e Deutung des Individuums zu geben, die nicht die Möglichkeit, aber die innere N o t w e n d i g k e i t seines Werkes verständlich machen kann.

*

Wie ein Symbol für Rousseaus Entwicklung erscheint eine Kindergeschichte, die er im ersten Buche der Confessions erzählt: Er sei einmal von seinem Erzieher ungerecht gezüchtigt worden, und das habe einen so unauslöschlichen Eindruck auf ihn gemacht, daß er seit jener Zeit der Fanatiker der Gerechtigkeit geworden sei, als den er sich kenne. Wir werden die ursächliche Bedeutung dieses Erlebnisses gewiß nicht überschätzen. Aber die Erzählung zeigt, wie Rousseau selbst, indem er einen einzelnen Vorfall als T y p u s seiner Jugendschicksale heraushebt, diese selbst verantwortlich macht für seine ethische Wertung, die zur Ethik eines Jahrhunderts geworden ist.

Ein schwächliches Kind, unter beschränkten Verhältnissen geboren, kam er bald aus dem Elternhaus in fremde Hände. Seine Mutter starb bei seiner Geburt. Sein Vater leitete seine erste Erziehung gemeinsam mit einer Tante. Jean-Jacques genoß viel Zärtlichkeit.

Von frühester Jugend an zeigte er den Charakter des nervösen Kindes. Statt im Freien zu spielen und zu tollen, saß er schon mit sieben Jahren bei Büchern, die für Erwachsene bestimmt waren. Er hebt in den Confessions sein frühzeitiges Verständnis für das Gefühlsleben der Erwachsenen hervor. Manche andere Zeichen der Frühreife zeigten sich, so etwa die berühmte Episode aus seinem achten Jahre, als er die Züchtigung von der Hand seiner Erzieherin Mademoiselle Lambercier als sexuellen Genuß empfand. Er gehörte zu jener Art schüchterner, allzu ruhiger Kinder, die, schwächer als die anderen, rascher als diese alle jene Vorsichten und Sicherungen erlernen, die die neurotische Psyche zusammensetzen, und die deshalb vor der Zeit gereift erscheinen. Daß dieses System von Sicherungen, von Schüchternheit, Zurückhaltung und Klugheit auch bei ihm von krankhaftem Ehrgeiz durchbrochen wurde, zeigt zum Beispiel die von ihm erzählte Szene, wie er einst mit acht Jahren vor vielen Leuten die Geschichte von Mucius Scävola erzählte und dabei in solche Begeisterung geriet, daß er die Hand ins Kaminfeuer steckte, um es dem Römer gleichzutun. Wir erkennen hier wie in der sexuellen Prügelszene dieselbe Einstellung: immer wird er mit dem Schmerz fertig und erhebt sich über ihn, indem er ihn freiwillig und mit Lust auf sich nimmt. Kein Zweifel, daß er viel öfter geschlagen wurde als er erzählt. Es ist jener Mechanismus der neurotischen Abwehr, der im späteren Leben zu masochistischen Neigungen führen kann. So auch bei Rousseau. Er selbst führt seinen späteren Masochismus, der freilich wegen seiner Schüchternheit nie das Bereich der Phantasien überschritt, auf seine Jugenderlebnisse zurück. Daß aber hier die Methode, den Schmerz als Lust zu fühlen, nicht primär als „Perversität", sondern als Überkompensation und neurotische Abfindung mit sich selbst zu fassen ist, scheint aus der sekundären Verwendung dieser Reaktion in den beiden Jugenderlebnissen hervorzugehen. In der Prügelszene setzte er sich durch die sexuelle Umdeutung über die Erniedrigung und über den physischen Schmerz hinweg und entzog sich so jeder Strafe, ohne daß die Erzieherin es ahnte. Schließlich hatte er den unverhofften Erfolg, daß Mademoiselle Lambercier seinen heimlichen Genuß durchschaute und ihn nie mehr schlug. In der Scävolaszene aber wollte er durch seine Standhaftigkeit Bewunderung erregen. Der Stolz auf das Ertragen von Schmerzen ist ein gemeinsames Merkmal vieler nervöser Kinder: er ist sicher eine wesentliche Quelle des späteren Masochismus.

Seit Rousseau einmal in diese Rolle des Märtyrers gedrängt war, hat er sie zeitlebens beibehalten. Passivität bis zur völligen Willenslähmung, Empfindsamkeit bis zur Sentimentalität treten bis in die Zeit seiner Geisteskrankheit in seinem Charakter am stärksten hervor. In sexuellen

Dingen war er schüchtern, ohne jede aggressive Energie, immer erfolg-
os, zeitlebens fast der Masturbation ergeben. Die Angst vor der Frau
nahm in der Unmöglichkeit seiner Wünsche, in der Unerreichbarkeit
seiner Liebesobjekte groteske Formen an. Und immer gelang es ihm,
aus der Not eine Tugend zu machen, die unglückliche Liebe als einzig
erstrebenswert, die glückliche als leer und enttäuschend zu fühlen.
Das Verhältnis zu Mademoiselle Lambercier blieb ihm vorbildlich fürs
ganze Leben; so heißt es in den Confessions: „Lange gequält, ohne zu
wissen wovon, verzehrte ich schöne Frauen mit glühenden Blicken;
meine Phantasie rief sie mir unablässig ins Gedächtnis zurück, bloß
um sie nach meinem Wunsche in Aktion zu setzen und ebensoviele
Fräulein Lambercier aus ihnen zu machen." Wo es ihm im realen
Leben nicht gelingt, eine Frau in die überlegene Rolle zu zwingen, da
versagt seine Sinnlichkeit; die sanften, gütigen Frauen will er nie zu
Geliebten, höchstens zu „Freundinnen" haben. So, als er sich mit
zwölf Jahren in zwei Mädchen zugleich „verliebte": die eine entsprach
dem Typus der Mademoiselle Lambercier, die andere war sanft und
freundlich wie seine Tante Suson, die bei ihm Mutterstelle vertreten
hatte; jener galt, wie er erzählt, seine Sinnlichkeit, eine ruhige Zärtlichkeit aber der anderen. Wir werden nicht verkennen, daß dieses
Erlebnis, wie manches andere aus seiner Kinderzeit, im Sinne des Erwachsenen umgedeutet, daß vieles sexuell geschen wurde, was es in
Wahrheit noch nicht war. Sicher ist aber, daß er diesen Schutzbau
gegen das Weib schon in der Jugend entworfen und beharrlich durchgeführt hat. Denn Rousseau hat nie glücklich geliebt. Immer wußte
er sich davor zu hüten: die Frauen, die ihm gefielen, bekam er nicht,
und die er haben konnte, begehrte er nicht.

Die psychoanalytische Schule ist gewohnt, in dem System der neurotischen Erotik das Bild der Mutter dominierend vorzufinden. Rousseaus
Mutter ist bei seiner Geburt gestorben. Und seiner Tante Suson, die bei
ihm Mutterstelle vertrat, fehlte für die Mutterrolle ein wichtiges
Moment: die Beziehung zum Vater. Wenn auch Rousseau mit dank-
barer Zärtlichkeit ihrer gedenkt, so scheint sie doch seinem späteren
Leben nichts Bleibendes hinterlassen zu haben, außer dem Ideal weicher,
liebevoller Weiblichkeit, das er aber im Leben kaum suchte. Doch als
er fünfzehn Jahre alt war, fand er eine Frau, die er sozusagen aus
eigener Machtvollkommenheit zu seiner Mutter ernannte. Madame de
Warens, die er „maman" nannte, war Jahre hindurch seine mütterliche
Freundin und Beschützerin, zu der er in wahrhaft kindlicher Verehrung

aufsah, an der er mit ängstlicher Unselbständigkeit hing. Als sie sich
schließlich, wie es scheint aus pädagogischen Gründen, entschloß, seine
Geliebte zu werden, da gelangte, schon in der Erwartung dieses Ereignisses, sein ganzes neurotisches System, die Angst vor der Frau zur
vollen Entfaltung. Er sollte, mit 22 Jahren, zum erstenmal ein Weib
besitzen. Hatte er Madame de Warens nicht deshalb „maman" genannt, sie zum Abgott erhoben, um sich vor ihr als Weib zu schützen?
Er hatte die Inzestschranke zwischen sich und ihr errichtet, weil er seine
eigenen Begierden fürchtete. Nun mußte er es doch wagen. Was er
vor diesem Ereignis fühlte, beschreibt er in folgendem: „. . . (Ich war)
erfüllt von einer Art Entsetzen, gemischt mit Ungeduld, d a s f ü r c h -
t e n d , w a s i c h e r s e h n t e, so sehr, daß ich zuweilen allen Ernstes
nach irgendeinem anständigen Vorwand suchte, um dem verheißenen
Glück zu entkommen . . . mit einem Wort, ich liebte sie zu sehr, um
sie zu begehren." Und als es geschehen war: „War ich glücklich?
Nein, ich genoß bloß die Lust. Irgendeine unüberwindliche Traurig-
keit vergiftete den Reiz: m i r w a r , a l s h ä t t e i c h e i n e n I n z e s t
b e g a n g e n."
Rousseau war so zu jenem Schritt gezwungen worden, den er am
meisten fürchtete. Bisher war es ihm trotz seinem bunten Leben tatsächlich gelungen, der Frau fernzubleiben. Ein Handkuß war das
Höchste, was er wagte, und er meinte in diesem mehr zu genießen,
als andere im Besitze des Weibes. Nun war er plötzlich auf den allgemeinen Kampfplatz herabgestiegen, es galt ein Mann zu sein, kein Ausweg war möglich. Nach den Erfahrungen der Psychoanalyse muß eine
solche Konstellation fast mit Sicherheit die Neurose zur Folge haben
(die „Flucht in die Krankheit"). Tatsächlich schloß sich bei
Rousseau kurz darauf an eine akute fieberhafte Erkrankung ein
längeres Leiden an, das nach der Beschreibung der Confessions wenigstens großenteils nervöser Natur war. Ein schweres Krankheitsgefühl
war wohl das Wesentliche daran. Ist unsere Vermutung richtig, dann
kann die unbewußte Bestrebung, die dieser Neurose wie jeder anderen
zugrunde liegen mußte, nur eines gewesen sein: der Protest gegen den
geschlechtlichen Verkehr mit „maman", der ihn dauernd an sie zu
ketten drohte und ihn deshalb nicht befriedigte. Der Zweck wurde
zweifellos erreicht: die Krankheit machte schließlich eine Erholungs-
reise notwendig, und die längere Trennung führte zu einer Erkaltung
der Beziehungen zwischen Madame de Warens und ihm, so daß er
bei seiner Rückkehr einen anderen Liebhaber an seiner Stelle vorfand.

Er aber war nun gesund. Die Befreiung war ihm gelungen. Kurz
darauf ging er — im Alter von dreißig Jahren — nach Paris.

Rousseau hatte bisher kaum einen selbständigen Schritt gewagt. Unfähig, sich selbst eine Stellung im Leben zu erkämpfen, war er immer
wieder zu „maman" zurückgekehrt, um hier wie im Elternhause zu
leben, nur auf ihren Befehl zu arbeiten. Literarische Versuche began-
nen erst in der letzten Zeit vor seiner Abreise nach Paris, als er, von
seiner Krankheit genesend, im Frieden des Landlebens Muße gefunden
hatte, seine bisher recht lückenhafte Bildung autodidaktisch zu ver-
vollständigen. Aber an eine literarische oder wissenschaftliche Zukunft
dachte er damals noch nicht, und als er nach Paris ging, stützte er sich
auf nichts als auf seine musikalischen Kenntnisse und auf ein neues
System der Notenschrift, das er erfunden hatte. Als er damit keinen
Erfolg erzielte, nahm er eine Stellung als Gesandtschaftssekretär in
Venedig an. Sein ganzes Auftreten in dieser Zeit zeigt schon viel mehr
Sicherheit, wenn auch keine Zielbewußtheit. Vielleicht war es das
Bewußtsein, die größte Gefahr: die Frau — erlebt und, wenn auch
unter Kämpfen, bestanden zu haben, das ihn so plötzlich erwachsen werden ließ. Sein sexuelles Verhalten blieb freilich weiter das des schüchternen, ängstlichen, auf Wahrung seiner selbst bedachten Neurotikers.
Das spricht recht deutlich aus seinen Erlebnissen mit zwei veneziani-
schen Kurtisanen. Von der einen, die ihn förmlich zwingen mußte,
sie zu nehmen, brachte er eine jahrelang andauernde Furcht vor Geschlechtskrankheiten heim, die natürlich nichts anderes war als eine
notdürftige Verkleidung der Furcht vor der Frau überhaupt. Die andere, die ihm gefiel, die er begehrte, erregte plötzlich seinen Abscheu,
als er bemerkte, daß sie eine eingezogene Brustwarze hatte. Ohne zu
wissen, was das zu bedeuten hätte, glaubte er darin etwas wie eine Gefahr, wie einen Makel zu erblicken, der ihm erst erklärlich machte,
wieso all diese Schönheit für ihn, gerade für ihn, nicht zu gut wäre.
Er quälte sie so lange damit, bis sie sich ihm versagte.

Immerhin gelang es ihm, nach seiner Rückkehr nach Paris (1744)
durch eine dauernde Verbindung mit einem Mädchen aus niederen
Ständen, Therese Levasseur, sein sexuelles Leben in ruhige Bahnen
zu lenken. Er liebte sie nie, aber blieb ihr immer treu. Durch dieses
eine, vom erotischen Standpunkt aus ungefährliche Weib hielt er sich von
nun ab alle anderen Frauen vom Leibe. Es ist bekannt, daß Rousseau
die vier Kinder, die ihm Therese gebar, ins Findelhaus gab, offenbar,

um sich vor der Gefahr des Familienlebens, der Verantwortung und des Sorgens für so viele Menschen zu schützen.

Erst im Alter von 37 Jahren fand Rousseau seinen eigentlichen Beruf. 1749 verfaßte er die berühmte Preisschrift über das Thema: „Hat der Fortschritt der Wissenschaften und Künste zur Verderbnis oder zur Läuterung der Sitten beigetragen?" Mit der paradoxen Beantwortung dieser Frage, die bekanntlich in einer leidenschaftlichen Verdammung aller Kultur gipfelte, war Rousseaus Kampfeinstellung für alle Zeit — und nicht nur für seine Rolle als Philosoph — gegeben. Er hatte eine Basis gefunden, von wo aus er für sein ganzes bisheriges Leben Rache nehmen und in eben der Gesellschaft, die er verurteilte, zur Geltung kommen konnte. Erst der Erfolg seiner Schrift ermutigte ihn, seine Grundsätze ins wirkliche Leben zu übertragen. Von jetzt an wies er jede Möglichkeit, zu Reichtum und Ansehen zu gelangen, von sich. Er war wie ein trotziges Kind, das ganz auf sein Essen verzichtet, weil man ihm bei Tisch nicht alle seine Wünsche gewähren will. Er lebte von dem Ertrag des Notenschreibens, kleidete sich armselig, ließ sich den Bart wachsen — kurz, er spielte den Wilden, den Naturmenschen inmitten der Pariser Gesellschaft, um gegen sie zu protestieren. Er wußte nur zu gut, daß er gerade dadurch zur gesellschaftlichen Sensation wurde, er ließ es sich gefallen, als Sonderling halb verlacht, halb bewundert, immer aber besprochen zu werden[1]. Er wurde der Liebling der Salons, die er haßte. Kein Zweifel, daß ihm an dem Effekt seines Auftretens mehr gelegen war als er je zugegeben hätte. „Ich gab mich zynisch und beißend aus Scham; ich tat, als verachtete ich die Höflichkeit, zu der ich nicht fähig war. Allerdings nahm diese Grobheit, entsprechend meinen neuen Prinzipien, in meiner Seele

[1] „Sie sagen, daß ich niemand gleichgültig bin. Um so besser! Ich kann die Lauen nicht leiden und will lieber von tausend auf das äußerste gehaßt und von einem ebenso geliebt werden. Wer sich um mich nicht ereifert, ist meiner nicht wert . . ." (Aus einem Brief an Frau von La Tour-Franqueville, zitiert nach Möbius. J. J. Rousseau, 3. Aufl., Leipzig 1911.)

„Ich gestehe, daß der Name, den mir meine Schriften erworben haben, mir die Ausführung meines Vorhabens sehr erleichtert hat. Man muß für einen guten Autor gehalten werden, um sich ungestraft zu einem schlechten Kopisten machen zu dürfen und doch als solcher der Arbeit nicht zu ermangeln. Ohne jenen Titel würde man diesen vielleicht zu ernsthaft genommen haben, und das hätte mich elend machen können. Denn der Lächerlichkeit will ich gern Trotz bieten, die Geringschätzung aber würde ich nicht so leicht ertragen." (Aus dem 2. Brief an Herrn von Malesherbes vom 12. I. 1762. Zitiert nach Möbius.)

eine edle Gestalt an, gab sich für die Furchtlosigkeit der Jugend aus;
. . . dennoch . . . ist es sicher, daß Freunde und Bekannte diesen wilden
Bären wie ein Lamm lenkten, und daß ich, indem ich meine Sarkas-
men auf harte, aber allgemeine Wahrheiten beschränkte, keinem Menschen jemals ein beleidigendes Wort zu sagen vermochte."

Man sieht, er war nicht ganz befriedigt von seiner Haltung: er fühlte
sich nicht stark und sicher genug, um die Rolle, die er gewählt hatte,
bis in die letzten Konsequenzen durchzuführen. Immer wieder sieht
er sich gezwungen, auf der Linie des größten Widerstandes zurückzu-
weichen. Daß die Prinzipientreue darunter litt, scheint selbstverständlich; aber ebenso, daß sie ihm oft auch als Deckung für den Rückzug
gelten konnte. Als sein Singspiel: „Le devin de village" (Der Dorf-
prophet) in Versailles vor dem Hofe mit großem Erfolge aufgeführt
wurde, saß er in seiner gewöhnlichen Tracht, mit einem wilden Bart,
in abgenutzten Kleidern, inmitten der höchsten Pariser Gesellschaft. Das
wagte er noch, gestützt auf seine Prinzipien. Als er aber am nächsten
Tage zur Audienz befohlen wurde, um vom König eine lebenslängliche
Rente zu empfangen, brach seine krankhafte Schüchternheit durch:
unter der Angst, daß sein altes Leiden, eine Blasenschwäche, ihn vor
dem König in eine unerträgliche Situation bringen könnte, verbarg sich
das Gefühl der Minderwertigkeit gegenüber dem Monarchen. Er konnte
es nicht ertragen, von einem König eine Gnade zu empfangen. Zwanghaft mußte er sich mit jenem messen, und weil er keine Möglichkeit
sah, ü b e r dem König zu stehen, wich er ihm aus. Er erschien
nicht zur Audienz und verzichtete damit auf die Rente. Mit einiger
Mühe redete er sich ein, daß wieder seine republikanischen Prinzipien
gesiegt hätten. So kämpfte er mit zwei Fronten: die eine, die der
Welt zugekehrt war, durfte nichts als unbeirrte Konsequenz im Dienste
seiner ethischen Grundsätze verraten; die andere aber, die er nur selbst
kannte, war die Linie seiner allerpersönlichsten Notwendigkeiten, seines
Geltungsdranges und seiner Selbstschätzung. Was in der einen Front
ein Sieg, war oft in der anderen eine Niederlage. Diese Taktik hatte den
Vorteil, seine persönlichen Konflikte ganz den Augen der Welt zu entziehen. Aber sie wurden darum nicht geringer. — In dieser Zeit, da
er unter den stärksten Kontrasten von Stolz und Feigheit, von Eitelkeit
und Selbstverachtung, von Bewunderung und Lächerlichkeit einen Ent-
wicklungsprozeß durchmachte, der in unerbittlicher Konsequenz die
Konflikte seines bisherigen Lebens ins Große steigerte, einer Lösung zu-
führen wollte, die unmöglich war — in dieser Zeit traten die ersten Vor-

boten der Geisteskrankheit auf. Unberechtigte Forderungen und Vorwürfe gegen Freunde waren der Anfang. Diderots Verrat an seiner Freundschaft wurde von ihm als willkommener Anlaß benutzt, die neue Rolle der verfolgten Tugend aufzunehmen. Von der Höhe seines Selbstbewußtseins gefiel er sich in der Vorstellung, daß er Feinde habe. Ganz unmerklich ging er vom Angriff in die Verteidigung über. Unfähig, auf die Dauer die Maske des öffentlichen Anklägers und Sittenrichters durchzuführen, die ihm wirklich Feinde machte, unfähig, auf der Basis seiner Prinzipien mit jener Sicherheit auszuharren, die ihm, unabhängig vom persönlichen Erfolg oder Mißerfolg, den Ruf eines starken Mannes, eines Helden im Kampfe für seine Überzeugung verschaffen sollte, unfähig, die Lächerlichkeit zu ertragen, die seine eigenen Zweifel erweckte — trat er den Rückzug an. Und wie eine Flut von Verwünschungen gegen den siegreichen Feind erscheinen nun seine Anklagen, die allmählich immer persönlicher, immer unphilosophischer wurden[1]. Während er in unermüdlicher Arbeit die genialen Werke schuf, die einem Jahrhundert zum Wahrzeichen wurden, während er am Emile arbeitete, diesem ersten großartigen Versuch einer Pädagogik auf psychologischer Grundlage — kämpfte er in seinem persönlichen Leben gegen selbstgeschaffene Widersacher, erfand Feindseligkeiten, wo er keine fand, und ergriff schließlich die Flucht vor der großstädtischen Gesellschaft[2]. Er bezog sein Asyl, die Ermitage, die ihm von einer

---

[1] „Ich hasse die Großen, ich hasse ihren Stand, ihre Vorurteile, ihre Kleinheit und alle ihre Laster; ich würde sie noch mehr hassen, wenn ich sie weniger mißachtete". (Aus dem 4. Brief an Malesherbes, 28. I. 1762. Zitiert nach Möbius.)

[2] „Ja, mein Herr, obgleich ich die Ungerechtigkeit und die Schlechtigkeit im höchsten Grade hasse, trotzdem würde diese Empfindlichkeit allein mich nicht dazu gebracht haben, die menschliche Gesellschaft zu fliehen, wenn mich dies ein großes Opfer gekostet hätte. Mein Beweggrund ist weniger edel ... Ich habe die Neigung zur Einsamkeit mit auf die Welt gebracht, und sie ist in dem Grade gewachsen, wie ich die Menschen besser kennen gelernt habe. Ich finde meine Rechnung eher bei den Wesen, die meine Einbildungskraft um mich versammelt, als bei denen, die ich in der Wirklichkeit treffe, und die Gesellschaft, deren Kosten in meiner Stille die Phantasie bestreitet, verleidet mir die gänzlich, die ich verlassen habe. Sie halten mich für unglücklich, für verzehrt vom Trübsinn. Oh, wie sehr, mein Herr, täuschen Sie sich. In Paris war ich es, in Paris vergiftete mir die Galle das Blut, und diese gallige Bitterkeit macht sich nur zu sehr in allen Schriften bemerklich, die ich dort veröffentlicht habe." (Aus dem 1. Brief an Malesherbes vom 4. I. 1762. Zitiert nach Möbius.)

reichen Freundin eingeräumt wurde. Es war das beste, was er tun konnte. Nur durch die Vermeidung jeder näheren Berührung mit der Gesellschaft konnte er die wachsende Überempfindlichkeit vor krankmachenden Erlebnissen bewahren. Er war nun auf der Suche nach Erniedrigungen und Beleidigungen, um ohnmächtig 'gegen sie zu protestieren. Die Feinde wuchsen ihm aus dem Boden, wo immer er hinsah. Er allein war tugendhaft und unschuldig, alle anderen hatten es auf nichts als Treubruch und Grausamkeit abgesehen. Und schon war auch ein Komplott zurechtphantasiert, eine Verbindung von ehemaligen Freunden, Neidern und Heuchlern, die sich seinen Untergang zum Lebenszweck gemacht hätten. Und dieses Komplott wurde immer größer, bald war die Regierung daran beteiligt, die zum Unglück den Emile unter Zensurverbot stellte. Wie ein letzter freundlicher Augenblick ist ihm die Phantasie einer glücklichen Liebe, die er im ersten Teil seiner Nouvelle Heloïse mit der überschwenglichen Empfindsamkeit eines, der im Leben zu kurz gekommen ist, zum Kunstwerk gestaltet[1]. Und unter dem Einfluß seiner eigenen Phantasie verliebt er sich wirklich — zum ersten und einzigen Male, wie er sagt. Madame de Houdetot sprach gern mit ihm, ließ sich die Schwärmerei des berühmten Philosophen gefallen, aber sie konnte ihm nichts gewähren. Rousseau mußte von der Aussichtslosigkeit seiner Liebe von Anfang an überzeugt sein. Das war aber auch der Grund, warum er sich in dieses Abenteuer einließ. Nichts hätte ihn mehr überraschen, mehr erschrecken können, als ein Erfolg seiner Werbungen. Er blieb ihm erspart. Aber der Skandal, den er durch seine unkluge, fast öffentliche Schwärmerei hervorrief, gab seinen Verfolgungsideen von neuem etwas wie eine reale Basis. Er mußte die Ermitage verlassen. Nachdem er vier Jahre als Gast des Marschalls von Luxemburg in Montmorency ein Leben voll Unruhe und Unzufriedenheit geführt hatte, mußte er einem Ausweisungsbefehle Folge leisten, den er einer unzarten Anspielung auf eine einflußreiche Persönlichkeit in einem seiner Werke zu verdanken hatte. Im Jahre 1762, 50 Jahre alt, verließ er Frankreich, und nun begann ein ruheloses Wanderleben, das ihn zuerst in verschiedene Orte der Schweiz, dann nach England führte. Hier kam die Geisteskrankheit

---

[1] „Ich versammelte um mich alles, was mein Herz erfreuen konnte. Meine Wünsche waren das Maß meiner Lust. Nein, kein Wollüstling hat jemals gleiche Wonnen geschmeckt. Hundertmal mehr habe ich in meinen Einbildungen genossen, als jener in Wirklichkeit." (Aus dem 3. Brief an Malesherbes vom 26. I. 1762. Zitiert nach M ö b i u s.)

offen zum Ausbruch. Die Wahnidee von der geheimen Verschwörung
war ihm in die Fremde gefolgt, in England nahm sie riesige Dimensionen an. Nun glaubte er fest an eine Vereinigung aller seiner Feinde in
Europa, die es sich zum Ziel gesetzt hätte, ihn nirgends zur Ruhe kommen zu lassen. Er stieß seine besten Freunde von sich, indem er sie der
Teilnahme an der Verschwörung bezichtigte. Er wollte offenbar allein
gegen eine Welt von Feinden stehen, die bedrängte Tugend inmitten aller
Laster. Und je zahlreicher seine vermeintlichen Gegner wurden, desto
höher wuchs er selbst in seinen Augen. Als er endlich vor seinen angeblichen Verfolgern aus England flüchten wollte, da gab er in einem
Anfall völliger Verwirrung seinen Feinden die Schuld an den Stürmen,
die seine Abreise verzögerten. Schließlich kehrte er nach Frankreich
zurück. Es ist unnötig, seine weiteren Schicksale zu verfolgen. Sie
standen alle unter dem Zeichen seines Verfolgungswahnsinnes, der nach
der erregten Phase in England allmählich in einem fixen, unerschütterlichen System erstarrte. Er schrieb Verteidigungsschriften, wie die
Confessions, deren erste Hälfte schon in England entstand. Sie sind
ein Dokument seiner unerschütterten geistigen Fähigkeiten, die durch die
Erfordernisse seines Wahns nur in einem engen Kreise beeinträchtigt
wurden. Bis zu welchem Grade aber die geistige Störung gedieh, geht
aus einer späteren Verteidigungsschrift hervor, die ,,Rousseau juge de
Jean-Jacques'' betitelt ist und zum Beispiel folgende Sätze enthält
(zitiert nach B r o c k e r h o f f , J. J. Rousseau, sein Leben und seine
Werke. Leipzig, 1863):

,,Sobald er sich irgendwo niederläßt, was man immer im voraus weiß,
werden die Mauern, die Fußböden, die Schlösser, kurz, alles um ihn
her in passender Weise eingerichtet. Auch vergißt man nicht, ihm
geeignete Nachbarn zu geben, das heißt schlaue Spione, gewandte Schurken und gefällige Mädchen, die man genau instruiert hat. Natürlich
werden alle seine Briefe geöffnet und diejenigen zurückgehalten, aus
welchen er einen Aufschluß über seine Lage gewinnen könnte. Dagegen
läßt man ihm beständig andere von verschiedener Hand zugehen, um
aus seinen Antworten seine Stimmungen und Absichten zu erfahren. Man
hat es so verstanden, ihm aus Paris eine Einöde zu machen, die schrecklicher ist als Höhlen und Wälder. Er findet mitten unter den Menschen
weder Umgang noch Trost, weder Rat noch Aufklärung, noch irgend
etwas, was ihm helfen könnte, sich in angemessener Weise zu erhalten.
Es ist ein ungeheueres Labyrinth, in dem man ihn in der Finsternis
nur falsche Wege entdecken läßt, d i e i h n i m m e r w e i t e r i n d i e

Irre führen[1]. Niemand spricht ihn an, der nicht über das, was er ihm sagen, wie über den Ton, den er gegen ihn anschlagen soll, genaue Weisung erhalten hat. Man notiert sich alle, die ihn zu sehen wünschen, und gestattet es ihnen erst, nachdem sie über ihn gehörig instruiert worden sind. Wenn er an einem öffentlichen Orte erscheint, wird er wie ein mit der Pest Behafteter angesehen und behandelt. Alle Welt umringt und fixiert ihn, aber so, daß man sich von ihm fernhält und, ohne mit ihm zu sprechen, bloß um ihm als Barriere zu dienen. Wagt er es, selbst zu sprechen, und läßt man sich herbei, ihm zu antworten, so geschieht es entweder mit einer Lüge oder man umgeht seine Frage mit einem so harten und verächtlichen Ton, daß ihm die Lust vergeht, deren noch weitere zu stellen. Im Theater bemüht man sich eifrig, ihn seiner Umgebung zu empfehlen und stets eine Wache oder einen Polizisten neben ihn zu stellen, der so sehr deutlich von ihm spricht, ohne etwas zu sagen. Man hat ihn überall und jedermann gezeigt und signalisiert, den Kommis, den Packträgern, den Polizeispionen, den Savoyarden, in allen Theatern, allen Cafés, den Barbieren, den Kaufleuten, den Kolporteuren, den Buchhändlern. Wenn er ein Buch, einen Kalender, einen Roman suchte, in ganz Paris würde keiner zu finden sein; das bloße Verlangen nach einer Sache ist, wenn er es ausspricht, das unfehlbarste Mittel, sie für ihn verschwinden zu machen ... Will er über den Fluß, so wird man für ihn nicht übersetzen, auch wenn er die ganze Fähre bezahlt. Wünscht er sich des Schmutzes zu entledigen, die Schuhputzer werden ihm verächtlich ihre Dienste verweigern. Tritt er in die Tuilerien oder ins Luxemburg, so haben die Leute, die an der Türe gedruckte Billette verleihen, Befehl, ihn mit beleidigender Miene zu übergehen, oder sie ihm rundweg abzuschlagen, wenn er sich nähert, um sie in Empfang zu nehmen." —

In tiefster Einsamkeit, kaum berührt von dem Ruhm, der seine Persönlichkeit und sein Wirken umgab, starb er im Jahre 1778, elf Jahre vor dem Ausbruch der französischen Revolution.

II.

So war Rousseau. Ein verworrener Charakter, der, aus lauter verständlichen Zügen zusammengesetzt, nur durch das Extreme in den

---

[1] Von mir hervorgehoben. Man beachte, wie sich hier ein dunkles Bewußtsein des Wahnsinns in zweideutiger Form durchsetzt, doch nur, um auch für den Wahnsinn die Umwelt verantwortlich und schuldig erscheinen zu lassen.

wohlbekannten Elementen fremdartig wirkt. Aber wir verstehen seine
Schwäche im Verhältnis zur Welt. Wir verstehen, wie er, mehr und
mehr unfähig zum sozialen Leben, die Realität verneinen und eine
Phantasie an ihre Stelle setzen mußte; und wie schließlich diese Phantasie in dem Maße, als sich der Riß zwischen ihm und der Welt vertiefte, völlig überwucherte und zur Psychose führte. Er hätte die Menschen ertragen, wenn sie ihn geliebt und verzogen hätten wie eine Mutter;
er hätte sie ertragen, wenn sie ihn zum Herrn über sich gesetzt hätten.
Da ihm keines von beiden beschieden war, wollte er von ihnen gehaßt
und verfolgt sein, und er machte sie zu seinen Feinden.

Aus denselben Quellen aber stammt Rousseaus Unsterbliches. Seine
Ethik hat eine geträumte Welt zur Voraussetzung, in der Alles nach
seinem Wohlgefallen eingerichtet ist. „Ich schuf mir Wesen nach
meinem Herzen und, indem ich Meinungen, Vorurteile und törichte
Leidenschaften weithin verbannte, führte ich in die stille Zuflucht der
Natur ihrer würdige Menschen. Ich bildete aus ihnen eine reizende
Gesellschaft, deren ich mich nicht unwert fühlte, und formte mir ein
goldenes Zeitalter nach meiner Phantasie." (Aus dem 3. Brief an
Malesherbes.) Aber dieser Traum war eine polemische Schöpfung,
er diente der Ablehnung, der Verurteilung des Bestehenden. Er erinnert in mehr als einer Hinsicht an die utopischen Romane sozialistischer
Schriftsteller, nur daß diese das kommende, immerhin mögliche Glück
schildern, Rousseau aber das verlorene Paradies. Kein Wunder, wenn er
mit der wissenschaftlichen Forschung in Widerspruch gerät. Doch
was ist ihm die Wissenschaft? Auch nur ein Produkt der verderblichen
Kultur, die unserer natürlichen Glückseligkeit ein Ende gesetzt hat.

Rousseau geht von einer Voraussetzung aus, die ihm alle Folgerungen
seiner Ethik wesentlich erleichtert: der Mensch ist von Natur aus gut.
„Man sagt uns, daß das Gewissen das Werk der Vorurteile sei; und doch
weiß ich aus Erfahrung, daß es hartnäckig dem Gebot der Natur folgt,
gegen alle Gesetze der Menschen." Er versucht keine Begründung,
sein Gefühl ist ihm genügende Sicherheit dafür, wie auch für die Entscheidung der Vorfrage nach der Existenz eines freien Willens. „Ich
will meinen Arm bewegen, und ich bewege ihn, ohne daß diese Bewegung eine andere unmittelbare Ursache hätte als meinen Willen. Vergeblich würde man durch vernunftgemäße Auseinandersetzungen dieses
Gefühl in mir zerstören wollen, es ist stärker als jede Augenscheinlich-
keit; ebensogut könnte man mir beweisen, daß ich nicht existiere."
Man sieht, Rousseau begibt sich hier auf den rein phänomenologischen,

das heißt also psychologischen Standpunkt, der ihm für die Frage des
freien Willens auch durchaus recht geben muß. Doch er verläßt diese
Basis sofort, wenn er im Sinne seiner Tendenz etwas beweisen will:
„Indem ich über die Natur des Menschen nachdachte, glaubte ich darin
zwei verschiedene Prinzipe zu finden; das eine erhob ihn zur Beschäftigung mit den ewigen Wahrheiten, zur Liebe der Gerechtigkeit und der
edlen Sittlichkeit . . .; das andere aber führte ihn niedrig auf sich selbst
zurück, unterwarf ihn der Herrschaft der Sinne, den Leidenschaften,
die die Diener der Sinne sind, und bekämpfte durch sie alles, was ihm
das Gefühl des ersten Prinzips eingab." Hier bewegt sich Rousseau
ganz auf den herkömmlichen Bahnen der christlichen Ethik. Das gute
und das böse Prinzip im Menschen, Gott und der Teufel, Seele und
Körper — wir kennen und verstehen diese Antithesen[1]. Die „Leidenschaften" sind für Rousseau der Inbegriff alles Aktiven, Vordringenden,
Angreifenden im Menschen. Aus Angst, sich zu verlieren, dämmt er sie
ein, aus dem Gefühl der Schwäche kommt ihm die Vorsicht, die ihn
vor den Leidenschaften warnt[2]. N i e t z s c h e hat diesen Zusammenhang
erkannt. Der Schwache nennt alles Starke „böse", weil er selbst nicht
dazu fähig ist und weil er selbst darunter leidet. Es mag sein, daß diese
Ableitung der unendlichen Bedeutung und Tiefe der christlichen Ethik

---

[1] Es ist hier nicht der Platz, der Psychologie der Ethik im allgemeinen
nachzugehen. Ich verweise auf die Arbeit Dr. Karl F u r t m ü l l e r s : „Psychoanalyse und Ethik", München 1912, dessen Auffassung meinem Standpunkte sehr
nahe steht.

[2] „Woher stammt die Schwäche des Menschen? Von der Ungleichheit,
die zwischen seiner Kraft und seinen Wünschen besteht. Unsere Leidenschaften
machen uns schwach, denn ihre Befriedigung würde mehr Kräfte erfordern
als die Natur uns gab. Vermindert also die Begierden, und es ist dasselbe, als
ob ihr die Kräfte vermehrtet: wer mehr vermag, als er begehrt, hat einen
Überschuß; er ist sicher ein sehr mächtiges Wesen."

„Was die Natur uns verbietet, ist: innere Neigungen weiter auszudehnen
als unsere Kräfte. Was die Vernunft uns verbietet, ist: zu wollen, was wir
nicht erreichen können. Was uns das Gewissen verbietet, ist nicht, sich in
Versuchung führen zu lassen, sondern den Versuchungen zu unterliegen.
Es hängt nicht von uns ab, Leidenschaften zu haben oder nicht, aber es liegt
in unserer Macht, über sie zu herrschen. Alle Gefühle, die wir beherrschen, sind
erlaubt, alle, die uns beherrschen, sind sündhaft. Ein Mensch ist nicht
sündig, weil er eines andern Frau liebt, wenn er diese unglückselige Leidenschaft dem Gesetze der Pflicht unterworfen hält; er ist sündig durch die
Liebe zur eigenen Frau, wenn er seiner Liebe alles zu opfern bereit ist."
(R o u s s e a u, Emile.)

nicht gerecht wird: für Rousseau ist sie von maßgebender Wichtigkeit.
Ihm ist die sittliche Natur des Menschen eine Stütze, eine Basis, von der
aus er die Überlegenheit seiner Umwelt fiktiv in ihr Gegenteil verkehren
kann. Und für seine Person bedeutet das moralische Gesetz die Leitlinie der Vorsicht, die ihm verbietet, irgend etwas aufs Spiel zu setzen.
Er fühlt sich schwach und hütet seinen Besitzstand mit doppelter Wach-
samkeit. Die „Leidenschaften" sind für ihn, was der kostspielige
Lebensgenuß für den Geizhals ist: er vergönnt sich sie nicht. Jeder
Neurotiker führt strenge energetische Rechnung im psychischen Haus-
halt. Ihm erscheint jede Triebbefriedigung als Energieverlust, er vermeidet sie wie eine unnütze Ausgabe und erlaubt sie sich nur dann,
wenn sie einem höheren Zweck dient: einer Tendenz. Auch darin
gleicht er dem vorsichtigen Kapitalisten, der jede Ausgabe mit reichen
Zinsen wieder zurückzubekommen hofft.

Aber diese Schwäche bedarf der Rechtfertigung. Irgendwie muß die
Schwäche zur Stärke gemacht, der Nachteil in Vorteil umgerechnet werden. Die christliche Ethik hat den Ausweg gefunden: „Mein Reich
ist nicht von dieser Welt." Das ist die Lösung: die andere Welt ist
das Negativ der Realität. Die hier die letzten sind, dort werden sie die
ersten sein. Und wer sich selbst erniedrigt, der wird erhöhet werden.
Das christliche Paradoxon ist auch Rousseaus Gedanke. Aus der Tatsache, daß er willkürlich den Arm bewegen könne, schloß er die Freiheit des Willens. Die wahre Freiheit aber, die Freiheit des anderen
Reiches, ist ihm die Inaktivität, gleichsam der Entschluß, den Arm
nicht zu bewegen. „Ich bin aktiv, wenn ich meiner Vernunft Gehör
schenke, passiv, wenn meine Leidenschaften mich mit sich fortreißen."
Und: „Ich bin ein Sklave durch meine Laster, frei durch meine Reue."
. . . „Ach! Allzusehr fühle ich es durch meine Laster: der Mensch
lebt nur zur Hälfte während seines Lebens, und das Leben der Seele
beginnt erst beim Tode des Körpers."

Das ist Christentum. Soweit wußte Rosseau diesen Ideen nichts
Neues hinzuzufügen. Unermüdlich ist er aber in den Versuchen, die
Ethik aus der natürlichen Anlage des Menschen abzuleiten. Jede andere Möglichkeit scheint ihm absurd: „Wenn die sittliche Güte unserer Natur angemessen ist, kann der Mensch nur insoweit geistig gesund und normal veranlagt sein, als er gut ist. Ist sie es aber nicht,
und ist der Mensch von Natur aus böse, dann wäre das Gegenteil Entartung und die Güte bei ihm nur ein widernatürliches Laster. Geschaffen, um seinesgleichen zu schaden, wie ein Wolf um seine Beute zu

erwürgen, wäre ein sittlicher Mensch ebenso verderbt wie ein mitleidiger Wolf, und die Tugend allein würde uns Reue verursachen." Man weiß, daß N i e t z s c h e diese zweite Möglichkeit nicht absurd gefunden, daß er sie zur Grundlage einer Antimoral gemacht hat. Für Rousseau und seine Zeit mag diese Art der Dialektik viel Bestechendes gehabt haben.

Es mag wundernehmen, daß Rousseau nicht den Versuch machte, aus der sozialen Entwicklung der Menschheit die Entstehung und selbst die Notwendigkeit der Moral abzuleiten. Hier aber liegt das Charakteristische seiner Anschauungen: Rousseau war ein Feind der Sozialität. Er haßte alle Zivilisation [1], ihre Grundlagen wie ihre Ergebnisse. Darum mußte er für diese zwangloseste, verständlichste Deduktion des moralischen Gesetzes blind sein [2]. Aus seiner Persönlichkeit ist diese Eigenart seiner philosophischen Anschauungen leicht zu verstehen. „Gesellschaft" ist ihm die Masse von fremden, unzuverlässigen Menschen, die ihm das Leben in Paris verleidet haben; diese Unzahl überlegener Konkurrenten, denen er nur dann nicht unterlag, wenn er sich dem Kampf entzog, diesem Heer von Feinden, gegen ihn Verschworenen, die er in der Psychose auf seinen Fersen fühlte. Sie waren stärker als er: darum waren sie das böse Prinzip. Und das ist diese, anscheinend so unwesentliche, Modifikation der christlichen Lehre, die er in seinem Leben und in seinen Werken so leidenschaftlich vertrat. Natur, Freiheit und Sittlichkeit ist ihm eins, Gesellschaft, Sklaverei und Unsittlichkeit das andere. Das war Rousseaus ethischer Fund, der neue Gedanke, der ihm aus den Leiden seines Erlebens als Trost und Rache erwuchs.

Rousseaus Philosophie ist für uns zur Historie geworden. Sie hat ihre Bestimmung vor mehr als hundert Jahren erfüllt. Wie ein zu-

---

[1] „Je mehr sie (die Nationen) der Natur nahestehen, desto mehr herrscht die Güte in ihrem Charakter; erst wenn sie sich in den Städten einschließen, wenn sie sich unter dem Einfluß der Kultur verändern, werden sie verdorben, dann erst verwandeln sich einzelne Fehler, die mehr plump als bösartig waren, in angenehme und verderbliche Laster."

„Wie wenigen Übeln ist doch der Mensch ausgesetzt, der in seiner ursprünglichen Einfachheit lebt! Er lebt fast ohne Krankheiten wie ohne Leidenschaften, er sieht den Tod nicht voraus, und fühlt ihn nicht, wenn er kommt, dann machen ihn ihm seine Leiden wünschenswert: von da an ist der Tod kein Übel mehr für ihn."

[2] „Das Gewissen ist ängstlich, es liebt die Zurückgezogenheit und den Frieden; die Welt und der Lärm erschrecken es; die Vorurteile, aus denen es angeblich hervorgegangen sein soll, sind seine grausamsten Feinde; es flieht oder schweigt vor ihnen; ihre lärmende Stimme erstickt die des Gewissens und hindert es, sich Gehör zu verschaffen." (E m i l e.)

fälliges Nebenprodukt seines Werkes erscheint dem Biographen das, was heute und für alle Zeiten Wert behalten wird: Rousseaus Pädagogik. Ich halte mich nicht für berufen, ihre Bedeutung für unsere Zeit zu würdigen, sie auf ihren praktischen Wert zu prüfen. Ich möchte nur an einzelnen Beispielen dartun, wie Rousseau seine Erziehungslehre auf psychologischen Voraussetzungen aufbaut, die sich überraschend mit neuesten Erkenntnissen begegnen.

Im Beginn des 4. Buches des Emile finden sich psychologische Erörterungen, die, obwohl oder vielleicht eben weil sie tendenziös gemeint sind, durch die scharfsinnige Problemstellung überraschen. Rousseau unterscheidet eine Liebe zu sich selbst (amour de soi) und eine Selbstsucht (amour-propre). Die eine ist berechtigt, die andere nicht: „Die Liebe zu sich selbst, die bloß uns allein betrifft, ist zufrieden, wenn unsere wahren Bedürfnisse gestillt sind; aber die Selbstsucht, die sich mit anderen mißt, ist nie zufrieden und kann es nicht sein, denn indem dieses Gefühl uns den anderen vorzieht, verlangt es auch, daß die anderen uns vor sich selbst den Vorzug geben; und das ist unmöglich. So entstehen die sanften und liebevollen Leidenschaften aus der Liebe zu sich selbst, die boshaften und heftigen aus der Selbstsucht." Rousseau erkennt richtig die Überspannung des Persönlichkeitsgefühles bei jenen Charakteren, die wir heute als neurotisch (im Sinne Adlers) bezeichnen würden. Ja auch über den Mechanismus ihrer Entwicklung ist er sich teilweise klar: „Wenn man es (das Kind) zum Gehorsam zwingt, ohne daß es den Nutzen dessen einsieht, was ihm befohlen wird, faßt es das als Laune auf, als die Absicht, es zu quälen, und lehnt sich auf. Wenn man ihm aber selbst gehorcht, sieht es in jedem Widerstand eine Rebellion, eine Absicht, ihm Widerstand zu leisten . . ." Aus diesen Überlegungen zieht Rousseau Schlüsse für die praktische Pädagogik; ein Kind ist weder mit Strenge noch mit grenzenloser Nachgiebigkeit zu erziehen. Beide Fehler bedingen einander, der eine ist unvermeidlich, wenn man dem anderen verfallen ist. Und in dieser ungesunden Atmosphäre, wo Sturm und Sonnenschein, Kälte und Hitze wechseln, entstehen jene schrankenlosen und dabei schwächlichen Menschen, die sich selbst und anderen zur Last werden, die Psychastheniker und Haustyrannen, die ewig ungezogene Kinder bleiben, denen die Anpassung an die Realität nie völlig gelingt, weil ihre Kindheitserlebnisse von der Realität so grundverschieden waren. Jene künstliche Kinderstubenwelt, in der der Mensch so schlecht auf das Kommende vorbereitet wird, als sollte er nie erwachsen sein, so daß er leicht für alle

Zeit eine falsche Einstellung zum Leben behält, will Rousseau abschaffen. Er bemüht sich, dem Kind eine Umgebung zu setzen, die sich zum Kinde so verhält wie die Wirklichkeit zum Erwachsenen — also eine Vorstufe der Wirklichkeit, eine nur in einzelnen Punkten vereinfachte Wirklichkeit. Er schreckt vor kunstvollen Komödien nicht zurück, die dem Kinde durch eigene Erfahrung die Konsequenzen irgendeiner unklugen Handlung demonstrieren sollen. Aber all das ist für das Kind Realität, kein Unterricht[1], und Moralpredigten, Befehle und Verbote haben in dieser wirklichen Welt keinen Platz, wie sie ja auch beim Erwachsenen als solche keine Rolle spielen, sondern nur auf dem Umwege des Vorteils oder Nachteils[2].

Bis dahin ist Rousseaus Erziehungssystem mustergültig. Sein Kampf gegen die „amour-propre" müßte das Motto sein für jede moderne Pädagogik; denn er ist der Kampf gegen die Entwicklung zur Untauglichkeit, Verbrechertum, Schwäche und Neurose. Rousseaus Irrtum beginnt erst dort, wo er ins ethische Gebiet gelangt. Immer wieder versucht er an der Hand der Unterscheidung zwischen „natürlichen" und „unnatürlichen" Leidenschaften das sittlich Gute, die affektive Moral, als notwendiges Resultat von den natürlichen Leidenschaften abzuleiten. Er weiß jedoch, daß das Kind amoralisch ist und weist jeden Versuch einer moralischen Erziehung des Kindes zurück. Er zeigt an den Fabeln von Lafontaine, wie unfähig die Kinder sind, die „Moral von der Geschichte zu verstehen[3]. Das Kind, meint er, sei zum „natürlichen

---

[1] „Man irrt auch, wenn man sie auf Überlegungen aufmerksam machen will, die sie noch in keiner Weise berühren, wie die Rücksicht auf ihr zukünftiges Interesse, auf ihr Glück als Erwachsene, auf die Achtung, die man ihnen zollen wird, wenn sie groß sind; Reden, die vor Wesen ohne jede Voraussicht gehalten, ihnen gar nichts bedeuten." (E m i l e.)

[2] Es mag sein, daß diese Methode, wenn sie von der Doktrin der Natürlichkeit zu weit getrieben wird, zu spartanischer Gewaltsamkeit führen kann. So, wenn Rousseau die Wahl der Nahrung ganz dem natürlichen Instinkt des Kindes überlassen will, in der Erwartung, daß im Notfall die öftere Erfahrung eines verdorbenen Magens das Nötige tun wird, um das Kind qualitativ und quantitativ selbständig und dabei richtig wählen zu lassen. „Nie wird man mich überzeugen, daß unsere ersten Neigungen so regellos seien, daß man ihnen nicht nachkommen könne, ohne uns in Lebensgefahr zu bringen." (E m i l e.) In der Praxis wird man es nicht wagen können, dieses Vertrauen zu teilen.

[3] „Man erniedrigt sich nicht gern: sie werden immer die schöne Rolle wählen; das ist die Wahl der Eigenliebe, das ist eine ganz natürliche Wahl . . . In allen Fabeln, wo der Löwe vorkommt, wird das Kind, weil dieser gewöhnlich der mächtigste ist, unbedingt sich zum Löwen machen."

Menschen" zu erziehen, der der Moral noch nicht bedarf: „Das Glück
des natürlichen Menschen ist so einfach wie sein Leben, es besteht
darin, daß er nicht leidet: Gesundheit, Freiheit, das Notwendige zum
Leben setzen es zusammen." Der eigene Vorteil muß also die bewegende
Kraft sein, die das Kind veranlaßt, sich zu entwickeln und neue Fähigkeiten zu erwerben.

Vielfach sind Rousseaus Erziehungsmaximen durch seine eigenartige
Einstellung zur Welt beeinflußt. So, wenn er als wertvollstes Buch für
den Knaben Robinson Crusoe empfiehlt; denn: „Das sicherste Mittel,
sich über die Vorurteile zu erheben und seine Urteile nach den wahren
Beziehungen der Dinge zu richten, ist, sich an die Stelle eines isolierten
Menschen zu versetzen und alles so zu beurteilen, wie es dieser selbst
beurteilen muß mit Rücksicht auf seinen eigenen Nutzen." Rousseaus
Abneigung gegen die Gesellschaft, die zugleich ein Protest gegen sie
und Angst vor ihr ist, kommt hier zum Durchbruch. Sogar die Kenntnis
der sozialen Beziehungen will er dem Knaben so lange als möglich
vorenthalten; muß man ihm aber darüber Aufklärung geben, so empfiehlt er eine Darstellung der Gesellschaftsordnung, wie sie sein soll,
nicht wie sie ist. Der Knabe soll den Stand des Ackerbauers am höchsten werten, die Luxusgewerbe am niedrigsten: „So wird er die Meinung
mit der Wahrheit vergleichen und sich über das Gewöhnliche erheben
können." Damit gibt Rousseau seinem Zögling von Anfang an jene
feindliche Einstellung gegen die Kultur, die er sich selbst angeeignet
hat. Ja, er erzieht den Knaben zum Sozialisten und hofft ihm damit
die glücklichste Stellung zur Welt vorgezeichnet zu haben. Hier muß
die Vernunft der Doktrin weichen. Und die doktrinäre Tendenz verleitet ihn auch zu dem Irrtum, daß sich in den Jahren der Pubertät,
gleichzeitig mit dem Erwachen der Leidenschaften, auch die moralischen
Gefühle einstellen. Man erkennt den klugen Psychologen nicht mehr,
wenn er behauptet: „Die Jugendzeit ist nicht das Alter der Rachsucht
und des Hasses; sie ist das des Mitleids, der Güte, des Edelmutes. Ja,
ich behaupte . . ., ein Kind, das nicht schlecht geboren ist, und das bis
zu zwanzig Jahren seine Unschuld bewahrt hat, ist in diesem Alter der
edelste, der beste, der liebevollste und liebenswerteste Mensch." Wie
Schopenhauer rechnet er mit dem natürlichen Mitleid, obwohl er den
psychologischen Mechanismus dieses Affektes wohl kennt: „Das Mitleid
ist lustvoll, weil man sich an die Stelle des Leidenden versetzt und dabei
doch das Vergnügen fühlt, nicht so zu leiden wie er." Und in der meta-
physischen Deutung des Mitleids berührt er sich völlig mit Schopen-

hauer: „In der Tat, wie ließen wir uns zum Mitleid rühren, es sei denn, daß wir aus uns herausgehen und uns mit dem leidenden Lebewesen identifizieren, indem wir sozusagen unser Wesen verlassen und das seinige annehmen?" Unter den drei ethischen Maximen, die er aufstellt, lautet die erste: „Es liegt nicht im menschlichen Herzen, daß er sich an die Stelle von Leuten versetzt, die glücklicher sind als wir, sondern nur von solchen, die zu beklagen sind." Diese Maxime ist in ihrer viel zu allgemeinen Form ein deutliches Dokument von Rousseaus Verhältnis zu jenen, die glücklicher und mächtiger sind als er. Er beneidet sie. Und er hält eine neidlose Teilnahme an fremdem Glück für ausgeschlossen. Der Neid aber ist keine „natürliche Leidenschaft". Darum kann sein Zögling an dem Glück anderer keinen Anteil nehmen.

In dieser Zeit der Entwicklung aber muß er der Natur die Zügel aus der Hand nehmen. Er empfiehlt, die Sinnlichkeit des jungen Menschen zu unterdrücken[1]. Und gleichzeitig beginnt nun der Kampf gegen die „Leidenschaften" auf allen Linien[2]. Durch Beispiele, durch Erlebnisse, deren Zeuge er ist, soll der junge Mann zum moralischen Menschen erzogen werden. Rousseau scheut vor gewaltsamen Mitteln nicht zurück. Er erzählt beiläufig die Geschichte eines Vaters, der seinen Sohn nach dessen erstem Verkehr mit Frauen in ein Spital für Syphilitische führt, um ihn abzuschrecken. Wir können Rousseau hier nicht folgen. Wir sehen, wie sein Erziehungsplan mit dem wachsenden Alter seines Zöglings immer mangelhafter wird, mehr und mehr erkennen wir Rousseaus Charakter, seine ungesunde Eigenart in den pädagogischen Grundsätzen. Immer wieder verläßt er sich auf die natürliche, angeborene Moral[3]. Schließlich kommt er aber doch zu dem Ergebnisse, daß das moralische Gesetz nur unter der Voraussetzung, daß es einen

---

[1] „Wenn das kritische Alter naht, bietet den jungen Leuten Schauspiele, die sie zurückhalten, und nicht solche, die sie aufreizen; beeinflußt ihre erwachende Phantasie durch Objekte, die, weit entfernt, ihre Sinne zu entzünden, deren Aktivität unterdrücken."

[2] „Es ist nicht wahr, daß der Hang zum Bösen unbezähmbar ist, und daß man nicht imstande ist, ihn zu besiegen, ehe man sich daran gewöhnt hat, ihm zu unterliegen."

[3] „Es gibt also auf dem Grunde der Seelen ein angeborenes Prinzip der Gerechtigkeit und Tugend, nach dem wir, trotz unserer eigenen Grundsätze, unsere und fremde Handlungen als gut oder schlecht beurteilen, und dieses Prinzip nenne ich Gewissen."

Gott gibt, Gültigkeit hat[1]. Gott aber erkennt man in der Natur[2]. So kommt ihm von anderer Seite wieder dies Wort „Natur" in die Reihe seiner Gedanken. Die Natur wird zum mystischen Inbegriff alles Guten. Sowohl die andere Natur, als die innere „Natur" der Menschen — es erscheint ihm alles dasselbe. Sie ist das Urbild der Sittlichkeit und der Schönheit. Sie ist das Glück[3].

Rousseau hat dem Wort „Natur" einen tiefen inneren Gehalt gegeben. Es war ihm das Symbol der Glückseligkeit auf Erden, das verlorene Paradies. Aber ehe er es zur Höhe eines philosophischen Begriffes erhob, war es ein Kampfruf. Und als Kampfruf ist es von seinen Zeitgenossen aufgenommen worden. Der kranke Genius, der sich mit brennendem Ehrgeiz aus der Tiefe des Volkes emporgerungen hatte, der im Verkehr mit Grafen und Herzögen immer wieder den Kürzeren zu ziehen glaubte, weil er schüchtern und ungeschickt war, er rieb sich auf im persönlichen Kampfe. Als seine schrankenlose Phantasie den Feind ins Riesenhafte vergöttert hatte, verzieh es ihm sein Stolz, daß er der Übermacht wich. Aber indessen hatte er, mit den tiefsten Instinkten des Volkes im Bunde, in seinen Büchern die Wut des Unterdrückten aufgestapelt. Er starb, und seine Saat ging auf. Rousseau ist der geistige Führer der Revolution, in seinem Namen werden Paläste in Brand gesteckt, unermeßliche Schätze einer alten Kultur im ersten Ansturm vernichtet. Ein Königsthron bricht zusammen, und die Herren und Adeligen werden vor das Revolutionsgericht geschleppt. Ihr unerbittlicher Ankläger und Richter aber ist der Geist Rousseaus. Unsichtbar hat er sein Tribunal errichtet am Eingang einer neuen Zeit, und erbarmungslos, wie sie ihn durchs Leben gejagt haben, so wirft nun er die Träger und Hüter der verhaßten Kultur zu Boden — im Namen der Sittlichkeit und der Natur.

---

[1] „Wenn es keine Gottheit gibt, so ist nur der Böse vernünftig, und der Gute ist nichts als ein Tor."

[2] „So habe ich denn alle Bücher geschlossen. Es gibt ein einziges, das allen Augen offen ist, das ist das Buch der Natur. In diesem großen, erhabenen Buch lerne ich, seinem göttlichen Schöpfer zu dienen und ihn anzubeten."

[3] „Alle wahren Urbilder des Geschmacks finden sich in der Natur." . . . Ich hielt mich auf dem Wege der Natur, in der Erwartung, daß sie mir den Weg des Glückes zeigen würde. Es hat sich gefunden, daß es derselbe war, und daß ich ihm gefolgt war, ohne daran zu denken."

Über Lügenhaftigkeit beim Kinde.

Von Otto Kaus (1913).

Wenn wir, absehend vom ethischen und soziologischen Problem, das Phänomen der Lüge psychologisch beleuchten wollen, so treten uns, viel eher als die Frage: was ist Lüge? — folgende drei Motive entgegen, die wir bei der Beurteilung der Lüge vor allem im Auge behalten müssen:

Wie entsteht die Lüge? wie wird Lüge? (Eine Frage, die sich vielleicht nur bei der Betrachtung des Kindesalters etwas genauer beantworten läßt, jedenfalls immer nur dann, wenn man, dem infantilen Charakter des Phänomens folgend, die Situation auch beim Erwachsenen mit einer frühen Entwicklungsperiode vergleicht.)

Wie wirkt die Lüge auf die Umgebung?

Wie wirkt die Lüge auf den Lügner selbst, auf das Subjekt (das Kind) zurück?

Im weiteren Verlaufe unserer Auseinandersetzungen werden wir den Nachweis versuchen, daß diesen Hauptmotiven gegenüber die Frage nach dem Inhalt und dem logisch-ethischen Wesen der Lüge stark zurücktritt, daß vor allem die landläufige Definition, das Lügen bestehe darin, „daß man bewußt eine Unwahrheit sagt", den Boden verliert. Daß damit auch zugleich die meisten pädagogischen und moralischen Schlußfolgerungen, die sich von dieser Definition ableiten, fallen müssen, ist selbstverständlich.

Die erste Überraschung, die uns beim Verfolgen dieser Betrachtungsweise erwartet, ist die Einsicht, daß das Kind die Lüge e r l e r n t, und zwar gerade von denjenigen erlernt, die, einer konventionellen Erziehungsmethode folgend, das Fernhalten der kindlichen Psyche von schädlichen Produkten als eine ihrer Hauptpflichten betrachten. Das gilt von allen jeweiligen Erziehern, — seien es Eltern oder fremde, mit der Erziehung des Kindes betraute Personen. Wir können noch einen Schritt weitergehen und sagen, daß speziell d i e S o r g e, d a s K i n d v o n d e r L ü g e f e r n z u h a l t e n, besonders wenn sie übertrieben ist, zur treibenden Kraft wird, welche in die bisher von diesem Motive, wenn auch nicht von anderen, reine Atmosphäre des Kindes das neue Phänomen der Lüge hineinträgt.

Stellen wir uns für einen Augenblick den idealen, meist niemals der

Wirklichkeit entsprechenden Zustand der vollkommenen Naivität des
Kindes vor. Allerdings ist das ein Zustand, der mit dem ersten Lebens-
laut aufhört, weil wir annehmen müssen, daß sich vom ersten Moment
der Lebensempfindung an in der kindlichen Seele, die über so wenig
somatische und psychische Korrelationen und Hilfsmittel verfügt, eine
recht komplizierte Wechselfolge von Schwäche- und Kraftzuständen,
von lust- und unlustbetonten Regungen, von unbestimmten Minderwertig-
keitsempfindungen, aber um so bestimmteren Schmerzregungen und
Expansionsimpulsen entwickeln, — von der vorerwähnten Disposition
ganz abgesehen —, also ein Schwanken und Schweben, ein instinktives
Vorwärtstasten und Zurückweichen, das mit dem Zustande der paradiesischen Naivität kaum vereinbar ist. Wie stark der Eindruck sein kann,
den man bei genauerer Betrachtung der Vorgänge in der Seele des Kindes erhält, beweist Stekels Annahme von einer „allgemeinen Kriminalität
des Kindes", eine Annahme, die wir nicht teilen oder nur insoferne, als
sie uns die pure Tatsache der B e w e g t h e i t des Erlebens in der ersten
Kindheit beweisen will. — Aber jedenfalls können wir uns einen Zustand
denken, in dem das Kind in bezug auf die Lüge insofern naiv ist, als es
n i c h t w e i ß , d a ß e s e i n e L ü g e g i b t. Und wir stehen nun vor der
Frage: wie kommt dieses Kind dazu, den Begriff der Lüge zu erfassen,
in sich aufzunehmen und weiter zu verwenden, ja oft so stark zu
verwenden, daß man darin — wie andere wohl im Stehltrieb —
eine spezifische Emanation der kindlichen Psyche erblicken wollte?
Die Genese (wir möchten fast sagen die Pathogenese) der Lüge dürfte
sich folgendermaßen darstellen: Das Kind steht den Realien und Ge-
schehnissen der Umgebung mit vollkommener Unkenntnis ihrer Ursachen, Funktionen und Folgen gegenüber, solange es nicht, entweder
durch eigene Beobachtung oder durch fremde Anweisung, mit den Objekten der Welt umzugehen gelernt hat. Die Erziehung gibt ihm eine
Leitung, Anweisung und Richtlinie, — sie gibt ihm die „Kunstgriffe"
in die Hand, mittels deren es den Schwierigkeiten des Lebens beikommen
kann. Einer dieser Kunstgriffe ist z. B. die artikulierte Sprache und
ihre Begriffe. Wir kennen die Wißbegierde des Kindes, die aus seinem
G e f ü h l d e r D e s o r i e n t i e r u n g entspringt (zum Teil auch schon
aus seinem Bedürfnis, andere durch Fragen i n s e i n e n D i e n s t
z u s t e l l e n); wichtig ist auch in dem Zusammenhange der eigentümliche Hang der Kinder, S t i c h p r o b e n auf die Richtigkeit ihrer
Annahmen zu machen. Diesen Hang erblicken wir z. B. in der Tatsache,
daß Kinder sich den ganzen Tag zu beschäftigen verstehen, obwohl sie

nichts zu tun haben, und auch wenn man ihnen nichts zu tun gibt (im Gegenteil: sonst pflegen sie sich zu langweilen). Als weiteres Produkt dieses Versuchsdranges, in dem sich schon die Vorbereitungstendenz manifestiert, nehmen wir den **Spieltrieb** an[1], dessen funktionelle Bedeutung darin besteht, daß er das Kind vor immer wechselnde Situationen stellt, die irgendeine Analogie mit den Situationen des wirklichen Lebens aufweisen, und dadurch die tätigen Kräfte **übt und stärkt**. Gleichzeitig entwickelt sich jedoch **ein anderes Bedürfnis und damit auch eine neue Fähigkeit**: das Bedürfnis, Relationen und Beziehungen zwischen den Dingen aufzustellen, selbst Richtlinien zu finden und zu schaffen, — und die Fähigkeit der Entdeckung solcher Beziehungen, des Gegeneinanderhaltens von verschiedenen Objektiven, des Analogisierens, — kurz: die **Fähigkeit der Intelligenz und Phantasie**.

Doch wie viele von den Hypothesen, die das Kind auf Grund dieser neuen Fähigkeit erfindet, mögen richtig sein, und wie viele falsch? Das hängt von der Beobachtungsgabe des Individuums ab, mittels welcher es aus der Tätigkeit der anderen allgemeinere Schlußfolgerungen zu ziehen vermag. Solche mißglückte Hypothesen sind alle jene drolligen Vorstellungen über Welt und Geschehen (später etwa auch über das Zusammenleben der Eltern, über die Geburt usw.), die uns als „Wahrheiten aus Kindesmund" mitgeteilt werden[2]. Durch die Aufnahmsfähigkeit der Umgebung, der Eltern und Geschwister, durch die Art, wie dieselben auf die Einfälle reagieren, wird die Produktivität des Kindes wesentlich beeinflußt. Es braucht nur einmal einen Lacherfolg zu erzielen, zur Belohnung geherzt, geküßt, geliebkost zu werden, und es wird sich sofort doppelt angespornt fühlen. Jedenfalls wird es immer das Bedürfnis haben, seine neuentdeckten Weisheiten auszusprechen, um sie auf ihre Wahrheit hin zu prüfen.

Wie leicht kann nun eine Situation eintreten, die wir realistisch folgendermaßen schildern könnten: Das Kind kommt herein mit der Nachricht: „Die Kati hat in der Küche einen Hund." Nun wissen die anderen bestimmt, daß die Kati in der Küche keinen Hund

---

[1] Groß: „Spiele der Tiere und des Menschen."

[2] Ein Mädchen, das vor kurzem Zählen gelernt hat, sagt: „Der Großpapa ist alt, aber bald wird er sehr jung sein." — „Wieso?" — „Denn bei Hundert fängt es von vorne an".

Ein Knabe zu seinem Spielkameraden: „Wenn du gestorben sein wirst, werde ich dich begießen."

14

hat, sind sich aber über Ursache und Zweck dieser falschen Mitteilung
nicht klar. Das Kind kann sogar eine aggressive Spitze in den
Satz gelegt haben, — etwa dadurch, daß es vom Vater weiß, er dulde
keine Hunde und einfach dieses Wissen verwendet, um auszudrücken:
Die Kati ist mir unsympathisch! (Der Vater hat von Buben mit
Hunden gesagt: das sind böse Buben, — woraus sich das Kind deduziert:
alle Menschen mit Hunden sind böse — die Kati ist böse — die Kati
hat einen Hund —). Jemand spürt diese Spitze gegen die Kati,
vermutet eine böse Absicht in der Aussprache des Kindes und weist
es zurecht: Warum lügst du?

Das Kind horcht auf und weiß plötzlich, was Lüge ist. Vorläufig
weiß es vielleicht nur das Eine: Lüge ist, wenn ich meine Antipathie
gegen die Kati ausdrücke. Es wird neue Versuche in der Richtung
unternehmen, sei es nur, um diesen neuen Begriff aufzuklären; es
wird die Erfahrungen summieren und abwägen, um zuletzt eine zirkumskripte Vorstellung vom Wesen der Lüge zu erlangen.

Meistens eine Vorstellung, die mit der Erfahrung verbunden ist.
daß man für die Lüge bestraft wird und daß sich die Eltern darüber
ärgern.

Wir müssen jedoch im Laufe dieser Entwicklung einige Phasen
festhalten, in welchen wir eine spätere Lügenhaftigkeit sich intensiver
vorbereiten sehen. Wir haben davon gesprochen, daß der Mangel an
Kunstgriffen und die Hilflosigkeit die kindliche Psyche zur Ausbildung der Intelligenz des analogisierenden Denkens, der Phantasie oft
über jenes Maß hinaus, das allgemeine Eigenschaft des für den Menschen
spezifischen Denk- und Begriffsvermögens ist, sozusagen zu einer Hypertrophie dieser Fähigkeiten führt. Die Beobachtung belehrt uns, daß bei gewissen Kindern mit annähernd gleichen Möglichkeiten, Anlagen und Vorbedingungen diese Fähigkeiten schwächer, bei anderen stärker ausgebildet sind, — eine Erscheinung, die wir uns nur dadurch zu erklären vermögen, daß auch das Bedürfnis und die Notwendigkeit zur Ausbildung dieser Eigenschaften in dem einen Fall stärker, in
dem anderen schwächer ausgeprägt sein muß. Nun können jedoch nur
jene Kinder einen stärkeren Drang nach Auswegen und Kunstgriffen
empfinden, die stärker vom Gefühl ihrer Minderwertigkeit
geplagt sind, von dem sich Hilflosigkeits- und Schwächeempfindungen
direkt ableiten lassen. Je nachdem die betreffenden Mechanismen in der
Vererbungsreihe und in den Umständen des Milieus, der lebendigen und
toten Umgebung vorbereitet sind, gefördert und gehemmt werden,

wird die Entwicklung einen spezifischen Einschlag nach der einen
oder anderen Richtung hin annehmen[1], im allgemeinen können wir
jedoch den Satz aufstellen: daß sich das intensivere analogisierende
Denken als eine **Kompensation auf ein Gefühl der Minderwertigkeit darstellt,** und das Streben des Kindes, über
diese Schwächen hinwegzukommen, **den männlichen Protest,**
unterstützt.

Daneben entwickeln sich auf derselben Grundlage Kompensationen
anderer Art, welche das Kind befähigen, sich unmittelbar gewisse
Genugtuungen und Korrekturen seines Minderwertigkeitsgefühls aus
der Umgebung zu holen und besonders aktuelle Anlässe auszunutzen.
Wir nennen den sehr früh auftretenden Drang, die anderen „in den
Dienst zu stellen", und das Bedürfnis, vor den anderen „groß zu erscheinen". Nun kombinieren sich diese Tendenzen mit dem analogisierenden Denken, so daß schon viel früher, bevor das Kind sich
des Wesens der Lüge bewußt wird, sich ihr Mechanismus den Funktionen einer tieferen Dynamik anpassen kann.

Nehmen wir ein Kind, das sich das Schema zurechtgelegt hat: je
mehr ich frage, desto mehr müssen mir die anderen zuhören. —
Es hieße einseitig urteilen, wenn man diesen Zug nur auf den Drang
zurückführen wollte, etwas zu erfahren, sich zu orientieren. Wie oft
fragt das Kind nach Dingen und Beziehungen, die es schon längst
kennt, oder die es schon nach Maßgabe seiner ausgebildeten Erfahrung
als falsch, nicht existierend oder unmöglich annehmen muß. Außerdem
können wir beobachten, daß das Bedürfnis, etwas zu erfahren, erst
dann auftritt oder besonders stark wird, wenn jemand da ist, der
antworten kann; ja noch mehr: daß gewisse Personen vorgezogen und
andere wieder verschont werden, — daß also die Sucht nach Wissen
Menschen gegenüber aktuell wird, die das Kind mit Vorliebe in seinen
Dienst stellt.

Schon mit diesen Fragen kann irgendwie die Fähigkeit, „bewußt
falsch zu kombinieren", verwoben sein, — auch schon mit dem Hang,
alle anderen in Verlegenheit zu bringen, also schwach und klein zu

---

[1] Es sei uns z. B. die Hypothese gestattet, daß starke physiologische Minder-
wertigkeit bei ungünstiger Vorbereitung der die Intelligenz vermittelnden
Zentren und Bahnungen zu den Phänomenen der Spätreife, Moral insanity,
Imbezillität, Idiotie des Kretinismus usw. — bei besonders günstiger Vorbe-
reitung der betreffenden Bahnen zu Erscheinungen der Frühreife, eventuell
Genialität — führt.

sehen, oder mit der Absicht, hinter der Frage eine Möglichkeit vermuten zu lassen, die nur für den Fragenden selbst zutrifft und ihn von allen anderen unterscheidet. Wie z. B. in folgendem Dialog:

„Kann ein Pferd fliegen?"

„Ein Pferd kann nicht fliegen, weil es keine Flügel hat, das habe ich dir schon gesagt."

„Aber ich habe heute vom Fenster aus ein Pferd fliegen gesehen."

Kann man das schon Lüge nennen? In dem Maße, als man annehmen kann, daß sich das Kind der Unmöglichkeit, daß ein Pferd fliege, bewußt ist, ja, — insofern es noch nicht weiß, was Lüge ist, nein. Diese Frage verliert ihre Bedeutung vor der zweiten, die wir aufstellen müssen, nach dem Nutzen, den die kindliche Psyche aus einer solchen Situation schöpfen kann. Und der ist nach dem Vorhergesagten wohl darin zu suchen, daß sich der Sprecher höher und wichtiger erscheint als sein Partner, — es ist Großmannssucht in ihrer ursprünglichsten Form. Und das wollen wir festhalten: daß uns die Dynamik des Phänomens nur dann verständlich wird, wenn wir einerseits das Minderwertigkeitsgefühl und den daraus entspringenden Druck ins Auge fassen, andererseits das Ziel, das als Kompensation aufgestellt wird.

Die Situation kann sich akzentuieren, wenn das Kind, anstatt zu fragen, es vorzieht, selbst fortwährend zu reden, so daß ihm die anderen zuhören müssen. Oft spricht es für sich allein, findet aber meistens jemanden, der ihm zuhört. In diesen kindlichen Reden ist nun Wahres und Unwahres seltsam vermischt, erstens wegen des natürlichen Mangels an Erfahrung, der zu falschen Hypothesen zwingt; wir können jedoch beobachten, daß die falschen Hypothesen die richtigen meistens an Zahl überwiegen, daß das Kind mit Vorliebe absurde und unmögliche Kombinationen wählt. Wenn außer der allgemeinen, man möchte sagen: objektiven Orientierungstendenz, noch eine spezifische, subjektive Tendenz hinzukommt (groß zu erscheinen, jemanden auszustechen, Rache gegen eine bestimmte Person), kann das Kind leicht die Grenze der unbewußten Lüge überschreiten, um sich in der bewußten Unwahrheit jene Genugtuungen zu holen, die es braucht. Häufig hört man von Kindern den Ausspruch: „Alle anderen haben einen Vater, — ich aber habe zwei. Der eine wohnt hier, der andere dort und dort." (Der zweite Vater ist gewöhnlich bedeutender als der wirkliche [Kaiseridee]. Häufige Phantome bei illegitimen Kindern.) Der Zusatz beweist uns, daß die Unwahrheit bewußt konzipiert wurde, denn er nimmt Einwände vorweg und widerlegt sie.

Ein drei- bis vierjähriges Mädchen, einziges Kind, das auch niemals einen Bruder gehabt hat (der etwa gestorben sein könnte), erzählt mit Vorliebe jedem Besucher, ihr Bruder sei gestorben und sie habe sein Leichenbegängnis mitgemacht. Sie wünscht sich als Spielzeug einen Puppenleichenwagen, und ihre Hauptbelustigung besteht darin, vom Fenster aus Leichenzüge zu sehen.

Das wäre ein Phantasieprodukt, das sich als Tagtraum darstellen könnte. Da aber das Mädchen konsequent daran festhält und die Geschichte immer wieder erzählt, müssen wir annehmen, daß es nicht so sehr selbst daran glaubt als verlangt, d a ß d i e a n d e r e n d a r a n g l a u b e n. Da man ihm außerdem wiederholt erfolglos entgegengehalten hat, daß der Bruder unmöglich gestorben sein kann, da sie niemals einen solchen hatte, haben wir es hier sicher mit einer bewußten Unwahrheit zu tun, die immer wieder verwendet wird, wenn das Bedürfnis darnach geweckt wird. Welcher Art kann nun dieses Bedürfnis sein? Wir glauben nicht fehlzugehen, wenn wir auf Grund unserer Erfahrungen über die kindliche Psyche folgendes annehmen: der Bruder ist der Ausdruck des überlegenen Prinzipes, des Druckes, der über dem Kinde lastet. Das Mädchen hat etwa beobachtet, wie ihre Freundinnen von den stärkeren Brüdern dominiert, sekkiert, geschlagen werden, — hat es bei den Spielen als unangenehm empfunden, daß die Buben immer die erste Rolle spielen. Nun a r r a n g i e r t sie sich eine Kompensation: sie fingiert einen Bruder und läßt ihn sterben. — Naheliegend ist auch folgende weitere Verwendung derselben Fiktion: die Eltern haben sie das eine oder andere Mal gefragt, ob sie sich einen Bruder wünsche, wie sie sich dazu verhalten würde usw. Sie antwortet darauf mit einer Drohung: der Bruder wird sterben! weil sie hofft, dadurch das Eindringen eines Wesens, das ihr die Alleinherrschaft im Hause nehmen, die Liebe der Eltern ablenken und sie eventuell sogar beherrschen und schlagen werde, zu verhindern. — Doch die starke affektive Betonung des Todesgedankens könnte uns darauf hinweisen, daß dieses Kind schon viel weiter gegangen ist und den Wunsch gefaßt hat: alle Buben sollen sterben. Von diesem Gedanken bis zur Idee: ich selbst will ein Bube sein! ist nur ein Schritt. Wie wir auch von anderen Mädchen hören: Ich heiße Hans!

Für alle diese Gedankengänge finden wir Analogien in der Einstellung von weiblichen Hysterikerinnen. „Alle Männer sind Canaillen",

— „die Männer sind Schufte" usw. Mit dem Todesgedanken und speziell der darin enthaltenen Drohung möchten wir folgende Episode vergleichen: Ein sechzigjähriger Mann geht zu seinem viel jüngeren Bruder und ersucht ihn mit ernster und kummervoller Miene, er möge ihm einen schriftlichen Ausweis darüber ausstellen, daß er seinen Platz in der Familiengruft ihm und seiner Frau abtritt. Dahinter steckt natürlich die Annahme, daß der jüngere Bruder früher stirbt. — eine Möglichkeit, welche der ältere, von Todesideen geplagte Mann als sicher gegeben annimmt und dem lebenskräftigen Bruder drohend entgegenhält, um ihm die Freude am Leben zu verderben, damit er auch von Todesgedanken geplagt werde.

Während sich bisher der Mechanismus der Lüge als relativ einfach darstellte, kompliziert sich die Situation bedeutend in dem Augenblick, da dem Kinde etwa in der früher geschilderten Art der Begriff der Lüge entgegengehalten wird und sich das Individuum einer ethischen Formel und einer moralischen, wenn nicht gar religiösen Forderung gegenübergestellt sieht. Es ist nicht wahrscheinlich, daß durch diese Tatsache allein alle jene Tendenzen und Kräfte, welche in der Form der gesprochenen phantastischen Unwahrheit, wie wir sie verfolgt haben, eine Äußerung fanden, eliminiert oder nivelliert werden. Sie können jedoch eine Korrektur erfahren und in eine andere Form gegossen werden. Es ist nämlich, präziser gefaßt, folgendes geschehen: auf dem Wege zu einem Ziel der Überlegenheit hat das Individuum plötzlich eine Niederlage erlitten wegen der Unzulänglichkeit eines Mittels, das ihm bisher unfehlbar schien. Und jetzt steht das Kind vor der neuen Aufgabe: wie es diese Scharte auswetzen kann, diese Niederlage überwinden, wie es diese Situation seinem Plane und seinem Drange nach Überlegenheit einverleiben kann.

Das Nächstliegende ist, aus der Not eine Tugend zu machen, — d. h. die Forderungen der Außenwelt zu seinen eigenen zu machen. So entsteht der Typus des Kindes als „moralischer Rigorist" — in diesem Falle als Wahrheitsfanatiker — wie ihn F u r t m ü l l e r seinen Ausführungen über die subjektive Bedeutung des ethischen Prinzips zugrunde gelegt hat[1]. Jedes Kind befolgt Lessings Rezept zur Erlangung der persönlichen Freiheit. Dadurch, daß es selbst mit einer neuen Forderung der Umgebung entgegentritt, erreicht es erstens, daß es sich selbst fortwährend an die Niederlage erinnert, um durch das Memento von einem weiteren Faux pas abgehalten zu werden, — vor allem jedoch

---

[1] „Psychoanalyse und Ethik". E. Reinhardt, München 1912.

einen Ersatz für die verlorene Waffe. Denn indem es die anderen durch eine allgemeine und meistens sehr weit gefaßte Forderung dominiert, erreicht es dasselbe, was es früher durch das phantastische Aufschneiden bezweckte: es erscheint wichtig und groß.

Dies wäre ein Fall, in welchem die Definition der Lüge, „sie sage bewußt eine Unwahrheit aus", nicht zustimmt. Denn die Forderung nach Wahrheit deckt sich ihrer funktionellen Bedeutung nach vollkommen mit der Verwendung der Lüge (Forderung nach Glauben an die Lüge). Einem kindlichen Moralisten gegenüber haben wir meistens die Empfindung, daß „er es nicht ehrlich meine", womit wir implicite zugeben, daß wir uns von ihm genau so betrogen fühlen, als wollte er uns eine Unwahrheit aufbinden — (eine Empfindung, die wir übrigens auch bei erwachsenen Moralisten nicht immer loswerden).

Außerdem bedeutet diese intensive Beschäftigung des Kindes mit der kaum erfaßten ethischen Forderung noch etwas Drittes. Wir können sicher sein, daß, je häufiger das Individuum uns an seine Überzeugung erinnert, es diese selbst als unecht empfindet. Die moralische Forderung spielt in dem Falle die Rolle einer Festung, die von allen Seiten bestürmt wird; obwohl ihr so gehuldigt wird, wird sie doch als feindlich empfunden.

Zur Illustration dieser Tatsache erinnern wir daran, daß es sehr verdächtig ist, wenn z. B. ein Patient während einer Kur übermäßige Freude über eine gelungene Lösung bekundet. Nehmen wir an, ein Neurotiker leide an einem besonders lästigen Symptom (Ohrensausen, Zwangsidee usw.), der Psychotherapeut deckt mit mehr oder weniger Mühe die Tendenzen und unbewußten Absichten auf, die sich in dem Symptom äußern; das Ohrensausen, die Zwangsidee verschwinden auf einige Tage. Wenn der Patient während dieser Zeit nichts Besseres zu tun weiß, als fortwährend über die gelungene Lösung zu jubeln und den Arzt seiner Dankbarkeit immer wieder zu versichern, oder (wie so häufig) alle seine Bekannten mit der Geschichte seines Symptoms zu sekkieren, so kann man sicher sein, daß über kurz oder lang dasselbe Symptom mit noch stärkerer Heftigkeit auftritt. (Die gelungene Lösung wird vom Patienten als Blamage empfunden, und das Leiden wieder verwendet, um den Arzt zu blamieren; die große Freude ist nur ein Deckmantel für die Vorbereitungstendenz. Patient „sinnt auf Böses" und versichert dem Arzt das Gegenteil, damit er ihm nicht auf die Spur kommt, — verrät sich aber zugleich wie der Dieb, der gleich nach Aufdeckung des Diebstahls, bevor noch jemand an ihn gedacht hat, berichtet, er habe nicht gestohlen. Den Bekannten, di‹ er früher durch die Schilderung seiner Erlösung in den Dienst gestell hat, erzählt er mit trauriger Miene seine neuen Qualen und erwartet woh von jedem die Äußerung: „Dein Arzt kann also doch nichts", um sie lebhaft zu widerlegen.) Oder: der Neurotiker, der immer wieder behauptet, er sei endlich gesund, beweist gerade durch die hartnäckige Betonung seiner wiedererlangten Gesundheit, daß er noch krank ist.

Ähnlich tut es das Kind mit der Forderung: „Du darfst nicht lügen!" Es dauert nicht lange, und es hat die Klippe umschwommen, — den neuen Begriff, der wie ein Fremdkörper in das Gewebe seines Denkens eingedrungen ist, von allen Seiten umsponnen, durchtränkt und seinen eigenen Lebensbedürfnissen angeeignet.

Die einfachste Methode, um dies zu erreichen, besteht wohl darin, die Forderung nach Wahrheit anderen entgegenzuhalten, selbst jedoch unbehindert weiter zu lügen. Die Achtung vor dem moralischen Prinzip verschwindet, nachdem man es näher besehen und sich damit vertraut gemacht hat. Aber immerhin wird die neue Erfahrung zur Folge haben, daß das Individuum von nun an bei seinen Lügen größere Vorsichtsmaßregeln anwendet, raffinierter wird.

Natürlich wollen wir damit nicht sagen, daß jedes Kind diese Entwicklung nimmt, sondern nur die Möglichkeiten auseinandersetzen, die einem Kinde, das durch sein Minderwertigkeitsgefühl zu stärkerer Aggression und Sicherung gezwungen wird, zu Gebote stehen.

Die Ziele, zu deren Erreichung die Lüge verwendet werden kann (Lüge als Selbstzweck ist eine unmögliche Fiktion; überall dort, wo scheinbar grundlos gelogen wird, ist der Trieb zum Unwahren nur nicht ganz deutlich und oberflächlich, sondern im Dienste einer unbewußten Absicht). sind so vielfältig, wie die Lebensinteressen selbst. Immerhin lassen sich, allerdings auch nur äußerlich, zwei Kategorien unterscheiden: In die erste wären jene Individuen einzureihen, welche die Lüge verwenden, um eine bestimmte, aktuelle, genau zirkumskripte Absicht zu erzwingen (Analogie zum gewerbsmäßigen Betrüger und Hochstapler); in die zweite diejenigen, welche eine tiefere, oft unbewußte Absicht verfolgen (hieher können Kinder gehören, die lügen, um bestraft, geschlagen zu werden, — der Typus der Masochisten, wie ihn Asnaourow[1] hervorhebt

[1] „Sadismus und Masochismus in Kultur und Erziehung", E. Reinhardt, München 1913.

und sehr oft bei einem „jüngeren Bruder" [Frischauf] vorkommt; oder Kinder, die einfach den Vater ärgern wollen, um ihn aufgeregt, rat- und hilflos zu sehen). Welche Fälle komplizierter sind, ist schwer zu entscheiden; oberflächlich betrachtet, die letzteren, — aber auch, wenn ein Lügner scheinbar eine spezielle, reale Absicht verfolgt, bleibt noch immer die Frage offen, warum er gerade dieses Mittel wählt und gerade dieses Ziel verfolgt, — zwei Motive, welche die Situation sehr verwickeln können.

Wie aus folgendem Fall hervorgeht:

Aus der Kindheit eines Neurotikers, der in späteren Jahren ein typischer, hartnäckiger P s e u d o l o g e werden sollte, sind uns einige Episoden bekannt. Er wußte, daß sein Vater seiner Gouvernante streng verboten hatte, die Kinder (ihn und eine um zwei Jahre jüngere Schwester) zu schlagen, und überhaupt körperlich zu züchtigen. Als er sich einmal der Erzieherin gegenüber so arg benahm, daß sie sich nicht mehr zu helfen wußte (er gibt das nicht nur zu, sondern erzählt, daß er schon damals vom Gedanken geleitet war, das Fräulein in Verlegenheit zu bringen), verfiel diese auf den ungeschickten Gedanken, das Kind mit einem Strick, den sie ihm um einen Fußknöchel lose band, an den Fuß eines Tisches zu binden; eine Stunde lang, zur Strafe. Außerdem wohl, damit es sich ruhig verhalte, denn sie hatte gerade den Besuch einer Freundin bekommen. Der Knabe fühlte sich durch diese Maßregel sehr belustigt, von Erniedrigung war keine Spur in ihm, da er innerlich die Gouvernante total überwunden hatte und alles, was sie tat, für ihn nur lächerlich war; er tat aber sehr zornig, versuchte zu weinen und zerrte dabei fortwährend an dem Tische, so daß der Kaffee, den das Fräulein der Freundin vorgesetzt hatte, ausgeschüttet wurde und die beiden Frauen weder speisen noch eine Unterhaltung bei der fortwährenden Störung führen konnten. Bevor die Stunde verging, band ihn das Fräulein los, um Ruhe zu haben. Der Vater war nicht zu Hause. — Nun sann der Knabe auf Rache. Er stahl den Strick, verbarg ihn in der Tasche und ging, kurz vor der Zeit, da der Papa nach Hause kommen sollte, auf den Abtritt, rieb sich am Knöchel so lange, bis eine blutige Strieme entstand, und zeigte dann weinend und innerlich triumphierend dem Vater die Verletzung, die ihm die Erzieherin zugefügt haben sollte.˙ Die Eltern waren wütend, die Gouvernante war furchtbar erschrocken und wurde weggeschickt.

Man könnte nun (mit dem Betreffenden selbst) annehmen, er sei einfach vom Gedanken geleitet worden, die Gouvernante müsse aus dem

Hause. Aber schon die Beziehung zu seiner späteren Pseudologie, das
so heftige Rachebedürfnis in früher Kindheit, die komplizierte Inszenierung lassen die Situation viel gefährlicher erscheinen. Für die
Rolle, welche die Lüge in dem Falle spielt, ist jedoch wichtig, was
der Mann noch von seiner Kindheit erzählt: er habe es damals überhaupt verstanden, K o n f l i k t e, d i e e r b e i d e n E r w a c h s e n e n
e r l a u s c h t e, z u i n s z e n i e r e n u n d a u s z u n u t z e n, sei es durch
sein Betragen (Lüge durch Pose), indem er Art und Benehmen von Vater
und Mutter sich anmaßte, oder indem er die Bedingungen schuf, unter
welchen sich solche Konflikte ausbilden mußten. (Tendenz, den Überlegenen durch Reproduktion „ad absurdum" zu führen, wie ich mich bemüht
habe, in Gogols Jugendgeschichte [„Der Fall Gogol", Ernst Reinhardt, 1912] nachzuweisen.)

Nichts anderes als eine „Lüge durch die Tat" im Dienste einer primären Absicht ist auch folgender Zug: Zur Mutter kommt die Friseurin. Die Schwester sieht das und fragt, vom Gleichheitswahn geplagt: „Warum kommt die Friseurin nicht auch zu mir?" Da sagt
der Bruder mit ernster Miene: „Wart', ich bin die Friseurin!" — Das
Mädchen setzt sich hin und läßt sich vom Bruder einen guten Teil
ihrer Haare mit der Schere wegschneiden, bis jemand hinzukommt
und dem grausamen Spiel ein Ende setzt. — Der junge Mann erinnert
sich, er habe damals schon b e w u ß t die Gelegenheit benutzt, um
der Schwester, mit der er in manchen Punkten (Liebe der Eltern,
Lob usw.) rivalisierte, einen Streich zu spielen. Noch jetzt werfe
ihm das Mädchen, wenn seine Haare etwas widerspenstig sind, vor,
die damalige Prozedur trage daran die Schuld, wobei er eine nicht
geringe Genugtuung kaum überwinden könne.

Mit den Gouvernanten hängt noch eine Episode zusammen. Während
die beiden Kinder sonst nicht besonders friedlich miteinander lebten,
konnten sie sich sehr gut verstehen, wenn es galt, eine Erzieherin
zu quälen. Sie bildeten eine Art geheimen Bund (wie ja Komplott-
macherei bei Kindern eine sehr häufige Form des Protestes ist und
z. B. zur Erfindung von Geheimsprachen, Geheimzeichen usw. führt) und
führten bei jeder neuen Gouvernante ein ganzes Programm von Sekkaturen
und Quälereien durch, bis sie nichts mehr erfinden konnten und auf
Mittel und Wege sannen, um sie ganz aus dem Wege zu schaffen
und durch ein neues Unterhaltungsobjekt ersetzen zu lassen. Der Bub
hatte nun bemerkt, daß der Vater, der auf das Essen viel hielt, die
Köchin als das wichtigste Mitglied des Haushaltes ansah, und darauf

gründeten die Kinder ihren Plan. Der Köchin hintertrugen sie böswillige, verleumderische Aussagen, die das Fräulein über sie getan haben
sollte, und der Gouvernante dergleichen von der Köchin, bezeugten
und unterstützten sich gegenseitig, bis die beiden Frauen außer Rand
und Band gerieten und einen großen Skandal verursachten. Dem
Vater wurde die Entscheidung des Streites anvertraut, und der behielt
natürlich die Köchin und entließ die Gouvernante, womit die Kinder
ihren Zweck erreicht hatten.

Besonders bei dem Zusammenhang ist es unschwer, die weitgehende
Verwendung des Kunstgriffes der Lüge zu erkennen. Durch diesen
schlauen Plan hatten die Kinder nicht nur die Gouvernante und die
Köchin überwunden, sondern auch Vater und Mutter gefoppt und
lächerlich gemacht. Sie hatten den Druck der Autori-
tät abgewälzt und eine enorme Steigerung ihres
Persönlichkeitsgefühls genossen, woraus hervorgeht,
daß auch jene Fälle, welche auf eine rein reale und bewußte
Absicht hinzuzielen scheinen, die dunkelsten Mechanismen des infantilen
Seelenlebens in Bewegung setzen können.

Wenn sich nun die Lüge mehr als einmal als erfolgreiches und
leichtes Mittel zum Erreichen der verschiedensten Ziele bewährt hat,
kann sie in der Psyche eines unselbständigen, minderwertig organisierten
Individuums leicht eine suggestive, übertriebene Bedeutung erlangen.
Sie wird affektiv unterstrichen, herausgehoben, mit starken Lust-
gefühlen verbunden und vor allem einer Devise unterstellt, die schon
an und für sich richtunggebend wirkt und fortwährende unmittelbare
Genugtuungen verschafft. Am häufigsten geschieht das in der Art,
daß das Individuum in der Anwendung der Lüge ein besonderes
Raffinement, ein Zeichen von überlegener geistiger Kraft und Intelligenz zu erblicken beginnt[1]. Überall dort, wo ihn ein Beweis oder
auch nur ein Gefühl der Minderwertigkeit erwartet, findet er durch
eine mehr oder minder geschickte Lüge den Weg zur Überlegenheit:
Wie bin ich gescheit! Mir kann man doch nicht beikommen! —
Die letzte Konsequenz dieser Leitlinie finden wir in Oskar Wildes Apo-
theose der Lüge wiedergegeben. „Wer die Wahrheit spricht, wird
sicher früher oder später ertappt." „Eine Wahrheit ist nicht mehr
wahr, wenn sie mehr als einer glaubt." „Vermeide Gründe jeglicher
Art. Sie sind immer gewöhnlich, oft überzeugend."

---

[1] S. Otto K a u s : „Neurotische Lebenslinie im Einzelphänomen". Zentralblatt für Psychoanalyse, Januar 1913.

Der Einfluß der Märchenerzählungen auf die Pseudologie ist in Ibsens „Peer Gynt" geschildert. S c h r e c k e r[1] hat gezeigt, wie der Knabe, der unter den kläglichen Zuständen seiner Umgebung leidet, das Material der Märchen verwendet, um seine Träume von Größe und Macht und seine Operationsbasis aufzubauen. Das Märchen (wenn nicht Dichtung und Kunst überhaupt) ist sozusagen eine sozial anerkannte, gesetzlich geschützte Form der Lüge.

An einem Beispiel wollen wir ausführen, wie es einem Lügner möglich ist, auf dem entgegengesetzten Wege, nämlich dem der Wahrheit, dasselbe Ziel zu erreichen, zu dem ihm sonst die Lüge verhilft. Es ist eine Episode aus dem späteren Leben desselben Individuums, die wir jedoch zur Beweisführung heranziehen können, da sie die infantile Leitlinie genau, nur noch schärfer verfolgt.

Herr P. geht in ein Kaffeehaus, um mit einem ihm mißliebigen (wohl mit dem Vater sehr befreundeten) Verwandten zusammenzukommen. Das Lokal ist überfüllt, er muß oft Platz wechseln, d. h. er muß sich beweisen, daß ihm alles gehört. Die erwartete Person führt ihn in ein Nebenzimmer. Beim Weggehen bemerkt er, daß ihm sein neuer Mantel gestohlen wurde. Sein erster Gedanke ist: Das hat man davon, wenn man mit L. zusammenkommt! E r i s t s c h u l d d a r a n! — Nicht einen Augenblick fällt es ihm ein, sich selbst Vorwürfe zu machen, obwohl man allen Umständen nach geradezu den Eindruck bekommt, er habe den Diebstahl gewünscht und unbewußt arrangiert (um dann die fiktive Handhabe gegen die unsympathische Unterredung zu haben); jedenfalls war es eine große Unvorsichtigkeit, den neuen, eleganten, lichtbraunen, sehr auffallenden Herbstmantel mit Seidenfutter frei hängen zu lassen. Er spürt nichts anderes als eine heimliche Freude und möchte am liebsten lachen. Auf die Aufforderung hin, der Polizei zu telephonieren, geht er zweimal ans Telephon und kommt immer zurück mit der Mitteilung, er habe keine Verbindung bekommen; in Wirklichkeit hat er es gar nicht versucht. Dann geht er fort, angeblich um die Anzeige zu erstatten.

Zu Hause berichtet er gar nichts von dem Diebstahl, sondern wartet, daß die Hausgenossen selbst darauf kommen. Das ist auch bald der Fall. Seiner zweifelhaften, zögernden Haltung gegenüber schöpft der Vater Verdacht und beschuldigt ihn, nach Analogie von vielen ähnlichen

[1] Erscheint in „Wissen und Leben", Zürich. Vortrag im „Verein für freie psychoanalytische Forschung", Wien 1913.

Streichen, den Rock versetzt zu haben'. P. hat seinen Zweck erreicht, **er ist unschuldig verdächtigt und hat den Vater ge- foppt.** Er akzentuiert die Situation noch mehr, indem er alle Recherchen erschwert und, obwohl er behauptet, die Anzeige erstattet zu haben, nicht sagen will, wo und wann. Der Vater erkundigt sich vergeblich bei der Polizei und wird in seinem Verdacht natürlich bestärkt. P. hetzt ihn noch weiter hinein durch die unwahrscheinliche Ausrede, er habe die Anzeige auf einen Zettel geschrieben und einem Messenger-Boy zur Übermittlung an die Polizei übergeben; der Bote habe wahrscheinlich seine Pflicht versäumt, er werde rekurrieren. — Ob er damals überhaupt schon etwas unternommen hatte, war nicht zu eruieren. Es ist sehr möglich, daß er erst jetzt eingegriffen hat, nachdem er durch seine **abwartende und zögernde Attitude** (Adler) die Situation bis zu jenem Punkte hatte gedeihen lassen, der ihm die meisten Vorteile versprach.

Denn nun beginnt der **Siegeslauf des Lügners**, der durch einen seltsamen Zufall durch die äußeren Umstände gefördert wurde. Der Dieb wurde nämlich nach wenigen Tagen entdeckt, der Versatzzettel des Mantels bei ihm gefunden und dem P. zurückgegeben. Während der ganzen Zeit und bis zum letzten Augenblick lastete der Verdacht der Familie auf ihm, dem gegenüber er an der allerdings wahren (man möchte sagen zufällig wahren) Tatsache festhielt, der Mantel sei ihm wirklich gestohlen worden. Was nun folgte, die Überhebung und der Triumph, die den jungen Mann erfüllten, sind nicht zu schildern. — In der allernächsten Zeit folgte natürlich eine unbarmherzige und rücksichtslose Lügenperiode.

Es ist interessant zu beobachten, mit welchem Raffinement ein Pseudologe zu Werke geht, um auch jene Realien, welche seiner Haupttendenz, **nämlich zu lügen**, widerstehen, in seinen Plan einzubeziehen. In der ganzen Wirrnis von Tatsachen, die wir geschildert haben, war nur die eine wahr, der gestohlene Mantel, und die war jedoch so umsponnen mit Unwahrheiten und Fälschungen, daß P. es tatsächlich zustande gebracht hatte, **durch die Wahrheit zu lügen**; — um weiter im Anschluß daran dasselbe zu tun, was lügenhafte Kinder machen, die sich als Wahrheitsfanatiker aufspielen: sie **halluzinieren (Adler)** ein Gefühl der Wahrhaftigkeit, um desto erfolgreicher lügen zu können. — Auf einen Zug möchte ich noch in dem Zusammenhang hinweisen, nämlich darauf, daß in dem Falle die Empfindung der Lüge sicher viel stärker war als es dann zutrifft, wenn ein Individuum wirklich eine Unwahrheit auftischt. Ein Ethiker würde sagen: das böse Gewissen quält denjenigen, der Wahres lügt (während des Aktes selbst und auch später) mehr als den wirklichen Lügner. Die Erklärung glauben wir darin zu finden, daß der Pseudologe, der ja eine Steigerung seines Persönlichkeitsgefühls anstrebt, es vermeiden muß, bei der Handhabung seiner Mittel ein Gefühl der Unsicherheit und Minderwertigkeit einzuspinnen, weil sonst das Endresultat geschwäch: wird; er darf sich n i c h t v o r s i c h s e l b s t b l a m i e r e n. Während derjenige, der nur die Wahrheit verdreht, eben in dieser Wahrheit einen Rückhalt für eventuelle Erniedrigungsempfindungen hat und andererseits das „böse Gewissen" zum Arrangement der äußeren und inneren Situation braucht: er selbst verschafft sich dadurch das Junktim zur treibenden Fiktion der Lüge und die anderen werden durch seine Unsicherheit in ihren Zweifeln und ihrem Verdacht bestärkt, was sie müssen, um zuletzt gefoppt zu werden.

Oft hört man von Lügnern die Entschuldigung: Es ist ja im Grunde wahr! — Oder: wenn es nicht stimmt, so k ö n n t e es stimmen! usw. — Redensarten, welche auf die Selbsttäuschung hinweisen, in welcher sich der Pseudologe befindet.

Mit einer autobiographischen Skizze als Illustration dieses Gedankenganges, dessen Weiterverfolgung uns viel zu weit führen würde, möchten wir unsere Ausführungen beschließen:

Die Geschichte einer Lüge.

Die kleine Lügnerin, von der hier erzählt werden soll, ist ein etwa elfjähriges Mädchen, deren starkes Phantasieleben durch begünstigende Umstände ihren Wirklichkeitssinn oft weit überwiegt. Ihr unerfülltes und hierdurch noch gesteigertes Zärtlichkeitsbedürfnis treibt sie förmlich in ihre Traumwelt hinein, in der sie sich für all das zu entschädigen sucht, was ihr in Wirklichkeit versagt erscheint. Denn sie fühlt sich gegenüber ihren Geschwistern tief zurückgesetzt, die aber nur durch ihr ruhigeres, vernünftigeres Wesen ihrer Umgebung viel leichtere Umgangsmöglichkeit bieten als ihr überempfindliches, reizbares Temperament. Ihre Mutter aber, selbst eine nervöse, impulsive Natur, verliert in den Konflikten mit diesem Kinde oft alle Selbstbeherrschung und es kommt auf beiden Seiten zu Zornausbrüchen und immer stärkerer Erbitterung. So wird ihre Liebe wund unter sinnlosen Reibereien und Ärgernissen, die die Mutter gegen das Kind verstimmen müssen, diesem aber die Möglichkeit erschweren, sich dem harmlosfröhlichen Familienleben freudig einzufügen. Durch das Gefühl der Zurücksetzung bald von bitterem Trotz, bald von stumpfer Teilnahmslosigkeit erfüllt, kommt ihr Gefühlsleben im Kreise ihrer Familie so ungenügend zur Geltung, daß sie sich eine eigene Welt errichten muß, fernab von der Wirklichkeit, im uferlosen Traumland, um sich dann unter den Menschen die Träger ihrer Idealgestalten zu suchen, an die sie sich in blindem Fanatismus klammert. So bildet sich auch ein Idealbegriff der Freundschaft in ihrer Seele aus, durch dessen Übermaß jene Verwirrung in ihr entstand, die sie vor der Welt zur Lügnerin stempeln sollte.

Es war auf dem Land, wo zu A.s Jubel auch ihre beste Freundin weilt, deren Familie mit der ihrigen auch befreundet ist. Und in der goldenen Ferienzeit, in der auch der Alltag, frei von jedem Schulzwang, voll von Wundern ist, und die Phantasie ins Leben übergreift, versetzt A. all die Erlösungsträume ihrer Seele in die Freundschaft mit der Altersgenossin. Und lebt in einer Idealwelt, die sie für Wahrheit nimmt, und die vielleicht noch gefährlicher ist, als die gewohnten Träume von den Märchenwundern. Denn in dieser ist ihr die Grenze der Möglichkeit doch immer bewußt geblieben; nun aber umkleidet sie Menschen aus der Wirklichkeit, wie jetzt auch die Freundin, mit ihren Illusionen und rückt daher deren wahrem Wesen und den Geboten des alltäglichen Lebens immer ferner.

Zu den beiden freundschaftlich miteinander verkehrenden Familien gesellt sich öfter eine Hofrätin mit ihren Kindern, die aber wegen ihrer Ziererei und Hochnäsigkeit bei den anderen wenig beliebt sind. Eines Tages, da A. von einem Besuch bei der Familie ihrer Freundin heimkehrt, begegnet sie der ältesten, schon erwachsenen Hofratstochter, und da sie gerade besonders heiter und unbefangen gestimmt ist, gefällt ihr Wesen diesmal so gut, daß sie aufgefordert wird, einige Zeit zu verweilen. Das Gespräch kommt nun auch auf Familie O., und die Hofratstochter spricht in mißbilligendem Ton über die lärmende Art dieser Kinder, der gegenüber sie das feine, ruhige Wesen ihrer kleinen Schwester hervorhebt. Bei ihren gemeinsamen Spielen hört man immer nur die anderen heraus. Aber in ihrer Familie ist so eine Art nicht üblich, und man würde sie ihrer Schwester auch nicht angehen lassen.

A., vom Bann des Augenblicks gefangen genommen, gibt zu, daß ein ruhiges Benehmen gewiß viel feiner sei als ein lautes. Sie verabschiedet sich in bestem Einvernehmen. — Aber wie sie wieder allein ist, beginnen sich ihre Gedanken mit dem Vorfall zu beschäftigen, und ihr ihn nochmals, schon in die Sphäre ihrer Phantasterei entrückt, vor die Seele zu führen. Und nun wird ihr klar, daß die Hofratstochter eigentlich in empörender Weise über ihre Freunde geschimpft hat. Das Schrecklichste dabei aber ist, daß sie selbst sich so gleichgültig verhielt, ihr Freundschaftsideal gar nicht hochgehalten hat. Aber es darf ihr nicht verloren gehen. Sie muß ihr Versehen wieder gut machen. — Hätte sie gleich kräftig dagegen gesprochen, so wäre die Sache erledigt gewesen. Nun aber kann sie nichts anderes mehr tun, als der Freundin alles wiedersagen, um sie vor der Falschheit dieser Leute zu warnen, gegen die sie nun gemeinsam Partei nehmen müssen.

Da naht das Verhängnis. — Familie O . . . ., aufs tiefste verletzt, beschließt, den Verkehr mit der Hofratsfrau abzubrechen und sie wegen der beleidigenden Äußerungen zur Rede zu stellen. Die nun folgende Aussprache aber bringt für beide Teile das Ergebnis von A.s lügnerischer Hinterbringung des Gesagten. Die Hofratstochter ist allerdings hierdurch gezwungen, die tatsächlich gefallenen Bemerkungen festzustellen, und sie genügen, um eine Spannung zwischen den beiden Familien zu bewirken. Die schwerwiegendsten Folgen aber treffen A., die sich vor sämtlichen Betroffenen, auch ihren Angehörigen, zu verantworten hat, denen gegenüber sie kein Wort von dem Vorfall erwähnte. Zitternd, tief beschämt, daß sie am liebsten in den Erdboden versinken möchte, steht sie vor ihnen. Sie soll nun wiederholen, was gesagt worden ist. Aber in diesem Augenblick der Vernichtung verschwimmt alles in ihrer Vorstellung. Was sie bis vor kurzem noch als feste Überzeugung empfunden hat, ist nun, von dieser grausamen Ernüchterung, die ihre Gedanken so hart auf die Wirklichkeit stößt, wie ausgelöscht. Vergebens lauscht sie in sich hinein, auf eine errettende Stimme. Da wird sie aus ihrem Schweigen gerissen. Die Hofratstochter herrscht sie an, zu antworten, ob sie vielleicht dies und jenes gesagt hätte. Und so muß sie nun, im Gefühl grenzenloser Erniedrigung, ihre Lüge eingestehen. A.s Mutter, durch das Verhalten ihres Kindes selbst aufs tiefste beschämt, kann als einzige Rechtfertigung nur die Versicherung geben, daß A. bestraft werden wird, wie sie es verdient. Dann gehen die drei Familien auseinander, für immer geschieden.

Die Zeit, die jetzt für A. folgt, gehört mit zu der schwersten ihres Lebens. Ihre Familie, die ihre schlechte Veranlagung mehr denn je bestätigt fand, beschließt, energisch dagegen einzuschreiten. Sie soll strenger gehalten, schärfer beaufsichtigt werden, vor allem aber durch empfindliche Strafen einen warnenden Denkzettel an ihre Verlogenheit erhalten. Die geringste Freiheit wird ihr untersagt, die Ferienzeit größtenteils durch Strafarbeiten ausgefüllt. Das Bitterste aber ist, daß sie von ihren Angehörigen kaum mehr eines freundlichen Blickes gewürdigt wird. Jeder glaubt, sie aus erziehlichen Gründen seine Verachtung fühlen lassen zu müssen und stößt sie immer tiefer in ihre Vereinsamung und Haltlosigkeit hinein. An dem frohen Scherzen und Spielen der anderen darf sie nicht teilnehmen, damit ihr ihr Vergehen immer recht empfindlich vor Augen bleibt. Nirgends Milde und Versöhnung. Sie selbst aber steht ihrer Schuld völlig fassungslos gegenüber. D e n n   s i e   w e i ß   e s   k a u m   s e l b e r ,   w i e   d i e s e   L ü g e n   i n   i h r e   S e e l e   k a m e n . So lebt sie sich in ihrer Verzweiflung immer tiefer in die Rolle der Märtyrerin hinein, ihre Phantasie treibt ihre Qual weit über das wirkliche Maß, und sie reibt ihre Nerven in zwecklosen Leiden auf. Dieser künstlich gesteigerte Schmerz aber wechselt oft mit stumpfer Erschöpfung und Ergebenheit, und dies ist auch die Stimmung, die ihr Wesen nach außen hin am stärksten beeinflußt. Weiß und spricht doch fast das ganze Dorf von der Verfeindung der drei Familien durch ihre Lügenhaftigkeit, so daß sie fast niemandem mehr frei, ohne vernichtende Scham in die Augen zu blicken vermag, schon allein aus Angst, durch das Urteil der anderen immer wieder vor ihre Schuld gestellt zu werden. Niemand hilft ihr, über sie hinwegzukommen und ihre Seele wieder aufzurichten. Und so ist nun in der weiteren Entwicklung ihres Wesens — vielleicht für immer —, etwas von der Verzagtheit und Gedrücktheit dieser Tage haften geblieben.“

Ohne die inhaltsreiche Episode näher zu untersuchen, wollen wir nur das eine hervorheben: daß sich die Lügnerin, weit davon entfernt, auch nur einen Augenblick (weder vor noch nach dem Akt) an der Berechtigung ihrer Tat zu zweifeln, von einem gewissen heroischen Gefühl getragen wird und alle Konsequenzen ihrer Lüge nur gegen die anderen ausspielt. Die möglichen Schlußfolgerungen aus dieser Idee würden uns zu weit in das Gebiet der Pädagogik, Kriminalistik und Psychiatrie führen, — sie leiten hinüber zu den Phänomenen des Verbrechens, der Halluzination, der Wahnidee, von denen wir den Mechanismus der Lüge wahrscheinlich ebensowenig abgrenzen können, wie wir Wahrheitsagen von Lügensagen unterscheiden konnten.

Fortschritte der Stottererbehandlung.

Von Direktor Alfred Appelt.

Nahezu alle Stotterer, die sich bemüht haben, mit Hilfe von Atem-, Stimm- und Artikulationsübungen Heilung von ihrem Leiden zu finden, mußten die Erfahrung machen, daß sich all ihre Mühe und Anstrengung als fruchtlos erwiesen; vielen blieb sogar die traurige Gewißheit nicht erspart, daß sich die Fesseln, je mehr sie an ihrer Beseitigung arbeiteten, nur um so fester um sie zusammenzogen. Leider stellten die mechanischen Sprechmethoden bis zum Beginne dieses Jahrhunderts die einzige Therapie der Sprachanomalien dar, abgesehen von sporadischen, in der Regel ganz vergeblichen Versuchen, dem Leiden durch hypnotische Suggestionen den Boden zu entziehen. Obschon die Zahl der bis zur Gegenwart zur Anwendung gebrachten mechanischen Methoden Legion zu sein scheint, so findet man doch bei näherer Betrachtung, daß sie ausnahmslos dasselbe Ziel verfolgen, nämlich durch systematische Einübung der Sprachwerkzeuge das Selbstvertrauen des Patienten zu heben. Er soll sich sagen: „Ich habe die Übungen wochenlang in der Anstalt tadellos ausgeführt, ich werde daher auch fern von ihr fehlerfrei sprechen können." Diese Auto-Suggestion erlangt bei einer ansehnlichen Anzahl der Leidenden — vorausgesetzt, daß der Lehrer die Heranbildung der Suggestion durch seinen persönlichen Einfluß kräftig unterstützt — eine solche Intensität, daß die Sprechangst für einige Zeit verschwindet und die Innervation des Sprechaktes glatt vonstatten geht. Die wirkliche Basis des Leidens ist indes, wie wir später sehen werden, nicht im mindesten verändert, geschweige denn beseitigt worden, und es kann daher nicht wundernehmen, daß fast alle scheinbar Geheilten binnen kurzer Zeit wieder rückfällig wurden. Ist nämlich der „Geheilte" sich bewußt, daß er bei Wiederkehr eines Stotterparoxysmus die Regeln der Sprechmethode sorgfältig angewandt hat, gleichwohl aber vor dem Anfall nicht bewahrt geblieben ist, so beginnt dieser Gedanke sofort die Auto-Suggestion zu erschüttern, mit dem unausbleiblichen Erfolge, daß sein Selbstvertrauen sinkt, die Angst sich wieder einstellt und damit weitere Anfälle ermöglicht. Sobald aber die Sprechangst sich wieder fühlbar macht, nützen alle Sprechmethoden so gut wie nichts, weil der geradezu paralytische Zustand der Sprachorgane es dem Leidenden unmöglich macht, sie nach Willkür zu bewegen

Von Tag zu Tag nimmt die Häufigkeit wie auch die Intensität der Anfälle zu, bis der Patient schließlich der Tatsache gegenübersteht, daß er seinem Leiden wieder vollständig verfallen ist. In sehr vereinzelten Fällen ist es möglich, die Auto-Suggestion so stark zu machen, daß eine dauernde Heilung erzielt wird. Wer Gelegenheit gehabt, die in Anstalten mit Hilfe von Sprechmethoden erzielten Dauerheilungen festzustellen, wird mir zugeben, daß dieselben nicht einmal im Durchschnitt zehn v. H. erreichen.

Es verlohnt sich nicht, auf einzelne der bis zum heutigen Tage angewandten mechanischen Methoden einzugehen, weil es für die wirkliche Heilung von Sprachanomalien ganz gleichgültig ist, auf welchen besonderen Punkt bei der physiologischen Einübung der für das Sprechen nötigen Bewegungen das Hauptgewicht gelegt wird. Kußmaul hatte das Naturwidrige und Zwecklose solcher Übungen richtig gewertet, wenn er sagt: „Daß wir die Konstruktion unserer Sprechmaschine gar nicht kennen, ist die beste Garantie für den glatten Ablauf der Bewegungen, den sicheren und raschen Gang der Sprache. Indem der Wille schon alles vorgearbeitet findet und über die präformierten und eingeschulten Mechanismen einfach zu seinen Zwecken verfügt, wird er diese am leichtesten erreichen. Wie der Heerführer, um die hunderttausend Glieder seiner wohlorganisierten und eingeübten Armee in den richtigen Gang zu setzen, nur im großen und ganzen seine Befehle zu erteilen hat, so brauchen wir zur Ausführung der kombiniertesten Bewegungsreigen unserer Sprachwerkzeuge nur durch dieses Wort oder jenen Satz einen Gedanken äußern zu wollen, um ihn wirklich zu äußern; glücklicherweise haben wir uns hierbei um die dazu erforderlichen Einzelvorgänge im Verkehr der unzähligen inneren Telegraphenstationen nicht weiter zu kümmern[1]."

In neuerer Zeit ist dieser Tatsache von einigen Stotterheilanstalten gebührend Rechnung getragen worden und man hat sich bemüht, unter Vermeidung von methodischen Artikulations- und Atemübungen das Übel durch Stärkungskuren, Ruheübungen und Heterosuggestionen zu beseitigen. Ich selbst habe dieses Rüstzeug im Kampfe gegen Sprachstörungen jahrelang benutzt, konnte aber nicht umhin, schließlich wahrzunehmen, daß eine wesentlich höhere Anzahl von Dauerheilungen auch damit nicht zu erzielen war.

Obschon seit Denhardt[2] von einer Reihe einsichtiger Lehrer klar

---

[1] Kußmaul: Die Störungen der Sprache. 1885. S. 5 und 6.

[2] Denhardt: Das Stottern, eine Psychose. 1890.

erkannt worden war, daß Sprachstörungen sich auf einer psychischen
Basis aufbauen, gelang es ihren Bemühungen doch nicht, die psychische
Struktur zu durchschauen und den Grund zu einer rationellen Therapie
für die Heilung des Stotterns zu legen. Die nötige Einsicht gestattete
endlich die von den Wiener Ärzten B r e u e r und F r e u d begründete
psychoanalytische Methode, die die individuellen Eindrücke und das
Weltbild des Kranken gebührend in Ansatz brachte, um daraus das
Verständnis für das bisher Rätselvolle zu gewinnen. Die ersten Forscher
auf dem Gebiete der Psychoanalyse hoben hervor, daß bei der Entstehung von Neurosen der traumatische Einfluß sexueller Erlebnisse
mit ihren Folgen (Verdrängung und Verschiebung) als das wesentlichste
auslösende Moment anzusprechen sei. Bei der Erweiterung dieser Lehre
gelangte Freud dahin, die „sexuelle Ätiologie" für alle Neurosen als
das Entscheidende hinzustellen. Obschon weitere Erfahrungen bald
ergaben, daß die sexuellen Kindheitseindrücke der Nervösen keineswegs
sonderlich von denen der Normalen abweichen, hielt er daran fest,
daß die „psychosexuelle Konstitution" ausnahmslos die Basis neurotischer Erkrankungen bilde, deren Symptome sich unter dem Einfluß
einer anomalen Verteilung der Libido, der psychischen Lust, und bei
Eintritt einer auslösenden Konstellation einstellten.

Die Auffassung Freuds, daß die Neurosen ein libidinöses System
seien, ist vielfach — und mit Recht — angegriffen worden, wobei
vornehmlich auf die Tatsache hingewiesen worden ist, daß es keine Norm
in der Lustwertung gibt, und daß es deshalb nicht angängig ist, das
psychische Geschehen auf solch schwankender Basis aufzubauen. Hand
in Hand mit der Theorie von dem sexuellen Ursprunge der Neurosen
geht ein weiterer Irrtum Freuds, nämlich daß der Neurotiker unter dem
obsedierenden Einflusse infantiler „verdrängter" Wünsche stehe, die
in Träumen und bei gewissen Anlässen im Leben Verwirklichung an-
streben.

Obgleich das sehr verdienstvolle Werk Freuds von vorurteilslosen
psychologischen Kreisen wohlverdiente Anerkennung gefunden, konnte
schließlich doch nicht verkannt werden, daß dasselbe nur als eine Vorarbeit für eine Vertiefung der Erkenntnisse in der Neurosen-Psychologie
zu betrachten ist. Es war A l f r e d A d l e r vorbehalten, die heuristisch
wertvollen Irrtümer Freuds aufzuzeigen und jene Momente festzustellen,
die der gesunden wie der kranken Psyche in allen Lagen des Lebens
Ziel und Richtung geben.

Im Gegensatz zu Freud, der die Anschauung vertritt, daß die W u r z e l der Neurose vom Charakter des Kranken unabhängig sei, fand Adler, daß eine eigenartige Struktur des Charakters den innersten Kern jeder neurotischen Erkrankung bildet[1]. Für den Aufbau des nervösen Charakters sind nach Adler zwei Faktoren verantwortlich zu machen: einmal ein ausgesprochenes, vom Kinde als unerträglich gefühltes Minderwertigkeitsgefühl und zum andern — als psychische Reaktion — hypertrophische Kompensationsbestrebungen. Das Minderwertigkeitsgefühl leitet sich regelmäßig von angeborenen Organminderwertigkeiten her, die die Einfügung des Kindes in den Kulturbetrieb in der Regel ungemein erschweren und es in häufige Konflikte mit der Umgebung bringen. Um dem bedrückenden Gefühl der Minderwertigkeit zu entgehen, beginnt das konstitutionell belastete Kind früh mit Versuchen, die dahin zielen, einen festen Standpunkt zu gewinnen, von dem aus es ihm möglich ist, das Verhältnis seiner Fähigkeiten zu den Problemen des Lebens abzuschätzen. „Von diesem Standpunkte aus, der als ruhender Pol in der Erscheinungen Flucht angenommen wird, spannt die kindliche Psyche Gedankenfäden zu den Zielen seiner Sehnsucht. Auch diese werden von der abstrakten Anschauungsform des menschlichen Verstandes als feste Punkte erfaßt und sinnlich interpretiert. Das Ziel: groß zu sein, stark zu sein, ein Mann, oben zu sein, wird in der Person des Vaters, der Mutter, des Lehrers, des Kutschers, des Lokomotivführers usw. symbolisiert, und das Gebaren, die Haltung, identifizierende Gesten, das Spiel der Kinder und ihre Wünsche, Tagträume und Lieblingsmärchen, Gedanken über ihre künftige Berufswahl zeigen uns an, daß die Kompensationstendenz am Werke ist und Vorbereitungen für die zukünftige Rolle trifft. Das eigene Gefühl der Minderwertigkeit und Untauglichkeit, das Gefühl der Schwäche, der Kleinheit, der Unsicherheit wird so zur geeigneten Operationsbasis, die aus den anhaftenden Gefühlen der Unlust und Unbefriedigung die inneren Antriebe hergibt, einem fiktiven Endziel näher zu kommen" (Adler, l. c.). Weil das unter dem Gefühl der Minderwertigkeit und Schwäche leidende Kind von der Furcht beherrscht ist, daß ihm eine Rolle zufallen könne, die ihm als u n m ä n n l i c h erscheint, so ist es nur natürlich, daß seine Kompensationstendenz, sein „männlicher Protest", mit aller Macht dahin strebt, eine E r h ö h u n g   s e i n e s   P e r s ö n l i c h k e i t s - g e f ü h l s herbeizuführen, dessen einfache Formel „Ich will oben,

---

[1] A d l e r : Über den nervösen Charakter. Bergmann, Wiesbaden 1912. — Siehe ferner die am Schlusse des eben genannten Werkes angezogenen weiteren Schriften desselben Autors.

ich will ein ganzer Mann sein!" mit geringer Modifikation für beide
Geschlechter gilt. Diese leitende Fiktion beherrscht die neurotische
Psyche fast in allen Lebenslagen und führt infolge des Umstandes,
daß dem Kinde der Verzicht auf Männlichkeit gleichbedeutend mit
Weiblichkeit erscheint, sehr bald dahin, daß es alle Hemmungen der
Aggression (Schüchternheit, Feigheit, Unwissenheit, Gehorsam, Armut
usw.) als weiblich auffaßt. Diese kindlichen Werturteile haben notwendigerweise zur Folge, daß das Kind eine hermaphroditische Rolle
spielt: auf der einen Seite wird es „weibliche" Neigungen zeigen, die
seine Unterwerfung und Abhängigkeit von Eltern und Erziehern erkennen lassen, auf der andern Seite dagegen Wünsche, Gedanken und
Handlungen, die seine „männliche" Geltungssucht, seinen „Willen zur
Macht" (Nietzsche) zum Ausdruck bringen.

Der männliche Protest, die Neigung, von der weiblichen zur männlichen Linie abzurücken, erfolgt zwangsmäßig und beherrscht die gesamte psychische Struktur der Neurosen und ihrer Symptome. Auch
die Phantasien und das Traumleben des Kranken geraten gänzlich unter
die Herrschaft dieser fiktiven Leitlinie und es läßt sich verstehen,
wie sich Freud durch die Verwendbarkeit des sexuellen Bildes, das sich
aus dem ideellen Gegensatz „männlich-weiblich" herschreibt, hat verleiten lassen, seine Grundanschauung von der sexuellen Ätiologie der
Neurosen aufzustellen. Tatsächlich sind das Sexuelle wie das „Krimi-
nelle" (Stekel) lediglich Ausdrucksformen, die bald der hyperaktiven
(männlichen), bald der passiven (weiblichen) Manifestation der Neurose zur Darstellung dienen, ebenso sind der Inzest, die Homosexualität und andere Perversionen nur Gleichnisse, die den Umweg
erkennen lassen, mit dessen Hilfe der Nervöse sucht, zum männlichen
Protest, zur Erhöhung seines Persönlichkeitsgefühls zu gelangen.

Weil das dem disponierten Kinde unerträgliche Gefühl der Minderwertigkeit gebieterisch nach einer sichernden Zwecksetzung verlangt,
ist es naturgemäß, daß es unter äußerster Anspannung seiner psychischen Mittel bestrebt ist, seine schwache Position durch einen schützen-
den Vor- und Überbau nach Möglichkeit zu befestigen. Diese Schutz-
dämme und Hemmungen, um deren Aufrechterhaltung und Befestigung
der Nervöse sich, ohne es zu wissen, fast unaufhörlich müht, machen das
Wesen jeder neurotischen Erkrankung aus. Die Neurose ist daher kein
Libidosystem, sondern ein Sicherungssystem, geboren aus dem den Nervösen beherrschenden Zwange, eine Erhöhung des Persönlichkeitswertes

mit allen Mitteln herbeizuführen und so dem unerträglichen Gefühl der Schwachheit und Untauglichkeit zu entgehen.

Bevor ich nun dazu übergehe, in groben Umrissen zu zeigen, daß die Adlersche Lehre von der Minderwertigkeit der Organe, sowie von den psychischen Kompensationen und Sicherungstendenzen ausnahmslos auch auf alle Formen des Stotterns Anwendung findet, möchte ich bemerken, daß ich zahlreiche Stotterfälle anfangs mit der Psychoanalyse im Freudschen Sinne behandelt habe, bei schweren Fällen damit aber befriedigende Resultate nicht habe erzielen können. Abgesehen davon, daß Freud den unbewußten Lebensplan des Nervösen und damit die Dynamik der Neurose nicht recht erkannt hat, überzeugten mich meine Beobachtungen an schweren Stotterfällen, daß die Mißerfolge mit der Freudschen Methode namentlich auf zwei Momente zurückzuführen sind: auf die unbefriedigende Lösung des Angstproblems und auf die ungenügende Betonung und Aufhellung des von der neurotischen Psyche in abnormem Ausmaße geübten Vorausschauens und Vorausdenkens, einer Neigung, von deren Intensität in schweren Fällen sich der Gesunde kaum eine annähernde Vorstellung bilden kann. Adler hat beide Faktoren sehr richtig als die Ausflüsse einer visuell-halluzinatorischen Fähigkeit erkannt, die im Dienste der Sicherungstendenz steht und darauf abzielt, den Patienten vor einer Herabsetzung seines Persönlichkeitsgefühls zu schützen. Je größer das Minderwertigkeitsgefühl ist, desto intensiver macht sich die Sprechangst und die Antizipation fühlbar; die letztere wirkt in manchen Fällen so stark, daß das Wortbildzentrum geradezu in einen illuminationsartigen Zustand versetzt wird und „schwere" Buchstaben und Worte sich dann als hohe Hindernisse vor dem geistigen Auge des Leidenden aufstellen. Die Anwendung der Freudschen Theorie, wonach die Angst durch Verdrängung infantiler erotischer Wünsche entstanden sein soll, hilft dem Stotterer wenig, was nicht verwundern kann, wenn man berücksichtigt, daß diese Wünsche selbst schon unter dem Zwange der neurotischen Zwecksetzung stehen. Diese kindlichen sexuellen Wünsche wie auch die späteren Perversionen gliedern sich sämtlich der einheitlichen Dynamik der Neurose an, und nur dadurch, daß die Dynamik bei der Behandlung ständig im Auge behalten und dem Patienten bewußt gemacht wird, lassen sich die Sicherungen und Hemmungen, auf denen die Sprachstörungen beruhen, für immer beseitigen. —

Soweit es der Raum erlaubt, will ich nunmehr an Hand eines umfangreichen Materials zeigen, welche Feststellungen ich an einer großen

Anzahl von mir psychoanalytisch behandelter Stotterer habe machen können.

Was zunächst die Frage der Organminderwertigkeit betrifft, so fand ich als äußere Degenerationszeichen besonders häufig Mißbildungen der Ohren, der Beine und der Genitalien (Kryptorchismus, Verwachsungen und Hypospadien); ferner, meist als Folge einer überstandenen Rhachitis, unverhältnismäßige Kleinheit, Langsamkeit und Plumpheit. Neigungen und Krankheitserscheinungen, die auf angeborene Minderwertigkeiten der Mundhöhle zurückzuführen sind, wie Daumenlutschen, Lippensaugen, Diphtherie, Krupp, Mandelentzündungen, ließen sich fast regelmäßig feststellen. Hinsichtlich des Harn- und Verdauungsapparates wurde mir von Enuresis (Bettnässen), Erbrechen, Incontinentia alvi und Obstipation (Verstopfung) berichtet, Schwierigkeiten, die sehr frühe ein Minderwertigkeitsgefühl, Furcht vor Bestrafung und ängstliche Vorsicht beim Essen und Schlafen im Gefolge haben. Besonders Enuresis habe ich nahezu in allen Fällen gefunden, in denen Stottern vor dem fünften Lebensjahr begann.

Die Minderwertigkeit der Mundzone und damit die besondere Disposition zu Sprachschwierigkeiten habe ich häufig auf direkte Vererbung zurückführen können. Es ist eine allgemein bekannte Tatsache, daß Stottern in vielen Familien erblich ist; man darf indessen die erbliche Belastung nicht so auffassen, als ob der fertige Stottermechanismus als latente Disposition von den Eltern auf das Kind unmittelbar übertragen werde. Das minderwertige Organ bedarf ja zweifellos längerer Zeit, um zur normalen Funktion zu gelangen, und auf dem Wege der Entwicklung ergeben sich naturgemäß leicht Schwierigkeiten und Störungen, die das Kind nur mit gesteigerten Leistungen seiner Psyche zu überwinden vermag; diese Störungen resultieren nicht selten — meist zwischen dem zweiten und dritten Lebensjahre — in Stammeln oder Stottern, das sich jedoch indes gewöhnlich nach einigen Monaten dank der inzwischen erlangten größeren Übung und Sicherheit wieder verliert. Um aber Sprachstörungen zu fixieren oder später zu entwickeln, dazu bedarf es, wie wir sehen werden, eines schwerwiegenden psychischen Momentes, einer zwanghaft und unablässig wirkenden Zielsetzung, die nicht ererbt, sondern vom Kinde selbst als Sicherung gegen die Schwierigkeiten des Lebens aufgerichtet worden ist. Wäre der konstitutionelle Faktor allein verantwortlich, so ließe sich der Umstand nicht erklären, daß von Kindern stotternder Eltern meist nur das zweite oder das jüngste Sprachstörungen zeigen, während die übrigen davon völlig verschont bleiben.

Ich habe nicht selten gefunden, daß das Gespenst der erblichen Belastung in den Köpfen mancher Stotterer Unheil insofern anrichtet, als sie geneigt sind, starr an der Anschauung festzuhalten, daß ihr „ererbtes Leiden" unmöglich der Heilung zugeführt werden könne. Im tiefsten Grunde beruht diese ihre unbeugsame Meinung lediglich auf Trotzeinstellung gegen den stotternden Teil der Eltern, dem sie gern die ganze Verantwortung für ihr Leiden und die damit verknüpften sozialen Nachteile aufbürden. Wenn die ererbte Disposition den gewichtigsten Faktor beistellte, so würde man zu der Erwartung berechtigt sein, daß Stottern, das sich ununterbrochen durch drei oder mehr Generationen verfolgen läßt, besondere Intensitätsgrade aufweist. Dies ist indessen nach meinen Erfahrungen keineswegs die Regel.

Wie soeben erwähnt, gelingt dem minderwertigen Organe die Überwindung von Schwierigkeiten nur durch erhöhte psychische Leistungen, eine Kompensation, die oft die gesamte Psyche befruchtet und charakterisiert. Adler hatte schon vor Jahren in seiner „Studie über Minderwertigkeit von Organen" darauf hingewiesen, daß die ungewöhnlichen Leistungen des griechischen Redners Demosthenes, des hebräischen Volksredners und Führers Moses und anderer, die ursprünglich mit Sprachschwierigkeiten schwer zu kämpfen gehabt haben, auf eine Überwertigkeit des psychomotorischen Überbaues zurückzuführen sind. Leider gelingt die Kompensation in vielen Fällen nur teilweise und es ergeben sich dann psychische Spannungen, die zeitweiligen gesteigerten Anforderungen nicht gewachsen sind. So kann man häufig beobachten, daß Stotterer, deren Leiden sich allmählich von selbst wieder verloren hat, unter schwierigeren Umständen, wie bei Schreck oder großer Aufregung, bei Prüfungen usw., wieder in den „Kinderfehler" zurückfallen und Sprachstörungen zeigen.

Um Stottern auf die Dauer zu fixieren, bedarf es einer Reihe von Momenten, die geeignet sind, beim Kinde das Gefühl der Organminderwertigkeit einen solch unerträglichen Grad erreichen zu lassen, daß es zu neurotischen Kompensationserscheinungen kommt. Beim Übergang aus der organischen Minderwertigkeit zur neurotischen Psyche kommen vornehmlich zwei Faktoren in Betracht:

I. Jedes Kind hat, weil es unter „Großen" (den Riesen in der Mythologie und den Märchen) lebt, ein relatives Gefühl der Minderwertigkeit und zeigt, um diesem Gefühle zu entrinnen, sehr früh die Neigung, ein Gernegroß zu sein: in seinen Spielen und Tagträumen schafft es fast unaufhörlich Situationen, die ihm gestatten, Dinge zu tun, die ihm durch seine körperliche Beschaffenheit schwierig oder gar unmöglich gemacht sind. Was nun für ein Kind mit dem Gefühle einer relativen Minderwertigkeit gilt, findet in weit höherem Maße auf das Kind Anwendung, das unter dem Drucke eines absoluten Minderwertigkeitsgefühles zu leiden hat. Es ist genötigt, zunächst eine scharfe Selbsteinschätzung vorzunehmen, und, um den zahlreichen Übeln der Inferiorität zu entgehen, dann zu einer Hilfskonstruktion zu greifen, indem es, ausgehend von seinem Gefühl der Schwachheit, Untauglichkeit und Unwissenheit, als fixen Punkt den Vater oder die Mutter annimmt, die ihm Kraft, Macht und Wissen repräsentieren. Das konstitutionell belastete Kind, dem auch das zu streng erzogene und das verhätschelte Kind an die Seite gestellt werden können, versucht nicht nur, sich zum Range des allgewaltigen Vaters zu erheben, sondern ihn sogar zu übertreffen. Weit mehr als das gesunde Kind sucht es sich krampfhaft an diese Fiktion zu klammern, verliert damit den Boden der Realität unter seinen Füßen und setzt sich gleichzeitig häufigen Niederlagen und Mißerfolgen aus, weil sein Ziel außer allem Verhältnis zu seinen körperlichen und geistigen Fähigkeiten steht. Wegen der Überspannung des Zieles, kann es nicht befremden, daß bei nicht wenigen Nervösen der Gedanke vorherrscht, daß sie nie etwas Rechtes fertig bringen. Nicht selten führt die beständige Furcht vor Herabsetzungen und Mißerfolgen dahin, daß der Kranke von jeder Art geregelter Arbeit, bei der Wettbewerb in Frage kommt, zurückschreckt.

Weil ein neurotischer Knabe[1] durch seine Fiktion in die Aggression gegen den Vater gezwungen wird, so strebt er zur Sicherung seiner Stellung, sich an die Mutter anzulehnen, bei ihr Schutz und Unterstützung zu suchen. Dieses Anlehnungsbedürfnis ist ungemein ausgeprägt und läßt sich auch beim erwachsenen Stotterer noch sehr deutlich beobachten. Fast alle finden es leichter zu sprechen, wenn jemand, auf den sie sich verlassen können, mit ihnen ist. Aber auch physische Anlehnung hat häufig den gleichen Erfolg. So spüren manche eine auffallende Erleichterung, wenn sie sich während des Sprechens an die Wand anlehnen oder auf eine Stuhllehne, einen Tisch oder dergl. stützen können. Das Anlehnungsbedürfnis hemmt naturgemäß die Entwicklung von Selbständigkeit, von Selbstzucht und Initiative sehr wesentlich, und Züge wie Unsicherheit, Schüchternheit, Feigheit und unterwürfiger Gehorsam machen sich bald deutlich bemerkbar. Über diesen

---

[1] Für ein Mädchen gilt das gleiche, nur mit dem Unterschiede, daß der Vater und die Mutter ihre Rollen vertauschen.

Charakterzügen finden sich als Ausgleich regelmäßig Trotz, Frechheit, Starrköpfigkeit, Übermut und Hang zur Auflehnung — Eigenschaften, die die Durchführung der Erziehungsabsichten oft ungemein erschweren. Hat das Kind durch peinliche Erfahrungen seine Aggressionstendenz in der Hauptsache eingebüßt, so sucht es durch passives Verhalten, durch stillen Trotz, durch ehrlichen oder unehrlichen Gehorsam seine Stellung zu behaupten. Berichte nach Art des nachstehend angeführten kann man von schweren Stotterern, die sich frühzeitig in die Maschen ihrer Fiktion verstrickt hatten, regelmäßig vernehmen:

„Wir wurden sehr streng erzogen. Meine Eltern waren zum Verzweifeln gewissenhaft, sehr nervös und ängstlich mit uns und stellten zahllose Regeln auf. Wir mußten eine Stunde vor dem Frühstück zum Privatunterricht erscheinen oder bei Verspätung schon am Nachmittag wieder zu Bett gehen; wir mußten Französisch mit unserer Erzieherin sprechen oder, wenn wir das versäumten, Strafarbeiten am Sonnabend Nachmittag machen; wir mußten zweimal täglich spazieren gehen und an Sonntagen zweimal die Kirche besuchen usw. Die Kinder im Nachbarhause hatten viel mehr Freiheit, und obschon ihr Vater in manchen Stücken entsetzlich streng war, beneidete ich sie doch sehr. Wie glücklich mußten sie sich fühlen, daß ihnen erlaubt war, in den Straßen zu spielen und an Sonntagen des Morgens zu Hause zu bleiben! Ich rief bei meinen Eltern Entsetzen hervor durch die gelegentliche Bemerkung, daß ich den Kirchenbesuch haßte. Der Gottesdienst in unserer Dorfkirche bedeutete für mich einen plärrenden Chor, eine das Ohr verletzende Orgel, eine endlose Litanei, Füße wie Eis im Winter und im Sommer ein Ohnmachtsgefühl, um dessentwillen ich regelmäßig aus der Kirche geschickt werden mußte[1]. Meines Vaters Predigten langweilten mich zu Tode. Ich verabscheute auch den Zwang der Unterrichtsstunden: sie bildeten einen schmerzlichen Kontrast mit meinen ständigen Träumen von Feen und Elfen mit goldenen Flügeln, von glitzernden Edelsteinen und duftenden Blumen, von Privateisenbahnen und Veloziped-Pferden. Die Lektionen waren mir verhaßte Realitäten und gehörten zu all dem, was ich „die häßliche Welt" zu nennen pflegte. Da ich für diese meine Anschauungen häufig verlacht und zuweilen sogar bestraft wurde, lernte ich frühzeitig, mich zu verstellen und im geheimen auf Rache zu sinnen."

---

[1] Er hatte von frühester Kindheit an ein ganzes Arsenal von Krankheits-Arrangements zur Verfügung, die er bei bestimmten Gelegenheiten zur Überwindung der elterlichen Autorität ins Feld führte.

Diese Ausführungen rühren von einem sehr schweren Stotterer her, dessen Psyche sich in weiblicher Richtung so weit vorgebaut hatte, daß sein mutloser, masochistischer Charakter ihn für das Leben völlig unbrauchbar werden ließ. Er ist der jüngste von vier Brüdern; alle sind mehr oder weniger neurotisch und die nervöse Familientradition, bei der jeder die Herrschaft über den andern zu erlangen strebt, stand dort in voller Blüte. Er hatte nicht nur als Jüngster im allgemeinen einen schweren Stand den anderen gegenüber, sondern eine Schwäche im linken Fuße im Verein mit großer Unbeholfenheit und Langsamkeit trugen noch im besonderen dazu bei, seine Selbsteinschätzung äußerst niedrig anzusetzen.

Das Verhalten des zur Neurose veranlagten Kindes läßt sich regelmäßig dahin auslegen, daß es in allen Lebensverhältnissen herrschen, „oben" sein will. Der Nervöse ist sehr ehrgeizig, eitel, will überall mitreden und will der Erste in der Familie und in der Schule sein. Es ist selbstverständlich, daß ein solcher Mensch überempfindlich ist, keine wirkliche oder vermeintliche Zurücksetzung ertragen kann; er vermag eine Beleidigung nur sehr schwer zu vergessen und ist in ständiger Kampfbereitschaft, allzeit darauf bedacht, den andern unter seine Herrschaft zu zwingen. Sieht er sich infolge seiner sehr niedrig angesetzten Selbsteinschätzung außerstande, sein Ziel auf dem Wege der direkten Kompensation zu erreichen, so geht er notgedrungen dazu über, die Erreichung des Zieles auf dunkeln und oft schwer verständlichen Umwegen anzustreben und den kompliziertesten dieser Umwege stellt eben die Neurose dar.

Solange der Stotterer seine Herrschergelüste ohne die leiseste Furcht, auf Widerstand zu stoßen, realisieren kann, hat er in der Regel keine oder nur sehr geringe Schwierigkeiten beim Sprechen. Hegt er dagegen hinsichtlich seiner Überlegenheit Zweifel oder weiß er von früheren Erfahrungen her, daß der andere ihm überlegen ist, so tritt sofort Stottern auf. Ich will zur Illustration dieser Erscheinung hier zwei Träume anführen, die von einem sechsundzwanzigjährigen Stotterer zu Beginn der psychoanalytischen Behandlung in zwei aufeinander folgenden Nächten geträumt wurden. Der erste lautet: „Ich bin zu Hause auf Besuch. Während ich durch den Hausflur gehe, begegnen mir mehrere meiner Geschwister in Begleitung zweier Bekannten, die ich nicht ausstehen kann, weil sie alles besser wissen wollen. Sie alle benehmen sich, als ob das ganze Haus ihr Eigentum wäre. Ich habe den Eindruck, daß ich kein Wort zu ihnen ohne Stottern werde sprechen

können." Der Traum der nächsten Nacht lautet: „Ich sitze allein
mit meiner Mutter in unserem früheren Kinderzimmer vor dem Kaminfeuer. Wir führen eine angeregte Unterhaltung und ich fühle, daß
ich geheilt bin." — Die Reduktion seiner Sprachschwierigkeiten einerseits und seines ungehemmten Redeflusses andererseits auf die entsprechenden infantilen Situationen ist in beiden Träumen so durchsichtig, daß ein Kommentar überflüssig erscheint. Bezüglich des Falles
selbst möchte ich nur hinzufügen, daß der Patient der älteste von 11 Geschwistern ist. Von seiner Mutter anfangs verzogen, fühlte er es sehr
unliebsam, daß er im Alter von vier Jahren seiner privilegierten Stellung
durch das Erscheinen eines Schwesterchens verlustig ging. Für diese
Entthronung rächte er sich durch unaufhörliche Angriffe gegen die
Kleine und durch großen Trotz gegen den Vater, den er als den Urheber
der erlittenen Verkürzung ansah. Sein Stottern begann kurz nach der
Geburt seiner zweiten Schwester, verlor sich indes nach etwa einundeinhalb Jahren wieder. Als aber kurze Zeit darauf sein Vater, der ein
hohes Kirchenamt bekleidet, die Bemerkung gelegentlich fallen ließ,
daß es sein Lieblingswunsch sei, ihn später als Geistlichen zu sehen,
setzte das Stottern wieder ein, weil sich ihm jetzt eine Möglichkeit
bot, seines Vaters Pläne zu durchkreuzen und sich als der Stärkere zu
erweisen. Als er die Universität absolviert hatte, verließ er das elterliche Haus, um in Ostafrika Landwirtschaft zu betreiben und sich auf
diese Weise dem Einflusse seines Vaters soweit wie nur irgend möglich
zu entziehen. Im vorigen Jahre aus Gesundheitsrücksichten auf einige
Monate nach Hause zurückgekehrt, ließ er sich auf Betreiben seines
Vaters, der an seinem alten Lieblingswunsche noch immer festhielt,
von mir behandeln. Sein Stottern besserte sich sehr schnell, er brach
jedoch die Behandlungen trotz der Gegenvorstellungen seiner Eltern vorzeitig ab, als er erfuhr, daß sein Vater in der Kirche an einigen Sonntagen öffentliche Fürbitte für seine völlige Wiederherstellung hatte
tun lassen. Durch den Abbruch der Kur wollte er seinen Vater wieder
zuschanden werden lassen. —

Ehe ich zum zweiten Faktor übergehe, verdient noch ein wichtiger
Punkt hervorgehoben zu werden: die intensive Befruchtung, die die
Phantasietätigkeit des neurotischen Kindes infolge seiner Trotzeinstellung
und seines Hanges zur Auflehnung erfährt. Bei jeder Psychoanalyse
lassen sich eine Reihe von Phantasien und Wünschen feststellen, die
Größenideen und sadistische Regungen zum Gegenstande haben. Phantasien von einer geheimen fürstlichen Abstammung, von Helden- und

Räuberrollen, von Befreiung der Mutter aus den Händen des allgewaltigen Vaters sind sehr häufig. Ferner steigen Rachegedanken und Todeswünsche gegen Personen der Umgebung bei der leisesten Beeinträchtigung auf. Das Kind verkennt alle guten Absichten seiner Erzieher und hat nur den einen Wunsch, den starken Vater oder seine Vertreter — die Mutter, ältere Geschwister, den Lehrer — zu bekämpfen und so das Pathos der Distanz zu verringern. Aus diesem Grunde kann die Tatsache nicht befremden, daß die Distanz — im örtlichen sowohl wie im übertragenen Sinne — im Leben der Stotterer eine bedeutende Rolle spielt. Fast alle finden es schwierig, zu Personen zu sprechen, die entweder wesentlich älter sind oder eine höhere soziale Stellung einnehmen. Schwierigkeiten machen sich gleichfalls bemerkbar, wenn der Stotterer zu jemand zu sprechen hat, der in einiger Entfernung von ihm steht, oder einen Sitz über ihm einnimmt (z. B. ein Kutscher auf dem Bock). Um das Unbequeme der Distanz zu mildern, benutzt er als wesentlichstes Hilfsmittel entweder eine künstlich autoritative oder eine familiäre Sprechweise; die erstere wird namentlich untergeordneten Personen gegenüber zur Anwendung gebracht, während die letztere vor sozial Höherstehenden gute Dienste zu leisten bestimmt ist. Diese Hilfen versagen natürlich, wenn das Minderwertigkeitsgefühl des Stotterers derart ausgeprägt ist, daß er es nicht wagt, eine künstliche Brücke über die trennende Kluft zu schlagen.

II. Als zweites Moment, das beim Übergang aus der Organminderwertigkeit zur Neurose einen sehr wesentlichen Faktor beistellt, ist von Adler die Unsicherheit des disponierten Kindes bezüglich der ihm später zufallenden Geschlechtsrolle nachgewiesen worden. Dieser Zweifel läßt sich bei jeder Psychoanalyse feststellen, und ich habe die Beobachtung gemacht, daß in allen Fällen, in welchen das Stottern zwischen dem vierten und fünften Lebensjahre begann, diese Ungewißheit besonders ausgeprägt war und ein hastiges Drängen, mit Aufbietung aller verfügbaren Mittel nach der männlichen Seite abzubiegen, ausgelöst hatte. Das Suchen nach der Geschlechtsrolle beginnt in der Regel um das vierte Lebensjahr. Ein denkfähiges Kind, das Eltern und Großeltern um sich sieht und von Kindern hört, die zur Welt kommen, kann sich der Nötigung nicht entziehen, der Kausalität nachzuspüren. Weil direkte Fragen des Kindes von den Eltern in der Regel mit der Storchfabel oder andern Ausflüchten[1] beantwortet werden,

---

[1] Weil in England die Störche sehr selten sind, wird den wißbegierigen Kindern entweder erzählt, daß das neu angekommene Baby unter einem Stachel-

deren Haltlosigkeit es bald durchschaut, bleibt es ihm überlassen, des Rätsels Lösung selbst zu finden. Da es die Bedeutung der Geschlechtswerkzeuge nicht kennt, sucht es das Problem mit Hilfe von Theorien zu lösen, die den Mund, den Nabel, den Anus oder Operationen (vgl. die Lösung des Problems im Märchen vom Rotkäppchen) in den Kreis der Möglichkeiten ziehen. Vornehmlich der beiden Geschlechtern zukommende Anus wird für eine Zeitlang regelmäßig als Sexualziel angenommen und bildet dann die Grundlage für eine Reihe von irrigen Schlüssen. Dem Kinde ist meist nur der Weg offen, den Unterschied der Geschlechter in der Kleidung, in den Haaren, in körperlichen und geistigen Eigenschaften zu suchen; aber auch hier geht es vielfach irre, weil manche Eltern eine Vorliebe dafür haben, die Knaben bis zum vierten Jahre und nicht selten sogar darüber hinaus Mädchenkleider und langes Haar tragen zu lassen. Mißbildungen der Geschlechtsorgane oder die Möglichkeit einer Veränderung derselben, veranlaßt durch Drohungen der Eltern, können gleichfalls zur Unsicherheit beitragen[1]. Bei Mädchen wird der Zweifel durch jungenhaftes Aussehen oder Benehmen verstärkt, wobei gelegentliche Bemerkungen („die ist ein ganzer Junge") den kindlichen Irrtum häufig befestigen. Als weiteres Moment kommt die bedauerliche Tatsache hinzu, daß unsere Kultur, unterstützt durch die Anschauungen der Religion, der Männlichkeit einen unverhältnismäßig hohen Vorrang einräumt. Viele Kinder haben leider allzu häufig Gelegenheit, herabsetzende Bemerkungen und Handlungsweisen, die die Frau als minderwertig erscheinen lassen, zufällig zu hören und zu beobachten. Nun setzt die gleiche Reaktion, die wir schon vorher am Werke gesehen haben, in noch erhöhtem Maße ein. In der Erwägung, daß dem Kinde vielleicht das Los zufallen

beerstrauch gefunden worden sei, oder aber, daß der Arzt es in seiner Handtasche mitgebracht habe, als er zur kranken Mutter gerufen worden sei.

[1] Fast alle neurotischen Knaben leiden an der Vorstellung, daß ihr Penis allzu klein sei, und es werden zur Beseitigung dieser „Unmännlichkeit" von ihnen häufig Versuche gemacht, das Genitale zur Vergrößerung, zur Erektion zu bringen, Versuche, die in der Regel zur Masturbation führen. Gewisse Handbewegungen mancher Stotterer lassen auf diese Form des männlichen Protestes direkt schließen; so die Neigung, bei einem „schwierigen" Worte mit der Hand die Nase (Penis-Symbol) zu berühren oder über das Haar zu streichen. Der Sinn der Bewegung ist: er schreckt nicht wie ein Weib vor einer Schwierigkeit zurück, sondern nimmt das Hindernis wie ein Mann. — Bei Mädchen hat das Bedecken des Mundes mit der Hand bei einem Stotterparoxysmus ganz ähnlichen Sinn (Bedecken der „Öffnung" verbirgt die Weiblichkeit).

könnte, eine Frau zu werden, d. h. gehorsam, passiv, schwach zu sein und Schmerzen zu ertragen, legt es sich sehr frühe den Schein einer übertriebenen Männlichkeit bei und übertreibt so den männlichen Protest oft ins Ungemessene. Es will sich durch niemand belehren lassen, duldet keinen über sich, zeigt Selbstsucht und nicht selten starke Neigung zum Lügen. Dazu kommt noch, daß die ersten Erkenntnisse in sexuellen Fragen, die das Kind meist auf verbotenen Wegen erlangt, seine Überempfindlichkeit auf das heftigste verletzen und gleichzeitig sein Verhältnis zu den Eltern insofern stören, als das Kind sich von ihnen betrogen und ausgeschlossen vom allgemeinen Wissen vorkommt. Sein Eindruck, daß die Erwachsenen einen Geheimbund ihm gegenüber bilden, in den einzudringen ihm unmöglich gemacht ist, führt unmittelbar zu einer Hemmung seiner Aggression.

Das Vorstehende findet nicht nur Anwendung auf Knaben, sondern auch auf Mädchen, die fast regelmäßig ein Minderwertigkeitsgefühl den ersteren gegenüber haben. Bei der Behandlung von Stotterern hat sich mir zu wiederholten Malen der Eindruck aufgedrängt, daß die Furcht, ein Weib zu werden, bei dem disponierten Knaben im allgemeinen noch mehr ausgeprägt ist als beim Mädchen. Diese Beobachtung dürfte zum Teil die Tatsache erklären, daß männliche Stotterer weit häufiger anzutreffen sind als weibliche.

Wie intensiv ein neurotisches Kind auf alles reagiert, was den Gedanken der Weiblichkeit nahe legt, will ich an einem kleinen Ausschnitt aus einer Psychoanalyse zeigen. Ein Junge, das einzige Kind seiner Eltern, der mit vierundeinhalb Jahren zu stottern begonnen hatte, bekam zu der Zeit seine ersten Höschen. Immer ein kränkliches, zartes Kind, konnte er bei den Eltern stets seinen Willen durchsetzen, mit dem unausbleiblichen Erfolge, daß sie schließlich nicht vermochten, ihn auch nur im mindesten zu leiten. Der Mutter und dem Kindermädchen verweigerte er rundweg den Gehorsam, und zum strengeren Vater stotterte er natürlich so jämmerlich, daß auch er es aufgeben mußte, den „armen kleinen Kerl" zu beeinflussen. Als nun der Junge die ersten Hosen bekam, zeigte es sich, daß die abgelegten Kleidchen den Eltern endlich ein Mittel boten, ihn auf einige Zeit in Schach zu halten. Wenn er nämlich sehr garstig war, brauchte ihm die Mutter nur zu drohen, daß sie ihm die Mädchenkleider wieder anziehen würde, um ihn sofort gefügig zu machen. Weder körperliche Züchtigungen noch Drohungen anderer Art hatten auch nur annähernd gleichen Erfolg gehabt. Als er die Hosen das erste Mal trug, hatten seine Eltern das wichtige Ereignis dadurch festgelegt, daß sie mit dem Jungen zum Photographen gingen und ein Bild von ihm nehmen ließen. Wenige Wochen später wurde die Photographie einer Bekannten gezeigt, wobei die Mutter im Flüstertone die Bemerkung machte, daß das Gesicht des Kindes recht mädchenhaft ausgefallen wäre. Als die Mutter mit ihrer Freundin das Zimmer verlassen, stürzte sich der Junge sofort auf das Photographiealbum, riß das Bild heraus, warf es ins Feuer und sagte wütend zu seiner Mutter, als sie das Zimmer wieder betrat: „Wie kannst du sagen, daß ich wie ein Mädchen aussähe!"

Weil das neurotische Kind unter dem Zwange steht, alle Gegensätze ins Maßlose zu übertreiben, so vergrößert sich bei ihm auch unverhältnismäßig die verschiedene Wertung der beiden Geschlechter. Für manche Neurotiker zerfallen alle Beziehungen des Lebens in männliche und weibliche Relationen. Ich habe wiederholt Stotterer gefunden, die diese Wertung in alles hineintrugen, womit sie überhaupt in Berührung kamen: Eisenbahnen, Dampfschiffe, Wege, Bäume usw. Ein sehr intelligenter Stotterer setzte mich unlängst etwas in Erstaunen damit, daß er mir einen langen Vortrag über die männlichen und weiblichen Eisenbahnlinien und -Züge in Großbritannien hielt. Er erklärte mir, daß alle Eisenbahnlinien, die über 100 Yards hoch liegen, männlich, dagegen die, die tiefer liegen, weiblich seien; Schnellzüge seien männlich, Bummelzüge weiblich; die Linien, auf denen sein Vater gewöhnlich reise, seien ebenfalls männlich, während die Züge der Eisenbahngesellschaft, von der seine Mutter Aktien besitze, wieder weiblich seien. Er gab mir noch eine lange Serie weiterer „männlicher" und „weiblicher" Klassifizierungen, deren Aufzählung hier jedoch zu weit führen würde.

In vorstehendem ist in knappen Zügen dargestellt worden, wie das Gefühl der absoluten Minderwertigkeit und der Unsicherheit in der Geschlechtsrolle den Hebel für die Entwicklung und Verstärkung einer Reihe von neurotischen Charakterzügen bildet. Das Gefühl der Unsicherheit baut indes noch eine weitere, und zwar die wichtigste Gruppe von Charakterzügen auf, die sämtlich bestimmt sind, die fiktive Leitlinie des Nervösen zu verstärken, um sein Persönlichkeitsgefühl zu retten. Weil er immer „oben" sein, überall sich Geltung verschaffen will, infolge seines Minderwertigkeitsgefühls aber stets für den Erfolg zittert, so mündet sein Mißtrauen und Zweifel in der Anschauung, daß er sehr große Vorsicht anwenden müsse, wenn er sein Ziel erreichen wolle. Nun ist ihm der direkte Weg, auf dem er seine Gier nach Vergrößerung seines Besitzes und seiner Macht befriedigen könnte, mehr oder weniger

16

verschlossen und deshalb benutzt er, bewußt oder unbewußt, Umwege, um sein Ziel zu erreichen. Diese Umwege täuschen nicht nur die Umgebung des Patienten, sondern auch oft ihn selbst. So hat er nie die Erkenntnis, daß sein Stottern den Umweg darstellt, auf dem er einer Niederlage im Leben, einer Erniedrigung seines Persönlichkeitsgefühls zu entgehen hofft, und es bedarf nicht selten monatelanger psychoanalytischer Arbeit, bevor es gelingt, ihm seine Schlupfwinkel nachzuweisen, den psychischen Mechanismus seines Sprachleidens zu zerbrechen und ihn damit für immer zu heilen. Bei Benutzung der neurotischen Umwege ergeben sich für den Nervösen als hervorstechendste Charakterzüge vor allem Neid, Geiz, Herrschsucht und die Tendenz, Menschen und Dinge zu entwerten; weil er seine Neigung, sich über die andern zu stellen, nur selten direkt befriedigen kann, so kann er ihr meist nur indirekt, durch Herabsetzung der anderen, Rechnung tragen. Weitere Züge, wie Haß und Rechthaberei, sind dazu bestimmt, seine Überlegenheit anderen gegenüber sicherzustellen. Um die mannigfachen Schwierigkeiten des Lebens nicht zu vermehren, wendet er Sparsamkeit, Genauigkeit, Pedanterie und abergläubische Regungen an. Des Stotterers größte Schwierigkeit, seine Furcht nicht nur vor dem Leben, sondern häufig auch vor der Ehe, verlangt oft Sicherungen in Gestalt von Masturbation, Perversionen und Impotenz, die seine Angst vor der Frau und vor Entscheidungen im allgemeinen nur sehr notdürftig verhüllen. Bemerken möchte ich dazu, daß ich in schweren Fällen von Stottern überraschend häufig psychische Impotenz gefunden habe.

Das System der Sicherungen und Hemmungen in der Psyche wird besonders befestigt und verstärkt durch Schuldgefühle, die dazu angetan sind, den Unternehmungsgeist ungemein zu hemmen. Sie rühren in der Hauptsache her von dem Streben des Kindes nach Vergeltung und Rache für wirkliche oder vermeintliche Zurücksetzungen; es sind Phantasien und Wünsche, die infolge der Trotzeinstellung leicht so unerhörte Grade erreichen, daß das Kind — das völlig unter dem Einflusse des allenthalben geltenden Erziehungsprinzipes „Schuld—Strafe" steht — vor den Folgen erschrickt, die ein Versuch, seine Rachepläne in die Tat umzusetzen, für dasselbe haben würde. Auf diese Weise tritt das Kind seinen eigenen Trieben entgegen und bewirkt eine intensive Aggressionshemmung, wie sie Adler für das Entstehen aller Neurosen als conditio sine qua non hingestellt hat. Den Schuldgefühlen fällt die Aufgabe zu, einem Sinken des Persönlichkeitsgefühles vorzubeugen, wenn die angestachelte Aggression zu besonderen Taten drängt.

Zu Beginn hatte ich schon hervorgehoben, daß die Antizipation und die Angst das Krankheitsbild des Stotterns vollständig beherrscht. Beide Erscheinungen sind der Ausfluß des halluzinatorischen Charakters des Nervösen und stellen lediglich eine besondere Form des Sicherungsmechanismus dar; beide stehen im umgekehrten Verhältnis zum Persönlichkeitsgefühle des Stotterers: sie machen sich um so mehr bemerkbar, je weniger die Sicherheit des letzteren gewährleistet ist. Solange der Stotterer sich vollkommen Herr der Situation fühlt, hat er weder die Neigung nach „leichten" Worten auszuschauen und eine Reihe von Sätzen im voraus zu präparieren, noch macht sich irgendwelche Beklemmung und Angst fühlbar. Adler hat unzweifelhaft recht, wenn er sagt, „daß das psychische Phänomen der Angst aus einer halluzinatorischen Erregung einer Bereitschaft entsteht, die in der Kindheit aus kleinen Anfängen somatisch erwachsen ist, sobald eine körperliche Schädigung drohte, später aber, und insbesondere in der Neurose durch den Endzweck bedingt ist, sich einer Herabsetzung des Persönlichkeitsgefühls zu entziehen und andere Personen dienstbar zu machen". In der Regel ist das Stottern anfangs nicht mit spürbarer Angst verbunden; sie macht sich aber bald fühlbar in Fällen, wo das Gefühl der Minderwertigkeit und infolgedessen auch das Bedürfnis, sich mit anderen zu messen, sehr ausgesprochen ist. In manchen Fällen ist dies Bedürfnis so stark ausgeprägt, daß der Patient kaum imstande ist, irgend etwas unbefangen zu tun oder zu denken. Stotternde Kinder mit nicht übermäßig ausgeprägtem Gefühle der Minderwertigkeit und Unsicherheit zeigen häufig keine Spuren von Angst vor dem zehnten oder zwölften Jahre; die überempfindlichen Kinder dagegen bringen den Sicherheitsmechanismus der Angst sehr früh zur Anwendung. Läßt man das Kind gewähren, zwingt man es nicht, sich häufig vor Erwachsenen zu produzieren oder an Kinderbällen und ähnlichen Veranstaltungen, wo es mit „Größeren" in Berührung kommt, teilzunehmen, so kann der Ausbruch der Angst längere Zeit hintangehalten werden. In den meisten Fällen ist die Schule das Gespenst, das die Angst auslöst und Sprachstörungen wesentlich verschlimmert.

Ein Punkt hat meine Aufmerksamkeit wiederholt erregt: die häufige Wiederkehr der symbolischen Gestalt, die die Sicherungstendenzen in der Psyche der Stotterer annehmen. Ich fand nämlich, daß sie fast alle — manche von ihnen vollkommen bewußt — in Phantasien und Träumen die Vorstellung haben, daß sie sich entweder in einer Burg mit Schießscharten, einem mit sehr hoher Mauer umgebenen Hause

16*

oder in einem Gefängnis befinden. Sie haben den Eindruck, daß sie nicht
aus dem Gefängnis entlassen werden oder die hohe Mauer übersteigen,
d. h. zur „Welt" zurückkehren könnten, ehe sie nicht stärker geworden
seien. Gedanken, daß sie den Aufenthalt im Gefängnis (ihrer Neurose)
dazu benutzen müßten, ihre Kräfte zu verbessern (der Gefängniswärter
erhält z. B. den Auftrag, ihnen Boxerhandschuhe zu Übungszwecken
zu beschaffen), kehren häufig wieder. Auch wenn sie sich der Heilung
nähern, werden die gleichen Symbole als Maßstab für ihre Fortschritte
häufig benutzt: ihre Gefängnishaft wird in einigen Wochen beendet
sein; von der hohen Mauer führen jetzt Stufen bis beinahe zur Erde
hinab . . . Diese symbolische Auffassung, der ich, wie bemerkt, sehr oft
begegnet bin, zeigt recht deutlich, wie korrekt die Adlersche Auffassung
der Neurosen als eines Sicherungssystems ist.

Die Nervosität bedient sich des Stotterns ursprünglich als einer Art
trotziger Auflehnung gegen die Forderungen der elterlichen Autorität
und später, nachdem das Sicherungssystem und die Verteidigungswerke
vollständiger ausgebaut sind, als einer Art Hindernis, das dem Kinde erlaubt, Entscheidungen und Zusammenstöße, die sein Persönlichkeitsgefühl einer Verletzung aussetzen könnten, entweder völlig zu vermeiden oder zum mindesten hinauszuschieben. Wie wir gesehen haben,
bildet ein Minderwertigkeitsgefühl, das vom Kinde aus Sicherungs-
gründen verstärkt gefühlt wird, die Grundlage des neurotischen Charakters, und die psychische Analyse muß naturgemäß darauf hinarbeiten,
diese Grundlage zu beseitigen oder zum mindesten beträchtlich zu modifizieren, eine Aufgabe, die sich um deswillen in den weitaus meisten
Fällen erfolgreich lösen läßt, weil diese Basis fiktiv ist. Andere Behand-
lungsmethoden versagen in der Regel völlig, weil sie außerstande sind,
die falsche Einstellung des Stotterers und sein Endziel, den übertriebenen männlichen Protest, nebst der ganzen Folge der im Unbewußten
sich zwangsmäßig abwickelnden Wirkungen zu beeinflussen.

Was die Prophylaxis anlangt, so muß bei Kindern, die kränklich
und schwächlich sind, besondere Organminderwertigkeiten zeigen oder
erblich belastet sind, mit allen Mitteln dahin gewirkt werden, bei ihnen
kein subjektives Minderwertigkeitsgefühl aufkommen zu lassen. In
Haus und Schule muß der Erziehungsplan besonders erstreben, das bei
zarten Kindern stark ausgeprägte Anlehnungsbedürfnis nicht zu unterstützen, sondern das Kind zur Selbständigkeit anzuhalten und es von
der Meinung der andern unabhängig zu machen. Es ist besonders
angezeigt. väterliche Imperative so weit als irgend tunlich, zu vermeiden,

weil man sonst Gefahr läuft, das Kind in die Trotzeinstellung zu drängen, die meist den Ausgangspunkt für die Neurose bildet. Weiter ist
es ein dringendes Erfordernis, die Unsicherheit der Geschlechtsrolle
rechtzeitig durch entsprechende Aufklärung zu verhüten. Der Zeitpunkt
für diese Belehrung ist gekommen, wenn die Beschäftigung mit dem
Sexualproblem die Wißbegierde des Kindes so weit gesteigert hat, daß
es mit bezüglichen Fragen an die Mutter herantritt. Zu Beginn des
Schulbesuchs ergeben sich für das schwächliche Kind leicht Schwierigkeiten, denn das System der „Förderklassen" und die abfällige Beurteilung, die der „Schwächling" bei Sport[1] und Turnspielen erfährt, sind
dazu angetan, bei ihm neurotische Kompensationsbestrebungen auszulösen. Hier kann des Lehrers Einfluß von großem Segen sein, wenn er
es versteht, den Schwachen taktvoll, ohne das Kind es merken zu lassen,
gegen die Übergriffe und Herausforderungen der Stärkeren zu schützen.
Es wird dann zum mindesten in einer ganzen Anzahl von Fällen gelingen,
von disponierten Kindern die Schädigungen fernzuhalten, die andernfalls ihre psychische Gesundheit vielleicht in Frage gestellt haben
würden.

[1] Besonders in England, wo alles auf Sport zugeschnitten und wo demzufolge
die Anbetung der Cricket- und Fußball-Helden außerordentlich in Blüte steht,
ist das schwächliche Kind oft die Zielscheibe des Spottes.

Erziehung zur Grausamkeit.

Von Professor Felix Asnaourow.

Motto: Es wird irgend wann einmal gar keinen Gedanken geben als Erziehung. Nietzsche.

Es wird jedem ohne weiteres klar sein, daß psychiatrisches oder psychopathologisches Wissen mannigfach in der Pädagogik Verwendung findet. Das ist eine Wahrheit, die leider noch nicht vollständig in die pädagogischen Kreise eingedrungen ist.

Besonders in unserem Zeitalter christlich-kapitalistischer Zivilisation, da schon in die zarte Seele des Kindes algolagnische [1] Saat geworfen wird, sollte der wahre Pädagoge besonders acht geben und auf wirksame Prophylaxe ständig sinnen. Erleben wir es doch selbst im gegenwärtigen Zeitalter, daß der Grundsatz „Macht gilt vor Recht" von christlich und streng gläubig sein wollenden Regierungen gegenüber friedlichen, aber widerstandsunfähigen Volksstämmen im Osten und Westen befolgt wird, und daß unter der Flagge der Ausrottung des Heidentums oder sogenannter Kulturbestrebungen die scheußlichsten Grausamkeiten und brutalsten Ungerechtigkeiten von Bevollmächtigten oder von kaufmännischen Privatunternehmern verübt werden [2]. Das Kind lebt oft in solcher sadistischen Atmosphäre, ohne daß die Umgebung auch nur die geringste Vorsicht beobachtet. Oft glauben die Eltern, daß sie den Charakter ihrer Kinder festigen und den „Sentimentalitätsdusel" mit Feuer und Schwert vernichten, wenn sie ihnen Egoismus und „Macht gilt vor Recht" predigen. Dann aber kommt großes Entsetzen, wenn diesen „edeln" Lehren ein Bonnot oder Garnier entsprießt, die ja auch denselben Theorien huldigen. Wie ansteckend algophile Beispiele sind, habe ich einmal in einer kleinen Stadt Rußlands beobachtet, wo Jungen im Alter von sechs bis zwölf Jahren den Übungen von Rekruten mit großem Interesse zusahen; nun war es und ist's noch jetzt Brauch in vielen Garnisonen dieses Landes, daß bei solchen Übungen die jungen Rekruten von den Vorgesetzten mit Ohrfeigen und Püffen bis auf das Blut gepeinigt werden; oft konnte ich nun abends bemerken, daß dieselben Jungen auf einer Wiese Soldaten spielten, wobei die älteren die

---

[1] Algolagnie = Freude an eigenem und fremdem Schmerz.

[2] Dr. Horst Keferstein: „Aufgaben der Schule in Beziehung auf sozialpolitisches Leben".

Vorgesetzten nachahmten und die jüngeren so stark mißhandelten, daß gar mancher in Tränen ausbrach. — Man könnte noch viele Beispiele aus dem Alltagsleben anführen.

Wir wollen hier nicht die Urquellen der Algolagnie untersuchen, wie es Krafft-Ebing, Schrenk-Notzing, Eulenburg, Moll, Féré, Garnier, Havelock Ellis, Dühren u. a. mit so großem Erfolg getan haben; wir wollen nur darauf hinweisen, wie die atavistischen, aus der Dämmerung des Menschentums stammenden, noch tierischen sadomasochistischen Gelüste in der Seele des Kindes als Perversions instinctives (Dr. Dupré) bestehen und sich je nach den Umständen, nach der Erziehung und der Umgebung entweder entfalten oder verschwinden.

Meine eigenen Beobachtungen führten mich zur Überzeugung, daß schon im frühesten Kindesalter algolagnische Gelüste festzustellen sind. Der Marquis de Sade, von dem Dühren sagt, er sei der erste gewesen, der die ungeheuere Wichtigkeit der sexuellen Frage erkannt habe, schreibt mit Recht: „Wenn es in der Welt Wesen gibt, deren Taten unserer ganzen Geistesanschauung (toutes les idéees reçues) mißfallen, so ist's nicht unsere Sache, dieselben zu tadeln oder zu bestrafen, ... denn ihr wunderlicher Geschmack hängt nicht von ihnen ab, ebenso wie es nicht von uns abhängt, ob wir klug oder dumm, wohlgestaltet oder Krüppel sind." — Als Beispiel atavistischer Algolagnie führe ich einen fünfjährigen Knaben an, dem seine Bonne täglich die Geschichte des jungen Cyrus erzählen mußte mit der Episode, wie der Knabe Cyrus beim Soldatenspiel einen seiner vornehmen Kameraden mit Ruten züchtigen läßt. Diese Erzählung löste jedesmal sexuelle Erregungen bei dem Kinde aus, das schließlich ein homosexueller Algophile geworden ist.

Bei meinen Beobachtungen in Schulen konnte ich immer bemerken, daß es in den ersten Klassen, also bei Knaben im Alter von 9—13 Jahren, immer Quälende und Gequälte gab. — In den Schulen von fast ganz Europa konnte ich feststellen, daß die atavistischen algophilen Instinkte in Externaten und besonders in Internaten in verschiedenster, oft in sehr verdeckter Weise zur Auslösung gelangen. Man müßte blind sein, um das nicht zu sehen. Leider können wir in der Literatur so wenig Erlebtes finden. Ich möchte nur „Die Verwirrungen des Zöglings Törleß" von Robert Musil anführen, dann „Erziehungsmethoden — Erziehungsresultate", eigene Erfahrungen und Beobachtungen einer Berufs-Erzieherin über die Sinnlichkeit im Leben des Kindes, „Das Leben in der Burssa von Pomjalowsky", „Der russische Eros" (anonym), „St. Winifred" von Farrar. In allen diesen Büchern werden selbstbeobachtete algolagnische Praktiken unter Schülern geschildert. Das im vorigen Jahre erschienene Buch A. M. D. G. (Ad majorem Dei gloriam) von Ramon Perèz de Ayala schildert gleiche Exzesse zwischen Lehrern und Schülern eines spanischen Klosters. Wie wertvoll wären in dieser Hinsicht für die psychiatrische und kriminologische Wissenschaft Aufzeichnungen psychologisch gebildeter Lehrer und Erzieher.

In meiner pädagogischen Praxis wurde meine Aufmerksamkeit oft auf Knaben gelenkt, die mir durch ihr weibliches Äußere auffielen. Bei näherer Untersuchung fand ich bei denselben fast immer algolagnische Anlagen. Ein zehnjähriger Junge wußte es so einzurichten, daß er von seinem älteren Bruder, mit dem er in einem Zimmer schlief, jeden Morgen Schläge bekam. Als ich den älteren Bruder dafür zur Rede stellte, bat der Jüngere, ihn nicht zu bestrafen und gab mir zu verstehen, daß er selbst der Grund zur Züchtigung gewesen sei. Einmal überraschte ich nach einer solchen Szene die Jungen, als der jüngere dem älteren das Gesäß küßte und dabei sichtlich irritiert war. Oft bemerkte ich, daß dieser Knabe seine Mutter mit dem Dienstmädchen durch kleine Klatschereien auseinanderbrachte, und wenn es dann Verdruß und Streit gab, sich vor Freude die Hände rieb, sich ungebärdig benahm und nach vollendetem Auftritt die Mutter aufs Gesäß küßte. Auch mir bot der Junge recht durchsichtig an, ich sollte ihn züchtigen; dabei tat er alles, um mich dazu herauszufordern. — Die erste Auslösung seiner masochistischen Gefühle hatte er im Alter von ungefähr sieben Jahren erfahren, als er zusah, wie ein kleiner Hund vom Diener mit einer Rute bestraft wurde. Später hatte er den Diener gebeten, ihn „ebenso wie den Hund zu züchtigen", was dieser in seiner Dummheit, vielleicht auch aus sexueller Raffiniertheit getan hatte. Oft bedauerte der Junge, daß er keine Dame sei, und ahmte in allem seine Mutter nach. Mütterlicherseits stammte der Junge von Tartarenchans, die bekanntlich die Knute in Rußland einheimisch gemacht haben. Sein Onkel mütterlicherseits war pervers, der Vater normal, die Mutter hypochondrisch. — Meine pädagogische Einwirkung auf den Knaben, wobei ich von der Psychoanalyse Gebrauch machte, war von gewisser positiver Wirkung. Nun ist der Knabe aber in eine jener privilegierten Schulen gekommen, in denen die sexuelle Raffiniertheit der Kinder degenerierter Adelsstämme ihren Höhepunkt erreicht. Obzwar ich mit ihm in Briefwechsel stehe, wird eine Fortsetzung meiner Beobachtungen erst bei einem Wiedersehen stattfinden können. —

Vor einem Jahre war ich Erzieher bei einem fast vierzehnjährigen Knaben von feinem Äußeren, für Kunst und Musik hochbegabt. Bei Zusammenkünften mit seinen Kameraden liebte er es, mit einem von ihnen, der kleiner und schwächer war als er, zu ringen; trotz aller Bemühungen wurde er jedoch immer überwältigt. Bald merkte ich, daß es nur vorgespiegelter Widerstand war und daß der Junge sich mit Absicht immer nach unten legte. Ich glaubte schon, einen jungen Masochisten vor mir zu sehen. Seine sonstige Nervosität und teilweise Verweichlichung, sein ausgeprägter, für sein Alter anormaler Kunstsinn, sein Stehenbleiben auf der Straße, wenn Knaben sich balgten, bekräftigten meine Meinung. Ich trat dem in sexueller Beziehung sehr verschwiegenen Knaben seelisch immer näher, vernahm, daß er in ein zwölfjähriges Mädchen schwärmerisch verliebt sei und für sie l e i d e n w o l l t e. Groß war mein Erstaunen, als ich bemerkte, daß der Junge sexuell ganz unaufgeklärt war und vom Zeugungsprozeß die fabelhaftesten Vorstellungen hatte. Weil er bei mir Naturgeschichte lernte, so mußte auch diese Unkenntnis bald behoben werden. Er nahm die Sache sehr nüchtern und verständig auf. Seine Verliebtheit war von ganz idealer Natur; auch war sie ein großes Geheimnis, das er nicht einmal seinem um einundeinhalb Jahre älteren Bruder anvertraute. Nun bemerkte ich öfter, daß der Junge, der mich bisher sehr gern hatte und mir nie zu nahe getreten war, mir gleichsam im Scherze physischen Schmerz zu bereiten suchte. Entweder brach er eine Gerte auf unserem Spaziergang und fuchtelte mit ihr, so daß er meine Hände oder Füße traf, oder er suchte mich, wenn wir Arm in Arm spazierten, plötzlich schmerzhaft in den Arm zu kneifen und dergleichen mehr. Ich hielt alles dieses für kindische Ausgelassenheit, bis ich eines Tages eines anderen belehrt wurde. Wir waren eine Wette eingegangen, und ich schlug dem Gewinner eine Tafel Schokolade vor, die mein Schüler liebte. Der Junge wollte auf etwas anderes wetten, rückte mit der Sprache jedoch nicht heraus. Nach langem Zaudern und Erröten brachte er es endlich hervor: wenn er die Wette gewönne, so sollte ich ihm erlauben, mir mit einem Lineal zehn Schläge zu erteilen, wenn ich gewönne, bekäme ich Schokolade. — Ich hatte wirklich alle Mühe, mein Erstaunen zu bemeistern; doch fragte ich ihn mit gleichgültiger Miene, als ob es Spaß wäre, ob es ihm denn Vergnügen bereite, seinen Lehrer zu schlagen? Da erklärte er mir mit einigem Zaudern, daß es ihm ein besonderes Vergnügen sei, e i n e n s t a r k e n, i h m ü b e r l e g e n e n M a n n w i e m i c h i n s e i n e r G e w a l t z u h a b e n. Kameraden seines Alters oder

jüngere zu bewältigen, mache ihm kein Vergnügen. Augenscheinlich ver
schwieg er, daß ihn in diesem Falle das Gegenteil erregte. Als der Jung
die Wette verlor, weinte er fast vor Mißvergnügen. Weil dieser Schüle
ausgezeichnet lernte, sonst von großer Belehrbarkeit war und mich au
psychologischen Gründen fesselte, so suchte ich seine nun ganz ausge
sprochenen sadistischen Gelüste mir gegenüber auf suggestivem Weg
auszurotten. Leider gelang das in diesem Falle in geringem Maße. De
Junge suchte seine Gefühle zu bemeistern, gestand mir aber offen, daß
sie weiterbestünden. Auch mit diesem Schüler stehe ich in Briefwechsel
Die Zukunft wird mir weitere Enthüllungen gestatten.

Im 38. Band des Großschen Archivs für Anthropologie habe ich noch
zwei Fälle angeführt, in denen meine Schüler auch körperliche Züchtigung verlangten. Bei dem einen stellte sich dieses Verlangen als von
seinem früheren Erzieher durch Schläge suggeriert heraus; es gelang
mir, ihn durch Abreagieren der Suggestion und durch Kontrasuggestion
zu heilen; bei dem anderen war die masochistische Perversität sozusagen
organisch, und meine psychoanalytischen und suggestiven Versuche
hatten nur minimalen und ganz temporären Wert. Beide Individuen, die
nun junge Männer von 20 und 24 Jahren sind, habe ich nicht aus den
Augen verloren.

Wir sehen aus diesen Fällen, wie algolagnische Gefühle durch falsche
Erziehung suggeriert, oft bei hereditärer Veranlagung gezüchtet und auf
ihren Höhepunkt getrieben werden können. Auch beim zehnjährigen
Sacher Masoch ist, wie uns Schlichtegroll berichtet, eine algolagnische
Szene, der er beiwohnte, haften geblieben. — — —

Ein wichtiger Faktor bei Verbreitung der Algolagnie ist bekanntlich
die Prügelstrafe. Wir weisen auf Griechenland hin, wo Sadismus
und Masochismus fast nie vorkamen (die spartanische Geißelung am
Altar der Artemis war stoizistischer und religiöser Natur); Platon und
Plutarch waren Gegner der Prügelstrafe; sagte doch das alte griechische
Sprichwort: „Wen das Wort nicht schlägt, den schlägt der Stock auch
nicht." Auch bei den alten Germanen war es nach Tacitus ein seltener
Fall, daß selbst Sklaven gepeitscht wurden. Und die alten Griechen und
Germanen gelten uns doch noch heute als Muster edelsten und reinsten
Menschentums. — Gezüchtet wurden algolagnische Gefühle erst durch
den Sieg der jüdisch-christlichen Kultur mit ihrer Askese, ihrem
Klosterwesen, ihrem salomonisch-sirachischen Prügelsystem in Schule
und Haus, von dem uns Martin Luther, Thomas Platter, Erasmus Alberus, Johannes Butzbach, Hans Sachs u. a. m. haarsträubende Fakten

geben, ganz abgesehen von den Schrecken der Leibeigenschaft, der Hexenprozesse und der Inquisition. Diese systematische Züchtigung algolagnischer Gefühle wird nun durch die kapitalistisch-christliche Zivilisation fortgesetzt. Ist doch der Begriff christlich-kapitalistisch dem Inbegriff masochistisch-sadistisch fast gleichbedeutend.

Die Philosophie des Christentums heißt: dulden, leiden, Martyrium, — unten sein. Die Philosophie des Kapitalismus: herrschen, ruinieren und sich aneignen (Börse, Finanz), töten (Militarismus), Ausbeutung und Vernichtung des Schwächeren (Proletariat, Prostitution, Alkoholismus), — oben sein. Beide Philosophien ergänzen sich in ausgesprochener psychischer Algolagnie.

Pädagogen und Psychiater müssen Riesenkräfte anwenden, um gegen unsere algophile Zivilisation zu kämpfen. Die Wissenschaft sinnt stets auf Mittel zur Bekämpfung sozialer Seuchen. Unsere psychiatrischen Kliniken und Sanatorien sind überfüllt von Neurasthenikern. Diesen Opfern unserer modernen Zivilisation hat die Psychotherapie trotz aller Gegner unleugbare Dienste geleistet.

Was wir brauchen, ist die Erziehung zum Erzieher. Nietzsche sagte: „Erzieher erziehen! Doch die ersten müssen sich selbst erziehen." Und für diese schreibe ich.

Über strenge Erziehung.

Von Professor Felix Asnaourow.

Was helfen alle pädagogischen Kongresse und Erziehungstheorien, alle schönen Worte und Projekte auf dem Gebiet der Pädagogik, wenn das Hauptübel, das Stimulans zu unserer ganzen Zivilisation der Niedergangswerte, „die strenge Erziehung", bis zur Körperstrafe, in Schule und Haus von der Volksmoral und der Gesetzgebung geduldet, ja sogar verlangt wird? Das Verbrechen, das die Gesellschaft in der Vergangenheit an ihren Kindern durch Züchtung minderwertiger Gefühle aus Unwissenheit begangen hat, wird in der Gegenwart dadurch vergrößert, daß man sich über die Allgemeinschädlichkeit der Körperstrafe im 20. Jahrhundert nicht mehr mit Unwissenheit entschuldigen kann. —

Wenn wir das Zeitalter der höchsten Menschenkultur, das griechische, und die besten Männer bei den Römern mit dem Zeitalter unserer Niedergangskultur vergleichen, so sehen wir, daß Platon, Plutarch, Cicero u. a. Gegner der Prügelstrafe waren, wogegen unsere pädagogische Weisheit durchs ganze Mittelalter bis auf den heutigen Tag in den Sprüchen Salomonis gipfelt: „Wer die Rute spart, haßt seinen Sohn! Entziehe dem Knaben nicht die Zucht; wenn du ihn schlägst, wird er nicht sterben. Du schlägst ihn mit der Rute und rettest ihn vom Untergange. Rute und Zucht verleihen Weisheit." Von dieser „Weisheit" geben uns die Chronisten der Klosterschulen und die Bekenntnisse von Mönchen und „Heiligen" ein trauriges Zeugnis. Wir erfahren, daß es besondere Streichtage gab, an denen die Schüler die von ihnen gemachten und von den Lehrern addierten Fehler auf den Rücken aufgezählt bekamen. Ein Schüler des Klosters St. Gallen zündete an einem solchen Tage aus Angst vor Schlägen die Schule an. Luther berichtet, daß er vom Vater so gestäupt wurde, daß er ihn floh; „die Mutter stäupte mich einmal um einer geringen Nuß willen, daß das Blut hernach floß"; auch in der Schule hatte er an einem Vormittage fünfzehnmal Rutenschläge erhalten. Erasmus Alberus schreibt: „In der Zeit, als ich in die Schule ging, habe ich oft gesehen, wie man so greulich mit den armen Kindern umging; da stieß man ihnen die Köpfe wider die Wände, und man hat es mir auch nicht erspart". Die Berichte von Thomas Platter, Butzbach, Geiler von Kaisersberg u. a. m. geben uns Zeugnis vom damaligen Prügelsystem in Schule und Haus. Wenn Walter von der Vogelweide am Ende des zwölften Jahrhunderts noch sagt:

„Niemand lenkt zur Kindeszucht mit Ruten,
Wer zu Ehren kommen mag, dem ist ein Wort wie ein Schlag,"
ist hier noch von Ehre die Rede und es erinnert ans alte griechische
Sprichwort: „Wen das Wort nicht schlägt, den schlägt der Stock auch
nicht". Aber schon im 16. Jahrhundert hatte der Stock triumphiert,
als Hans Sachs sprach:

„Wer seinem Kind der Ruten spart,
Der haßt sein' Sohn nach Feindes Art."

Diese Ansicht hat ja bis heute noch so viele Anhänger, daß die Prügelstrafe in England und Deutschland bis jetzt noch nicht abgeschafft ist.
Die Ansicht des Schusters Sachs von der Nützlichkeit der Körperstrafe
als Erziehungsmittel hat in den genannten Ländern über die Ansichten
eines Comenius, Ratke, J. Locke, Rousseau, Pestalozzi hinweg, ganz
abgesehen von der gegenwärtigen maßgebenden Wissenschaft, bis heute
die Oberhand behalten. Was Wunder, wenn beide Länder, was sexuelle
Perversionen anbetrifft, an der Spitze der Zivilisation schreiten! Wir
haben hier nur angedeutet, auf welcher Grundlage die noch heute geltende, von Gesetz und Pädagogik geduldete Körperstrafe sich entwickelte.
Wenn eine solche Entwicklung vom Standpunkt einer Kultur, die sich
zwischen zwei entgegengesetzten Polen entwickelte, und zwar: „Auge
um Auge, Zahn um Zahn" einerseits und „Schlägt man dich auf die
rechte Backe, so reiche die linke" andererseits, — ganz natürlich
scheint, so wurde es beim Fortschritt der Wissenschaft den Psychologen
und Psychopathologen immer klarer, welch bedenklicher Faktor die
Körperstrafe bei Entwicklung sexueller Anomalien bildet; die bedeu-
tungsvolle Rolle, die diese Strafe bei der Kindererziehung als Zuchtmit-
tel für das kindliche Sexualleben zu spielen vermag, ist in ärztlichen
Kreisen seit langem zur Genüge erkannt. Man weiß, daß das
so verbreitete Schlagen auf das Gesäß geschlechtliche Erregungen
und selbst Erektionen auf reflektorischem Wege auszulösen imstande ist.
Es steht fest, daß die Körperstrafe eine große pathogenetische Bedeutung
bei der Entstehung jener geschlechtlichen Perversionen hat, die in der
Wissenschaft als Sadismus und Masochismus bezeichnet werden, und die
Schrenck-Notzing unter dem Namen Algolagnie = Schmerzgeil-
heit zusammenfaßt, jener Perversionen, bei denen entweder Ausführen,
Anschauen oder Erdulden gewaltsamer und grausamer Handlungen geschlechtliche Lustgefühle auslöst. Durch Rousseaus „Confessions" (Bekenntnisse) drang die Algolagnie zum ersten Male in die große Öffentlichkeit, obgleich sie inter muros schon längst gezüchtet wurde. Die

unendlich große Literatur über diesen Gegenstand beweist, wie verbreitet die Algolagnie in unserem Kulturleben ist. E u l e n b u r g hat in seinem Werk „Sadismus und Masochismus", das ich für eines der besten über diesen Gegenstand halte, die Grundmotive aufgedeckt und beleuchtet und drei Fundamentaltatsachen psychosexueller Erfahrung festgestellt:

1. Grausamkeit (oder genauer ausgedrückt, der Trieb, Schmerz zuzufügen oder zu erdulden) ist mit der geschlechtlichen Begier in der Wurzel physiologisch und psychologisch verbunden.

2. Die geschlechtliche Befriedigung im Geschlechtsakte selbst ist mit Grausamkeit verbunden.

3. Die nach dem Geschlechtsgenusse (zumal beim Manne) sich geltend machende körperliche und seelische Reaktion entlädt sich in Widerwillen gegen den Genußteilnehmer und in verstärktem Antriebe zur Grausamkeit ihm gegenüber.

Bei der Anwendung der Körperstrafe als Erziehungsmittel kommt nur der erste Punkt in Betracht. An einigen Beispielen aus meiner pädagogischen Erfahrung und an einem interessanten Fall aus Dr. Michael Cohns Praxis könnten wir Punkt 1 erläutern. Es ist das Schreiben, in dem sich eine junge Stiefmutter an den Arzt wendet, um sich Aufschluß und Rat wegen des eigentümlichen Verhaltens ihres Stiefsohnes zu holen, eines im Alter von 13—14 Jahren stehenden Knaben. Es lautet: „Vor reichlich Jahresfrist heiratete ich mit 23 Jahren einen Witwer mit einem damals dreizehnjährigen Sohn. Mein Stiefsohn Hans ist ein großer, hübscher Junge und für sein Alter stark entwickelt. In der Schule folgt er mit Leichtigkeit, bringt auch im Betragen immer tadellose Zensuren nach Hause. Um so mehr wunderte ich mich, daß der Knabe mir gegenüber immer äußerst trotzig und unartig war, obgleich ich ihm mit Liebe entgegenkam, ihn wegen Unartigkeiten stets freundlich ermahnte und verschiedentlich bat, doch ordentlich zu sein und sich auch mir gegenüber schicklich zu benehmen. Aber keine noch so gut gemeinte Ermahnung half etwas, im Gegenteil, er verschlechterte seine Manieren nur noch mehr. Niemals geschah es, daß er mir die kleinste Gefälligkeit freiwillig leistete; dennoch behandelte ich ihn stets liebevoll und vor allem habe ich ihn nie geschlagen. Zuletzt verzweifelte ich aber fast an der Trotzköpfigkeit des Jungen und bat seinen Vater, ihm den Standpunkt ordentlich klarzumachen. —

Mein Mann war über das Verhalten seines Sohnes sehr ungehalten, ermahnte ihn sehr eindringlich, und als auch dies nichts nützte, besorgte mein Mann eine tüchtige Reitpeitsche und verlangte von mir, daß ich Hans bei nächster Gelegenheit eine ausgiebige, strenge und schmerzhafte Züchtigung verabfolgen solle.

Mir war dieser Auftrag meines Mannes äußerst peinlich und unangenehm, auch konnte ich mir nicht recht klar werden, wie ich die Züchtigung ausführen sollte; denn daß der Junge sich gutwillig von mir schlagen lassen würde, konnte ich mir nicht recht denken; denn ich bin nur mittelgroß, und mein Stiefsohn mit seinen jetzt 14 Jahren ist größer als ich. Trotzdem versprach ich meinem Mann, ihm seinen Willen zu tun; denn so konnte es mit Hans unmöglich weitergehen. Doch stellte ich meinem Sohn nochmals in aller Ruhe und Güte vor, von jetzt an sich eines tadellosen Benehmens zu befleißigen, widrigenfalls ich ihn sehr strenge züchtigen würde. Bei dieser Gelegenheit sah ich, daß mein Stiefsohn a b w e c h s e l n d b l a ß u n d r o t w u r d e; doch sagte er nichts, und ich hoffte schon, daß es ohne Strafe gehen würde. Doch sah ich bald meinen Irrtum ein und so kam denn bald der Moment, in dem ich notgedrungen die Reitpeitsche zur Hand nehmen mußte und ihm Strafe ankündigte. Ich stellte einen Stuhl ins Zimmer und befahl ihm kurz, sich darüber zu legen. Mir graute schon davor, daß mein Junge mir den stärksten Widerstand entgegensetzen würde. Wie groß war aber mein Erstaunen, als der Junge, der sehr rot im Gesicht geworden war, sich plötzlich mit einem Ruck über den Stuhl legte und die befohlene Lage annahm, ja sogar selbst sein Jackett hochstreifte! Ich hätte ihm jetzt gerne die Strafe geschenkt, aber eingedenk der Worte meines Mannes, eine angekündigte Strafe auch unbedingt auszuführen und dieselbe auch so zu gestalten, daß sie wirklich schmerzhaft sei, beschloß ich, meinem Stiefsohn zwölf kräftige Hiebe zu geben und schlug dann auch kräftig auf ihn ein. Wohl schrie er jetzt bei jedem Schlag schmerzhaft auf, doch behielt er seine Lage bei und erhob sich erst vom Stuhl, als ich selbst ihn dazu aufforderte und ankündigte, die Strafe sei zu Ende. Dann erhob er sich mit Tränen in den Augen, s a h m i c h e i n e n M o m e n t g a n z e i g e n t ü m l i c h a n, u n d d a n n, w i e v o n e i n e m p l ö t z l i c h e n I m p u l s e r f a ß t, e r g r i f f e r m e i n e H a n d u n d b e d e c k t e s i e m i t K ü s s e n, zugleich auch für sein Benehmen um Verzeihung bittend und sich für die Strafe bedankend. Ich war so erstaunt, daß ich zunächst keine Worte zur Entgegnung fand, dann aber die Reitpeitsche, die ich noch immer in der Hand hatte, beiseite warf und den großen Jungen liebevoll an mich zog und sagte: „Na Hans, nun sei in Zukunft brav, daß ich dich nicht wieder schlagen brauche."

Seit dieser Zeit ist er wie umgewandelt; so ungefällig wie er vorher
war, so dienstfertig ist er jetzt, er tut alles, was er mir nur an den
Augen absehen kann. Geht er fort, so fragt er jedesmal: Liebe Mama,
kann ich dir etwas besorgen, hast du noch etwas für mich zu tun oder
kann ich dir helfen? Besonders sieht er zu, d a ß e r m i r b e i m W e c h-
s e l n   v o n   F u ß b e k l e i d u n g e n Hilfe leistet, mir die Schuhe oder
Stiefel zuknöpft oder schnürt oder umgekehrt, wenn ich nach Hause
komme, die Gummischuhe abstreift usw." . . . Eines Tages sucht die
Mutter Hans in der Küche, und da „sah ich zu meinem Erstaunen, daß
Hans sehr eifrig dabei war, meine Stiefel zu putzen. Er hatte den einen
schon tadellos glänzend neben sich stehen und war dabei, den zweiten
glänzend zu reiben. Zu meinem immer größeren Erstaunen zog er
den allerdings kleinen und eleganten Stiefel an seinen Mund und
küßte ihn."

Soweit geht nach den Begriffen der Mehrzahl alles fein bürgerlich
und normal vonstatten und das salomonisch-sirachische Prügelrezept erweist sich als erfolgreich; der widerspenstige, bösartige Junge wird
durch die Rute wie durch ein Wunder gezähmt, ja so gefällig, dienstfertig und untertan, daß er in christlicher Ergebung den Stiefel derer
küßt, die ihn geschlagen; also die größte Dankbarkeit gegen die Stiefmutter für die durch die Strafe erfolgte Besserung bezeigt. Wer könnte
auf ein so drastisches Beispiel des Erfolges der Rute noch etwas ent-
gegnen? — Unser Standpunkt ist, versteht sich, von diesem etwas verschieden. Im Jungen sitzt der uns von Kindesbeinen durch „Aschenbrödel" (das obendrein als bis zu den Knieen aufgeschürztes Mädchen
abgebildet wird) und andere ähnlichen Erzählungen eingeimpfte „Stiefmutter-Komplex"; daß der Stiefmutter-Komplex mit dem Schläge-
Komplex nahe verwandt ist und dadurch wiederum mit der Schule, wo
geschlagen wird, in Verbindung steht, können wir täglich in Vierteln,
wo viele Kinder sind, auf der Straße, am Schulespielen, wo die Haupt-
rolle das Überlegen und Hauen spielt, beobachten. Daß hierbei sexuelle
Faktoren mitspielen, können wir daran bemerken, daß die Kinder sofort
aufhören zu spielen, sobald sie sich beobachtet wähnen, was bei allen
sonstigen Spielen nicht stattfindet. — Stiefmutter-Schläge-Schule-Kom-
plex besteht nach meinen eigenen vielen Beobachtungen in jedem Kinde.
In unserem Fall findet der Knabe keine Auslösung seiner passiven Phantasien durch die Stiefmutter, die schlagend gedacht wird und nun „liebevoll" ist; das reizt den Knaben immer mehr; die Drohungen des Vaters
lassen ihn auf die Erreichbarkeit eines Zieles fest hoffen; er wird im-

mer trotziger. Endlich tritt der heißersehnte Moment ein: er wird übergelegt und verhauen. Kein Widerstand; er steht gar nicht mehr auf aus seiner erniedrigenden Lage; und als ihm das Ende der Prozedur angekündigt wird, bedeckt er die Hand seiner Peinigerin mit Küssen. Wir haben einen klassischen Masochisten vor uns, bei dem sich zum Masochismus noch Fetischismus gesellt, was ja schon K r a f f t - E b i n g oft bemerkt hat; auch kann dieser Fetischismus durch zu lange „liebevolle" Zurückdrängung des masochistischen Triebes als Ersatz entstanden sein. Jedenfalls paßt das salomonisch-sirachische Bild des nach der Züchtigung brav und gehorsam gewordenen Knaben gar nicht zu unserem Bilde eines jungen Pervertierten. Daß dieser Junge nicht der einzige in seiner Art ist, bestätigt uns M o l l[1]: „Ich kenne Fälle von Perversen, (Wann und wie wurden sie pervers? Der Autor) die in der Schule absichtlich unrecht gehandelt haben, um bestraft zu werden und dabei Wollust zu empfinden." Die aus meiner Praxis angeführten Fälle in Groß' Archiv, „Archives de l'Anthropologie Criminelle", Schriften des Vereins für freie psychoanalytische Forschung, Monatshefte für Pädagogik und Schulpolitik, bezeugen dasselbe. —

Daß es in unserem hier behandelten Falle mit dem Bravsein und dem Gehorsam von kurzer Dauer war, werden wir aus der Fortsetzung unserer Erzählung sehen. Nach eingehender Beschreibung, wie Hans nun sich nicht mehr mit dem Küssen der Stiefel zufrieden gibt, sondern ihr und ihrer achtzehnjährigen Schwester nun direkt die Füße beim An- und Ausziehen der Stiefel küßt, fährt die Stiefmutter fort: „Aber was mich noch mehr wundert, ist, daß er oft, durchschnittlich a l l e a c h t T a g e, es direkt darauf anlegt, Schläge zu bekommen. Er stellt dann irgend etwas an, daß ich gezwungen bin, ihn zu strafen. E r h o l t d a n n, wenn ich nur sage: „Hans, du mußt wohl schon wieder Schläge bekommen?!" — o h n e w e i t e r e s d i e R e i t p e i t s c h e, ü b e r r e i c h t s i e m i r, s t e l l t e i n e n S t u h l z u r e c h t u n d l e g t s i c h d a r ü b e r u n d b i e t e t s i c h d e n S c h l ä g e n d a r. Er kann bei der dann folgenden Züchtigung wohl oft die Schmerzäußerungen nicht unterdrücken, steht aber nie auf, bevor ich ihm gesagt habe, die Strafe ist zu Ende, gleichviel, ob ich ihm zehn oder zwanzig Hiebe erteile, und die Hiebe sind so stark, daß sicher jeder Hieb einen Striemen hinterläßt; denn mein Mann hat mir gesagt: „Wenn er schon Schläge haben muß, so gib sie ihm auch so, daß er sie wirklich fühlt", — und so schlage ich denn mit aller Kraft zu, obgleich es mir unendlich leid

[1] Das Sexualleben des Kindes.

17

tut, ihm solche Schmerzen zu bereiten. (Sehr verdächtige Entschuldigung! Der Autor.) Kürzlich sagte ich auch noch einmal zu ihm: Hans, was ist es bloß mit dir, daß du immer Schläge haben mußt? Geht es denn gar nicht anders, und schmerzen die Schläge dich denn gar nicht?" Da sagte der große Junge zu mir: „Liebste Mama, i c h w e i ß n i c h t , a b e r i c h m u ß m i t u n t e r e t w a s a n s t e l l e n, und ich habe dann nicht eher wieder Ruhe, als bis du mich geschlagen hast. Die Schläge schmerzen furchtbar, a b e r j e m e h r d u m i c h s c h l ä g s t, u m s o m e h r h a l t e i c h v o n d i r, strafe mich deshalb nur tüchtig, wenn ich unartig war[1]."

So geht es nun schon etwas über ein Vierteljahr, daß er jede Woche mindestens durchschnittlich einmal eine ausgiebige Züchtigung erhält, abgesehen von gelegentlich erteilten Ohrfeigen, und jedesmal küßt er dann innig die Hand, die ihm die Schmerzen zugefügt, und ist dankbar für die erhaltene Strafe. Von meiner Schwester Grete, die nur gut vier Jahre älter ist als er selbst, nimmt er ebenfalls gerne Strafe entgegen. Er war dieser Tage unartig gegen sie gewesen und sollte Schläge dafür haben; ich selbst war aber wegen Unwohlseins nicht imstande dazu und sagte deshalb zu ihm: „Hans, du sollst deine Schläge von Tante Grete erhalten, gehe zu ihr und bitte sie, daß sie herkommt und dich hier züchtigt." (Warum „hier"? Der Autor.) Meine Schwester war schon öfter Zeuge gewesen, wenn er Hiebe bekam, und kannte daher die Strafart. Bei meinen Worten wurde der Junge erst wieder ganz rot und zögerte etwas, ging dann aber zu meiner im Nebenzimmer weilenden Schwester, gab ihr die Reitpeitsche und sagte: „Tante Grete, Mama läßt bitten, du möchtest in ihr Zimmer kommen und mir dort mit der Reitpeitsche eine Tracht Schläge geben für meine Unart dir gegenüber." Meine Schwester antwortete darauf: „Nun, Hans, wenn du dich entschuldigst, bin ich zufrieden; dann will ich dir gern die Schläge schenken." Hierauf erwiderte der Junge: „Ach, Tante Grete, ich habe die Strafe verdient; bitte komm nur mit und strafe mich!" Jetzt folgte meine Schwester mit in mein Zimmer, Hans stellte den Stuhl zurecht und legte sich darüber, und meine Schwester fragte mich, wieviel Schläge sie ihm geben solle. Das ganze Schauspiel wirkte auf mich eigenartig, daß der große, kräftige Knabe, der fast 120 Pfund

---

[1] Einen weiteren psychischen Mechanismus, wie der Masochist seine Furcht, mit ihr aber auch die Überlegenheit des Stärkeren aufhebt und ad absurdum führt, hat Wexberg in diesem Bande hervorgehoben. (Rousseau und die Ethik.)

wiegt, sich selbst sein Schmerzenslager zurechtstellte und sich
darüberlegte, um von seiner nur vier Jahre älteren Tante bestraft zu werden, und das junge, achtzehnjährige Mädchen, das vor Erregung rot war, mit der Reitpeitsche in der Hand dabei stand. Ich sagte
jetzt zu meiner Schwester: „Schlage ihn nur so lange, bis er selbst
bittet, daß du aufhören sollst, und schlage kräftig zu!" Denn einerseits
war ich sehr ärgerlich über die fortwährenden Unarten des Jungen, und
zweitens wollte ich auch sehen, wie lange ihm die Schläge gefielen, denn
bis dahin hatte er noch nie gebeten, die Strafe zu beenden. Meine Schwester begann jetzt mit der Strafe, die ersten Schläge waren vielleicht nicht
so stark, wie mein Junge sie sonst von mir erhält; doch nach einigen
Hieben schlug Grete nun selbst kräftiger (!) zu, weil der Junge
keinen Laut von sich gab, und jetzt ertönte von seinen Lippen
manches au und e, aber keine Bitte zur Beendigung
der Strafe. Nach fünfzehn Schlägen fragte meine Schwester
mich, ob sie aufhören solle; doch sagte ich: „Bleibe nur ruhig
dabei, bis Hans dich bittet aufzuhören, und schlage fester zu,
daß es durchkommt!" So ging die Züchtigung weiter, der Junge
schrie bei jedem neuen Schlag auf, und die Tränen kamen ihm in
die Augen, aber noch immer bat er nicht um Beendigung. Über diese
Trotzigkeit war ich sehr aufgebracht und meiner Schwester schien es
ebenso zu gehen; denn sie schlug jetzt mit aller ihr zu Gebote stehenden
Kraft auf ihn ein. Da endlich nach im ganzen zweiundzwanzig Schlägen bequemte er sich zu bitten: „Bitte, Tante Grete, halte ein, es ist
wohl genug!" Sofort hielt Grete ein; doch beschloß ich jetzt, ihm noch
einen kleinen Denkzettel zu geben und sagte daher zu ihm: „Hans, jetzt
bitte Tante Grete, daß sie dir noch weitere drei besonders kräftige Hiebe
gibt!" Ich sah, daß es dem Jungen schwer fiel, meinem Befehl nachzukommen, und daß er zögerte; doch wie ich sagte: „Na, wird es bald!"
wandte er sich schluchzend an meine Schwester mit den Worten: „Tante
Grete, gib mir, bitte, noch weitere drei Hiebe, so stark, wie du schlagen
kannst!" Die darauffolgenden drei Schläge, die seine junge Tante ihm
mit voller Kraft erteilte, beantwortete er jedesmal mit lautem Schmer-
zensschrei; aber nachher küßte er meiner Schwester nicht nur die
Hände, sondern kniete auch vor ihr nieder und bedeckte ihre Füße mit
Küssen und ergriff sogar ihren rechten Fuß und hob sich den Fuß
selbst hoch und setzte denselben, nachdem er seinen Kopf ganz zur Erde
gebeugt hatte, selbst in den Nacken." Und so weiter crescendo. Wie
wir gesehen haben, wird in der Stiefmutter das sadistische Gefühl bald

geweckt; sie geht so weit, sich selbst krank zu melden, um dem „pikanten" Schauspiel einer algolagnischen Szene zweier Jugendlichen beizuwohnen; ja, sie will gar nicht mehr aufhören, dieser Szene zuzusehen und verlängert sie auf grausame Art; auch das achtzehnjährige junge Mädchen denkt nicht daran, das Prügelmeister-Amt abzulehnen, sondern gerät in „heiligen Zorn" und Hitze. Wenn wir annehmen müssen, daß im Knaben masochistische Gefühle schon in frühester Jugend bestanden haben, wie diese bei fast allen Kindern durch den obenerwähnten „Schläge-Komplex" angezüchtet werden, so wird der entgegengesetzte sadistische Trieb in diesen Frauen erst während des Prozesses entfacht und gesteigert. Bei der Schwester wurde das algolagnische Gefühl durch ihr Beisein während der früheren Strafen entfacht, was mir von vielen Männern bezeugt wurde, in welchen Strafszenen in der Schule algolagnische Gefühle geweckt hatten, die aber später verschwanden, weil ihnen keine Gelegenheit zur Entfaltung geboten wurde. Havelock Ellis[1] erwähnt u. a. einen Fall, wo ein noch nicht siebenjähriger Knabe öfters körperlichen Strafszenen beiwohnte und manchmal auch selbst gezüchtigt wurde. Schon in diesem Alter löste der Anblick entblößter Körperteile schwache, aber eigentümliche Gefühle in der Magengegend und in den Nerven des Geschlechtssystems aus. Gegen das neunte Jahr bekam er während der Züchtigung eines Kameraden Erektion. Weil er von geschlechtlichen Dingen keine Ahnung hat, kann er sich solche Aufregung nicht erklären. Die bloße Nacktheit eines Knaben hat keine Wirkung auf ihn; die Art der Strafe weckte in ihm ein Gefühl der Entrüstung gegen den Strafenden. Der Knabe machte die Bekanntschaft eines in seinem Alter stehenden Jungen und eines Mädchens, mit welchen er sich gern über „Schläge" unterhielt; keines der Kinder hätte Hang zur Grausamkeit. Das Faszinierende und sexuell Wirkende findet demnach seinen Kulminationspunkt erst dann, wenn die eine Partie u n t e n ist, die andere o b e n; bei Hahnenkämpfen tritt die letzte Wirkung erst dann ein, wenn der eine Hahn sich dem Sieger hilflos hingeben muß. Dasselbe gilt bei Ringkämpfen; die Zuschauer geraten in eine wahre Wut, wenn der Kampf als unentschieden abgebrochen wird, besonders wenn es die einzigen Kämpfer sind. In Schulen stehen die Jungen mit glänzenden Augen und schauen auf zwei sich balgende Kameraden, und wenn (was selten eintritt) ein dritter sie auseinanderbringen will, wird er daran gehindert; man will eben das letzte Oben und Unten in „eigentümliche" Gefühle ausschwingen lassen. Wie sexuelle

[1] l'Impulsion Sexuelle. Paris, Mercure de France.

Gefühle zu früh wachgerufen und in falsche Bahnen geleitet werden können, beobachtete ich in einer reichsdeutschen Schule, in der der Direktor „zur Erhaltung der Disziplin" das englische System, wie er es nannte, nämlich das Prügelsystem, eingeführt hatte. Die „Monitoren", Knaben von 15—16 Jahren, mußten jüngere Kameraden in einem besonderen Zimmer körperlich züchtigen; nach obigem Beispiel kann man sich denken, was für Professoren der Algolagnie hier gezüchtet wurden. Jn diesem Institut blühte nun die Homosexualität, versteht sich nicht die „angeborene", sondern die temporäre; ein Lehrer erzählte mir, daß er während seiner nächtlichen Dejouren fortwährend auf solche Fälle stoße, und zwar unter Monitoren und den von ihnen am selben Tage Gezüchtigten. Jeder, der in einem Internat gelebt und die Augen offengehabt hat, kann von solchen Fällen erzählen; jedoch in Schulen, wo das salomonisch-sirachische „Disziplin"-System herrscht, da sind die sexuellen Perversionen am stärksten verbreitet. Es nimmt einen wunder, daß dieses System in manchen Ländern noch Anhänger in Schule und Gesetzgebung findet. Nachdem die Wissenschaft durch ihre besten Jünger klargelegt hat, wie sehr „die strenge Erziehung" das M i n d e r w e r t i g - k e i t s g e f ü h l im Menschen schafft, züchtet und zur Entfaltung bringt, wie sehr dadurch der Wert des Vollmenschen leidet und unsere ganze Kultur Niedergangswerte[1] hervorbringt, muß man sich fragen, ob Erzieher und Gesetzgeber, die die Körperstrafe befürworten oder nur dulden, nicht selbst algolagnisch belastet sind. Dann wären ja alle praktischen und theoretischen Beweise der Wissenschaft für diese Leute nicht maßgebend und die salomonisch-sirachische Perversion könnte ihre Orgien ruhig weiter feiern unter dem Schutze ihres Sprossen, der christlich-kapitalistischen Zivilisation.

[1] Siehe A s n a o u r o w: „Sadismus, Masochismus in Kultur und Erziehung", Reinhardt, München, 1913.

Der Kampf der Geschwister.

Von Dr. Aline Furtmüller.

Wir sind nach mancherlei Umwegen über die angelernte Phrase vom Unschuldsparadies der Kindheit, über die Dantesche Höllenschlucht der Sünder aus Wollust, die bei Freud die Kindheit darstellt, und über die universelle Kriminalität des Kindes vorläufig bei einer Auffassung angelangt, die uns die Kindheit als genau denselben Kampf um Behauptung erscheinen läßt, der das Leben jeder Kreatur ausmacht, nur noch unter erschwerenden Bedingungen. In der ganzen Schar von Vorgesetzten und Nebenbuhlern, als die ihm seine nächste Umwelt gegenübertritt, besteht die größte Spannung und geringste Distanz zwischen ihm und seinen Geschwistern, seinen unmittelbarsten Konkurrenten. Zwei Fragen, die eine diagnostischer, die andere pädagogischer Natur, ergeben sich aus dieser ersten Konstatierung. Erstens: welche Formen nimmt das Verhältnis zwischen Geschwistern an? und zweitens: welche Konsequenzen erwachsen daraus für den Erzieher?

Die gewissenhafte Beantwortung der ersten Frage allein würde die Beibringung eines Materials erfordern, das vom Extrem der feindlichen Brüder bis zur verzückten Zärtlichkeit Chateaubriands für Lucile oder von Jasmins Schwestern (aus Friedrich Huchs Roman „Geschwister") für den jüngeren Bruder alle Kälte- und Wärmegrade des Gefühls umfaßte. Was uns aber hier am meisten interessiert, wäre aufzuzeigen, wie in a l l e n Beziehungen zwischen Geschwistern die Kampfbereitschaft durchscheint.

Vom ersten Moment seiner Existenz an wird das jüngere Geschwister mit Mißtrauen und Eifersucht angesehen. Ein dreijähriges Kind meint, es werde seinem Brüderchen den Kopf abhacken; ein zweieinhalbjähriges erklärt, man solle das schreiende Neugeborene „wieder zurücktragen, von wo es gekommen ist". Wenn daneben Äußerungen der Befriedigung stehen wie: „O, da werde ich immer wen zum Spielen h a b e n !" so spielt da ganz deutlich die Hoffnung auf eine führende Rolle herein, und das kleine Mädchen, das in süßlichem Ton sagt: „O, das süße k l e i n e P u p p e r l !" fügt noch die mütterliche Pose hinzu, von der noch die Rede sein wird. Im Säuglingsalter bietet der Eindringling, sobald man sich einmal mit seiner Existenz abgefunden hat, keine besondere Gelegenheit zu Feindseligkeiten. Wohl aber gewöhnt sich das Ältere da an eine Art Hochgefühl der Überlegenheit und Selbständigkeit; die Wichtigkeit, mit der es Fremden berichten kann: „Wir haben ein Baby zu Hause, aber es schreit furchtbar und versteht noch gar nichts, was man ihm sagt", stellt es geradezu in eine Reihe mit den Erwachsenen. Dazwischen kommen freilich eifersüchtige Regungen zum Ausbruch; man ist nicht mehr von soviel Aufmerksamkeit umgeben wie früher, man hat plötzlich Rücksichten zu nehmen, die es sonst nicht gab, man wird mit mehr Selbstverständlichkeit behandelt als das Kleinere, besonders in bezug auf Nahrung. Da kommt es dann in aller Gemütlichkeit zu kleinen Vorstößen wie dieser. Ein dreijähriges Mädchen fragt, warum der Kleine nicht noch zu trinken bekommt, er schreit doch gewiß vor Hunger; die Mutter antwortet, es gehe nicht. „Was geschieht dann?" Auf die Antwort, daß er dann zerspringen würde, kommt die ruhige, freundliche Bemerkung: „Er soll zerspringen." Schon in diesem Stadium macht sich bei nicht gleichgeschlechtlichen Geschwistern die Spannung und Unruhe bemerkbar, die das Problem der Geschlechtsrolle begleiten. Da ist der Knabe, der sich nicht recht klar wird über das Fehlen des Penis beim kleinen Schwesterchen und — wie ja aus vielen Arbeiten bekannt — einerseits eine künftige Entwicklung beim Mädchen, anderseits ein mögliches Verkümmern bei sich selbst annimmt; da ist das Mädchen, das beim Brüderchen ein in seinen Augen unberechtigtes Plus wahrnimmt und außerdem unfehlbar von irgend jemand — Verwandten, Nachbarn, Dienstmädchen — die Bemerkung aufschnappt: „Ein Bub? Na also!", dieses Stigma, mit dem Gedankenlosigkeit das Kind behaftet, lange bevor es aus eigener Erfahrung die weibliche Rolle, die ihm das Leben vorbereitet, kennen lernt.

Nun aber beginnt die böseste Periode im Geschwisterkrieg: die feindliche Invasion. Spiel und Arbeit sind nicht mehr ungestört, alles Eigentum ist gefährdet, ja die persönliche Sicherheit wird mitunter sehr unangenehm bedroht, und all dem gegenüber gibt es absolut keine Entschädigung, ja kaum den primitivsten Schutz. Das Jüngere ist noch „zu dumm" zu gemeinsamem Spiel, man hat nicht den geringsten Gewinn und recht viel Verlust von ihm und das einzige Vorrecht, die physische Überlegenheit, kann man nicht recht ausnützen, weil die Erwachsenen gleich dazwischentreten, wie die Sache interessant wird. Aber auch das Jüngere hat einen schweren Stand, doppelt hilflos, sowohl den Erwachsenen wie dem größeren Kind gegenüber, und fortwährend von allen möglichen Vorteilen ausgeschlossen, die dem

Ältern allein zugute kommen, bei Nahrung, Spielsachen, Spaziergängen und Vergnügungen. In diesem Stadium entsteht — besonders bei dem beengten Zusammenleben in der Stadt — jene dauernde, oft durchs Leben stets im Hintergrunde lauernde Gereiztheit der Geschwister gegeneinander, die jeder von uns schon in vielen Fällen beobachtet hat.

Dagegen bietet die folgende Stufe des gemeinsamen Spielens und Lernens schon bedeutend mehr Gegengewichte. Die Interessengemeinschaft wächst, eine Art Klassengeist entwickelt sich, Geschwister beginnen in manchen Fällen gemeinsame Sache gegen Eltern oder Aufsichtspersonen zu machen, und hier ist auch von Wichtigkeit, ob das Ältere Knabe oder Mädchen ist. Der ältere Knabe versucht mitunter, der Schwester gegenüber den Beschützer zu spielen und überläßt ihr mit etwas geringschätziger Großmut manchen Vorteil, versäumt aber nicht, sie von Zeit zu Zeit das Recht des Stärkeren sehr fühlen zu lassen. Sie revanchiert sich dafür durch allerlei kleine Kunstgriffe mit einer geistigen Beweglichkeit, die erfahrungsgemäß jüngeren Schwestern selten fehlt. Ein kleines Mädchen pflegt vor der gemeinsamen Mahlzeit das Eßbesteck des Bruders, ein Patengeschenk, auf den eigenen Platz zu legen; ein anderes entwickelte krankhafte Appetitlosigkeit und bildete dann bei Tische den Mittelpunkt der Aufmerksamkeit, die sonst den ersten Schulerfahrungen des Bruders gegolten hätte. Ich erinnere ferner an die von Gottfried Keller so entzückend ausgemalte Szene im Pankraz dem Schmoller, wo das Estherchen in der gemeinsamen Kartoffelbreischüssel sich durch künstliche Stollen und Abzuggräben die meiste Butter sichert, bis der schwerfällige, von verletztem Rechtsgefühl aufgestachelte Junge vom Essen davonläuft. Anders steht die Sache, wenn das Mädchen älter ist. Es ist merkwürdig, daß nur in seltenen Fällen die physische Überlegenheit hervorgekehrt wird, obwohl sie zweifellos besteht. Hingegen kommt hier eine ganz andere Linie zum Vorschein, die vorhin erwähnte mütterliche Pose. Die Schwester sieht sich als Erzieherin und verantwortliche Aufsicht des Jüngeren an und versäumt keine Gelegenheit, ihre obrigkeitliche Pflicht mit Eifer zu erfüllen. Wenn ihre Aufsicht als lästig empfunden und mit undankbarer Widersetzlichkeit gelohnt wird, so kann sie sich als gekränkte Märtyrerin des Rechts und der Sitte fühlen. Es ist ganz merkwürdig, wie weit mitunter diese pädagogische Rolle getrieben wird. Ein zehnjähriges Mädchen pflegt stundenlang darüber nachzugrübeln, durch welche Mitteln man gewissen Unarten seiner jüngeren Geschwister beikommen könnte, und leidet Qualen, wenn es machtlos mit ansehen muß, wie die Erzieher seiner Meinung nach grobe Fehler begehen. Wie sehr beim Spielen Über- und Unterordnung zutage treten, ist ja eine ganz bekannte Erfahrungstatsache und es wird selten vorkommen, daß von zwei Geschwistern nicht das ältere den Robinson, den Kutscher oder den Lehrer vorstellt, während das jüngere sich mit den bescheideneren Rollen des Freitag, des Fahrgastes und Schülers begnügen muß.

Ich habe hier immer vollkommen normale Fälle vor Augen gehabt und zu zeigen versucht, wie sich der Kleinkrieg zwischen Geschwistern auch unter günstigen Verhältnissen nicht unterdrücken läßt. Oft genug kommt es aber zu schärferer Ausprägung des Konflikts, die meist entweder auf Bevorzugung des einen Teils durch die Umgebung oder auf starkes Minderwertigkeitsgefühl bei dem einen Teil zurückgeht. Der letzte Fall ist eines der bekanntesten Märchenmotive; seltener zeigt es einen mißgestalten (hinkenden) Bruder, der dem schöneren j ü n g e -r e n nachstellt wie in den Räubern (oder in K. F. Meyers schönem Gedicht: „Der gleitende Purpur"); häufiger und volks-tümlicher ist das Motto von der bösen häßlichen Schwester, der Pechmarie, die die Goldmarie verfolgt; von Dreiäuglein und Einäuglein, die das schöne Zweiäuglein hassen, und un-zählige andere in allen Sprachen der Welt. Ich glaube nun nicht, daß sich ein Satz aufstellen lasse, Brüder vertrügen sich besser als Schwestern. Aber die Tatsache, daß die feindlichen Brüder mehr auf dem Gebiet des Dramas, des Romans und Epos', die feindlichen Schwe-stern aber mehr im Märchen zu finden sind, das dem Alltag nähersteht, findet vielleicht darin eine Erklärung, daß der Kampf zwischen Schwe-stern viel intimere Formen annimmt und mit kleinlicheren Mitteln ausgekämpft wird. Bezüglich des Problems der „nicht" feindlichen Brüder möchte ich auf den Vortrag Dr. Frischaufs „Über den jüngeren Bruder" hinweisen.

Unter den Formen des Geschwisterwettbewerbs ist nun noch eine zu erwähnen, die gewöhnlich eine Mittelstellung zwischen dem offenen Krieg der Kinderstube und dem unterdrückten Messen und Vergleichen der Erwachsenen bildet. Das ist der Wetteifer in den Leistungen, die gewöhnlich die Schule und den Sport zum Ausgangspunkt nehmen. Die offen feindliche Stellung ist hier ja nicht weiter interessant. Wohl aber sind es die Fälle, in denen anscheinend gutes Einvernehmen, ja Zärtlichkeit herrscht. Da möchte ich zwei Gruppen unterscheiden. Jeder Lehrer kennt die Erscheinung, daß Leistungen von Geschwistern, sobald sie nicht ziemlich gleich gut sind, ganz auffallend voneinander abzuweichen pflegen, wobei aber das schlechte Extrem sich sehr wohl fühlt und mit seinem Widerpart gut auskommt. Die landläufige Erklärung, es fehle ihm eben an Ehrgeiz, kann uns nicht befriedigen. Eher vielleicht die Annahme, daß es sich hier um eine Sicherung handelt: der Schwächere verzichtet von vornherein darauf, die Konkurrenz überhaupt aufzunehmen, und kann auf diese Weise neben dem Begabteren, immerhin eine Art von Beachtung erweckend, bestehen. Den andern Fall beobachtet man an zärtlichen Gleichbegabten, wo mit ängstlicher Sorgfalt darüber gewacht und Buch geführt wird, daß die Leistungen nur ja bis ins einzelne gleich seien und gleich bewertet werden. Ich habe Heulszenen erlebt, wenn zwei Schwestern in ihren Zeugnissen um einen Grad in einem Gegenstand von einander abwichen. Auch hier Sicherung: Wer weiß, wie wir zueinander stünden, wenn es zwischen uns zu Differenzen käme!

Was nun den pädagogischen, ich möchte fast sagen, therapeutischen Teil des Problems betrifft, nämlich das Verhalten der Eltern und Erzieher zum Kampf der Geschwister, so möchte ich hier nur erwähnen, was ich für vermeidbar oder verfehlt halte, denn zu einer positiven Darlegung bedarf es gründlicher Durcharbeitung eines noch unvollständigen Materials. Zwei Wege glaube ich aber für nicht richtig ansehen zu können. Da ist einmal das schiedsgerichtliche Verfahren, das oft von Eltern versucht wird; es soll mit aller Objektivität erforscht werden, wer „recht" hat, wer „angefangen" hat, wem ein Gegenstand „gehört", wer wegzuräumen hat und so weiter. Damit ist aber niemandem geholfen, denn Recht gibt es nur eines und recht behalten wollen beide Parteien; und den Herrschkonflikt, auf den es eigentlich im Grunde ankommt, schafft kein Schiedsgericht aus der Welt. Das Rechtsgefühl, das man bei Kindern so oft findet, ist selbst nichts als eine Waffe, und zwar sowohl Angriffs- wie Verteidigungswaffe und wird unfehlbar gegen die Richter selbst gebraucht, sobald das Kind gesehen hat, daß es mit dem Rechtsuchen Eindruck macht. Ebensowenig verspreche ich mir von der ängstlichen Diplomatie, mit der Geschwister nur immer wieder daran erinnert werden, daß sie gefährliche feindliche Mächte sind; statt daß die Feindesstellung dadurch überbrückt würde, wird sie noch mehr betont, sozusagen offiziell anerkannt. Was hingegen wohl nicht schaden kann, ist der Hinweis darauf, worin jedes dem andern nützlich und notwendig sein kann.

Ängstliche Kinder.

Von L. Erwin Wexberg.

Die herkömmliche Auffassung der Kinderangst stellt diese Erscheinung weit einfacher dar, als sie ist. Wenn man den Kindern nichts von Gespenstern und bösen Geistern erzählen würde, so meint man, würden sie sich vor ihnen nicht fürchten, und das dunkle Zimmer hätte seine Schrecken verloren. Nun zeigt sich aber, daß Kinder, die nie vom bösen Mann gehört haben, ebensogut wie andere zuzeiten mit den Kennzeichen der höchsten Angst aus dem Schlafe aufschrecken können. Andererseits sind es aber auch meist die schlimmen, d. h. die aufgeweckten, unbändigen, die n e r v ö s e n Kinder mit einem Wort, die am stärksten unter Angst zu leiden haben. Gelingt es nun in einzelnen Fällen, ohne den erschreckenden Popanz sein Auskommen zu finden, so handelt es sich gewiß um Kinder, die ohnehin von ruhiger Gemütsart sind und zur Angst nicht neigen, Kinder, die sich auch durch die grauenhaftesten Geschichten nicht hätten furchtsam machen lassen. Das wird sich aus unseren weiteren Ausführungen mit größerer Deutlichkeit ergeben.

Daß aber tatsächlich auch die sorgfältigste Vermeidung von Ammenmärchen der Ängstlichkeit nicht vorbeugt, läßt sich nur durch eine eingehende Analyse der psychologischen Bedingungen der Kinderangst verstehen. Dann erst wird es gelingen, ihrer Herr zu werden; gleichwie wir in der Medizin erst von der Ätiologie einer Krankheit aus zur wirksamen Therapie gelangen können.

Die Schauermärchen können nicht die wesentliche Ursache der Angst sein. Ein Kind, das sich nachts vor einem Gespenst fürchtet, das es am Abend aus der Erzählung der Mutter kennen gelernt hat, muß schon bei der Erzählung jene wollüstigen Schauer durchgemacht haben, die das Kennzeichen seiner E m p f ä n g l i c h k e i t sind. Diese Empfänglichkeit aber, die im Grunde nichts anderes ist als eben die „Ängstlichkeit" des Kindes, ist wesentlicher als der Inhalt der Erzählung, denn sie s u c h t die Eindrücke, wo sie ihr nicht geboten werden. Wenn es dem Kinde nicht a n g e n e h m wäre, von Gespenstern erzählen zu hören, so könnte man ihm das Material seiner Angstvorstellungen nicht gewaltsam aufdrängen.

Daß das Kind ängstlich ist, weil es nervös ist, ist an sich richtig und sagt doch nicht viel. Es sagt aber, wenn man es richtig versteht, das

eine: die Ängstlichkeit ist eine jener Eigenschaften, die zusammen ein
den Ärzten heute wohlbekanntes Bild ausmachen, das sich beim Kinde
schon ausprägt und beim Erwachsenen in den mannigfaltigsten und
doch immer typischen Formen zum Ausdruck gelangt: den n e r v ö s e n
C h a r a k t e r[1]. Wie aber dieser nervöse Charakter entsteht, und wie
er zur Ängstlichkeit führt, soll nun des näheren erörtert werden.

Wenn wir mit Adler die Psyche der Funktion eines orientierenden
Organs zuweisen, das uns befähigt, uns in dem wirren Komplex der
äußeren Eindrücke zurechtzufinden, so begreifen wir als eine Äußerung
dieser orientierenden Funktion das Prinzip der Gegensätzlichkeit, auf
dem unser Denken und Fühlen durchwegs aufgebaut ist. Das Kind,
dem die Aufgabe erwächst, sich mit der Umgebung in irgendein Verhältnis zu setzen, muß zuerst das Gegensatz-Schema „Groß-Klein" anwenden, dem sich dann die parallelen Reihen „Stark-Schwach", „Mäch-
tig-Hilflos" zugesellen. Daß es selbst klein, schwach und hilflos ist,
wird ihm durch die Behandlung, die es von den Erwachsenen erfährt,
bald klar. Wenn nun das Kind durch mangelhafte körperliche Entwicklung einerseits, durch unzweckmäßige Erziehung andererseits besonders tief gestellt ist, so ergibt sich daraus ein G e f ü h l d e r M i n -
d e r w e r t i g k e i t, das für seine weitere psychische Entwicklung maßgebend wird. Nun muß es alles daransetzen, seinen Rückstand auszugleichen, sich in den eigenen Augen und in der Schätzung der anderen
zu erhöhen. Das Kind mißt und schätzt unausgesetzt die Distanz zwischen sich und den E r w a c h s e n e n, und je größer diese ist, desto
stärker wird das Gefühl der Hilflosigkeit. Es sucht Auswege, Umwege,
denn die Überwindung der Distanz auf geradem Wege erscheint ihm
unmöglich. Im S p i e l beginnt sich seine Phantasie zu entwickeln.
Die Zukunft, die Rolle, die ihm als Erwachsenen zufallen wird, ist sein
einziges Interesse. Zwischen Wunsch und Befürchtung, zwischen dem
„wie schön wäre es, wenn . . ." und dem „wie wird es sein, wenn. . ."
lebt es und sieht das Ziel und nicht den Weg dahin. So sucht es
seinem Geltungstrieb innerhalb der engen Grenzen der Kinderstube sein
Recht zu verschaffen, im Spiel, im Märchen will es das erleben, was es
bei seinem Ideal, bei den Erwachsenen sieht. Es ist ein kurzer Weg
des Ehrgeizes, der keine Arbeit kostet. Im Spiel können die Kinder
sein, was sie wollen, ohne daß sie es erst werden müssen; und „ils

---

[1] Vgl. Alfred A d l e r: Über den nervösen Charakter; Wiesbaden 1912.
Den in diesem Werke dargestellten Grundideen folgt unsere Darstellung
in vielen wesentlichen Punkten.

prendront toujours le beau rôle" (Rousseau). Früher oder später erweist sich freilich dieser anscheinend so kurze Weg als ein Abweg, und jeder Erzieher weiß davon zu erzählen, wie schwer es ist, verspielte Kinder zur Arbeit zu zwingen, zu jener Arbeit, durch die sie das Ziel wirklich erreichen sollen, das sie im Spiel so oft halluziniert haben. Die phantastischen Träume vom künftigen Leben, die Größenideen der kindlichen Seele, die kritiklos sein muß, um nicht trostlos zu sein, bilden eine starke, konservative Macht in ihr. Die kindliche Phantasie hat kein Interesse an der Entwicklung, denn sie glaubt, das Ziel auf kürzerem Wege gefunden zu haben. Real ist hier nur eines: der Affekt, der stärker ist, als die Wirklichkeit ihn geben könnte. Denn gewiß ist kein König so glücklich wie das Kind, das „König" spielt.

Aber die Phantasie hat noch andere Aufgaben. Wie sie das Persönlichkeitsideal vergrößert, ausschmückt und in traumhaft greifbare Nähe rückt, so verfährt sie auch mit dessen Feinden, mit der Welt und ihren Gefahren. Das Kind hat gelernt, sich vor realen Gefahren zu fürchten. Alle die unlustvollen Erlebnisse der ersten Jahre haben zusammengewirkt, um das Kind vorsichtig und mißtrauisch gegen Ereignisse zu machen. Vorsicht und Mißtrauen aber äußern sich als Furcht in allen Fällen, wo das Kind eine Einbuße seines Wohlbefindens voraussehen kann. Auch das Unbekannte ist eine Gefahr, solange es sich noch nicht als harmlos erwiesen hat. So vermag das Kind bald Freund und Feind in der leblosen und belebten Welt zu unterscheiden. Es fürchtet den heißen Ofen und den bellenden Hund, den Stock und das böse Gesicht des Vaters. Und es bedient sich der Angst, um sich vor all diesen Gefahren zu sichern, obwohl es weiß, daß es unter besonderem Schutze steht, daß der Vater nur schlägt, nicht tötet, und daß der Hund ihm nichts tun darf. Aber gerade weil es das weiß, muß es sich die Gefahren des wirklichen Lebens — jene Gefahren, die nicht mehr Vaters oder Mutters Händen gehorchen — viel größer ausmalen als sie wirklich sind. Wenn jene ursprüngliche Angst vor realen Übeln einer primitiven biologischen Zweckmäßigkeit ihren Ursprung verdankte, so ergibt sich nun aus der phantastischen Vorstellung künftiger Möglichkeiten eine Angst, die in gewissem Sinne Selbstzweck ist, jene Angst, die zur Ängstlichkeit führt. Kritiklos wie des Kindes Größenideen sind seine Vorstellungen möglicher Gefahren. Wenn seine Phantasie ihn zum König macht, dann muß sie seine künftigen Feinde zu entsetzlichen Ungeheuern gestalten. Je größer sein Persönlichkeitsideal ist, desto mehr hofft es zu erreichen. Je größer aber die

Ungeheuer sind, die das Kind fürchtet, desto mehr wird es gegen die
Gefahren gesichert sein, die wirklich kommen müssen.

Nicht daß das Kind das alles genau wüßte. Aber ein sicheres Gefühl
zwingt es, Macht und Gefahr im gleichen Maßstab zu vergrößern. Wir
wollen sagen: die phantastische Angst ist das notwendige
Korrelat zu dem phantastischen Größenwahn des Kin-
des. Beiden ist gemeinsam, daß sie das Kind in Situationen versetzen,
die weit eindeutiger, weit radikaler sind, als die realen Möglichkeiten.
Es sind Simplifikationen und Übertreibungen, wie sie das gegensätzliche
Denken des Kindes hervorbringt, um sich selbst den Weg zu weisen.
Und es sind Fragen an das Schicksal. Hier heißt es: So würde ich
mich benehmen, wenn ich König wäre. Was werde ich wohl sein? —
Dort heißt es: So würde ich um Hilfe schreien, wenn mir ein Geist
erschiene. Welche Gefahren drohen mir, die schlimmer wären als diese?
Und die ständige Unsicherheit über die kommenden Dinge, die durch die
Phantasie nur zeitweise beruhigt wird, zwingt zu ständiger Wiederholung
phantastischer Situationen.

Nun ist es freilich sonderbar, daß sich die Furchtsamkeit mit der
hohen Selbsteinschätzung des Kindes verträgt. Die Vorstellung von
Gefahren, so sollte man meinen, muß das Kind viel eher zum Helden-
tum als zur Angst veranlassen. Oft geschieht das auch wirklich. Und
ganz allgemein wird man bemerken, daß Knaben im Kriegsspiel, also
dort, wo es sich um die Vorstellung realer, möglicher Gefahren handelt,
mehr Mut als Angst zeigen, daß die Tapferkeit mit zu ihrem Größen-
ideal gehört. Doch derselbe Knabe, der tagsüber als Indianer oder als
Räuber die größten Heldentaten vollbrachte, gerät vielleicht nachts über
irgendein unerklärliches Geräusch in helle Angst, sieht Gespenster und
ruft nach der Mutter. Hier hat eben seine Phantasie einen andern
Weg eingeschlagen. Es scheint die entgegengesetzte Richtung zu sein,
und doch ist das Ziel dasselbe. Das ängstliche Kind will sich schwach
und hilflos fühlen, um den Kontrast zwischen seinem Können und der
drohenden Gefahr in die schärfste Form zu bringen. So greift es auf
der einen Seite über die Grenzen des Möglichen, des Irdischen hinaus,
andererseits verzichtet es auf die Möglichkeiten der Selbsthilfe, die
es besitzt. „Was würde geschehen, wenn ich wehrlos wäre? — Die
andern müßten mir helfen." So findet das Kind auch hier den Ausweg, dazu aber bedarf es der Angst.

Daß dem Kinde selbst die Tendenz und die Bedeutung seiner Kunstgriffe bewußt werde, können wir nicht erwarten. Es ist unmöglich,

von den psychischen Erlebnissen der Kinder, so wie sie wirklich sind, Kenntnis zu erlangen, und nichts von dem, was wir darüber sagen, ist wörtlich zu nehmen, d. h. in dem Sinne, wie dasselbe bei dem Erwachsenen gelten würde. Zwischen den Kindern und uns besteht fast so wenig Gemeinsames wie zwischen einem Hund und seinem Herrn. Und doch sagen wir: der Hund „liebt" seinen Herrn. Hier dürfen wir nicht vergessen, daß bei jeder solchen Behauptung der Vorbehalt zu ergänzen ist: wenn der Hund wie ein Mensch fühlen könnte. Beim Kinde lautet der Vorbehalt: wenn das Kind wie ein Erwachsener d e n k e n könnte. Das kindliche Analagon zum „Denken" des Erwachsenen wird uns immer ein dunkler Begriff bleiben. Aus F r e u d s Forschungen über die Mechanik des unbewußten Denkens kann man ersehen, wie fremd uns primitive Denkvorgänge sind. Trotzdem gelingt es, aus den Äußerungen und Handlungen der Kinder den Schlüssel zu finden, der uns erlaubt, die kindliche Geheimsprache annähernd zu übersetzen. Was wir dann in der Übersetzung finden, ist gültig, sofern wir nicht vergessen, daß es nur eine Übersetzung ist. In diesem Sinne kann man versuchsweise die Phantasien der Kinder so betrachten, als ob es Phantasien von Erwachsenen wären. Aber wo wir Erwachsenen bewußt ein Zeichen setzen, das sagt: bis hierher reicht die Realität, was jetzt kommt, ist meine Phantasie — dort besteht beim Kinde nichts als eine dunkel gefühlte Niveaudifferenz. Aber diese ist vorhanden. Das Kind hört Märchen anders an als die Erzählungen von Tatsachen. Das „Es war einmal" bedeutet ihm den Sprung vom Wirklichen zur Phantasie, und wer die Leichtgläubigkeit der Kinder ernst nimmt, kann wohl die Überraschung erleben, daß sie ihm den Faden einer Märchenerzählung, der sie bis dahin gläubig gelauscht hatten, plötzlich aus der Hand nehmen und auf eigene Faust weitererzählen, was ihnen eben einfällt. Aber das Kind fürchtet sich auch ganz anders vor einem Automobil auf der Straße als vor dem Gespenst, das es im dunklen Zimmer halluziniert. Dort läuft es davon und bringt sich in Sicherheit, es wird oft wunderbar selbständig, wenn es weiß, daß die Erwachsenen ihm nicht helfen können; hier, vor dem Gespenst, wagt es sich nicht zu rühren und ist beruhigt, wenn die Mutter zu ihm kommt. Der Geist hat nicht mehr Realität als ein Märchen, das man ihm erzählt, nicht mehr als ein lebhafter Traum. Und nur der Umstand, daß dem Kinde der g e d a n k l i c h e Sinn des „Als ob" noch nicht geläufig ist, täuscht uns über die Bedeutung seiner lebhaften Ausdrucksbewegungen. Darum ist sein T u n immer bezeichnender als seine Mimik, seine Sprache und sein Denken.

Und darum können wir auch nicht erwarten, daß ihm die Zielsicherheit seines Benehmens klar zum Bewußtsein kommt. Aber diese unbeirrte Richtung auf das Ziel, die der seelischen Spiegelung und des sprachlichen Ausdrucks nicht bedarf, ist eben das, was wir beim Kinde Instinkt nennen.

Die „nächtliche Angst" (pavor nocturnus), an der nervöse Kinder oft jahrelang leiden, muß ihre Erklärung in Träumen finden, die denselben Sinn wie das Gespenstersehen verraten. Dafür sprechen zum Beispiel auch folgende Fälle: Ein kleines Mädchen von sieben Jahren schreckt seit langer Zeit oft des Nachts aus dem Schlaf auf, unter höchster Angst, die durch folgenden Traum hervorgerufen ist: sie ist auf einem Spielplatz, ringsum auf den Bänken sitzen die Mütter und Kindermädchen, in der Mitte spielt sie mit anderen Kindern. Plötzlich blickt sie auf und sucht unter den Frauen nach ihrer Mutter. Sie geht von einer zur andern, hält jede für die Mutter und erkennt erst zuletzt, daß sie es nicht ist. Unter steigender Angst erwacht sie, die Angst dauert fort; schließlich weckt sie die Mutter, die in demselben Zimmer schläft, unter dem Vorwande, sie müsse auf den Topf gehen. Dieser oft wiederkehrende Traum wird durch seine Fortsetzung im Wachen selbst gedeutet. Er kann nur einen Sinn haben: Wie wäre es, wenn ich keine Mutter hätte, die darüber wacht, daß mir nichts geschieht? Aber das Kind hat kein Interesse, diesen Gedanken in dieser Form zu produzieren. Denn es hat ja die Mutter, und schon der Gedanke, die Mutter könnte sterben, den man etwa aus dem Traum herauslesen möchte, ist von der Realität so weit entfernt, daß man besondere Triebfedern ahnt, die gewiß nicht von gestern stammen. Auf jeden Fall weist der Traum in die Zukunft. Sicher wird einmal eine Zeit kommen, in der es gilt, auf den Schutz der Mutter zu verzichten und „erwachsen" zu sein. Dann wird sie sich nicht mehr verlassen dürfen, daß ihr nichts geschehen könne, weil eben die Mutter da ist. Wie wird sie bestehen, wenn sie auch dann noch so klein und schwach und hilflos wäre wie jetzt? Geschichten von armen Waisenkindern, die sich ja stets bei denen, die noch ihre Eltern haben, der größten Beliebtheit erfreuen, mögen diesen Phantasien der Kleinen reichliches Material geliefert haben. Und im Traum tritt nun die Angst als Warnung ein; sie ist ein mächtiger Antrieb, groß und selbständig zu werden, so zu tun, a l s o b sie keine Mutter hätte. Und nach dem Erwachen sucht sich die Kleine wenigstens für jetzt noch der Mutter zu versichern, indem sie sie weckt und mit ihr spricht.

Ganz ähnlich ist ein anderer Fall: Ein vierjähriger Knabe ruft oft nachts aus dem Schlaf die Worte: „Mama, gib acht auf mich!" Eine Traumerzählung kann er nicht geben. Aber der Ausruf läßt nur eine Deutung zu: offenbar schwebt er im Traum in irgendeiner Gefahr, vor der ihn die Mutter schützen soll. Die Gefahr aber ist von ihm als der schlimmste der möglichen Fälle vorgestellt, und sie führt ihn zu der Frage: Wie werde ich bestehen?

Diesen beiden Kindern ist in ihrem Wesen einiges gemeinsam: beide sind ausgesprochen „schlimme" Kinder. Das Mädchen spielt besonders gern mit Knaben und liebt alle Spiele, die ihm die Mutter verboten hat. Der Knabe ist wild, ungehorsam und respektlos, dabei intelligent. Praktisch am wichtigsten ist dies: die Mütter der beiden Kinder sind schlechte Erzieherinnen, nervöse Frauen, die sich den Erziehungspflichten teils ungeschickt, teils widerwillig unterziehen und viel von der so unbedingt erforderlichen Ruhe und Gleichmäßigkeit in der Behandlung ihrer Kinder vermissen lassen. Darauf werden wir noch zurückkommen. —

Wir sagten oben: die Phantasie ist das spezifisch Kindliche, die konservative Macht der Kindheit, die den Fortschritt der schrittweisen Erziehung hemmt. Das, was wir „kindisch" nennen, ist nichts anderes, als die Weltfremdheit des Kindes, das, von der Realität abgewandt, verspielt, ungebärdig, den geduldigsten Lehrer zur Verzweiflung bringen kann. Wäre das Kind ganz so, dann hätte die Pädagogik keine Aussichten. Sie müßte verzichten, und keine Macht der Welt wäre imstande, das Kind kulturfähig zu machen. Aber es gibt Bundesgenossen der Erzieher im kindlichen Seelenleben. Das geistesgesunde Kind hat immer einen Teil seines Interesses der Realität zugewandt. Die unmittelbare Umgebung und die Gegenwart erzwingen sich seine Aufmerksamkeit. Das Kind hat auch ein reales Leben, in das es mit seiner ganzen Persönlichkeit eintritt, und hier wird es uns verständlicher und zugänglicher. Wenn wir voraussetzen, daß auch hier der Geltungstrieb als Folge des Minderwertigkeitsgefühls als Hauptmotiv wirksam sein muß, nur daß er hier auf praktisch erreichbare Ziele gestellt ist, so können wir nach unseren vorausgegangenen Überlegungen nicht fehlgehen.

Das reale Leben wird dem Kinde zum Kampfplatz. Wer Kinder objektiv beobachtet, nicht nur vom Standpunkt des Erwachsenen, der „Ruhe haben will", wird bald begreifen, daß all die kleinen Konflikte, über die Kinder weinen und schreien, in Wut geraten und trotzen, so rasch sie auch vergessen sind, im Augenblick bittern Ernst bedeuten.

Man darf die Affektäußerungen nicht darum unterschätzen, weil sie noch keine Nachwirkungen haben. Der Schluß, daß es „nicht tief geht", wäre wohl beim Erwachsenen berechtigt, der viel von der Elastizität des Kindes verloren hat; bei diesem sicher nicht. Das Kind ist unglücklich, wenn es weint, so gut es glücklich ist, wenn es im nächsten Augenblick lacht. Aber immer glaubt man ihm die Heiterkeit, nie den Schmerz, selbst bei nervösen Kindern nicht, wo dieser meist überwiegt. Das Gefühl, immer den kürzeren zu ziehen, sei es durch organische Schwäche, sei es durch harte oder sorglose Behandlung, wird ihnen unerträglich. Und weil es ihnen auf keine Weise gelingt, sich auf direktem Wege durchzusetzen, so finden sie Umwege, Kunstgriffe, durch die sie ihr Ziel erreichen. Gerade seine Schwäche ist dem Kinde die geeignetste Waffe, seine Ansprüche durchzusetzen. Je mehr es seine Hilfsbedürftigkeit hervorkehrt, desto mehr sind die Erwachsenen seiner Umgebung in seinen Dienst gebannt. Hat das Kind einmal diesen Weg gefunden, hat es einmal die Erfahrung gemacht, daß es bloß zu weinen braucht, um liebevoll behandelt zu werden, daß es bloß Schmerzen zu äußern braucht, um die Erwachsenen besorgt und sich zum Mittelpunkt zu machen, dann ist es unerschöpflich in immer neuen Listen und Tücken, durch die es sich seiner Macht über die Großen versichern kann. Denn dann ist ihre Kraft die seine, und es ist wie der König im Schachspiel, der selbst begrenzte Mittel hat, und um dessen Schutz doch das ganze Spiel geht. So wird das Kind launisch, widerspenstig, es erhebt seinen Willen zum Herrn des Hauses und erpresst Gehorsam durch Schreien. Niemand erkennt die „Nervosität" der Erwachsenen besser als das nervöse Kind. Die Schwäche der Großen ist der Hebel, durch den es sich ihre Kraft zunutze macht. Ich habe Kinder gesehen, die bloß durch den Kunstgriff des unstillbaren durchdringenden Geschreies, das Entsetzen der Umgebung, bedingungslose Herrscher der Familie waren.

Manchen Kindern gefällt es, in der Nacht, die gemeinhin Waffenstillstand bedeutet, Stichproben darauf zu machen, ob ihnen die Erwachsenen auch jetzt zu Diensten stehen. Möglicherweise zwingt sie das Bewußtsein absoluter Hilflosigkeit im Schlafe, das sie durch Erlebnisse kennen gelernt haben, zu besonderen Vorkehrungen, ähnlich wie es bei erwachsenen Nervösen unter ähnlichen Umständen zur Schlaflosigkeit kommen kann. Diese Kinder wecken die Mutter aus dem Schlaf, angeblich, um ein Bedürfnis zu verrichten, oder sie wachen mitten in der Nacht auf und stellen eine gleichgültige Frage — wie spät es sei oder dergleichen. Man täte unrecht, dies als Bosheit zu bezeichnen. Nicht die Erwachsenen zu quälen ist das Ziel. Das ist bloß das Mittel. Sie wollen sich ihrer Macht versichern, die ihnen oft so bereitwillig zugestanden und oft wieder unter Züchtigungen genommen worden ist. Die übliche Erziehung läßt die Kinder ganz im unklaren über ihr Verhältnis zu den Erwachsenen. Bald behandelt man sie wie Sklaven, bald wie Könige. Bald folgt man ihnen aufs Wort und liebkost sie überdies, bald zeigt man ihnen aus irgendeinem Grund, den sie nicht würdigen können, daß man stärker ist als sie. Kein Wunder, daß sie keine Gelegenheit ungenutzt lassen, um sich zu orientieren, um die Grenzen ihrer Macht kennen zu lernen und möglichst weit hinauszuschieben. Und dann ist Angriff die beste Verteidigung.

Zu diesen Kriegslisten des nervösen Kindes gehört nun auch die Angst. Der oben geschilderte Angsttraum der siebenjährigen Kleinen, der in weiter Perspektive die Gefahren des künftigen Lebens zeigte, war zugleich geeignet, ihre gegenwärtige Lage zu verstärken. Denn er führte dazu, daß sie die Mutter weckte, und so konnte sie sich immer wieder überzeugen, daß Mütter dazu da sind, ihren Kindern stets zur Verfügung zu stehen — wie die Mütter auf dem Spielplatz im Traum.

Und all die vielen Kinder, die sich allein im dunkeln Zimmer fürchten, die nur einschlafen können, wenn die Mutter neben dem Bette sitzt, die vielen, die es nicht wagen, auf der Straße zu gehen, und getragen werden wollen, sie alle sind eben solch kleine Tyrannen, wie unser furchtsames kleines Mädchen. Sie wollen furchtsam sein. Angst zu haben ist viel leichter, als sich krank zu stellen, und viel ungefährlicher als Weinen und Schreien. Denn die Angst ist straflos, die Eltern suchen zu trösten und zu beruhigen, und die kindlichen Phantasien erhalten eine Würde, die ihnen gar nicht zugedacht war. Nicht als ob dieser aktuelle Zweck der Angst schon ausreichen würde sie zu schaffen: dazu bedarf es der grundlegenden Zielsetzungen und Voraussichten, von denen wir oben sprachen. Aber daß das Ergebnis dieser tieferen seelischen Regungen auch noch im realen Leben praktisch verwertbar ist, daß die Angst, die dort der weitblickenden Sicherung des Persönlichkeitsgefühls dient, hier im Alltag dasselbe Ziel, die persönliche Geltung, unterstützt — daraus schöpft erst die Kinderangst ihre hartnäckige Energie, dadurch wird sie zum Schrecken des Erziehers. Denn der aktuelle Sinn der Affektverstärkung, die in den Phantasien

18*

der krassen Ausmalung künftiger Möglichkeiten dient, lautet: die unbedingte Herrschaft über die Erwachsenen.

*   *   *

Wir sind uns über die psychologische Bedeutung der Kinderangst klar geworden. Die praktischen Konsequenzen, die sich aus der Erkenntnis ergeben, können hier nur mit wenigen Worten angedeutet werden.

Mehr als je muß auf die Verhütung der Ängstlichkeit das Hauptgewicht gelegt werden. Weil die Ängstlichkeit einen Teil von dem nervösen Charakter des Kindes bildet, so begegnen sich die Vorbeugungsmaßregeln der Ängstlichkeit und der Nervosität. Eine liebevolle, gleichmäßige — vor allem gleichmäßige! — und um keinen Preis strenge Erziehung wird in den meisten Fällen das Ziel einer gesunden Entwicklung nicht verfehlen. Die alte Rousseausche Regel: Kinder weder zum Gehorsam noch zur Herrschsucht zu erziehen, ihnen den Begriff der Unterordnung in der einen wie in der andern Richtung überhaupt fernzuhalten, verdient von unserm psychologischen Standpunkt aus neu hervorgehoben zu werden. Das Ideal des gehorsamen Kindes ist ein Aberglaube: wo es erreicht wird, war es unnötig, wo es nicht erreicht wird, gibt es immer neue Gelegenheiten zu Konflikten, aus denen das Kind um den Preis seiner psychischen Gesundheit als Sieger hervorgeht.

Bei kränklichen Kindern sollte mehr als bisher darauf gesehen werden, daß sie nicht unter übertriebener Sorgfalt und Pflege zu leiden haben: solche Entbehrungen werden doppelt gefühlt, wenn sie das Kind als die Folgen seiner eigenen Minderwertigkeit erkennt. (Czerny).

Was die vielgescholtenen Märchen und Schauergeschichten anlangt, so werden sie bei Kindern, die in unserm Sinne erzogen sind, ganz wirkungslos bleiben. Und mit dem wollüstigen Schauer des nervösen Kindes fallen sie von selbst fort, wenn das Kind gesund ist und keinen Sinn für solche Reizmittel hat.

Auch bei Kindern, die durch verfehlte Erziehung schon nervös und ängstlich sind, kann nur eine allgemeine Besserung der Nervosität Erfolg versprechen. Die Angst selbst ist zu tief in der Seele des Kindes verankert, als daß sie ihm durch irgendeinen Kunstgriff entrissen werden könnte. Sie gehört mit in das Gefüge des nervösen Charakters und läßt sich nicht getrennt behandeln. Wenn man bedenkt, daß das Kind ein tiefes Interesse hat, ängstlich zu sein, so wird man von selbst von dem Versuch abstehen, es durch Abhärtung, Gewöhnung oder kaltes Wasser eines Bessern belehren zu wollen. Denn die Angst ist, im Zusammenhang mit den Zielen und Richtlinien des nervösen Kindes betrachtet, keine Schwäche, sondern eine Stärke des Kindes. Es handelt sich also um jene neurotischen Ziele und Richtlinien, die gemildert und mit der Realität versöhnt werden müssen. Hier kann nur eine grundlegende Änderung des Erziehungssystems im oben geschilderten Sinne helfen. Wenn das Kind in anderer Umgebung ganz andere Lebensbedingungen vorfindet, wenn es unter Menschen lebt, die es nicht schlagen und nicht verzärteln, die ihm nicht befehlen und nicht gehorchen, die ihm seine Wünsche erfüllen, bevor es sie als Befehle geäußert hat, aber seine Launen mit Stillschweigen übergehen, — dann wird es seine Listen und Kunstgriffe als nutzlos und unnötig erkennen und wird ein gesunder Mensch werden, der sich in der Welt zurechtfindet.

Selbsterfundene Märchen.

Versuch einer psychologischen Bearbeitung von Schüleraufsätzen.

Von Dr. Carl Furtmüller.

I.

Die folgende Untersuchung behandelt 36 Märchen, die von den 13—14 jährigen Schülerinnen einer Mittelschulklasse als deutsche Hausarbeit geliefert wurden. Das Thema hatte gelautet: „Ein selbsterfundenes Märchen"; irgendwelche nähere Angaben oder Bedingungen waren nicht hinzugefügt worden. Gleichzeitig stand ein zweites Thema zur Wahl, ein Zwang zum Märchenerzählen wurde also nicht ausgeübt; trotzdem hat die große Mehrheit der Mädchen sich für diese Arbeit entschieden.

Als die Lehrerin, die dieses Thema gestellt hatte, mir gesprächsweise hievon erzählte, entstand in mir der Gedanke, eine psychologische Bearbeitung und Verwertung der gelieferten Märchen zu versuchen. Mir schwebte dabei das Problem vor, zu untersuchen, wieviel man durch Durchforschung von Schülerarbeiten nach psychoanalytischen Gesichtspunkten über den Inhalt des Seelenlebens der Verfasser in Erfahrung bringen könne. Gerade dieses Märchenthema schien mir für ein solches Experiment besonders günstig, weil es einerseits völlige Freiheit läßt, andrerseits doch eine genügend breite Vergleichsbasis verspricht.

Die Ausführung meiner Absicht wurde mir von der Lehrerin in freundlichster Weise ermöglicht. Sie gab mir nicht nur Gelegenheit, die Arbeiten kennen zu lernen, sondern sie beantwortete auch nach Möglichkeit meine in einzelnen Fällen gestellten Fragen nach den persönlichen Verhältnissen der Schülerinnen. Sie konnte dies tun ohne die leiseste Scheu, eine Indiskretion zu begehen, da mir nicht nur die betreffenden Mädchen völlig unbekannt sind, sondern ich auch nicht einmal ihre Namen erfuhr.

Ich hätte daran denken können, lieber meinen eigenen Schülern dieses oder ein ähnliches Thema zu stellen, da die persönliche Kenntnis der Schreiber ein Eindringen in den unbewußten Inhalt ihrer Arbeiten gewiß erleichtert hätte. Zweifellos wäre in diesem Fall der Ertrag der Deutungsarbeit reichlicher gewesen, ebenso sicher aber ist, daß die Reinheit des Experiments getrübt worden wäre: es hätte sich schwer auseinanderhalten lassen, wieviel von den Resultaten Ergebnis der speziellen Untersuchung, wieviel Niederschlag meiner sonstigen Beobachtungen gewesen wäre. Auch scheint es mir für eine Nachprüfung und wissenschaftliche Erörterung meines Versuchs von Wichtigkeit, daß jetzt der Leser dem Material (annähernd) unter denselben Bedingungen gegenübertritt wie ich selbst. Wie hemmend sich freilich der Mangel an persönlichem Material fühlbar machen muß, ist ja für jeden mit psychoanalytischer Arbeit auch nur oberflächlich Vertrauten von vornherein klar; überdies wird sich in meiner Untersuchung selbst an einigen Beispielen zeigen, wie sehr der Eindruck sofort an Plastizität gewinnt, wenn über die Schreiberin oder ihre Lebensverhältnisse charakteristische Daten bekannt sind. Andrerseits kann bei einer Arbeit wie der vorliegenden die Breite der Untersuchung bis zu einem gewissen Grade den Mangel der Tiefe kompensieren: was an sich bedeutungslos und uninteressant schiene, gewinnt unter Umständen einen charakteristischen Wert durch die Gegenüberstellung der Arbeiten anderer Schülerinnen.

Die Untersuchung beschränkt sich bewußt auf den einen schon hervorgehobenen Gesichtspunkt und schließt alles andere (z. B. den Versuch einer ästhetischen Charakterisierung und Wertung der gelieferten Märchen) aus. Ein Problem schiene allerdings als Vorarbeit für das Hauptthema nicht unwichtig zu sein: die Frage nämlich, inwieweit die Arbeiten rein reproduktiv sind, und inwieweit sich, wenn schon nicht in den verwendeten Motiven, so doch in ihrer Verknüpfung, Selbständigkeit zeige. Ich glaubte aber, von dieser Nachforschung, die sehr weitläufig geworden und durchaus keines vollen Erfolges sicher gewesen wäre, beruhigt absehen zu dürfen. Die Kinder waren ja durch das Thema indirekt darauf hingewiesen, den Vorrat ihnen bekannter Märchenmotive zu verwenden. Die Zahl der jedem Kind geläufigen Motive und Verknüpfungen ist aber sehr groß. So setzt also das Erfinden eines Märchens bei dem Kinde ein bewußtes oder unbewußtes Wählen unter vielen zur Verfügung stehenden Möglichkeiten voraus und d u r c h d i e W a h l , d i e e s t r i f f t , c h a r a k t e r i s i e r t s i c h d a s K i n d . Und es handelt sich jetzt nur darum, den Schlüssel zu finden, der uns diese unbewußte Selbstcharakteristik verstehen lehrt.

Da lag es nahe, nach dem Vorgange Riklins[1] an eine symbolische Ausdeutung der Märchen zu denken. Aber das hätte geheißen, auf die von mir geplante spezielle Untersuchung von vornherein verzichten.

---

[1] Franz Riklin, Wunscherfüllung und Symbolik im Märchen. (Schriften zur angewandten Seelenkunde, Heft 2.)

Denn da die Symbolik im Material liegt, so hätten natürlich die mit diesem Material arbeitenden kindlichen Märchen nichts Neues ergeben können. Und da die Symbole vielgestaltig, die Ausdeutungsergebnisse aber notgedrungen recht eintönig sind, so hätte man auch nicht daran denken können, zu einer Erfassung des charakteristischen Gehaltes des einzelnen Märchens zu gelangen. Außerdem wäre die Frage immer offen geblieben, ob die sexuelle Symbolik auch wirklich von den Mädchen — bewußt oder unbewußt — verstanden worden sei. Ich ziehe daher die Symbolik im engeren Sinne nur in einzelnen Fällen als Hilfsmittel heran.

Es handelte sich also darum, nach einem andern Schlüssel zu suchen, mit dem man, von den Märchen ausgehend, das Seelenleben der Verfasserinnen erschließen könnte. So entstand in mir der Gedanke, die Grundgedanken der individualpsychologischen Methode Alfred Adlers auf die vorliegende Aufgabe anzuwenden. Nach Adler liegt der Angelpunkt für das Verständnis einer individuellen Psyche in dem Verständnis des unbewußten Lebensplanes, den sie verfolgt. So vielgestaltig er sein kann, sein Endziel ist immer die endgültige Erhöhung der Persönlichkeit. Den Weg zu diesem Ziel versucht jeder Mensch auf gewissen für ihn charakteristischen Bahnen, die Adler Leitlinien genannt hat. Den Ausgangspunkt des ganzen Prozesses bildet ein in organischen und in sozialen Ursachen wurzelndes Gefühl der Minderwertigkeit, dessen Kompensation versucht wird. So ergab sich mir also die Aufgabe, zu untersuchen, ob sich aus dem Märchen der unbewußte Lebensplan der Schreiberinnen wenigstens andeutungsweise erraten oder doch eine oder die andere charakteristische Leitlinie erschließen lasse; nebenbei war darauf zu achten, ob über Grad und Herkunft des Minderwertigkeitsgefühls etwas zu erfahren sei. Bei dieser Art der Betrachtung mußte selbstverständlich dem Gegensatz zwischen Ausgangspunkt und Zielpunkt des Märchens besondere Bedeutung zukommen.

Der Tragweite der zu erhoffenden Ergebnisse waren dabei natürlich von vornherein enge Grenzen gewiesen. Darauf mußte schon eine allgemeine Erwägung hindeuten: Die Deutung eines isolierten Märchens wird ebenso wie etwa die einer isolierten Symptomhandlung immer problematisch bleiben müssen; ihre zwingende Kraft erhalten Deutungen ja erst dadurch, daß viele Einzelzüge, aneinandergereiht, immer wieder nach derselben Richtung weisen. Dazu kommen noch die speziellen Fehlerquellen, die aus der Art des gestellten Themas fließen. Daß

die Schülerinnen Märchen zu schreiben hatten, hatte gewiß den überaus
wichtigen Vorteil, daß sie höchst persönliche Dinge erzählten ohne
das Bewußtsein, befragt zu sein und über sich etwas auszusagen. Andererseits liegt aber in der Aufgabe die Aufforderung, der Phantasie ohne
Rücksicht auf die Wirklichkeit die Zügel schießen zu lassen; ja im
Wesen des Märchens liegt geradezu der Gegensatz zur Realität. Nun zeigt
uns gewiß gerade die individual-psychologische Methode, welch außerordentliche Bedeutung die Erforschung der Phantasien für die Erkenntnis
des Seelenlebens gewinnen kann. Aber ihre volle Auswertung setzt doch
immer voraus, daß wir die Wechselbeziehung zwischen Phantasie und
Realität verfolgen können. Unrealisierbare Phantasien hat jeder Mensch,
die charakteristische Besonderheit des einzelnen aber liegt nicht nur
in der A r t seiner Phantasien, sondern auch in dem Grade, in dem sie
seine Einstellung zur Wirklichkeit beeinflussen. Da wir nun in unserm
Fall mit wenigen Ausnahmen nichts weiter vor uns haben als das vereinzelte
Phantasieprodukt, so werden wir schwer entscheiden können, ob es sich
um eine augenblickliche Konstellation oder um eine dauernde Einstellung,
um ein versuchsweises Austasten der Zukunft nach einer bestimmten
Richtung oder um eine festgewordene Leitlinie handelt; wir werden
nicht sondern können, was an dem sich uns darbietenden Seelenbild
in Fluß und was in Ruhe ist. Nicht übersehen darf auch werden, daß
die Art des Themas es mit sich bringen mußte, daß die Mädchen sich
in ihre eigene Märchenzeit zurückversetzten; so mögen Probleme, die
in Wirklichkeit schon ganz oder nahezu erledigt sind, momentan
wieder zu voller Aktualität erwacht sein. Diese Bedenken kommen jedoch eigentlich nur so lange in Betracht, als man die Erforschung der
Individualität der einzelnen Verfasserinnen ausschließlich ins Auge faßt;
und die kann wohl auch nicht das Ziel einer solchen Kollektivunter-
suchung sein. Die Lage wird bedeutend günstiger, wenn man sein
Augenmerk mehr darauf richtet, gleichsam einen Querschnitt durch
die seelische Situation der betreffenden Altersklasse zu erhalten. Da
bekommt dann jede Deutung wenn auch nicht individuellen, so doch
exemplifikatorischen Wert; denn was im Einzelfalle vielleicht bloß
das augenblickliche Auftauchen einer Möglichkeit gewesen ist, die in
der psychischen Entwicklung dann nicht weiter verfolgt wurde, ist
sicher in vielen andern Fällen konsequent festgehalten und zur leitenden Idee des Individuums gemacht worden. Und so kann uns unsere
Untersuchung vielleicht einen Überblick geben über die Probleme, die
Mädchen auf dieser Entwicklungsstufe beschäftigen, und über die Wege,

die sie sich versuchsweise als möglich vorzeichnen. Welchen Weg die
einzelne dann wirklich gehen wird, müssen wir unentschieden lassen.

Wir haben es mit Mädchen in einer Periode zu tun, in der ihre
wichtigsten Gegenwartsinteressen noch in Elternhaus und Familie verankert sind, in der sich aber schon der Blick öffnet in eine Zukunft,
die darüber hinaus führen soll. Werden wir also das Familienmotiv
in der Regel erwarten dürfen, so werden uns doch die Märchen auffällig
sein, in denen es ausschließlich herrscht. Wir werden da eine etwas
verlangsamte psychische Entwicklung zu vermerken haben oder vielleicht auch daran denken müssen, daß die Verfasserin vor dem Gedanken
an die Zukunft ängstlich zurückweicht. Dieser Gruppe von Familienmärchen habe ich eine andere gegenübergestellt von solchen Märchen,
in denen sich schon die Grundzüge eines Lebensplans erkennen lassen.
In einer Mittelgruppe habe ich die Märchen vereinigt, die die eine oder die
andere charakteristische Leitlinie verraten, ohne daß man aus ihnen
eigentlich einen Lebensplan herauslesen könnte.

Ich beginne mit dem kindischesten der gelieferten Märchen[1].

1. Der naschhafte Hans. Die Mama bietet der Tante Indianerkrapfen an; dabei stellt sich heraus, daß Hans das Schlagobers heraus-
genascht hat. Er wird nun auf doppelte Weise bestraft. Zuerst kauft die
Mama anderes Backwerk, bestimmt es aber nur für seine Schwester Trude.
Die brave Trude aber gibt dem Bruder doch davon. Dann kommt ein wie
Knecht Ruprecht gekleideter Mann und gibt für Hans ein Paket ab. Dieser
findet darin voll Freude lauter Indianerkrapfen. Aber — sie sind kaschiert
und in jedem steckt ein Zettel mit einem Sprüchlein gegen die Naschhaftigkeit.

Also ein Geplänkel aus der Kinderstube. Beachtenswert ist, daß nicht
darauf verzichtet wird, die Schwester durch einen kleinen Zug ins
hellste Licht zu setzen, obwohl darunter die Konsequenz der Handlung
leidet.

Nicht unähnlich in der Anlage, führt uns doch das folgende Märchen
in weit tiefere Konflikte ein.

2. Bestrafte Grausamkeit. Der guten, fleißigen und gehorsamen
Berta steht die böse, faule und schlimme Emma gegenüber. Die Ermahnungen·
der Schwester bleiben nutzlos; die Eltern drohen, sie in eine Erziehungs-
anstalt zu geben. Trotzdem versteht sie es, sich bei den Leuten beliebt
zu machen. Nach einer kurzen Zeit der Besserung verfällt sie wieder in
ihre alten Fehler. Einst quält sie aus Mutwillen eine Raupe. Zur Strafe
wird sie selbst in eine Raupe verwandelt. Die Eltern finden statt der Tochter

---

[1] Die Rücksicht auf den Umfang der Arbeit hat mich genötigt, den wörtlichen
Abdruck der oft recht hübsch erzählten Märchen durch sorgfältige Inhaltsangaben
zu ersetzen.

die Raupe im Bett und geben sie in eine Schachtel. In der Nacht von 11—12 Uhr kann sie sprechen und da sagt sie ihren Eltern, daß sie nur erlöst werden kann, wenn man sie acht Tage lang fasten läßt.

Schon die gehässige, dabei neiderfüllte Schilderung der Schwester muß auffallen. Mehr Licht kommt für uns in dieses Märchen, wenn wir erfahren, daß die Erzählerin in der Schule durch ihr schwerfälliges Sprechen so aufgefallen ist, daß man sie angewiesen hat, einen Arzt aufzusuchen. Die Schwester hat allerdings gemeint, zu Hause beim Schimpfen gehe es ganz gut. Wir finden also die Verfasserin im Märchen wohl doppelt wieder. Einerseits ist sie die brave Tochter, deren Tugenden von den Fehlern der Schwester so stark abstechen, andererseits ist sie die arme, wehrlose, von der Schwester gequälte Raupe, die nicht einmal ihr Leid klagen kann. So finden wir Minderwertigkeit und Kompensation nebeneinander dargestellt. An der Schwester wird gründlich Revanche geübt, sie wird mit dem Leiden bestraft, durch das sich die Schreiberin benachteiligt fühlt.

Das Thema der ungleichen Geschwister kehrt noch einmal wieder, allerdings aus der Kindersphäre herausgerückt und daher ohne so scharfes Hervortreten persönlicher Beziehungen.

3. Die beiden Brüder. Von zwei Brüdern ist der eine reich und herzlos genug, den andern, der arm ist, nicht zu unterstützen. Dieser hilft einst einem kleinen Berggeist und erhält zum Lohn ein wunscherfüllendes Feuerzeug. Dadurch gelangt er zu Wohlstand. Aus Neid stiehlt es der reiche Bruder, aber ihm wird es zum Unheil und er kommt um sein Vermögen. Reuig bringt er das Feuerzeug zurück und der gute Bruder unterstützt ihn nun.

Diesen Märchen treten andere gegenüber, die uns Bilder ungetrübter geschwisterlicher Liebe zeigen. So

4. Das verbotene Zimmer. Hänsel und Gretel sind arm und müssen betteln; sie finden Aufnahme bei einer Frau, die ihnen Nachtlager gewährt und sie vor ihrem Mann, dem Menschenfresser, versteckt. Am anderen Morgen sollen sie elf Zimmer kehren, das zwölfte jedoch nicht betreten. Sie tun es doch und finden darin einen goldenen Wagen mit davorgespanntem Hirsch. Sie fliehen auf ihm und entgehen den Verfolgungen dadurch, daß das Mädchen durch Zaubersprüche erst sich und den Bruder in einen Rosenstrauch verwandelt und dann die Enten eine Brücke über den See bilden läßt. Durch die Zauberkraft des Wagens werden sie reich.

Bei näherem Zusehen merkt man da freilich, daß trotz aller Betonung geschwisterlicher Eintracht Bruder und Schwester keineswegs gleich behandelt sind. Die Schwester ist es, die die Zaubersprüche kennt und die alles vollbringt, was zu ihrer und des Bruders Rettung führt. Der männliche Partner ist völlig in die passive Rolle des Schützlings hinabgedrückt. Daß es sich um elternlose Kinder handelt, könnte als bedeutungsloses Detail aufgefaßt werden. Aber man wird doch angeregt, an solchen Zügen nicht achtlos vorüberzugehen, wenn man z. B. von einem siebenjährigen Mädchen erfährt, welches, möge es nun gehörte Märchen nacherzählen oder selbst welche erfinden, nie unterläßt, eine bestimmte Wendung einzufügen: am Schlusse stirbt die Mutter.

Auch ein Märchen geschwisterlicher Liebe, aber bei völliger Vertauschung der Rollen, ist

5. Der gute Bruder. Die Schwester ist von einer Hexe entführt worden. Dem Bruder hilft nun eine Fee, seine Patin, die Schwester zu retten. Das Unternehmen ist sehr schwierig: er muß drei Bedingungen erfüllen und drei Versuchungen siegreich bestehen.

Die Märchen 4 und 5 zeigen in unentwickelter Form, noch in die Familienbeziehungen eingesponnen, den Gegensatz zwischen gesteigerter Aktivität und höchster Passivität der Frau, der uns später noch eingehend beschäftigen wird. In Nummer 5 speziell scheint die Gestalt des Bruders, wir wissen nicht, ob nur nach außen hin oder auch pro foro interno, nur die Hülle zu sein für das allgemeine männliche Ideal der Verfasserin, so daß dieses Märchen in Beziehungen tritt zu der Gruppe der Märchen vom rettenden Helden (Märchen 22—25).

Wir gelangen jetzt zu einer Reihe von Märchen, in denen das Verhältnis zwischen Kindern und Eltern eine Rolle spielt. Bei Geschichten, die die Mädchen von vornherein für die Schule geschrieben haben, wird es nicht wundernehmen, daß dieses Verhältnis im allgemeinen mit lesebuchmäßiger Korrektheit dargestellt wird.

6. Die guten Elfen. Ein kleines Mädchen muß sich und die kranke Mutter durch Verkauf von Erdbeeren und Blumen ernähren. Eines Nachts kommt ein hellblaues, bekränztes Wesen durchs Fenster herein und nimmt sie mit zum Tanz der Elfen. Dort setzt man ihr auch ein Kränzlein auf und diesen Kranz trägt sie noch am Morgen, als sie in ihrem Bette erwacht. Er ist aus Gold und Edelsteinen. Durch seinen Verkauf kommt sie zu Geld und kann jetzt für die Mutter einen Arzt holen.

7. Ein Weihnachtsmärchen. Am Weihnachtsabend geht ein kleines Mädchen aus dem Dorf in die Stadt, um für die schwerkranke Mutter einen Arzt zu holen. Auf dem Wege betet sie vor einem Heiligenbilde und schläft dann ermüdet ein. Sie fühlt, wie sie als Schneeflocke gegen den Himmel getragen wird. Dort gibt ihr das Christkind ein Fläschchen mit Arznei. Als sie erwacht, ist sie vor ihrem Hause. Bauern haben sie halb erstarrt im Walde aufgefunden. Ihre Himmelfahrt scheint also ein bloßer Traum gewesen zu sein. Aber nein, sie hat das Fläschchen, und kaum hat die Mutter von der Arznei genommen, so ist sie auch schon gesund.

8. Der Erdgeist. Ein braver Junge, der Sohn eines armen Holzhauers, ein Sonntagskind, fängt einst im Walde einen Zwerg und zwingt ihn, ihm Schätze zu geben. Die bringt er seinen Eltern.

An Betonung kindlicher Liebe, ja Aufopferung lassen es also diese Märchen gewiß nicht fehlen. Das hindert aber nicht, daß die tatsächlichen Verhältnisse ins Gegenteil verkehrt werden. Die Eltern erscheinen als die Schwachen und Hilfsbedürftigen, die Kinder werden zu Rettern in der Not und die Eltern müssen eigentlich dankbar zu ihnen hinaufsehen. Hieher gehört wohl auch

9. Im Reich der Elfen. Ein Holzhackerbub pflückt Blumen. Da steht plötzlich ein Zwerg vor ihm und sagt, es seien Elfen, die er getötet habe. Er muß jetzt mit zur Elfenkönigin und diese verzeiht ihm unter der Bedingung, daß er ihr einen kostbaren Ring aus dem See hole. Er tut das Verlangte und schläft dann müde auf einer Wiese ein. Als er erwacht, stehen seine Eltern bei ihm. Seine Mutter hält das Ganze für einen Traum. „Doch Berchtold wußte das besser."

In diesem letzten Satz scheint mir der psychologische Kern des eigentlich ganz ergebnislos verlaufenden Märchens zu liegen. Dadurch daß der Held etwas Außerordentliches erlebt hat und durch das „Besserwissen" erhebt auch er sich über die Eltern.

Übrigens fehlt auch das direkte Hervorbrechen der Konfliktstimmung den Eltern gegenüber nicht gänzlich.

10. Der verkannte Hans. Ein Müller hat drei Söhne. Der jüngste, Hans, ist „ein verschlossener Junge, der immer arbeitet, wenn er sich allein glaubt". So gilt er für faul und wird von allen verachtet, und als der Vater einst von einem Männchen einen Wunschstab erhält, wünscht er, Hans solle sich verirren. Hans kommt in den Wald zu dem Männchen, arbeitet bei ihm und bleibt mehrere Jahre dort. Dann will er wieder zu seinen Eltern und erhält vom Männchen als Lohn einen Wunschring. Er trifft dann einen seiner Brüder, der ihn aber nicht erkennt. Von ihm erfährt er, daß die Familie völlig verarmt ist. Als Hans weg war, habe seine Arbeitskraft überall gefehlt und es sei nichts mehr von der Stelle gekommen. Jetzt gibt sich Hans zu erkennen, kehrt zu seinen Eltern zurück und mit Hilfe des Wunschringes zaubert er dem Vater eine Mühle her.

Wir haben hier also ein ähnliches Schema, wie in den vorausgehenden Märchen, nur ist das ganze Verhältnis stark vergiftet. Wir haben es mit einem trotzigen („verschlossenen") Kind zu tun, das selbst einen falschen Schein wider sich hervorruft, um dann im Gefühl der verfolgten Unschuld schwelgen zu können. Den sich so entwickelnden Revanchegelüsten wird im Märchen eine ins Grandiose gesteigerte Befriedigung: es zeigt sich, daß das verkannte Kind die eigentliche Stütze der ganzen Familie war. Daß die Verfasserin nicht davor zurück-

schreckt, zur Erlangung dieser Revanche den Vater und die ganze
Familie ins Unglück zu stürzen, deutet auf Haß- und Racheregungen
gegen die Eltern.

An den Schluß dieser Gruppe stelle ich ein Märchen, das durch eine
Tatsache aus den persönlichen Verhältnissen der Schreiberin eine interessante Aufhellung erfährt.

11. Die Zauberhacke. In einem Wald lebt ein armer Holzhauer.
Er hat einen Sohn; seine Tochter ist seit Jahren verschwunden. Einst rettet
er einem Zwerg das Leben und dieser gibt ihm aus Dankbarkeit den Rat,
für die Waldfrau Heilkräuter zu sammeln. Von ihr erhält er nach einem
Jahr eine Zauberhacke, mit deren Hilfe er bald zu einem wohlhabenden
Holzhändler wird. Als sein Sohn und die Waldfrau erkranken, pflegt er
beide. Vor ihrem Ende gibt ihm die Waldfrau einen Brief an den Zwerg
mit und jetzt stellt sich heraus, daß dieser die verschwundene Tochter ist.
Jetzt ist sie aus der Verzauberung erlöst und auch der Sohn wird wieder gesund.

Das Mädchen, das dieses Märchen verfaßt hat, hat einen blinden
Bruder, der infolge seiner Begabung und seines Fleißes trotz seines
Gebrechens den normalen Studiengang als öffentlicher Schüler verfolgen kann. Es ist ohne weiteres klar, daß unter diesen Umständen der
Knabe im Mittelpunkt der elterlichen Sorgfalt und Liebe stehen muß.
Auf diesen unvermeidlichen Umstand reagiert nun das Mädchen mit
einem Gefühl der Zurückgesetztheit und das kommt im Märchen
in prägnanter Steigerung dadurch zum Ausdruck, daß die Tochter
überhaupt verschwunden ist. Aber da bahnt sich auch schon die
Kompensation an. Sie ist in einen Zwerg verwandelt, also in einen zwar
kleinen, aber doch mächtigen M a n n , sie rettet ihren Vater aus seiner
Not und führt schließlich auch die Genesung des Bruders herbei.

Bei einem Rückblick auf die Gruppe der Familienmärchen scheint
mir ein Zug als fast ausnahmslos allen gemeinsam besonders hervor-
zutreten. Wir sind es ja gewohnt, von Märchen einen glücklichen Ausgang zu erwarten. Sobald nun konkrete Personen ins Spiel kommen,
läßt sich dieses Gesetz genauer fassen. Das Märchen geht gut aus,
heißt dann immer: Es gelingt dem Helden, sich über diese Personen
zu erheben.

II.

Wir wenden uns jetzt der Gruppe von Märchen zu, aus denen nicht
ein eigentlicher Lebensplan abgelesen werden kann, sondern in denen
nur eine oder die andere Leitlinie charakteristisch hervortritt. Es
liegt in der Natur der Sache, daß sich gerade in dieser Gruppe am

schwersten ein roter Faden wird festhalten lassen, der von einem Märchen zum andern führt.

Ich beginne mit einem Märchen, das in mancher Beziehung mit der
ersten Gruppe verknüpft ist.

12. Ein Märchen. Ein junger Bursch zieht fröhlich durchs Land.
Von einem blauen Vogel geführt, kommt er zu einem prächtigen Palast.
Bei seinem Anblick werden die strengen Wächter heiter und freundlich
und sagen ihm, hier wohne die Königin V o r s i c h t. Das Land sei glücklich,
eine so treffliche Herrscherin zu haben, nur eine sei noch besser als sie,
ihre Tochter, die W e i s h e i t. Diese erscheint und ihre ernsten Züge er-
heitern sich beim Anblick des Fremden, der sich nun als der F r o h s i n n
zu erkennen gibt. Sie fordert ihn auf, hier zu bleiben und sagt ihrer Mutter
daß jetzt eine ungetrübt glückliche Zukunft vor ihnen liege. Denn wo Weisheit
und Frohsinn vereint sei, müsse alles gut gehen.

Wenn auch das allegorische Gewand die Ausdeutung erschwert, so
treten persönliche Beziehungen klar genug hervor. Es ist sehr verständlich, daß gerade die V o r s i c h t als charakteristische Eigenschaft der
Mutter hervorgehoben wird. Und es überrascht uns auch nicht mehr,
daß bei aller respektvollen Behandlung der Mutter die Tochter doch als
die höherstehende erscheint. Übrigens scheint es auch an direkten
Vorwürfen gegen die Mutter nicht zu fehlen. Denn wenn die Verfasserin
über Weisheit erzählen läßt: „Oh, das, was man in der Welt unter
Erziehen versteht, ist sie nicht worden. Sie hat nur immer das schöne
Vorbild gehabt", so stellt sie offenbar ihr pädagogisches Ideal der Erziehung, die sie tatsächlich erfährt, entgegen. Im übrigen erblicken
wir in der Schreiberin eines der Mädchen, die von sich selbst feststellen, daß sie das Leben zu schwer nehmen. „Nur ist sie traurig"
heißt es von Weisheit; und sie selbst sagt zu Frohsinn: „Wer auch so
sein könnte wie du, immer denke ich, das hättest du so machen können,
dies so." Daß dem melancholischen Mädchen dann der männliche
Frohsinn gegenübertritt, hat wohl auch seine tiefere Bedeutung und
verrät uns die Vorstellung, die sich die Verfasserin von der Rolle
macht, die die Geschlechter im Leben zu spielen haben.

13. Die Gründung von Pechdorf. Ein armer Schuster wandert
durch den Wald, um für seine letzten zwei Kreuzer Pech zu holen. Trotzdem gibt er einen Kreuzer noch einer Bettlerin, die ihm zum Dank einen
Pechtopf schenkt. Es stellt sich dann heraus, daß dieser Topf nie leer
wird und die mit diesem Pech geklebten Schuhe besonders gut sind. So
bekommt er viel Arbeit, wird ein wohlhabender Mann und der Gründer
einer Ansiedlung. Als er einst wieder durch den Wald geht, steht an der
Stelle, wo er damals die alte Bettlerin traf, eine schöne Fee und sagt ihm,

sie habe in jener Verkleidung sein Herz prüfen wollen, um ihm dann zu helfen.

Für uns bildet natürlich die Gestalt der Fee das Zentrum des Märchens. Es ist nicht schwer einzusehen, welche Lebensauffassung sich da vorbereitet. Der Verfasserin schwebt offenbar das Ideal der vornehmen Dame vor, die sich in patronessenhafter Huld zu den Armen herabläßt, um ihnen beizustehen, aber wohlgemerkt nur dann, wenn sie es auch verdienen.

In der Grundtendenz verwandt ist

14. Das Märchen vom Bergsee. Die Treue hat in einem Tal ihren Wohnsitz aufgeschlagen und herrscht ruhig und glücklich über brave Untertanen. Da wandert der Riese Unnutz ein; er hetzt das Völkchen auf, wirft die Parole „Freiheit und Reichtum!" unter die Leute und es kommt zum Aufruhr. Im Augenblick der höchsten Not erscheint der König der Berge; Unnutz wird in einen Felsen verwandelt, das Tal in einen See, die Bewohner aber werden auf Fürbitte der Treue geschont und wohnen von neuem unter ihrer Herrschaft an den Ufern des Sees.

Also ein politisches Märchen. Als solches nimmt es unter den gelieferten Arbeiten eine Sonderstellung ein; es ist das einzige, das den egozentrischen Standpunkt verläßt und sich allgemeineren Problemen zuwendet. Das deutet zweifellos auf eine gewisse Enge des Gesichtskreises der Schülerinnen, die dieser Altersstufe eigentlich nicht mehr natürlich sein sollte. Die schroff antirevolutionäre Tendenz ist es, die dieses Märchen dem vorausgehenden verwandt macht; auch hier das Postenfassen auf seiten der Vornehmen und Mächtigen, um sich so über die Masse zu erheben. So darf man als wesentlichsten Zug der beiden Märchen vielleicht eine realistische Umwandlung und Abschwächung des Prinzessinnenideals ansehen, von dem später zu handeln sein wird.

15. Ein Weihnachtsmärchen. Eine arme Wäscherin sagt ihrem kleinen Mädchen, das Christkind komme nur zu den Reichen. Daraufhin geht die Kleine mit ihrer Puppe zur Stadt, um die Puppe zu verkaufen und so reich zu werden. Überall abgewiesen, schläft sie endlich auf einer Bank ein. Im Traum wird sie vom Christkind zum lieben Gott geführt. Eine reiche Nachbarin findet sie auf, trägt sie nach Hause und bereitet ihr dann eine Bescherung.

Die Heldin des Märchens stellt sich also eine Aufgabe, die weit über ihre Kräfte geht; aber gerade dadurch, daß sie zu schwach ist und zusammenbricht, gelangt sie schließlich doch an ihr Ziel. Wir sehen hier eine Leitlinie ausprobiert, die unter den so unendlich zahlreichen und für den Psychologen so wichtigen Methoden, sich seinem Ziel auf Umwegen zu nähern, eine der raffiniertesten ist, eine Methode, die von äußerlich überenergischen Mädchen nicht zu selten in Anwendung gebracht wird. Es ist gleichsam ein Mit-dem-Kopf-durch-die-Wand-Rennen mit einem Hintergedanken. Man weiß sehr wohl, daß man durch die Wand nicht hindurch kann; aber man rechnet damit, daß, hat man sich erst den Kopf gründlich angeschlagen, schon Leute kommen werden, die einen mitleidig und doch respektvoll dort hinbringen, wohin man gelangen will.

Genau genommen nennt sich übrigens diese Geschichte zu Unrecht ein Märchen: das Wunderbare, das erzählt wird, stellt sich ja dann als Traum heraus. Geradezu um einen bewußten Gegensatz zum Märchen handelt es sich bei

16. Ein Märchen. Die Königin hat sich auf der Jagd verirrt. Ermüdet läßt sie sich unter einem Baume nieder. Da steht plötzlich ein Zwerg vor ihr und sagt ihr, sie sei in einem Zauberbereich und sie könne nur nach Hause kommen, wenn sie drei Aufgaben erfülle. Sie müsse einen Zweig mit gelben Früchten ganz in den Wipfeln des Baumes brechen, sie müsse den Weg gehen, den er hergekommen sei, und sie müsse zu einer Insel gelangen, die mitten in einem See liege. Durch die Hilfe eines Vogels gelingt es ihr, die Aufgaben auszuführen. Plötzlich hört sie Gelächter und schlägt die Augen auf, ihr Mann mit dem Jagdgefolge steht vor ihr. Sie hat nur geträumt. Jetzt muß sie selbst lachen.

Statt eines Märchens also Verspottung des Märchens. Die Verfasserin protestiert gegen die ihr gestellte Aufgabe, offenbar weil sie ihr als zu kindisch erscheint. Das Charakteristische dabei ist, daß ja auch ein anderes Thema zur Wahl stand, daß diese Schülerin sich aber für das Märchenthema entscheidet, eigens um dagegen protestieren zu können. Daneben drängt sich die Vermutung auf, daß dieses Mädchen, das es ablehnt, ein Lebensbild ohne Rücksicht auf die Realität zu entwerfen, seinen Mitschülerinnen vielleicht an Reife voraus ist, daß es in der Anpassung seines unbewußten Lebensplans an die Forderungen der Wirklichkeit weiter gelangt ist als die anderen. Es muß dahingestellt bleiben, welches dieser beiden Momente das entscheidende ist. —

17. Vom braven Schneiderlehrling. Der Schneiderlehrling beschenkt einen Bettler und wird deshalb von seinem geizigen Herrn barsch zurechtgewiesen. Im weiteren Verlaufe der Geschichte wird der Junge reichlich belohnt, erhält einen Palast und heiratet eine Prinzessin. Der Meister wird bestraft, indem seine Kinder sich in Disteln verwandeln.

So wird die Tugend belohnt und das Laster bestraft — eine höchst moralische Geschichte. Bei schärferem Zusehen allerdings erweist sich diese Moral als höchst fragwürdig. Es werden die Wege der Tugend und des Lasters ausgetastet und die Entscheidung fällt für die Tugend, eben, weil hier Belohnung zu winken scheint, und zwar eine recht große Belohnung für eine recht kleine Leistung. Und wie es eine theologische Ansicht gab, die es zu den Hauptfreuden der Seligen rechnete, daß sie die Qualen der Verdammten betrachten könnten, so wird auch hier der Triumph des Guten dadurch vervollständigt, daß der Böse aufs grausamste bestraft wird, ja sogar seine unschuldigen Kinder werden ins Verderben hineingezogen. Wir dürfen übrigens mit der jugendlichen Schreiberin nicht zu hart ins Gericht gehen, denn eine Zergliederung gar mancher moralindurchtränkten Jugendschrift würde kein besseres Resultat ergeben. Jedenfalls aber zeigt uns dieses Märchen eine bedenkliche Kehrseite des „braven Kindes" und weist den Erzieher darauf hin, welche Behutsamkeit bei der Erziehung zur Ethik erforderlich ist. —

18. Wie der Fuchs den Löwen besiegte. In Abwesenheit des Löwen nistet sich der Fuchs in dessen Höhle ein. Durch List gelingt es ihm, dem Löwen Furcht einzujagen und ihn in die Flucht zu treiben.

Diese Freude an dem Sieg des Schwachen über den Starken, des Kleinen über den Großen ist etwas dem eigentlichen Kindesalter ganz Natürliches; das Kind, das unter dem Gefühl seiner eigenen Kleinheit und Schwäche leidet, spricht sich mit solchen Geschichten Mut zu. In dem Alter aber, in dem die Verfasserin dieses Märchens steht, verrät das Festhalten an dieser Leitlinie doch so etwas wie die Voraussicht, daß man auch im späteren Leben klein und schwach bleiben und auf die Mittel des Kleinen und Schwachen angewiesen sein werde. Offenbar ist die Schreiberin von der Vorstellung beherrscht, daß ihr Geschlecht ihr diese Rolle im Leben zuweise.

19. Vom Häslein, das auf Wanderschaft ging. Das Häslein will trotz Abmahnung seiner Eltern in die weite Welt. Verschiedene unangenehme Abenteuer schrecken es aber bald ab und es ist froh, wieder zu Hause zu landen.

Der Ausgangspunkt ist hier ähnlich wie beim vorigen Märchen, aber das Resultat ist hier ein Zurückweichen; das Elternhaus soll Schutz gewähren gegen die Gefahren des Lebens. Diese Philosophie der Vorsicht kann uns nicht überraschen, ist doch unsere Erziehung, vor allem die häusliche, in hohem Maße eine Erziehung zur Vorsicht, ja zur Feigheit. Das ist aus praktischen Gesichtspunkten heraus wohl zu begreifen. Man übersieht dabei nur, daß diese Vorsicht, wo sie wirklich Wurzel geschlagen hat, viel tiefer geht als man will und ahnt, daß sie bei jeder, auch der kleinsten Handlung und Entscheidung, die das Leben fordert, hemmend und bremsend wirkt.

III.

Die dritte Gruppe der Märchen, der wir uns nun zuwenden, ist nicht nur die größte an Zahl, sondern auch die geschlossenste und interessanteste. Allen diesen Märchen, in denen sich ein klarer skizzierter Lebensplan erkennen läßt, ist ein Zug gemeinsam: Das Motiv der Prinzessin. Das ist bei Märchen an sich gewiß nicht überraschend, obzwar ja die Märchenliteratur auch andere Möglichkeiten bietet. Aber durch die Häufigkeit dieses Motivs in der Märchenliteratur wird die psychologische Bedeutung der Prinzessinnenidee nicht widerlegt, sondern im Gegenteil auf sie hingewiesen. Alfred Adler hat sie uns verstehen gelehrt als eine der wichtigsten und folgenschwersten Formwandlungen der männlichen Leitlinie bei Mädchen. Die unverhüllte Formel des männlichen Protestes: „Ich will ein Mann sein!" wird in dieser Schroffheit natürlich in dem Moment zusammenbrechen müssen, in dem das Mädchen sich über die Unabänderlichkeit seiner Geschlechtsrolle klar wird[1]. Aber es wird sich nun sehr leicht die Ersatzformel einstellen: „Wenn ich schon kein Mann bin, so will ich doch als Frau h e r r s c h e n, will Königin, Prinzessin sein!" Auch diese Fassung wird beim Fortschreiten der Entwicklung noch manche Änderung und Abschwächung erfahren müssen, immer aber wird sich der bedenkliche Ursprung dieser Leitlinie dadurch erweisen, daß sie die Frau, die von ihr beherrscht wird, zu unerfüllbaren Ansprüchen an das Leben treibt, daß sie ihr die Anpassung an die Realität erschwert oder unmöglich macht. Im Märchen nun wird die Spannung zwischen Realität und Lebensplan überwunden, es zeigt uns, wie die Heldin Prinzessin w i r d. Nur in vier Fällen wird diese Spannung von vornherein gemildert, indem es sich um die Erlösung verwunschener Prinzessinnen handelt, und nur in einem Fall ist die Heldin von Anfang an wirklich Prinzessin, allerdings krank und dem Tod verfallen.

In der Prinzessinnenidee liegt natürlich auch ein Vorwurf gegen die Eltern versteckt, die es versäumt haben, ihrem Kinde diese herrschende Stellung in der Welt vorzubereiten. Dieser Vorwurf kommt manchmal deutlich zum Ausdruck. Das verbindet diese Gruppe mit der ersten.

Am bezeichnendsten und bekanntesten in dieser Hinsicht ist die „Phantasie von den niederen Eltern", über die Otto Rank im „Mythus von der Geburt des Helden"[2] ausführlich gehandelt hat. Die Größenidee

---

[1] Cf. meine Ausführungen in dem Aufsatz: „Die psychologische Bedeutung der Psychoanalyse", II.

[2] Schriften zur angewandten Seelenkunde. Heft 5.

19*

wird verwirklicht, indem die wirklichen Eltern in die Rolle von Zieheltern herabgedrückt werden. Dies finden wir in

20. Im Reich der Elfen. Brave Fischersleute finden eines Tages vor ihrer Hütte ein kleines Mädchen, das ein goldenes Kettchen um den Hals trägt. Sie ziehen es als ihr eigenes Kind auf. Nach dem Tode der vermeintlichen Eltern muß das Mädchen auswandern. Ein Zwerg spricht die Weinende an und führt sie ins Elfenreich. Hier erfährt sie von Titania ihre Geschichte. Sie ist ein Königskind und es galt, sie der Rache eines Zauberers zu entziehen. Sie bleibt im Elfenreich, bis die Stunde ihrer Rückkehr ins Elternhaus gekommen ist. Da zeigt ihr dann eine goldene Kugel den Weg zum Königspalast; die Eltern erkennen sie und sind voll Freude. Sie heiratet einen Prinzen und bei ihrem ersten Kind ist Titania Patin.

Die Bereitwilligkeit, auf die Eltern zu verzichten, zeigt sich noch deutlicher in

21. Die Waldfee. Ein Holzhacker hilft einer alten Frau; diese entpuppt sich dann als schöne Fee und verlangt von ihm auf fünfzehn Jahre seine Tochter. Nach langem Zögern willigen die Eltern ein. Es wird uns jetzt die Erziehung bei der Waldfrau, streng und liebevoll zugleich, geschildert. Nach fünfzehn Jahren erzählt sie dem Mädchen seine Geschichte und schickt es dann in den Wald, damit es dem König auf der Jagd begegne. Dieser macht sie zu seiner Frau und sie nimmt jetzt ihre Eltern zu sich.

Die beiden letzten Märchen haben noch einen Zug gemeinsam: Die Vorbereitungs- und Wartezeit bei einer Fee. Man darf wohl annehmen, daß sich in diesem Aufenthalt die Schulzeit symbolisch darstellt, besonders wenn man bedenkt, daß im zweiten Märchen das Erzieherische eigens betont ist. Als Mittelglied zwischen Elternhaus und Leben, als Wartezeit wird in diesen Jahren die Schule empfunden.

Wir haben schon in diesen zwei Geschichten gesehen, wie sich den Mädchen als nächstliegendes und aussichtsreichstes Mittel zur Verwirklichung ihres Lebensplans die Heirat darbietet. Aber die Taktik, die dabei gewählt wird, kann grundverschieden sein. Der eine Typus kommt am schärfsten zum Ausdruck im Motiv der verwunschenen Prinzessin. Hier ist die Heldin durch die angenommene Voraussetzung zur vollsten Passivität verdammt, zugleich aber so hochstehend und begehrenswert, daß die größten Heldentaten und Mühsale des Helden durch ihren Besitz noch immer überreichlich belohnt werden. So sind Minderwertigkeitsgefühl und Kompensation in demselben Zuge gezeichnet. Wir stoßen hier wieder auf eine der psychologisch so bedeutsamen Methoden, sich einem Ziel, zu dem der gerade Weg versperrt scheint, auf Umwegen zu nähern. Zuerst wird die Passivität als charakteristisches Merkmal der weiblichen Rolle aufgefaßt und peinlich empfunden.

Dann entsteht der Gedanke, aus diesem Mangel eine Waffe zu schmieden und gerade die Passivität als Mittel zu gebrauchen, um zur
Herrschaft, um nach oben zu gelangen. („Männlicher Protest mit
weiblichen Mitteln".) Jetzt zu den einzelnen Märchen dieser Art.

22. Das versunkene Schloß. Ein Zauberer hat das Schloß verwunschen und unter die Erde gesenkt. Nur ein reiner, edler Jüngling soll
es erlösen können. Nach langen Jahren kommt endlich Prinz Hadubrand,
vollbringt das Werk, wobei er unglaubliche Mühen und Abenteuer zu bestehen hat, und wird der Gemahl der Prinzessin.

23. Der Zauberwald. In der Nähe des Königsschlosses liegt ein
Zauberwald. Als die Prinzessin ihn trotz des Verbotes betritt, wird sie in
ein Reh verwandelt. Einst jagt ein fremder Prinz als Gast des Königs in
diesem Walde, schießt ein Reh an, ohne es zu töten, und läßt es mitleidig
nach Hause bringen. Das Tier beginnt zu sprechen und sagt ihm, es könne
erlöst werden, wenn er ihm den Kopf abhaue. Als der Prinz das getan hat,
steht eine schöne Jungfrau vor ihm, mit der er sich dann vermählt.

Nicht um eine verwunschene, sondern um eine kranke Prinzessin
handelt es sich in

24. Der fremde Prinz und die goldenen Früchte. Im Garten
des Schlosses lustwandelt täglich die Königstochter und freut sich an den
schönen Blumen und dem Gesang der Vögel. Eines Tages bleibt der Garten
leer, die Vögel verstummen, die Blumen lassen die Köpfe hängen — die
Prinzessin ist krank und die Ärzte geben keine Hoffnung. Da zieht ein
fremder Prinz vorbei, erfährt die traurige Kunde und möchte die Prinzessin
retten. Ein Zwerg steht ihm mit seinem Rat bei. Auf einer öden Haide muß
er einem Bären die Lanze in den Rachen rennen, dann weiter vordringen
bis zu einem Baum und von diesem goldene Früchte pflücken. Die bringt
er der Prinzessin. Genesung. Heirat.

Es ist bemerkenswert, wie in diesem Märchen die Bedeutung der Heldin ganz besonders unterstrichen ist. Nicht nur, daß der fremde Prinz
durch den Gedanken an sie zu außerordentlichen Taten angespornt
wird; die Gefahr, in der sie schwebt, wirkt auf die ganze Natur ein, auf
Blumen und Vögel. Eine dichterische Darstellung des Gedankens:
„Wenn ich sterbe, so steht die Welt still."

Das nächste Märchen erzählt nicht von einer Prinzessin, sondern
von einem Bauernmädchen; aber es gehört doch hieher. Die bloße
Existenz der Heldin bei voller Passivität genügt schon, um den Mann
zu den höchsten Opfern anzuspornen.

25. Der verwunschene Prinz. Ein Prinz soll eine häßliche Prinzessin heiraten, liebt aber ein Hirtenmädchen. Da er von ihr nicht lassen
will, verwünscht der König ihn und sie. Sie wird eine häßliche Kröte, er
muß als Rabe im Mond leben, bis ihn ein anderer Vogel zur Erde bringt.

Lange Jahre harrt er in Treue aus. Endlich führt ihn ein Aeroplan auf die Erde zurück. Der Zauber ist gebrochen und die beiden heiraten. Der Vater ist schon längst aus Gram und Reue gestorben.

In allen diesen Märchen muß infolge der Passivität der Heldin die Gestalt des männlichen Retters mehr in den Vordergrund treten, so daß oft schwer zu entscheiden ist, worauf eigentlich der Hauptton fällt: ob auf die Unterstreichung der weiblichen Passivität, ob auf das Hineindenken in eine männliche Heldenrolle, oder vielleicht auf den Gedanken: „So würde i c h handeln, wenn ich ein Mann wäre; die Männer freilich handeln ganz anders!"

Dem gegenüber wird in einer Reihe anderer Märchen gerade die A k t i v i t ä t der Heldin betont; die Frau erscheint als die R e t t e r i n. So

26. D i e g u t e F e e. Ein fleißiges Arbeitermädchen schläft müde ein. Im Traume erscheint ihr eine Fee und führt sie zu einer Quelle, schöpft Wasser in einen Becher und sagt ihr, daß dieses von wunderbarer Heilkraft sei. Den Becher hat sie beim Erwachen noch bei sich und er wird als Familienheiligtum aufbewahrt. Jahre danach erkrankt der Königssohn; sie geht mit dem Becher zum Palast; ihrer Schönheit wegen lassen die Wachen sie durch und der wunderbare Trank bringt dem Prinzen Genesung. Heirat.

27. D a s E i c h h ö r n c h e n. Eine junge Schäferin hat von einem wundertätigen Eichhörnchen gehört, das tief im Walde leben soll. Mancher schon hat sich auf die Suche begeben, alle sind unverrichteter Dinge zurückgekehrt. Sie hat in der Zeitung von der Jungfrau von Orleans gelesen und will auch Außerordentliches vollbringen. So macht sie sich auf den Weg. Nach tagelanger Wanderung betet sie unter einem Baum (vgl. Jeanne d'Arc!), und bald darauf steht sie vor einem prächtigen Schloß. Die Fee sagt ihr, gerade auf jenem Baume sitze das Eichhörnchen und das Zauberwort sei „Hörnihopp!". Das Eichhörnchen war ein verwunschener Prinz, der jetzt erlöst ist. Nach kurzer Wartezeit Hochzeit in Paris.

Den beiden Märchen ist noch ein interessanter Zug gemeinsam. Die überirdische Frau, die das Mädchen zu einer Quelle führt und ihr das wundertätige Wasser zeigt, gemahnt uns an die Geschichte der Bernadette von Lourdes; auch der Name „Maria" taucht auf, allerdings als Name des Mädchens („Mariechen.") Im zweiten wieder haben wir den direkten Hinweis auf die Jungfrau von Orleans als Vorbild. In beiden macht sich also ein mystisch-religiöser Zug geltend, mit dem dann der Schluß, die Heirat, seltsam kontrastiert. Es werden also zwei entgegengesetzte Leitlinien ausgeprobt, und um der unbequemen Entscheidung auszuweichen, werden sie ohne Rücksicht auf ihre Unvereinbarkeit gleichzeitig in Anwendung gebracht.

Von diesen beiden Märchen unterscheidet sich das folgende durch die spezifisch weibliche Art der Aktivität, die in ihm hervortritt, durch die angriffsweise vorgehende Koketterie, die sich in ihm verrät.

28. Prinzessin Erika. Eine schwäbische Prinzessin hat einen höchst grausamen Vater. Weil sie seinen Untertanen Gutes tut, wird sie von ihm verjagt. Sie gerät in die Macht einer bösen Fee, die sie auf einem einsamen Schloß von einem Drachen bewachen läßt. „Dieses Tier fand nun bald großen Gefallen an der Prinzessin . . . Auch Prinzessin Erika fand den Drachen nicht so schlimm, als sie erst dachte." Sie kommt auf den Gedanken, er sei vielleicht ein verzauberter Mensch, und beschließt ihn zu fragen. Tatsächlich ist er ein verzauberter Komödiant und er kann Erlösung finden, wenn ihn ein Mädchen heiratet. Erika entschließt sich dazu und sie leben lange Zeit als wandernde Schauspieler. Endlich kehren sie nach Schwaben zurück. Der böse Vater ist tot. Sie wird Königin und ihr Mann steht ihr zur Seite.

Auch hier haben wir widersprechende Zielsetzung vereinigt (Prinzessin-Schauspielerin). Es ist wohl kein Zufall, daß dies gerade in den Märchen der Fall ist, die die Aktivität der Heldin besonders unterstreichen. Diese Aktivität wird eben von vornherein als der weiblichen Rolle eigentlich widersprechend empfunden. Das letzte Märchen weist übrigens den beiden vorhergehenden gegenüber einen neuen Zug auf: die Heldin erscheint nicht nur als Retterin des Mannes, ihre Ehe ist ein Herabsteigen und am Schlusse hebt sie dann den Mann zu sich empor. Die falsche Wertung, die am Ausgangspunkte des männlichen Protestes steht, wird also durch die entgegengesetzte falsche Wertung ersetzt, die Frau wird als über dem Manne stehend angenommen. Gerade diesen Formwandel des männlichen Protests kann man bei Frauen häufig beobachten und es ist leicht zu verstehen, welche Vorteile er bietet: da der Hauptton auf die eigene Wertung, also auf einen inneren Vorgang gelegt wird, sind direkte Zusammenstöße mit der Realität ausgeschlossen. Die Prinzessinnenidee, konsequent festgehalten, muß unfehlbar an den Tatsachen des wirklichen Lebens scheitern; dagegen kann eine Frau sehr wohl ihr ganzes Leben lang so handeln, als ob sie sich zu ihrem Mann herabgelassen hätte und als ob sie ihn zu sich emporheben wollte. Freilich braucht man sich eine Ehe, in der die Frau von solchen Gedanken beherrscht ist, nur vorzustellen, um zu begreifen, daß diese Leitlinie dafür indirekt zu nicht minder bedenklichen Konflikten führen muß.

Zunächst war uns also die Ehe einfach als das wichtigste Mittel zur Verwirklichung des Lebensplans entgegengetreten und als solches war sie rein positiv gewertet worden. In „Prinzessin Erika" ist zum erstenmal ein neues Thema angeschlagen: Die Ehe ist immerhin etwas,

was auch Opfer fordert. Diese Bedenken und Schwierigkeiten kommen in einer andern Reihe von Märchen noch viel deutlicher zum Ausdruck. Daß sich solche Erwägungen überhaupt verraten, kann zunächst gewiß als Zeichen der größeren geistigen Reife der betreffenden Mädchen gedeutet werden. Die andern haben in der Ehe nichts gesehen als einen erwünschten Gegensatz zu ihrem jetzigen Zustand, sie haben die Ehe gewissermaßen in abstracto bejaht; die Bedenklichen zeigen, daß sie sich mit dem Problem wirklich beschäftigt haben. Für ihre endgültige psychologische Beurteilung allerdings würde es auf zwei Momente ankommen: einmal darauf, ob die Schwierigkeiten, die sie stutzig machen, objektiv gegebene sind oder ob sie auf einer tendenziös entstellten Auffassung vom Verhältnis der Geschlechter beruhen, und dann darauf, wie ihre endgültige Entscheidung ausfällt, was wir aus den psychologischen Momentaufnahmen, als die wir diese Märchen auffassen, allerdings nicht entnehmen können.

29. Die verwunschene Prinzessin. Ein Jüngling liegt am Meeresstrand. Da taucht ein wunderschönes Weib aus den Fluten; voll Liebe will er sie umfangen, doch schon ist er in einen Fisch verwandelt. Sie war einst eine Prinzessin, die „fast alle" Freier abwies. Ein Zauberer hat sie aus Rache verwunschen und sie kann nur erlöst werden, wenn ihr ein Jüngling widersteht. Dies gelingt erst, als sie einst einen schönen Jungen flehentlich darum bittet. Er muß alle Kraft zusammennehmen, um standhaft zu bleiben. Jetzt aber ist sie erlöst und sinkt an seine Brust mit dem Ausruf: „Ich bin nun deine Sklavin!"

Auffallend ist die besonders gesteigerte Darstellung der Macht der Frau: ihr zu widerstehen, ist das Schwerste, was ein Mann leisten kann. (Die Verfasserin ist ein häßliches Mädchen.) Der Widerstand gegen die Ehe zeigt sich in der Abweisung der Freier. Am Schluß erfahren wir auch den Grund dieses Widerstandes: die Frau wird die S k l a v i n des Mannes.

30. Ein Märchen. Der Tochter eines Mannes, der in der Gegend der „Zauberer vom See" heißt, erscheint ein Meergreis und bittet sie, mit ihr hinabzusteigen in die Fluten und den kranken Königssohn zu retten. Sie werde unten ein glanzvolles Leben haben, allerdings müsse sie auf die Freuden der Welt verzichten. Sie willigt ein. Genesung. Heirat.

In der Vermählung mit dem Seeprinzen haben wir einen symbolischen Ausdruck dafür, daß die Ehe ein H i n a b steigen bedeutet; außerdem verlangt sie den Verzicht auf die Freuden des Lebens.

31. Ein Märchen. Ein Bauernmädchen wird von einer Hexe in einen Falken verwandelt. In dieser Gestalt fliegt es einem schwermütigen Prinzen zu, wird sein unzertrennlicher Begleiter und bringt ihm Trost und Aufheite-

rung. Als er den Falken zurücklassen will, um eine lange Reise zu unternehmen, erzählt dieser seine Geschichte und sagt, er könne gerettet werden,
wenn ein Mann seinetwegen ein Jahr lang auf alle Freuden der Welt verzichte.
Der Prinz erfüllt die Bedingung. Erlösung. Heirat.

Zwischen diesem Märchen und dem vorhergehenden besteht ein Zusammenhang: die Verfasserin des ersten hat bei der Abfassung des zweiten
mitgewirkt. Und tatsächlich finden wir wichtige Gemeinsamkeiten:
in beiden Fällen erscheint die Heldin als Retterin (vom Tod, aus Schwermut) und in beiden Fällen spielt das Entsagungsmotiv eine wichtige
Rolle. Seine entwickeltere Form zeigt es offenbar im zweiten Märchen,
wo es sich als Forderung gegen den Mann kehrt. Wir können hier
eine Einstellung im Entwicklungsstadium beobachten, die dann in fixier-
ter Form im psychischen Leben erwachsener Frauen oft eine große
Rolle spielt und die uns auch aus der Frauenliteratur wohl bekannt ist:
die Forderung nach dem „reinen Mann". (Vgl. auch Märchen 22, wo
nur ein „reiner, edler Jüngling" die Erlösung vollbringen kann.) Es
ist leicht einzusehen, welch treffliche Handhabe diese Forderung einer
Frau mit aufgepeitschtem männlichen Protest bietet, um den Mann
herabzusetzen und zu demütigen; um so mehr als, wenn dieser Mann wirklich gefunden ist, seine Unerfahrenheit in Liebesdingen neue Angriffs-
punkte bieten wird.

Nicht uninteressant ist es, zu verfolgen, wie in unserem Falle diese
Forderung der Entsagung entstanden ist. Die Verfasserin wird als
ein kokettes, gern flirtendes Mädchen geschildert; es wird den Eltern
im allgemeinen nicht leicht, mit ihm fertig zu werden, dafür entschließen
sie sich manchmal zu recht energischen Eingriffen. So hat sie z. B.
ihre sehr kokette Frisur aufgeben und durch eine Haartracht von fast
klösterlicher Einfachheit ersetzen müssen. Sie selbst also wird zur
Entsagung gezwungen und sie sucht jetzt ihr durch diesen Zwang ge-
drücktes Persönlichkeitsgefühl wieder aufzurichten, indem sie diesen
Imperativ in sehr verschärfter Form den andern entgegenhält. Das
zeigt sich nicht nur in den beiden Märchen, auch bei der Besprechung
von Dichtwerken läßt sie gelegentlich merken, daß sie in diesem Punkte
intransigent ist[1].

Die Widerstände gegen die Ehe, die wir beobachten konnten, können
so stark werden, daß sie zur völligen Ablehnung der Ehe führen. Wir

---

[1] Wie wichtig solche Zusammenhänge für die individuelle Entwicklung
der Ethik werden können, habe ich in meiner Schrift „Psychoanalyse und
Ethik", E. Reinhardt, München, 1918, zu zeigen gesucht.

erhalten dann Märchen, in denen auf die Verwirklichung der Prinzessinnenidee verzichtet wird, weil die daran geknüpfte Bedingung der Ehe unerträglich erscheint.

32. Die schöne Hirtentochter. Eine Hirtin bemerkt, daß eine Kuh sich jeden Tag für einige Zeit von der Herde entfernt. Einst folgt sie ihr und gelangt zu einem prächtigen Schloß. Dort tritt ihr der Junker entgegen und fragt sie, ob sie seine Frau werden wolle. Sie willigt ein, er zeigt ihr das ganze Schloß, dann wiederholt er seinen Antrag, knüpft aber jetzt die Bedingung daran, sie dürfe ihm nie zürnen. Sie heiraten. Als sie Kinder bekommt, werden sie ihr von ihrem Mann weggenommen; zweimal läßt sie sich das schweigend gefallen, beim dritten Kind empört sie sich. Da wird der Mann traurig, sagt, wenn sie nicht gezürnt hätte, so wäre ein Zauber, der auf ihm laste, gebrochen worden. Jetzt müssen sie sich trennen; sie kehrt wieder zu ihrer Herde zurück.

Die Ehe bereitet der Frau also ein Griseldenschicksal; sie aber will sich dem nicht fügen und läßt lieber die Ehe daran scheitern. Daß bei der Katastrophe die Kinder eine Rolle spielen, ist schon deshalb sehr wichtig, weil dieses Märchen und Märchen 20 die einzigen sind, in denen dieses heiklen Punktes Erwähnung getan wird. Daß im Märchen 20 die Erzählung nicht mit der Heirat abgebrochen, sondern bis zur Taufe des ersten Kindes weitergeführt wird, kann man wohl positiv werten und als eine Bejahung des Mutterberufes auffassen. Hier dagegen nähern sich die tastenden Phantasien der Verfasserin einem tendenziösen Kunstgriff: die Kinder werden gegen den Mann ausgespielt.

33. Auf dem Seegrund. Im See wird ein Fest gefeiert; dabei erzählt der Seekönig den Seinen folgende Geschichte: Sein Sohn hat einst ein Fischermädchen geliebt und sie ist ins Seereich herabgestiegen. Aber die Sehnsucht nach der Oberwelt hat sie nicht verlassen. Der liebende Prinz wandte sich nun an ein altes Meerweib um Rat, und dieses hat ihm gesagt, er könne seiner Gemahlin die Rückkehr ermöglichen, wenn er „die größte Schmach auf sich nehme" und sich in einen Fisch verwandeln lasse. Und wirklich hat er dadurch die Geliebte gerettet. Sie steht wieder am Strand, vor der Hütte ihrer Eltern und erblickt in den Wellen einen Fisch, der sie mit sprechenden Augen anschaut.

Wir treffen hier auf lauter uns schon bekannte Motive. Daß die Heirat ein Herabsteigen bedeutet, wird wie in Märchen 30 durch die Vermählung mit einem Seeprinzen symbolisiert. Die Macht und der Wert der Frau kommt zum Ausdruck in der Größe des Opfers, das für sie gebracht wird, ist aber außerdem noch in der Schlußsituation markant dargestellt: Der in einen Fisch verwandelte Geliebte sieht zu ihr hinauf.

Wegen seiner großen Analogie zu diesem Märchen reihe ich hier ein anderes an, in dem allerdings gerade das Motiv der Ehe fehlt und das daher streng logisch in der Gruppe der Familienmärchen hätte erscheinen müssen.

34. Das Fischermädchen. Ein armes Fischermädchen lebt glücklich und zufrieden bei ihren Eltern. Einst schläft sie im Boot ein; eine Nixe holt sie ins Nixenreich herab und dort wird sie von der Königin liebevoll aufgenommen und erzogen. Sie aber kann die Sehnsucht nach oben nicht verwinden und bittet endlich um die Erlaubnis zur Rückkehr, die ihr gewährt wird. Frohes Wiedersehen mit den Eltern.

Die Verfasserin ist eines der unbemitteltsten Mädchen der Klasse, der Vater ist ein kleiner Handwerker. Der Gedanke, der aus dem Märchen zunächst hervorleuchtet, ist also der: Wie wäre es, wenn du reiche und vornehme Eltern hättest? Der Schluß zeigt dann bewußtes Festhalten an den gegebenen Verhältnissen. Damit steht ein ausgeprägt kleinbürgerlich-häuslicher Zug in Zusammenhang, der sich in folgender Schilderung des Fischerhauses ausspricht: „Der Fußboden wurde beinahe jeden Tag frisch gescheuert, das Holzgeschirr immer rein gerieben."

In den beiden letzten Märchen erscheint das unheimliche Seereich als der Gegensatz zum vertrauten Elternhaus; es vertritt wohl das Leben, das einerseits lockt und reizt, andrerseits aber durch seine Unermeßlichkeit und Fremdheit schreckt.

Wir haben uns dem tieferen Sinn der behandelten Märchen vor allem dadurch zu nähern gesucht, daß wir sie als Orientierungsversuche, als Ausproben verschiedener Möglichkeiten der Zukunft auffaßten[1]. Wir gelangen nun zu einem Märchen, in dem eine ganze Reihe solcher Versuche gewissermaßen systematisch aneinandergereiht sind und das uns daher zu dem Versuch einer eingehenden Analyse ermuntert. Haben wir uns bisher mit einem Herausgreifen einzelner Züge begnügt, so wollen wir diesmal zu einer vollständigen Deutung des ganzen Zusammenhangs zu gelangen suchen.

35. Die Windsbraut. Liese, ein kleines Mädchen, hat alles, was ihr Herz begehrt, „nur keine Prinzessin ist sie". So zieht sie eines Morgens aus und beschließt, nicht zurückzukehren, ehe sie Prinzessin geworden sei. Sie trifft eine Biene, die sie auffordert, zum Bienenstock mitzukommen und dort Prinzessin zu werden. Aber Lieschen kann nicht hinein, weil der Eingang zu klein ist. Dann wird sie von einer Ameise in einen Ameisenhügel geführt, um dort Prinzessin zu sein. Dort aber ist es so finster, daß sie seufzt und jammert. Der Ameisenbär hört ihre Klagen und will sie befreien, wenn sie dann seine Frau werde. Lieschen verspricht es; als sie aber dann das

---

[1] Wie es Adler für den Traum festgestellt hat. S. „Über den nervösen Charakter" 1912 und „Traum und Traumdeutung", Österr. Ärzteztg., Wien 1913.

häßliche Tier sieht, läuft sie schnell weg. Auf der Landstraße trifft sie einen merkwürdigen Mann, so dünn wie Kartenpapier, mit zwei Köpfen, einem oben und einem unten. Er kommt aus dem Kartenland und sucht eine Prinzessin; ihre vier hat der Wind wollen blasen lehren, aber sie waren so zart, daß sie gleich tot hinstürzten. Bekomme er jetzt keine neue, so werde er das ganze Land umblasen. Liese folgt dem Kartenmann und der Wind führt sie als seine Braut auf sein Luftschloß. Der Wind ist sehr vergnügt darüber, daß sie nicht so schwächlich ist wie die anderen Prinzessinnen es waren; bald kann sie besser blasen als er und noch heute sagen die Menschen, wenn es recht heftig weht: Die „Windsbraut" kommt.

Die Heldin zieht also aus, um einen klar ausgesprochenen Lebensplan zu verwirklichen, was ihr nach einigen fehlgeschlagenen Versuchen auch gelingt. Das Ziel, das sie schließlich auch erreicht, ist: Prinzessin zu werden. Nun haben wir ja die Prinzessinnenidee als Ersatzvorstellung kennen gelernt für den ursprünglichen Gedanken: „Ich will ein Mann sein." Setzen wir jetzt einmal versuchsweise das ursprüngliche Ziel an Stelle des sekundären ein. Die Heldin zieht also aus, um ein Mann zu werden, um sich als Mann durchzusetzen. Damit wird uns das Abenteuer beim Bienenstock sofort sehr verständlich. Um sich als Mann zu erweisen, müßte sie in die Öffnung hineinkommen; das kann sie natürlich nicht, weil ihr das dazu nötige Organ fehlt. Um die Niederlage zu bemänteln, wird die Schuld von der Heldin weggeschoben; nicht, weil ihr etwas mangelt, kann sie die Aufgabe nicht erfüllen, sondern weil die Öffnung zu klein ist. Die Szene im Ameisenhaufen behandelt dann dasselbe Problem in anderer symbolischer Einkleidung. Diesmal jedoch war die Kleinheit der Öffnung kein Hindernis, sie ist hineingekommen — aber es gefällt ihr nicht drinnen, es ist zu finster. Also sie kann nicht nur kein Mann sein, sie möchte auch gar nicht, wenn sie könnte — die Trauben sind ihr zu sauer. Gibt sie aber die männliche Leitlinie auf, dann muß sie ein Weib sein, muß sie heiraten. Doch der Ameisenbär ist so häßlich, die Ehe scheint ihr unerträglich — sie läuft davon. Die Situation scheint ausweglos zu sein: die männliche Rolle kann sie nicht, die weibliche will sie nicht spielen. Betrachten wir nun die glückliche Lösung, die sich trotz alledem darbietet! Sie wird die Braut des Windes. Wenn wir an Mörikes Gedicht: „Jung Volkers Lied" denken:

> Und die mich trug im Mutterleib,
> Und die mich schwang im Kissen,
> Die war ein schön frech braunes Weib,
> Wollte nichts vom Mannsvolk wissen.

Sie scherzte nur und lachte laut,
Und ließ die Freier stehen:
**Möcht' lieber sein des Windes Braut
Denn in die Ehe gehen!**

Da kam der Wind, da nahm der Wind
Als Buhle sie gefangen:
Von dem hat sie ein lustig Kind
In ihrem Schoß empfangen

so können wir hierin vielleicht eine neuerliche Ablehnung der Ehe, jedenfalls im allgemeinen eine Ablehnung des normalen Frauenschicksals sehen. Der Hauptakzent aber scheint mir auf ihrer Stellung zu den Kartenmenschen zu liegen. Sie will sich von ihrer Umgebung dadurch unterscheiden, daß sie nicht so haltlos, so schwankend ist wie diese, daß sie mit festen Füßen auf der Erde steht als ein Mensch, „den nicht so leicht etwas umwirft". Also eine recht nüchterne, realistische Lebensauffassung; aber unsere Analyse zeigt, welches Pathos hinter der Nüchternheit eines „praktischen" Mädchens stecken kann. Auf diese Weise kann sie es doch noch dazu bringen, eine Herrscherrolle in ihrem Kreise zu spielen, kann so ihre Prinzessinnenidee verwirklichen, kann in gewissem Sinne ein Mann werden, ja mehr als ein Mann. Das wird am Schlusse auch noch sexualsymbolisch ausgedrückt: sie kann besser blasen als der Wind.

IV.

Das Märchen, zu dem wir jetzt gelangen, habe ich aus zwei Gründen an den Schluß der ganzen Reihe gestellt. Einmal, weil es sich inhaltlich von allen anderen wesentlich unterscheidet, dann aber, weil ich an ihm den Beweis zu erbringen hoffe, daß die von mir befolgte Methode nicht willkürlich ist, sondern sich tatsächlich den in den Märchen niedergelegten psychischen Inhalten nähert.

36. Die Rache der Zwerge. Die Zwerge sind von den Elfen beraubt worden. Zur Rache rauben sie jetzt die Elfenkönigin Silberweiß. Glücklicherweise werden die Bedingungen ihrer Rettung von Mondstäubchen belauscht und den Elfen verraten. Am Strande des Sees treffen sie ein kleines Mädchen, das sich erbietet, die schwierige Aufgabe zu übernehmen. Sie hat eine außerordentlich große Zahl der schrecklichsten Abenteuer zu bestehen, wobei ihr ein Wunderfläschchen gute Dienste leistet. Endlich bringt sie Silberweiß zu den Elfen zurück. Sie wird von den Elfen beschenkt und lebt glücklich weiter im Walde.

Was diesem Märchen seine Sonderstellung verleiht, ist der Umstand, daß hier nicht wie in den anderen der Frau ein männlicher Partner gegenübertritt, sondern daß beide Hauptrollen von Frauen besetzt sind.

Es ist wohl zweifellos, daß jeder Psychoanalytiker aus diesem auffallenden Zug auf eine homosexuelle Einstellung der Verfasserin schließen wird; ebenso zweifellos aber ist es, daß die meisten Laien und die wissenschaftlichen Gegner eine solche Deutung mit Kopfschütteln als vorschnell ablehnen würden. Zufälligerweise sind gerade über dieses Mädchen einige Tatsachen bekannt geworden, die die Diagnose auf homosexuelle Einstellung schlagend bestätigen.

Sie hat die letzten Ferien mit ihren Eltern bei einer befreundeten Familie verbracht und zwischen ihr und der Tochter des Hauses, einem bedeutend älteren, mehr als zwanzigjährigen Mädchen, hat sich eine zärtlich-schwärmerische Freundschaft entwickelt. Nächtliche Herzensergüsse, Mondscheinschwärmereien spielten dabei eine große Rolle. Die Eltern suchten den Verkehr ein wenig abzudämpfen, stießen aber dabei auf den heftigen Widerstand des Mädchens, das dann überhaupt jede Gesellschaft mied und allein in den Wald eilte.

So erkennen wir also in der Elfenkönigin Silberweiß die angeschwärmte Freundin, in dem feindlichen Zwergvolk die störenden Verwandten. Auch eine Reihe von Einzelzügen wird uns klar. Die Freundin lebt unverstanden und einsam inmitten ihrer Angehörigen: Silberweißchen wird von den Zwergen auf eine Insel mitten in einem weiten See entführt. Die Mondscheinszenerie kehrt im Märchen wieder und Mondenstäubchen bringt wichtige Kunde zu den Elfen. Wie die Verfasserin einsam in den Wald hinauseilt, so lebt auch die Heldin des Märchens einsam im Wald.

Auch in die Entstehung dieser homosexuellen Einstellung erhalten wir einigen Einblick durch Stellen aus Briefen des Mädchens. Einmal spricht sie davon, daß ihr zuviel ihr Wille getan wurde, als sie noch klein war. Dann sagt sie, sie sei ein Eisenkopf, das habe sie von ihrem Papa ererbt. Wir können daraus schließen, daß das Mädchen zwischen einer nachgiebigen Mutter und einem sehr energischen Vater steht. Eine solche Situation ist geeignet, in dem Kinde sehr große Ansprüche zu erwecken, es aber bei der Durchsetzung dieser Ansprüche auf Umwege zu drängen. Andererseits wird sich bei einem solchen Mädchen die Wertung des Männlichen als des Starken, des Weiblichen als des Schwachen besonders stark festsetzen. Den gesteigerten Drang, sich durchzusetzen, zu gelten, zu herrschen kann man allen Personen gegenüber, mit denen sie in Beziehung steht, nachweisen. Von ihrer Stellung im Hause sagt sie: „Ich beherrsche im großen genommen jetzt meine ganze Umgebung"; das erreiche sie nicht etwa dadurch, daß sie trotze, bis sie ihren Willen habe, sondern indirekt, auf Umwegen. In der Schule ist sie eine sehr ehrgeizige, fleißige Schülerin, die aber mitunter starke Trotzregungen gegen ihre Lehrer verrät. Auf ihre Mitschülerinnen sieht sie von oben herab. „Trotzdem ich mir so oft denke, d a ß i c h g e n a u d a s s e l b e s e i w i e a l l e a n d e r n M ä d e l, so fühle ich mich manchmal, eigentlich immer, aber manchmal ganz besonders, direkt erhaben über die ganze Klasse. Ich sehe auf sie herab, fast mitleidig. . . . Ich fühle immer deutlicher, je älter ich werde, i c h b i n a n d e r s w i e a l l e d i e M ä d e l, i c h h a b e m i t i h n e n n i c h t s g e m e i n." Diese Stelle enthält nicht nur einen schlagenden Ausdruck ihrer Größenideen, in den von mir gesperrten Sätzen wird, wer auf solche Dinge zu achten gewohnt ist, eine unmittelbare und kaum verhüllte Äußerung des männlichen Protestes erkennen. Ein solches Mädchen wird für Liebesbeziehungen zwischen Mann und Frau wohl kaum viel Sympathien übrig haben. Direkt ist hierüber nichts bekannt, aber wenn sie einmal ihre Abneigung gegen die französische Sprache darauf zurückführt, daß sie alles, was mit Frankreich und den Franzosen zusammenhänge, aufs allertiefste hasse, so dürfen wir den Grund dieses Hasses wohl in der französischen Erotik suchen, von der ja Backfische eine sehr abenteuerliche Vorstellung zu haben pflegen.

Das Aufkeimen jener überzärtlichen Sommerfreundschaft ist uns jetzt wohl verständlich; handelt es sich doch dabei um eine erwachsene junge Dame, um eine Altersgenossin ihrer jugendlichen Lehrerinnen. Wir begreifen, welche gewaltige Erhöhung ihres Persönlichkeitsgefühls aus diesem vertraulichen Umgang zu holen war. Wir werden aber allerdings erwarten müssen, daß das Mädchen auch in diesem Falle die herrschende, d. h. die männliche Rolle in Anspruch nehme. Und das finden wir im Märchen vollauf bestätigt. Die Freundin erscheint darin zwar als Königin, aber als Königin der Elfen, also als zwergenhaft klein; sie ist gefangen und hilflos. Das kleine Mädchen aber ist ihre heldenhafte Retterin und besiegt mit Hilfe des Zauberfläschchens (Sexualsymbol?) die furchtbarsten Feinde.

Mit der Konstatierung dieser homosexuellen Einstellung soll natürlich keineswegs gesagt sein, daß dieses Mädchen sich zu einer ausgesprochenen Homosexuellen entwickeln müsse. Eine solche Einstellung ist ja im Backfischalter recht häufig, wenn auch freilich nicht in so ausgeprägter Weise wie hier. Gerade wenn man, wie es hier ge-

schehen ist, die Homosexualität nicht als den Ausdruck einer spezifischen sexuellen Veranlagung, sondern als ein Hilfsmittel und eine Ausdrucksform des männlichen Protestes auffaßt, wird man es gut verstehen können, daß bei geänderter Situation diese Leitlinie durch eine
andere ersetzt wird. Allerdings werden wir auch nach eventuellem
Verschwinden der Homosexualität immer darauf gefaßt sein müssen,
daß bei entstehenden psychischen Schwierigkeiten der schon einmal ge-
bahnte Weg neuerdings eingeschlagen wird.

*   *   *

Ich bin weit entfernt, die Ergebnisse dieser Durchforschung der
Märchen zu überschätzen. Eines aber, glaube ich, ist doch erreicht
worden: diese Märchen haben aufgehört, bloße Schulaufsätze für uns
zu sein, sie erscheinen uns auch nicht mehr als leere und bedeutungs-
lose Spiele der Phantasie, sondern wir fühlen in ihnen lebendiges Leben
pulsieren; wir können aus ihnen Konflikte, Wünsche, Pläne, Zukunfts-
perspektiven herauslesen, wir haben zum Teil Einblicke erzielt, die ohne
die von uns geübte Art der Betrachtung auch bei genauer persönlicher
Bekanntschaft mit den betreffenden Mädchen unzugänglich geblieben wären.

Versuchen wir, aus der Buntheit des Materials einen Gesamteindruck
herauszuheben, so drängt sich uns vor allem eine Beobachtung auf:
überall, wo die Gedanken sich mit der Zukunft beschäftigen, spielt
nicht nur die Ehe eine große Rolle, sondern das Problem der Zukunft
und das Problem der Ehe werden geradezu miteinander identifiziert;
es tritt nicht nur nichts neben die Ehe, auch, wo sie abgelehnt
wird, wird nichts anderes an ihre Stelle gesetzt, sondern es erscheint
dann nur die Flucht ins Elternhaus möglich. Nur zwei Ausnahmen
sind uns begegnet: in 28 wurde mit dem Beruf der Schauspielerin wenigstens gespielt und bei 35 hatten wir den Eindruck, daß der Verfasserin eine selbständige Existenz außer der Ehe vorschwebe. Aber ein
Gegner weiblicher Berufstätigkeit hätte keinen Grund, sich dieses Ergeb-
nisses zu freuen und etwa mit Befriedigung festzustellen, mit welcher
Sicherheit und welch gesundem Instinkt diese Mädchen ihren wahren
Beruf als Frau und Mutter ahnten. Denn abgesehen davon, daß die
Erwähnung der Mutterrolle sich überhaupt nur zweimal findet, die
Ehe selbst wird in allen Fällen, auch dort, wo sie nicht abgelehnt wird,
an unrealisierbare Bedingungen geknüpft. So zeigt uns diese Unter-
suchung also einerseits, und zwar noch viel schärfer als andere ähnliche
Beobachtungen, wie engbegrenzt sich dem Mädchen im Gegensatz zum

Knaben die Zahl der Möglichkeiten darstellt, unter denen es zu wählen hat; andererseits, daß die Ehe, die in ihrem Zukunftsbild eine zentrale Stellung einnimmt, sie in der ihnen erreichbaren Gestalt zunächst nicht befriedigt. Nun haben wir uns ja von Anfang an vor Augen gehalten, daß der Charakter des Märchens auf ein Unterstreichen dieses Gegensatzes zur Realität hindränge. Wir werden vielleicht vermuten dürfen, daß die positivsten Köpfe der Klasse gerade unter denen sind, die es vorzogen, kein Märchen zu schreiben; wir werden überzeugt sein, daß auch die Mehrzahl der Märchenerzählerinnen ihre Zielsetzung mit der Wirklichkeit schon in viel besseren Einklang gebracht haben, als es aus den Märchen hervorgeht; und wir können hoffen, daß im weiteren Verlauf ihrer Entwicklung den allermeisten die praktische Einfügung glücken wird. Aber das eine scheint sich uns bei alledem aus unserer Betrachtung unleugbar zu ergeben, daß das Mädchen in seine Rolle als Frau nicht natürlich und gleichsam von selbst hineinwächst, sondern daß dieses Bejahen der weiblichen Rolle nur das Resultat sein kann einer ganzen Reihe glücklich überwundener innerer Konflikte, daß zahlreiche tastende Orientierungsversuche vorausgegangen sein müssen, daß ein tüchtiges Maß gesunder Resignation erworben sein muß. Die inneren Aufgaben, die das heranwachsende Mädchen zu lösen, die psychischen Schwierigkeiten, die es zu bewältigen hat, sind größer, als man gewöhnlich annimmt. Der Erzieher sollte daher imstande sein, die seelische Entwicklung seines Zöglings nicht nur mit Teilnahme, sondern auch mit psychologischem Verständnis zu verfolgen, um ihm bei sich häufenden Schwierigkeiten ein Helfer sein zu können.

Psychologie der Berufswahl.

Von Dr. Stefan v. Máday.

Die Frage der Berufswahl als eine öffentliche Frage beschäftigt erst seit einigen Jahren weitere Kreise. Teils waren es Pädagogen, die sich zur Aufgabe machten, für jedes Kind den Beruf auszuwählen, der seinen Fähigkeiten am besten entsprach [1], teils Sozialpolitiker, die der Überfüllung einzelner Berufe vorzubeugen strebten [2], endlich auch Industrielle, die ihr Arbeitermaterial besser gesiebt haben wollten [3].

Im Anschluß an diese rein praktischen Bestrebungen, die von Münsterberg in seinem neuesten Buche zusammengefaßt werden [4], erwachte auch das theoretische Interesse an dem Gegenstand: auf Max Webers Initiative begann der Verein für Sozialpolitik großangelegte Nachforschungen über Berufswahl und Berufsschicksal der Arbeiter. Auch diese Unternehmung soll letzten Endes der Praxis: der günstigeren Gestaltung des Schicksales der einzelnen dienen; doch wird diese Materialiensammlung vorerst jahrelang in vielen Betrieben fortgesetzt, ohne daß den Mitarbeitern die Art einer künftigen praktischen Anwendung bekannt wäre, so daß diese Arbeit als eine rein wissenschaftliche gelten kann [5].

Meine Untersuchungen über die Psychologie der Berufswahl, von deren augenblicklichem Stand ich hier in knapper Form berichten will, sollen vor allem den Zwecken der differentiellen Psychologie dienen.

Der eine Mensch unterscheidet sich vom anderen in sehr vielen, vielleicht in mehreren Hunderten von Merkmalen. Es ist unabsehbar, ob

---

[1] Ratschläge für Studenten. Herausgegeben von der Lese- und Redehalle der deutschen Studenten in Prag. II. Teil. Prag 1906. — Parsons, Frank: Choosing a vocation. Boston 1909.

[2] Berufswahlkommission der Deutschen Landeskommission für Kinderschutz und Jugendfürsorge in Böhmen, Prag; und andere.

[3] Taylor, Frederick: Principles of scientific management. Harper & Co. 1909.

[4] Münsterberg, Hugo: Psychologie und Wirtschaftsleben. Leipzig, Barth, 1912. S. 23—40.

[5] Weber, Max: Archiv für Sozialwissenschaft, Bd. 27—29. — Untersuchungen über Auslese und Anpassung . . . der Arbeiter . . . Schriften des Vereins für Sozialpolitik, Bd. 133—135. — Herkner, Heinrich: Probleme der Arbeiterpsychologie. Ebenda Bd. 138.

und wann wir mit der von S t e r n , L i p m a n n , B a a d e und M a r - g i s ausgearbeiteten genauen Methode der P s y c h o g r a p h i e zur Vergleichung mehrerer Persönlichkeiten und zur Aufstellung von Typen gelangen werden. Darum habe ich einen abgekürzten Weg eingeschlagen, als ich mich auf die E r f o r s c h u n g e i n e s e i n z i g e n M e r k - m a l s beschränkte und mir vornahm, in der Folge auch andere Merkmale der Reihe nach zu untersuchen, falls sich meine Methode als fruchtbringend erweisen sollte. .

Meine Untersuchung stimmt mit den älteren c h a r a k t e r o l o g i - s c h e n Forschungen darin überein, daß sie ein Merkmal von vorneherein für wesentlich erklärt; sie unterscheidet sich aber dadurch von den charakterologischen Arbeiten, daß sie nicht eine mehr oder weniger hypothetische, jedenfalls nur in der Theorie bestehende Eigenschaft, wie Temperament, Emotionalität, ethischen Charakter u. dgl. zur Grundlage annimmt, mit deren größerer oder aber geringerer Lebenswahrheit das ganze Gebäude steht und fällt.

Ich habe mir die Frage gestellt: was ist an einem Menschen so wesentlich, daß sogar der Laie die Menschen nach diesem Merkmal klassifiziert? Es gab Zeiten, wo man auf die Frage: „W a s ist Heinrich?" die Antwort erhalten konnte: „Deutscher"; oder: „Katholik"; oder: „Edelmann"; oder auch: „Ein tapferer Mann". Auch heute sind bei einzelnen Völkern die Nation, die Religion, der Stand, und bei den primitiveren vielleicht Charaktereigenschaften das Ausschlaggebende. S i c h e r i s t a b e r i n d e r K u l t u r m e n s c h h e i t v o n h e u t e , die auf Grund der Arbeitsteilung organisiert ist, d e r B e r u f d a s M e r k - m a l , d a s d i e I n d i v i d u e n a m m e i s t e n c h a r a k t e r i s i e r t ; denn auf die Frage: „Was ist Heinrich?" erfolgt fast immer eine Antwort wie „Kaufmann" oder „Beamter".

In zweiter Linie aber unterscheidet sich meine Untersuchung von den früheren dadurch, daß das als wesentlich vorangestellte M e r k m a l : der Beruf des Menschen, n i c h t unmittelbar a l s E i n t e i l u n g s - g r u n d d i e n t ; ich werde also die Individuen nicht ohne weiteres als Landwirte, Handwerker, Kaufleute, Beamte, Ärzte klassifizieren. Denn der Beruf eines Menschen ist zwar ein Merkmal, das gerade für diesen Menschen wesentlich ist; doch stehe ich erkenntnistheoretisch auf dem Standpunkt, daß wir vom Menschen mehr als bloße Merkmale zu erkennen vermögen.

Ebenso wie man sagt, daß der Mensch seinen Beruf ausfüllt, kann man auch sagen: der B e r u f f ü l l t d e n M e n s c h e n a u s. Weil aber Mensch und Beruf ihr Dasein ganz verschiedenen Naturgesetzen verdanken, so werden sie sich gegenseitig auch bei der bestmöglichen Auswahl und Anpassung wohl n i e m a l s v o l l k o m m e n ausfüllen können. Denken wir uns die Individualität des Menschen als ein Gefäß, den Beruf als einen Gegenstand, der nie genau in jenes Gefäß hineinpaßt, so wird immer eine Seite des Berufes unversorgt und ein Stück der Individualität unerfüllt bleiben. D i e u n v e r s o r g t e n S e i t e n d e s B e r u f e s , d. h. die Anforderungen, die, als etwas Fremdes gefühlt, nie zum Inhalt des Individuums werden, w i r k e n a l s l ä s t i g e s A n h ä n g s e l , a l s u n a n g e n e h m e r R e i z ; e b e n s o w i r k t d e r u n a u s g e f ü l l t e , beschäftigungslose T e i l d e r I n d i v i d u a l i t ä t als unlustvoller Reiz. Auf diese starken und fast lebenslänglichen Reize erfolgen meistens sehr kräftige Reaktionen, wie Nebenerwerb, Sport und Spiel, oder auch Vernachlässigung des Berufes, nervöse Erkrankungen, Berufswechsel.

Wenn wir d a s V e r h ä l t n i s d e s M e n s c h e n z u s e i n e m B e r u f e betrachten, so gibt es da einen praktischen und einen theoretischen Standpunkt.

I. Der p r a k t i s c h e S t a n d p u n k t ist entweder

1. ein e t h i s c h e r (Frage: Wie soll sich der Mensch zu seinem Berufe stellen?) oder

2. ein p ä d a g o g i s c h e r (Frage: Wie soll man gute Berufsmenschen erziehen?) oder

3. ein s o z i a l p o l i t i s c h e r (Frage: Wie kann und soll die Arbeitsteilung und die Berufswahl beeinflußt werden?), endlich

4. ein k u l t u r e l l e r (Frage: Wie soll der Berufsmensch vor der Einseitigkeit des Fachmannes bewahrt werden?).

II. Der t h e o r e t i s c h e S t a n d p u n k t ist entweder

5. ein p s y c h o l o g i s c h e r (Frage: In welchem Verhältnis steht der Mensch zu seinem Berufe?) oder

6. ein s o z i o l o g i s c h e r (Frage: In welchem Verhältnis stehen die Berufsgruppen zueinander und zu den andersartigen menschlichen Gruppierungen?).

Der psychologische Standpunkt (5) umfaßt wieder zwei Möglichkeiten; entweder

A) steht die I n d i v i d u a l i t ä t i m M i t t e l p u n k t e d e r Betrachtung (Frage: Wie verhält sich ein bestimmter Mensch oder Menschentypus zu den verschiedenen Berufen?) oder

B) steht der Beruf im Mittelpunkte (Frage: Wie verhalten sich die Menschen zu einem bestimmten, z. B. dem Soldatenberuf?).

Die erstere Frage (A), die auf die Erforschung der Individualität ausgeht, löst sich im Sinne des vorhin Gesagten in folgende Teilfragen auf:

a) Auswahl des Berufes,

b) Anpassung an den Beruf,

c) Nichtanpassung an den Beruf, schließlich ist noch

d) eine genetisch-psychologische Frage zu stellen: die Entwicklung des Verhältnisses zum Beruf während des Lebens.

Bevor ich mich der Erörterung dieser Fragen (B, a, b, c, d) zuwenden werde, will ich den Gang meiner — leider noch ziemlich unvollständigen — Untersuchungen schildern.

Vor dreizehn Jahren entwarf ich eine Klassifikation von Begabungstypen, die gleichzeitig Berufstypen waren; weil ich die Richtigkeit meiner Einteilung nicht beweisen konnte, habe ich sie auch nicht veröffentlicht.

Vor vier Jahren begann ich als Lehrer an einer Militär-Realschule eine Umfrage über die Berufswahl und einige verwandte Fragen. Auf diese Umfrage erhielt ich aus drei Militärschulen im ganzen 419 Antworten.

Dieselbe Umfrage ließ ich in etwas abgeänderter Form in Zivil-Schulen durchführen. Auf diese Umfrage erhielt ich aus acht Schulen Antworten von 1181 Knaben und 85 Mädchen.

Der bereits um ein Jahr früher erschienene Fragebogen der Ungarischen Gesellschaft für Kinderforschung über das Interesse der Kinder gelangte leider erst später in meine Hände. Dieser Fragebogen ist etwas systematischer als der meinige, doch enthält er den Beruf betreffend nur eine einzige Frage, während ich vier solche Fragen gestellt habe:

1. Welchen Beruf möchten Sie am liebsten ergreifen?

2. Wenn dieser erste unmöglich wäre, welchen Beruf möchten Sie dann wählen? Diese Frage nach einem Ersatzberuf ist wichtig, weil durch sie der Einfluß der Umgebung auf das Kind, der sich in der Antwort auf die erste Frage meistens offenbart, unwirksam gemacht wird. Wenn sich das Kind dort bemüht hat, vernünftig, d. h. als künftiger Staatsbürger zu antworten, so wird es sich hier doch als Kind verraten: die durch die Erziehung begonnene Verdrängung der spielerischen Triebe und Wünsche kann durch die zweite Frage —

wenn es noch nicht zu spät ist — für einen Augenblick durchbrochen werden.

3. Fragte ich nach dem B e r u f e d e s V a t e r s oder der Mutter; auch das ist eine wichtige Kontrolle für die Motive der Berufswahl.

4. Stellte ich folgende Fragen: Möchten Sie gerne beim Militär dienen? Wieviel Jahre lang? Bei welcher Waffe?

Der M i l i t ä r b e r u f nimmt unter sämtlichen Berufen eine Sonderstellung ein. Wollte man die Berufe in zwei große Gruppen teilen, so würde man nicht weit fehlgehen, wenn man den Soldatenberuf in die eine, alle anderen Berufe in die andere Gruppe einteilen würde. Denn j e d e m e n s c h l i c h e T ä t i g k e i t s e t z t s i c h a u s K a m p f u n d a u s A r b e i t z u s a m m e n. Die Tendenz der Entwicklung führt v o m Kampfe w e g und z u r Arbeit. Zwar enthalten heute noch viele Berufe (wie der des Advokaten, des Kaufmannes) bedeutende Kampf-Komponenten, doch ist die Arbeits-Komponente so ziemlich die überwiegende. N u r d e r S o l d a t e n b e r u f h a t s i c h a l s f a s t r e i n e r K ä m p f e r - B e r u f e r h a l t e n, außer ihm nur noch wenige, wie der der Jäger, Polizisten, Berufs-Rennfahrer.

Außerdem nimmt aber der Soldatenberuf noch in einer anderen Beziehung eine Sonderstellung ein. E s i s t d e r e i n z i g e B e r u f, d e r a n j e d e n M a n n h e r a n t r i t t, mit dessen Möglichkeiten — bei der allgemeinen Wehrpflicht — jeder einzelne rechnen muß. Hier übersehen wir also sämtliche Individuen — miteinander wohl vergleichbar — in ihrem Verhältnis zu einem einzigen Beruf. (In Mädchenschulen wurden die den Militärberuf betreffenden Fragen selbstverständlich nicht gestellt.)

Die Umfrage der Ungarischen Gesellschaft für Kinderforschung brachte etwa 4000 Antworten, die sich in den Händen des Seminardirektors L a d i s l a u s N a g y befinden. Ich hoffe, daß es mir möglich gemacht werden wird, die den Beruf betreffenden Antworten auch dieser Umfrage zu bearbeiten.

Umfragen ähnlichen Inhalts (meist in der knappen Form: „Was willst du werden, wenn du einmal groß bist?") wurden bereits vor vielen Jahrzehnten von einzelnen Pädagogen durchgeführt, und es würde sich lohnen, alle solchen Antworten bezw. Schulaufsätze zu sammeln und zu verarbeiten.

Eine neue Art der Fragestellung wurde durch den Gymnasialprofessor Dr. O p p e n h e i m im „Verein für freie psychoanalytische Forschung" in Wien angeregt. Es sollen hier rückblickend alle

Berufe angegeben werden, die sich das Kind jemals ge-
wünscht hat. Auf diese Umfrage wurden mir aus fünf Schulen
Antworten von 118 Knaben und 57 Mädchen in freundlicher Weise zur
Verfügung gestellt.

Zu dieser Art der Fragestellung muß ich allerdings bemerken, daß
bei ihr die Fehlerquellen der Umfragemethode noch durch die Fehlerquellen der Gedächtnisleistung vermehrt werden.

Endlich habe ich im vorigen Jahre eine Umfrage an Erwachsene gerichtet. Im ganzen versandte ich 1000 Abzüge und erhielt
bis heute 107 Antworten; eine recht befriedigende Zahl, wenn man berücksichtigt, daß es immerhin eine Arbeit ist, meine 52 Fragen zu beantworten. Weil mir noch immerfort neue Adressen zugesandt werden,
so plane ich eine Neuauflage mit 1000 Abzügen. Ich bin jedem dankbar, der mir Ratschläge zur Verbesserung des Fragebogens oder aber
Adressen von Personen zukommen läßt, von denen eine aufrichtige Beantwortung meines Fragebogens erwartet werden darf.

Auch für eine Kritik meines Unternehmens bin ich dankbar; doch
sind mir selbst so viele Schwächen und Fehlerquellen meiner Methode
bekannt, daß man mir schwerlich etwas Neues wird darüber sagen
können. Die entscheidende Frage ist die: Hat die ganze Unternehmung
samt ihren Fehlern einen Wert? Lohnt sie die Mühe, die ich und
meine Gewährsmänner und -frauen daranwenden? Diese Frage muß
wohl mit aller Entschiedenheit bejaht werden.

Das erhaltene Material ist von einer ungeahnten Reichhaltigkeit;
der Grundsatz, lieber zu viel als zu wenig zu fragen, bewährt
sich glänzend. Durch diese vielen Fragen wird jeder gezwungen, über
Dinge nachzudenken, über die er vielleicht nie in Ruhe nachgedacht
hat; und entgeht ihm etwas Wichtiges bei der einen Frage, so gibt ihm
die nächste Gelegenheit, es nachzuholen. Und ebenso ist es mit der Verstellung, der größten Feindin psychologischer Forschung: auch die
Verstellung erschöpft sich, und der Wahrheitswert einzelner Antworten
läßt sich oft auf Grund der übrigen Antworten einschätzen. Im ganzen dürften aber wissentlich unaufrichtige Antworten kaum vorkommen; eher Selbsttäuschungen. Einige drücken mir in einem Begleit-
schreiben ihren Dank aus, daß ich ihnen zum Klarwerden über sich
selbst und zur Aussprache Gelegenheit geboten habe.

Nun entsteht die Frage: Wie will ich dieses vielgestaltige Material
bearbeiten? Eine statistische Bearbeitung im Sinne der Korrela-
tionsberechnung dürfte einigermaßen lohnend sein — ich will

sie jedenfalls versuchen —, doch ist gegen die Anwendung von statistischen Methoden in diesem Falle vieles einzuwenden. Das Material ist nicht genügend gemischt, um ein verkleinerter Ausschnitt aus der Bevölkerung zu sein, auch nicht genügend gleichartig, um irgendeine Menschengruppe zu repräsentieren. Es sind vorwiegend Unzufriedene und Berufswechsler, die sich für diese Umfrage interessieren, und so muß ich fürchten, durch die statistische Bearbeitung ein ganz falsches Bild zu erhalten.

Viel lohnender ist es, das Material zum S t u d i u m v o n I n d i v i d u -
a l i t ä t e n zu verwerten. Auch ohne statistische Zusammenstellung muß es dem, der sich in jedes einzelne Lebensschicksal einfühlend zu versenken versteht, gelingen, gewisse Zusammenhänge zu entdecken. Ich will den großen Einfluß der Umgebung und des Zufalles nicht unterschätzen; doch drängt sich mir die Erkenntnis auf, daß d i e s e s äußere Lebensschicksal zum großen Teile gerade von d i e s e n inneren Eigenschaften mitbedingt ist.

Trotz diesen Erfahrungen, die mich vor dem massenweisen Durcheinanderschütteln von Individualitäten warnen, habe ich den Plan, wenigstens der Form nach Exaktes zu liefern, noch nicht völlig aufgegeben. Ich bereite eine dritte Umfrage vor, deren Fragebogen einen Auszug aus dem vorigen darstellen soll. Nun sollen d u r c h g e e i g n e t e B e -
o b a c h t e r m ö g l i c h s t v i e l e I n d i v i d u e n e i n e r e i n z i g e n
B e r u f s g r u p p e, z. B. nur Soldaten oder nur Ärzte, beschrieben werden. So will ich wohl vergleichbare und statistisch einwandfreie Daten sammeln. Sollte jemand in der Lage sein, eine größere Anzahl verläßlicher Gewährsmänner zu sammeln, die alle einem bestimmten Berufe angehören, so würde ich einen solchen Vorschlag mit großem Dank entgegennehmen und meine Untersuchung mit gerade diesem Berufe beginnen.　　•　　　　•　　　　•

Leider ist es mir heute noch nicht möglich, über bestimmte Resultate der besprochenen Umfragen Einzelheiten zu berichten. Ihre statistische Bearbeitung ist im Zuge; wäre sie übrigens abgeschlossen, so
önnte ich mich auf dem beschränkten Raume, der mir zur Verfügung
eht, doch nicht in die Mitteilung und Deutung der Zahlen einlassen.
h will heute nur einige augenfällige Erscheinungen erwähnen.
Vorhin habe ich die Psychologie des Berufes in fünf Fragen gefaßt;
erste will ich die genetische Frage nach der Entwicklung zu beant-
·ten suchen.

Die Entwicklung scheint etwa dieselben Stufen einzuhalten, die Nagy[1] oder Claparède[2] für das kindliche Interesse festgestellt haben; besonders auffällig tritt in der Berufswahl die Entwicklung vom Konkreten zum Abstrakten (z. B. erst Lokomotivführer, dann Ingenieur), von der Subjektivität zur Objektivität (z. B. erst ein großer Herr, dann Kaufmann) und von der Unbestimmtheit zur Spezialisierung (z. B. erst Weltreisender, dann Marineoffizier) hervor.

Ebenso, wie sich Karl Groos in seinen Werken über das Spiel[3] die tiefere Aufgabe gestellt hat, die Triebe der jungen Tiere und des Menschenkindes zu erforschen, so muß uns auch die Frage nach der Berufswahl diesem bedeutsamen Problem näherbringen.

Nichts ist in den Antworten von Kindern bis zum 10. oder 12. Lebensjahre allgemeiner als die Lust an der Ortsveränderung. Bewegungslust kann dies kaum genannt werden, denn sie ist ja meistens eine passive. Fahren, Kutschieren, Fliegen, Lokomotivführer, Kondukteur sein, scheint den Kindern das größte Glück zu bedeuten. Dieses Phänomen, in dessen Analyse ich mich diesmal nicht einlassen kann, bleibt ziemlich unverständlich, solange man sich mit dem Triebleben des Kindes nicht gründlich auseinandergesetzt hat.

Eine zweite Erscheinung ist das ganz allgemeine Interesse an technischen Dingen; es beginnt oft mit 5—6 Jahren, unfehlbar mit 10 oder 11 und dauert — wie es scheint — nahezu bis zum Ende der Schulzeit, also bis zum 17. und 18. Jahre.

Eine dritte Erscheinung ist die Kampf- und Rauflust, der ich bereits eine besondere Umfrage über den Krieg[4] gewidmet habe. Die Kämpferberufe, wie Soldat, Polizeimann, Jäger, erstrecken sich ebenso wie die technischen fast über die ganze Jugendzeit; doch scheinen sie etwas früher zu beginnen und früher aufzuhören.

Weil die technischen Beschäftigungen für das Kind gleichbedeutend mit Arbeit sind, so sieht man hier die beiden großen Kultur-

---

[1] Nagy, Ladislaus: Psychologie des kindlichen Interesses. Pädagog. Monographien Bd. IX. Leipzig, Otto Nemnich, 1912. S. 31.

[2] Claparède, Eduard: Kinderpsychologie und experimentelle Pädagogik. Leipzig, Joh. Ambr. Barth, 1911. S. 178.

[3] Groos, Karl: Die Spiele der Tiere. 2. Aufl. Jena, Gustav Fischer, 1907. — Die Spiele der Menschen. Ebenda, 1899. — Der Lebenswert des Spiels. Ebenda 1910.

[4] Máday, Stefan v.: Schüler-Enquête über den Krieg. Zeitschrift für Philosophie und Pädagogik, 19. Jahrg. 2 bis 3. Heft (1911).

faktoren: Kampflust und Arbeitslust im Wettstreite miteinander. Diesem Problem will ich eine besonders eingehende Untersuchung widmen.

Die Besprechung der anderen vier Fragen würde hier zu viel Raum beanspruchen. So will ich nur noch auf einige Fingerzeige, die ich beim Durchblättern der Antworten auf meine letzte Umfrage erhielt, hinweisen.

Erstens fiel mir die Häufigkeit von nervösen Erkrankungen im Jugendalter bei einem großen Teil der leistungsfähigsten Menschen auf.

Zweitens die feindliche Stellung zum Vater oder zur Mutter.

Diese beiden Punkte weisen darauf hin, daß das Problem der Berufswahl auch auf psychopathologische Methoden angewiesen ist. Als solche Methode ist vor allem die Psychoanalyse geeignet, umsomehr, als wir das, was wir über die psychische Einstellung des Kindes gegen die Außenwelt und besonders gegen die Eltern wissen, zum größten Teile den Forschungen Freuds und Adlers verdanken.

Ich kann es nicht unterlassen, an dieser Stelle einer interessanten Arbeit Wilhelm Stekels[1] zu gedenken. Stekel unterscheidet fünf Formen der freiwilligen, d. h. nicht sozial bedingten Berufswahl:

1. Identifizierung mit dem Vater; z. B. „der Sohn eines Arztes will auch Arzt werden, weil er den Vater bewundert und liebt".

2. Differenzierung vom Vater; z. B. „Söhne von Kaufleuten, also von Menschen, die einen recht materialistischen Beruf haben, wenden sich einem mehr idealistischen Berufe zu. Sie werden Dichter, Maler oder Philosophen".

3. „Versuch, die erotischen und kriminellen Triebe zu sublimieren, d. h. die kulturfeindlichen Triebe werden unterjocht und in den Dienst der Kultur gestellt"; z. B. ein Chirurg, der von Haus aus Sadist war und in blutrünstigen Phantasien geschwelgt hat.

4. Die Berufswahl stellt sich in den Dienst der unbewußten Neigungen, z. B. ein Fußfetischist wird Schuster.

5. Der Beruf dient zum Schutze oder zur Sicherung gegen unbewußte Neigungen; z. B. ein Mensch mit kriminellen Trieben

[1] Stekel, Wilhelm: Berufswahl und Kriminalität. Archiv für Kriminalanthropologie und Kriminalistik. Bd. 41, S. 268 bis 280 (1911).

wird Richter, um seine schwachen moralischen Anlagen immerfort üben und jene niederhalten zu können.

Diese S t e k e l schen Berufstypen sind sicher lebenswahr, doch dürften sie kaum alle Fälle erschöpfen. Es muß hervorgehoben werden, daß der Mensch neben den unbewußten, kulturfeindlichen Trieben — Gott sei Dank — auch solche Triebe besitzt, die das Licht des Bewußtseins nicht zu scheuen brauchen. Als einfachstes Beispiel seien die zahlreichen Kinder angeführt, die unter der Einwirkung ihres Eßtriebes Köche oder Zuckerbäcker werden wollen. Vielleicht wird es mir einmal gelingen, d i e B e r u f s w a h l vieler Menschen a u f T r i e b e z u r ü c k z u f ü h r e n.

*   *
*

Die Ansicht, daß man einen Menschen nur als Ganzes begreifen kann, wird durch den Einblick in die Lebensschicksale vieler Menschen immer von neuem bestätigt. Ich sehe von Tag zu Tag mehr ein, daß unsere differentiell-psychologische Forschung, wenn sie sich nur auf einzelne Fragen beschränkt, bloßes Stückwerk ist. Darum bin ich entschlossen, auch noch die langwierige psychographische Methode — vielleicht in einer etwas vereinfachten Form — zu Hilfe zu nehmen und mit dem Beistand von Mitarbeitern, die mir immer willkommen sind, e i n g e h e n d e L e b e n s a n a l y s e n m ö g l i c h s t v i e l e r I n - d i v i d u e n durchzuführen.

Zur Berufswahl.

Von Friedrich Thalberg.

Kurz bevor sich die Schultore für lange Ferienwochen schließen, haben die Schüler der höchsten Klasse ihre schwerste Aufgabe zu lösen: die Matura stellt sich den jungen Leuten als eine Klippe, ein gefährliches Vorgebirge dar, hinter dem sich ihnen ein verheißungsvolles Land aufzutun scheint. Aber auch viele junge Leute niedrigen Bildungsgrades schließen zu diesem Zeitpunkte ihre Schuljahre ab, um sich praktisch oder theoretisch für das Erwerbsleben vorzubereiten. Kaum aber hat der Jüngling oder das junge Mädchen die neue Welt, die außerhalb der Schule liegt, betreten, so werden sie vor die erste, ernste Lebensfrage gestellt: vor die Berufswahl. Es ist aus vielen Gründen für die meisten eine verwirrende Frage; die jungen Menschen erschrecken oft vor der Vielfältigkeit der Möglichkeiten und können keine klare Vorstellung von ihrem künftigen Leben gewinnen. Dem äußeren Scheine nach steht der Jüngling, das junge Mädchen hier wirklich vor einem Problem, dem sie nicht gewachsen sind, zu dessen glücklicher Auflösung sie von der Natur nicht entsprechend ausgerüstet wurden. Wie soll der junge Mensch eine Wahl unter Dingen treffen, zu denen er noch nicht in ein persönliches Verhältnis treten, die er nur vom Hörensagen oder durch oberflächliche Anschauung kennen lernen konnte. Und wie schwerwiegend, verantwortungsvoll ist seine Wahl! Bei der ausgebreiteten Arbeitsteilung unserer Gesellschaft, wo von jedem einzelnen eine außerordentliche Gewandtheit und Erfahrung auf dem kleinen Felde gefordert wird, auf dem der Betreffende einen äußerst intensiven Anbau treiben muß, um zu einem günstigen Ergebnisse zu gelangen, ist der Berufswahl eine ebenso große Aufmerksamkeit, wenn nicht noch eine größere zuzuwenden, wie einem Entschlusse zu einer Ehe, die leichter zu trennen ist als die Verbindung zwischen einem Menschen und seinem Berufe. Umsatteln heißt heute, eine neue, viele Jahre dauernde Lehrzeit und eine damit verbundene Erwerbslosigkeit auf sich nehmen; umsatteln bedeutet in allen Fällen den meist nicht unansehnlichen Verlust des Lernaufwandes für den ersten Beruf; umsatteln heißt eine gänzliche Veränderung der Lebensgewohnheiten, oft des Wohnortes, sogar der Heimat durchführen. Alles dies sind Gründe, die das Verbleiben in der einmal erwählten Berufskategorie wünschenswert erscheinen lassen, und die demgemäß die Vorsicht bei der Berufswahl kategorisch verlangen.

Immer wieder wird dann die Frage aufgeworfen, w e r und w i e w e i t man überhaupt die Richtung der Wahl als Außenstehender beeinflussen darf, um dem jungen Menschen das Wählen zu erleichtern und ihn in seiner materiellen Lage zu fördern. Darüber ist man sich heute wohl im allgemeinen klar, daß Z w a n g d u r c h d i e A n g e h ö r i g e n nur selten gut verläuft, sei es nun, daß sich der elterliche Wille durchzusetzen vermag, sei es, daß der junge Mensch den auf ihm lastenden Druck überwindet. Im ersteren Falle ist Trotz und Gehässigkeit, die Unlust zum Beruf, die Folge. Im zweiten Falle haben Eltern oder Vormünder nichts anderes erreicht, als dem jungen Menschen den Weg erschwert zu haben; sie haben ihm Hindernisse und Leiden verursacht, ohne dem Erwünschten näher gekommen zu sein. Auch hier wurden die gegenseitigen Beziehungen geschädigt, und zu den Mißlichkeiten, die jeder Erwerbsberuf mit sich bringt, ist die Unerträglichkeit des Familienzerwürfnisses hinzugefügt.

Aber soll man die ganze Verantwortung der Entscheidung der jugendlichen Unerfahrenheit überlassen? Den Nichtausgerüsteten sorglos in den Kampf ziehen lassen? Und bei diesen Fragen stößt man auf das Problem, dem diese Zeilen gewidmet sind. Die Wehr- und Urteilslosigkeit des an der Pforte des Erwerbslebens Stehenden ist durchaus nicht so weitgehend, wie man anzunehmen geneigt ist. Die moderne Psychologie ist der Ansicht, daß der junge Mensch intuitiv seine Lage erfaßt, d a ß e r z u e i n e r L e b e n s a r b e i t g e l a n g e n w i l l, d i e i h m S i c h e r h e i t, B e f r i e d i g u n g u n d I n h a l t g e w ä h r e n w i r d. Der junge Mensch ist von der Natur ausgerüstet unter allen Betätigungsmöglichkeiten die Tätigkeit herauszufinden, die er nie wieder aufgeben möchte, die „ s e i n e r B e s t i m m u n g " entspricht, seinen „ B e r u f " darstellt, zu dem „ e r a u s e r w ä h l t " ist. Nicht nur hervorragend k ü n s t l e r i s c h Begabte haben einen so scharfen Instinkt für ihren Lebensberuf, vielleicht Lebenszweck, sondern auch in jedem einzelnen liegen Fähigkeiten verborgen, die im richtigen Wirkungskreis außerordentlich wohltätig zu wirken vermögen. — Es ist die junge individualpsychologische Schule, die sich glücklich in diesem Sinne mit dem Problem der Berufswahl auf Grund ihrer wissenschaftlichen Basis beschäftigt hat.

Ausgehend von Betrachtungen über Minderwertigkeit von Organen, über Unsicherheitsgefühle und Sicherungsbestrebungen im Seelenleben

des Kindes, gelangt Dr. A d l e r dazu, alles psychische Geschehen als
V e r s u c h e z u r A n n ä h e r u n g a n e i n e r r i c h t e t e s Z i e l aufzufassen. In einem Vorwort, das er zu der ersten Nummer einer zwang-
losen Reihe von Schriften[1] verfaßt hat, sagt er: „Mit dieser dürf-
tigen Selbsteinschätzung baut das Kind unter undeutlichen Erkenntnissen seinen L e b e n s p l a n. Den hält es um so fester, je stärker
sein Minderwertigkeitsgefühl nach Kompensationen drängt." D i e s e
A u s g l e i c h s b e s t r e b u n g e n s i n d d e r p o s i t i v e, a k t i v e
Z u g d e s S e e l e n l e b e n s, die den Unerfahrenen die individuell
richtige Beurteilung ermöglichen. Der Beruf, in dem ein Mensch
volle Befriedigung finden kann, muß ihm die Ausgleichung für
seine Minderwertigkeit bieten, deren er sich mehr oder weniger bewußt ist. Wem diese Vorstellung nicht ganz verständlich erscheint,
der denke nur, wie der körperlich Schwache bemüht sein wird, Hebel-
vorrichtungen zu gebrauchen, ja zu ersinnen; wie unscheinbare Menschen
auffallende Kleider-, Masken-, Bart- oder Haartrachten erdichten, um
ihre Mängel zu verdecken. Und ist dies nicht schon beinahe Berufswahl? Was trennt den ersten vom Mechaniker oder Maschineningenieur,
was den letzteren vom Schneider, Friseur — oder um einige Oktaven
in der intellektuellen Tonleiter höher gegriffen: vom Schauspieler?
Nichts als ökonomische Umstände!

Wie oft aber sind es gerade die ökonomischen Umstände, die gegen das
Ergreifen des einen oder das Verwerfen des andern Berufes sprechen?
Ich glaube jedoch, daß unsere Zeit gerade diesen Verhältnissen einen
zu großen Wert beimißt; vor allem sind die Möglichkeiten in ein und
demselben Beruf sehr mannigfaltig, so daß man eigentlich nie von einem
schlecht tragenden Beruf, sondern höchstens von einer schlecht tragenden Form eines Berufes sprechen kann. Ferner ist ein Mensch, der für
einen Beruf besondere Vorliebe fühlt, stets mehr oder minder ein Schöpfer in demselben und vermag manches bis zu einem gewissen Grade
günstiger für sich zu gestalten. Schließlich wird auch jeder für den
Preis innerer Befriedigung auf ein oder den andern Vorteil verzichten,
weil schließlich jede Erwerbstätigkeit ein Aufgeben geringerer Werte
um höherer Werte willen (an individuellem Maße) gemessen ist.

Wenn man aber nach dem Gesagten annehmen muß, daß jedem Menschen eine bestimmte Tätigkeit zugeordnet ist, eine Tätigkeit, die ihm
eine K o m p e n s a t i o n f ü r s e i n e M i n d e r w e r t i g k e i t e n, eine
Befriedigung seiner S i c h e r u n g s t e n d e n z bietet, so ist damit noch

---

[1] „Schriften des Vereins für freie psychoanalytische Forschung."

nicht gesagt, daß sich der betreffende Mensch seines Lebensplanes und
seines Zieles bewußt ist, daß er seine Gefühle restlos zur Geltung bringen
könne, oder daß das, was er sich durch die logische Funktion seines
Seelenlebens zurechtgelegt hat, sich mit seinem sensorischen Ich im Einvernehmen befinde. Im Gegenteil, es wird dies ein Idealfall sein, der zur
Gänze wohl überhaupt nicht erreicht werden dürfte. Hemmungen verschiedenster Art, äußere Einflüsse, entgegenwirkende innere Strömungen,
die ihrem Ursprunge nach wohl auch auf das erwähnte Ziel zurückzuführen sind, die aber direkt von Zwischenzielen, von Interessen unter-
geordneterer Natur herrühren, beeinträchtigen den klaren Ausblick und
drängen die nach außen strebende Auflösung in das Dunkel des Unterbewußtseins zurück. Dieser Kampf stellt sich dann als ein Konflikt
dar, von dem sich der Betreffende nicht ohne weiters und von selbst
erlösen kann, und es tritt dann der so oft an jungen Leuten beobachtete
Fall ein, daß sie selbst nicht wissen, was sie wollen; von Unruhe oder
Leichtsinn getrieben, sind sie bereit, das erste zu ergreifen, was sich
ihnen bietet, oder zu was sie von Unwissenden gedrängt werden. Alle
„verfehlten Berufe", viele „verpfuschte Leben" gehören in diese
Gattung; sie sind daher mehr auf Unwissenheit der Eltern, Naturmiß-
achtung oder Leichtsinn als auf Unerfahrenheit zurückzuführen.

Diese Ausführungen lassen nun die Beantwortung mancher praktischer
Fragen zu: o b und w i e man einen Einfluß auf den jungen Menschen
geltend machen solle, und w e r hierzu die geeignete Persönlichkeit
sei. Die geschilderten Wirren in der jugendlichen Psyche, die Bedeutung des Entschlusses für die Zukunft des betreffenden Menschen
lassen eine solche Beeinflussung wünschenswert erscheinen, gerade weil
der völlig freie Entschluß durchaus nicht immer den „natürlichen Beruf"
— wenn ich mich so ausdrücken darf — erwählt. Was nun die Person
des Ratgebers anlangt, so gilt, daß nicht in erster Linie seine allgemeine
Erfahrenheit in Betracht kommt — ein oft mißbrauchtes Wort, eine
Eigenschaft, deren sich auch der Lebensblindeste gerne rühmt —,
sondern seine psychologischen Fähigkeiten. Denn nicht w a s der junge
Mann oder das junge Mädchen wählen soll, muß man raten; sondern
w i e sie wählen sollen, darauf allein kommt es an. Geburtshelfer des
Bewußtseins werden ist die Aufgabe des Lehrers und Vaters, denn Be-
wußtmachung ist die größte, wenn nicht einzige Wohltat, die dem
psychisch Gefesselten erwiesen werden kann. Man räume die u n -
n ü t z e n Hemmungen weg, man betrachte die geheimen Triebkräfte,
die das Seelenleben des jungen Menschen bewegen und hebe die Auf-

lösung des Problems, die in dem Hilflosen selbst gelegen ist, aus den Tiefen des Unterbewußtseins an die sonnenhelle Oberfläche des Bewußtseins. In der schon angeführten Einleitung sagt Dr. Adler: „Die unerschöpfliche Kraft des menschlichen Forderns und Begehrens quillt aus der Heiligkeit der leitenden Idee", und damit ist die Brücke von unserm besondern Falle, der Berufswahl, zur Allgemeinheit des psychischen Handels geschlagen. Die Heiligkeit der leitenden Idee ist ein Prinzip des Individualismus, der aber nicht Gleichgültigkeit und Sorglosigkeit, sondern Achtung und Verständnis für andere Individuen gebieterisch fordert.

Kindliche Phantasien über Berufswahl.

Von Dr. Josef Kramer.

In einem Aufsatze „Psychologie der Berufswahl" (Monatshefte für Pädagogik und Schulreform, IV. Jahrg., 12. Heft) stellt Dr. St. von Maday ein Fragenschema auf, um das Verhältnis des Menschen zum Berufe von allen Seiten beleuchten zu können. Die praktische Betrachtung zerfällt in eine ethische, sozialpolitische und kulturelle, die theoretische in eine psychologische und soziologische. Die vorliegende Abhandlung will sich mit einem Detailproblem befassen, mit der zur psychologischen Betrachtung gehörenden Detailfrage: „Wie verhält sich ein bestimmter Mensch zu den verschiedenen Berufen", d. h. „Welchen Beruf will ich wählen?" Einschränkend muß ich hier noch hinzufügen, daß es sich nicht um endgültige Berufswahl handelt, sondern um Phantasiespiele der Kinder, die sich einen bestimmten Beruf erträumen. Die Untersuchung wird also in erster Linie eine Untersuchung der kindlichen Psyche sein, speziell eine Aufdeckung ihrer Leitlinien, die uns eine neue Bestätigung der Adlerschen Theorie bringen wird.

Das der Untersuchung zugrunde liegende Material stammt aus einer Reihe von Aufsätzen von Mittelschülern, in denen die Frage: „Was ich am liebsten werden möchte", beantwortet wurde. Natürlich ist das gelieferte Material nicht genügend Grundlage für die Untersuchung; es bedarf noch einiger Ergänzungen. In vielen Fällen zeigt sich, daß erst die engste Vertrautheit mit der Lebenslage und den Erlebnissen des Kindes den richtigen Einblick ermöglicht.

Zu den wichtigsten Ergänzungen gehört:

I. Die Kenntnis des Berufes und der sozialen Stellung des Vaters, resp. der Mutter oder Verwandter, die in der Familie eine besondere Rolle spielen, der Konfession, der materiellen Lage und überhaupt des Milieus der Familie;

II. Einblick in den Gesundheitszustand und das Tempo der geistigen und körperlichen Entwicklung des Kindes von früher Jugend an. Gerade dieser Punkt verlangt einen besonderen Kontakt des Untersuchenden mit der Familie;

III. wäre auch die Kenntnis der Lektüre erforderlich, die in gewissen Lebensaltern besonderen Eindruck auf das Kind gemacht hat. In einigen Fällen finden wir sogar als Rechtfertigung des gewählten Berufes den Hinweis auf die Lektüre.

Neben diesen notwendigen Ergänzungen dürfen auch einige Fehlerquellen nicht übersehen werden, die gegen den Willen der Verfasser der Aufsätze den Wert des Materials beeinträchtigt haben:

1. Wegen der raschen Entwicklung und Änderung des Gesichtskreises finden wir oft eine Geringschätzung der früheren Wünsche. Dem Umstand kann zum Teil bei der Stellung des Themas begegnet werden.

2. Bei höherem Alter spielt die Nähe der wirklichen Berufsentscheidung eine Rolle. Daher darf es uns nicht wundern, wenn fallengelassene Wünsche verschwiegen werden, deren Nichterfüllbarkeit schmerzt. Dieses Verschweigen ist in den meisten Fällen wahrscheinlich ein unabsichtliches. Man rührt eben nicht gern daran.

3. Von der größten Wichtigkeit aber ist es, daß es sich hier um Tagträume handelt. Nicht jeder Tagtraum verdichtet sich zur konkreten Berufsvorstellung.

Damit haben wir uns auch dem ersten Hauptteil unserer Untersuchung genähert. Wir haben es nicht mit endgültig entscheidender Berufswahl zu tun, sondern mit Tagträumen der Kinder. Aus welchen Quellen stammen diese Tagträume? Was ist ihre treibende Kraft? Was bedeutet die freiwillige kindliche Berufswahl? Die Antwort auf diese Frage dürfte den in den Adlerschen Theorien Bewanderten nicht überraschen. Der Beruf ist für das Kind ein regelmäßiges, untrennbares Merkmal der Großen. Der Wunsch des Kindes, einen Beruf ausüben zu können, bedeutet also indirekt: „Ich will groß sein, den Erwachsenen ebenbürtig". Die kindliche Phantasie spiegelt sich demnach eine Wunscherfüllung vor. Aber nicht die allgemeine Wunscherfüllungstendenz als solche ist das Interessante, sondern die Art, die uns in die Differenziertheit der kindlichen Seele Einblick gewährt.

Die kindliche Berufswahl im allgemeinen und der gewählte Beruf im besonderen zeigen, wie das Kind auf seine Gesamtlage, auf seine Stellung in der Familie, sein körperliches und geistiges Befinden und seine Neigungen reagiert. Auf dem Wege der Tagträume sucht es sich aus der Situation, die ihm seine Minderwertigkeit den Erwachsenen und oft auch seinen Altersgenossen gegenüber aufzwingt, zu retten. Der gewählte Beruf gibt uns also gewöhnlich nicht Antwort auf die Frage: „Was will ich sein, wenn ich groß bin?", sondern eher: „Was möchte ich jetzt sein?", und besonders: „Wie würde ich mich dabei verhalten?" Bei der Ausmalung der dabei ausführbaren und daher in der Phantasie auch schon ausgeführten Taten fühlt sich das

Kind den Erwachsenen ebenbürtig, das Spiel der Phantasie erlöst es mit Überspringung aller Realität aus dem drückenden Gefühl seiner Minderwertigkeit, ja es fühlt sich sogar den Großen überlegen.

Zur Stellung des Kindes in der Familie wäre noch folgendes zu bemerken: Das Kind, an dem die Erwachsenen ihre Autorität und ihre Erziehungskunst versuchen, fühlt sich stets in einer teils bewußten, teils unbewußten Opposition, es leidet unter dem Zwange. Bei lebhaften Kindern spielt das eine größere Rolle, da sie leichter in Konflikt mit ihrer Umgebung geraten. Daraus ergibt sich oft eine dauernde Trotzstellung. Wenn nun etwa der Vater in übertreibender Drohung sagt: „Wenn du es so weiter machst, kannst du höchstens Schuster oder Schneider werden", dann kann er als Antwort nach einiger Zeit eine Berufsphantasie des Kindes entdecken wie in einem tatsächlichen Falle: „Ich will ein Mann sein, der die Tramwayschienen ausputzt", oder, „der im Winter das Eis vom Trottoir abkratzt". Das Kind schlägt den Vater, indem es seine Befürchtungen übertrumpft. Natürlich können hier noch weitere Motive mitspielen.

Bei Betrachtung des körperlichen Befindens neben dem gewählten Beruf finden wir, daß besonders Krankheiten oder dauernde Schwächezustände das Kind veranlassen, tagtraumweise seinen Zustand zu überwinden. Das eine sucht nach den Mitteln dazu, es will z. B. durch ausgiebige Nahrungsaufnahme nach eigener Wahl stärker werden, dann erscheinen Berufe wie Zuckerbäcker oder Koch erstrebenswert; oder ein dauernd krankes Kind will Arzt werden; das andere wählt sich einen Beruf, der die Überwindung dieses Zustandes zur Vorbedingung hat, es will Soldat, Räuber oder Seefahrer werden.

Aber auch frühzeitige Neigungen spielen eine Rolle. Dem lebhaften Wollen entspricht kein Können. Und so sehen wir wieder, wie die einen an den Weg denken, ihr Ziel zu erreichen; der zukünftige Ingenieur spielt gerne mit dem Steinbaukasten oder interessiert sich für den Mechanismus seiner Spielzeuge. Die andern stellen sich von vornherein die Erfüllung vor. Einer sieht sich als großer Maler; dabei aber bringt er im Zeichenunterrichte vor lauter Tändeln und Spielen trotz seiner Begabung keine ordentliche Zeichnung zuwege.

An diese Erörterung will ich noch eine Vermutung anknüpfen. Die realen Forderungen des Lebens treten an das Kind von Jahr zu Jahr in schärferer Formulierung heran. Und dabei erkennt es bald, daß noch härtere Forderungen im späteren Leben seiner harren. Es soll einmal alles das nicht tun, was ihm jetzt Vergnügen macht, dafür aber einen Beruf ausfüllen und arbeiten. Trotzdem spielt es mit dem Gedanken, das und jenes zu sein. Von diesem Gesichtspunkt aus erscheint die kindliche Berufswahl wie ein Ausdruck der Furcht vor den realen Forderungen des Lebens, Furcht vor dem Beruf und seiner Arbeit, zugleich aber auch als Vorbereitungstendenz, wie man dieser Forderungen Herr werden könnte. Wie sich der Neurotiker hunderterlei gefährliche Situationen und sein Verhalten dabei ausmalt, um im gegebenen Falle automatisch ein bestimmtes, ihn sicherndes Verhalten an den Tag legen zu können, immer mit dem heimlichen Wunsch: „Aber lieber wäre es mir, ich käme nicht in Lage", so auch das Kind. Der Unterschied besteht nur darin: während der Neurotiker mit der Möglichkeit rechnet, tritt der Beruf an das Kind als eine wenn auch ferne Gewißheit hin. Es wird sich auf jeden Fall damit abfinden müssen. Oft flüchtet es zu einer Probe durch das Spiel und kommt dann zu dem teilweise künstlich herbeigeführten Resultat: Soldat oder Kondukteur sein ist gar nicht so unlustig. Ich kann dabei wirklich schießen oder Karten zwicken.

Nach dieser allgemeinen Betrachtung will ich mich der Betrachtung des Materials im besonderen zuwenden.

Die erste Person, die dem Kinde als Angehöriger eines Berufes entgegentritt, ist in den meisten Fällen der Vater. Es fragt sich nun, in welcher Weise das Kind auf dieses Bild des Berufes reagiert. Die frühesten Berufsphantasien erscheinen auf den ersten Blick sehr abweichend vom väterlichen Beruf. Auffallend ist die überwiegende Zahl der mit dem Verkehr zusammenhängenden Berufe (unter 27 Schülern einer Klasse: 10; unter 44 einer andern: 31). Das mag einerseits auf die bei den meisten Kindern wahrnehmbare Freude am Fahren und an rascher Fortbewegung überhaupt zurückzuführen sein, andererseits aber ist die Beziehung auf die Eltern, speziell auf den Vater, unverkennbar.

Das Kind hat Gelegenheit genug, zu sehen, mit welcher Vorsicht, Ängstlichkeit und Nervosität seine erwachsenen Begleitpersonen, ja selbst der Mächtigste in der Familie, die Fahrbahn überschreiten und sich auf der Straße bewegen, während die Lenker der Fahrzeuge von den Fußgängern anscheinend keine Notiz nehmen und in königlicher Ruhe ihres Amtes walten. Ja, sogar stehenden Pferden nahe zu kommen gilt als gefährlich, während ihrer der Kutscher doch in aller Gemütsruhe Herr ist. Die Furcht vor den Gefahren des Verkehrs scheint also die Erwachsenen, speziell aber den sonst so mächtigen Vater herabzusetzen, der Lenker des Fahrzeuges erscheint als der Überlegene. Nicht zu unterschätzen ist auch die Sinnfälligkeit des Gesamtbildes der Straße mit ihrem imponierenden Verkehr, neben dem der einzelne und natürlich auch der Vater höchst unbedeutend und klein erscheint. Nicht einmal seine warnende Stimme kann er oft im Straßenlärm vernehmbar machen.

Diese Sinnfälligkeit des Berufsäußeren scheint auch die nächst höhere Zahl der gewählten Berufe zu erklären, die vielen Soldaten (unter 27 Schülern: 16, unter 44: 16). Vielleicht ist auch hier die Beziehung auf den Vater nicht von der Hand zu weisen. Das auffallende Äußere, das Tragen der Waffen, deren Wirkung dem Kinde oft drastisch genug geschildert wird, dann gar das Bild ganzer Truppen, die bei dem Klange der Militärmusik in gleichem Schritt dahinmarschieren, erwecken in dem Knaben Vergleiche zwischen Mann und Mann, die nicht gerade zugunsten des zivilen Vaters ausfallen müssen, und wäre er selbst wohlhabender Fabrikant oder hochgestellter Staatsbeamter. Von dem wirklichen Machtbereich eines Berufes und seinen Funktionen hat natürlich das Kind auch keine annähernde Vorstellung und seine Phantasien beschäftigen sich meist nur mit einer auffallenden Funktion, mag sie auch im ganzen Umkreis der Berufsfunktionen die untergeordnetste Rolle spielen.

Vielleicht wären hier auch die verschiedenen Abenteurerberufe anzufügen. Dieses kindliche Ideal gehört anscheinend schon einer späteren Zeit, der Zeit des Schulbesuches und somit der eigenen Lektüre an. Es wurde schon früher betont, welche Rolle die Sinnfälligkeit selbst unbedeutender Handlungen beim Kinde spielt. Wenn der Vater eine Kiste mit Hammer und Stemmeisen öffnet oder irgendeinen lange vermißten Haken neu in die Wand schlägt, verleiht ihm das einen größeren Nimbus, als wenn er berichtet, daß er eine Geschäftsbilanz erledigt habe oder daß ihm eine schwierige Diagnose geglückt sei. Nun ist das Abenteurerleben voll von solchen imponierenden Tätigkeiten, ja diese sind meist noch größer als die angesehensten Taten des Vaters. Der Aggressionstrieb spiegelt direkten Kampf ums Leben vor, der natürlich immer mit dem eigenen Siege endigt. Und die Aussicht, von Berufs wegen viele Dinge tun zu dürfen, ja sogar zu müssen, die im Hause verboten sind, erfüllen das Kind mit einem Rausch von Größenträumen und -möglichkeiten, denen der Beruf des Vaters und auch seine außerberuflichen Funktionen nicht leicht etwas Ebenbürtiges an die Seite zu setzen haben. Deutlich tritt hier das Streben „oben zu sein", höher sogar als der Vater, hervor.

Mit zunehmender Reife und größerer Kenntnis der realen Machtverhältnisse nimmt dieser Kampf oft noch greifbarere Formen an. Wir finden hier Fälle, wo sich der Knabe entweder direkt dem Beruf des Vaters zuwenden will, aber er will ihn in einer höheren Form ausüben, oder er wählt einen mit jenem zusammenhängenden, wenn er dadurch den Vater übertrumpfen kann. So will der Sohn eines in bescheidenen Verhältnissen lebenden kleinen Staatsbeamten ohne Matura selbst Staatsbeamter werden, aber nur nach Absolvierung der juridischen Fakultät. Diese Rivalität fühlt sich vielleicht entschuldigt durch den naheliegenden Wunsch des Vaters, der Sohn solle es einmal besser haben als er. — Der Sohn eines Fabriksdirektors, dessen Wagen in den südlichen Wiener Bezirken in großer Zahl zu sehen sind, hört wahrscheinlich öfters von der Pferdemisere seines Vaters; er will Pferdehändler werden, „um jeden Tag neue Pferde zu haben". — Ein Knabe, dessen Vater in untergeordneter Stellung lebt, dabei streng religiös ist und, wie er selbst betont, den Kindern wiederholt christliche Lebensregeln mit ziemlichem Nachdruck nahelegt, will selber Geistlicher werden. Hier spielt noch ein zweites Motiv mit, das später erörtert werden soll. — Der Vater eines Schülers ist Schuldiener an einer Volksschule. Der Knabe schmeichelt sich mit dem Gedanken, wie schön es wäre, wenn sein Vater ihm die Ehrenbezeigung leisten und seinen Befehlen zu Diensten stehen müßte, er will Lehrer werden. — Der Sohn eines Zimmermalers möchte akademischer Maler sein. — Der Sohn eines Hauptmanns, also eines Mannes, der „des Kaisers Rock" trägt, dem Kaiser „dient", möchte ebenfalls dem Kaiser dienen, aber in größerer persönlicher Nähe und mit größerer persönlicher Unentbehrlichkeit, er will Hofkoch werden. Zugleich erreicht er damit noch ein zweites Ziel. Der Vater ist, wie mir aus Gesprächen bekannt ist, ein Freund guter Tafeln. Im Hause nimmt man ihm dieses Lieblingsthema seiner Gespräche übel. Der Sohn erscheint hier als der Alliierte des dem Vater feindlichen Teiles der Familie, er will selber den höchsten Ansprüchen der Kochkunst genügen können, aber nicht für den Vater.

Schon aus den wenigen bisher angeführten Beispielen scheint hervorzugehen, daß sich das Kind über das ihm zunächst stehende Normalmaß des Berufes, den Vater, durch Größenträume erhebt. Von diesem Standpunkt aus ist es gleichgültig, ob einer schreibt: „Dann wollte ich Österreichs größter Feldherr werden, der noch viel Größeres leistete als Prinz Eugen und eine Weltmonarchie gründete", oder ob einer Kutscher werden will, um auf der Straße zu herrschen. In einem Falle erscheint der Beruf des Vaters direkt als letztes Refugium. Ein Schüler will in bunter Abwechslung General, Kondukteur, Chauffeur des deutschen Kaisers und Schauspieler werden und schließt seine Arbeit: „Wenn aber mein Talent nicht ausreichen sollte, werde ich doch noch den Beruf meines guten Papa ergreifen".

Später tritt neben die Autorität des Vaters eine andere und hilft, sie noch mehr herabzumindern, die Autorität des Lehrers. Nicht mehr der Vater oder die Person, die ihn vertritt, hat in vielen Fällen das letzte Wort zu sprechen, sondern der Lehrer. Die Erscheinung, daß viele mit dem Eintritt in die Schule Lehrer werden wollen (27:12, 44:7), beweist neuerdings unsere frühere Vermutung, daß die Knaben nach einem Weg über den Vater hinaus suchen. Zugleich sehen wir auch schon wieder das Streben, dieser neuen Autorität Herr zu werden. Der erste Schritt ist der, daß sie sich dieser gefürchteten Person in der Phantasie gleichstellen; die angeführten Gründe vieler für den neuen Beruf zeigen ferner deutlich zugleich ein Darüberhinausgehen. Wenn ein Schüler Lehrer werden wollte, um „seine Klasse durchprügeln", oder „mit dem Rohrstaberl die Fingerknöchel der Schüler bearbeiten zu können", so heißt das neben dem leicht verständlichen Streben, über seine Kameraden zu herrschen und seine sadistischen Regungen zu befriedigen, nicht gerade, daß er seinem Lehrer nachahmen will; denn er hat wohl in den seltensten Fällen solche Erfahrungen gemacht, er weiß vielmehr sehr gut, daß derartige Dinge dem Lehrer verboten sind, selbst bei der größten Renitenz der Schüler. Er aber möchte einer sein, der es sich erlauben kann. Ähnlich steht die Sache, wenn sich einer diesem Beruf zuwenden will, „um in den Heften der Schüler recht viel rot anstreichen" oder „im Katalog blättern zu können". Noch deutlicher wird diese Tendenz dadurch, daß sich viele sehr bald wieder von diesem Ideal als von einem überholten abwenden. Wir finden da zweierlei Wege. Als der primitivere erscheint der, daß auf den Lehrer irgendein anderes beliebiges Berufsideal folgt wie Offizier, Marinesoldat oder Pilot. Schärfer gehen die zu Werke, die dann einen Beruf wählen, der aus dem Unterricht selbst hervorgegangen sein dürfte. Vielleicht sind es oft gerade nicht erfüllte Ideale des Lehrers, denen er beim Unterricht lebhaftere Farben zu verleihen wußte. Wir finden, daß auf den Lehrer mehrere Male Berufe folgen, die mit dem Reisen zusammenhängen, Entdeckungsreisende und Forscher auf verschiedenen Gebieten. Auch der Ingenieurberuf erscheint zweimal. Das Gesagte gilt natürlich nicht nur von der Volksschule, sondern auch vom Gymnasium. In dieser späteren Zeit treten auffallend oft Berufe hervor, die mit einem ausgiebigen Gelderwerb zusammenhängen, vielleicht eine

Rückwirkung der bescheidenen Gehaltsverhältnisse der Lehrer. Ein interessantes Beispiel ist folgendes: Der Sohn eines wohlhabenden Notars will vor seinem Eintritt in die Schule Lehrer werden. Die Gespräche der Eltern und der ältere Bruder, der die Schule besucht, haben dieses Ideal großgezogen. Als er selbst einige Jahre in der gleichen Lage ist, findet er, daß der Beruf seines Vaters gar nicht zu verachten sei, und er beschließt, Notar zu werden. Die Erklärung ist einfach. Zuerst stellt er der väterlichen Autorität die höhere des Lehrers gegenüber. Als er sie aus eigener Erfahrung kennt, findet er, daß der früher zurückgestellte Vater, der sich wenigstens eines höheren Einkommens erfreut, doch dieser bloßen Schulautorität vorzuziehen sei.

Interessant für den Erzieher erscheint auch die Frage, inwieweit diese kindlichen Zukunftsträume Eignungen oder Minderwertigkeiten reflektieren. Nach der Adlerschen Lehre von der Organminderwertigkeit wird es uns nicht wundern, wenn manche Berufe erstreben, die ihnen gerade am wenigsten zu liegen scheinen. Ein Knabe, der nach der Aussage seines Vaters seit frühester Jugend sehr schwächlich und blutarm war und an großer Gedächtnisschwäche litt, sucht aus diesem Zustand, der ihn auch unter seinen Altersgenossen herabsetzen mußte, einen Ausweg. Der elterliche Rat, ausgiebig zu essen, und sein körperliches Verlangen veranlassen ihn, nacheinander den Beruf eines Zuckerbäckers, eines Käsehändlers und eines Salamimannes zu wählen. Da könnte er die ihm zusagenden Dinge zur Genüge essen. Er tut es auch in seiner Phantasie; ja er tut es soweit, daß er sich, ebenfalls in seiner Phantasie, bereits riesig stark fühlt; denn der nächste gewählte Beruf ist „Räuber in den Urwäldern Amerikas". Mit dem Eintritt in die Volksschule bricht dieses Ideal zusammen. Jetzt leidet er besonders unter seiner Gedächtnisschwäche und sofort entschädigt er sich dafür dadurch, daß er Volksschullehrer werden möchte, der doch alles wissen muß. Aber auch das Ideal körperlicher Tüchtigkeit läßt ihm keine Ruhe, er will zwar nicht mehr „Räuber in den Urwäldern Amerikas" werden, die größere Erfahrung hat ihm vielleicht schon die Schwierigkeit dieses Berufes vor Augen geführt. Dafür hat es ihm der immerhin erreichbare Beruf des wetterfesten Seebären, eines Marinesoldaten, angetan. Dabei ist er sich des Gegensatzes zwischen seiner allgemeinen Minderwertigkeit und seinem Ideal bewußt geworden, denn er schließt seine Arbeit mit dem resignierten Satz: „Leider wird keines von diesen meinen Idealen je verwirklicht werden können und über meinen wirklichen Beruf wird demnächst ein Familienrat entscheiden." (Er

stand damals am Ende der 4. Gymnasialklasse.) — Ein anderer, ebenfalls sehr schwächlicher und unterernährter Schüler aus armer Familie
setzt mit kühnen Größenträumen ein. Zuerst will er einer der berühm-
testen Feldherrn werden, dann akademischer Maler, Professor, Doktor,
wozu er bemerkt, daß ihm besonders die Titel gefielen, andere Gründe
zu seiner Wahl habe er nicht gehabt. Unter diesen angeführten Berufen verdient einer noch spezielles Interesse, nämlich der eines akade-
mischen Malers, da der Knabe schon frühzeitig hochgradig kurzsichtig
wurde. Später wollte er ganz allgemein ein Mann werden, dem man ein
Denkmal setzte. Nach der Lektüre des Karl May fühlt er sich als den
Haupthelden aller Geschichten, nach der Lektüre des Romans „Soll
und Haben" erscheint ihm der Kaufmannsstand als das Höchste und
füllt seine Träume aus; jetzt aber, erklärt er, da er älter geworden sei,
könne er sich eigentlich für keinen Beruf entscheiden; nur daran halte
er fest, das Gymnasium zu absolvieren, das übrige überlasse er der
Zeit; wenige Wochen später meldeten die Eltern seinen Austritt
aus dem Gymnasium und gaben ihn in eine Lehrerbildungsanstalt,
ohne daß er dagegen Einsprache erhoben hätte. Ja, er scheint sich dort
jetzt sehr wohl zu fühlen. — Ein früher schon erwähnter Schüler
wollte in Reaktion auf die häusliche christliche Erziehung nach einem
kurzen Kindertraum, der ihn Kutscher sein ließ, Priester werden,
weil er da oft zu vielen sprechen könne, und er schildert, wie er nach
dem Besuch der Kirche zu Hause, auf einem Sessel oder Tische stehend,
sich bemühte, die Worte des Geistlichen zu wiederholen. Charakteristisch ist es nun, daß dieser Schüler nie dahin zu bringen war,
einen korrekten oder zusammenhängenden Satz zu sprechen. Aber er
wollte Redner vor einer großen Menge sein. Diese Schwerfälligkeit
der Zunge paarte sich mit einer auffallenden Stumpfheit der Sinnesorgane. Unter seinem schwer zu schulenden Gehör litt er in den alten
Sprachen und sein Auge, das noch dazu mäßig kurzsichtig wurde,
war in den Naturwissenschaften nicht imstande, gewöhnliche Dinge
auf den ersten Blick zu erkennen. Dasselbe zeigte sich bei der Beschreibung von Bildern im Deutschunterrichte. Nun wählt er als endgültigen Beruf einen, der einen scharfen, raschen Blick und eventuell
auch ein feines Gehör zur Voraussetzung hat, er will Arzt werden.
Er will also einer sein, der weiß, wie körperliche Fehler behoben
werden können. — Dasselbe zeigt sich auch bei einem anderen Schüler,
der kurz erzählt: „In meiner Kindheit war ich viel krank, darum
wollte ich Arzt werden." — Ich komme jetzt noch einmal auf den

schon erwähnten Offizierssohn zurück, der Hofkoch werden wollte.
Er fiel allgemein durch seine übermäßige Dicke auf, die ihn schwer-
fällig und unbeweglich machte. Dabei litt er nach der Aussage der
Eltern seit früher Jugend an andauernder Appetitlosigkeit. Daß hier
eine ausgesprochene Organminderwertigkeit zugrunde liegt, ist klar.
Aber er wählt gerade einen Beruf, der ihn in die Lage versetzt, an den
feinsten Tafelgenüssen teilzuhaben.

Andererseits zeigt sich oft in den gewählten Berufsarten eine bestimmte, geistige Eignung oder es kommt die Gesamtattitüde zu Wort,
So will z. B. ein Schüler, der in der Klasse als einer der besten
Zeichner gilt, schon in früher Jugend Baumeister werden, der große
Paläste, Kirchen und Türme baut, später erscheint ihm der Beruf
eines Maschinenbauingenieurs sympathisch. — Ein anderer guter Zeichner der Klasse will in frühester Jugend Damenschneider werden, wegen
„Schick", was deutlich auf besondere Ausbildung des optischen Sinnes
und, nebenbei bemerkt, auf eine spezifisch weibliche Attitüde hinweist.
Später will er Ingenieur und Maler werden. — Noch ein zweiter will
als Kind Schneider werden, doch wird darüber später noch zu reden
sein. — Solche Berufe, die auf eine spezielle Begabung zurückzuführen sind, können aber noch mehr abseits liegen. So finden wir
einen anderen Schüler, der in seiner Jugend Feuerwehrmann werden
will, aber dann plötzlich große Leidenschaft für die Malerei entwickelt.
Wenn wir die Schilderung seiner Vorliebe für die Feuerwehr lesen,
so finden wir sofort, daß es ihm nur am richtigen Namen für seinen
Lieblingsberuf gefehlt hat. Er sagt: „Wenn ich als Kind die Feuerwehr
blasen hörte, ließ ich wohl mein liebstes Spielzeug stehen und lief so
schnell wie möglich ans Fenster, um mit meinem Blick noch ein
Stückchen des vorbeieilenden Wagens erhaschen zu können." Auffallend erscheint mir die Wendung „mit meinem Blick erhaschen",
also mit dem Gesichtssinn Besitz ergreifen von den Dingen. Dann
schildert er den Eindruck, den die fahrende Feuerwehr auf ihn machte,
wenn er das „Glück" hatte, gerade auf der Straße zu sein. „Da ergriff
mich die allgemeine Erregung und ich konnte mir keinen schöneren
Beruf denken, als mit blitzendem Helm auf dem Wagen zu stehen, . . .
und Menschen aus Qualm und Rauch zu retten." Auch hier wieder das
optische Element und besonders charakteristisch erscheint die Wendung
„aus Qualm und Rauch retten", statt des näherliegenden „aus dem
Feuer retten".

Im Anschluß daran drängt sich uns die Frage auf, inwieweit sich

die Knaben ihrer sexuellen Rolle bewußt sind. Daß uns ein Material
wie das vorliegende, das ja aus Schulaufsätzen besteht, keine direkten
Anhaltspunkte bietet, darf uns nicht wundern. Umso wertvoller muß
uns daher jeder unabsichtliche Anhaltspunkt sein, wo der Schreiber
selber den Zusammenhang nicht erfassen konnte. In einer einzigen
Arbeit spielt der Gedanke an Frau und Familie herein und da sonderbar
genug. Der Schüler stellt sich vor, er wäre Kapitän eines Kriegsschiffes
und schildert nun in nervöser Abwechslung und voll Sucht nach Sensation alle möglichen Erlebnisse, Abenteuer und Heldentaten, die er
ausführen möchte, und wäre glücklich, wenn er nach seiner Rückkehr
dafür belobt würde. „Ich führe dann gleich zu meiner lieben Frau
und den Kindern und brächte Freude in das so geliebte Haus. Bei der
Trennung würde ich sie durch das Versprechen trösten, bald wieder
zu kommen." Der Gedanke an häusliches Glück wäre also ganz
schön, nur dürfte es nicht zu lange dauern. Gegen den Schmerz einer
Trennung sichert er sich durch die Vorstellung der schönen Rolle, die
er dabei spielen könnte und charakteristisch ist es, daß er dann im
weiteren Verlaufe der Arbeit sofort seine Teilnahme an einer Seeschlacht
schildert. Wenn also der Schüler seinem voraussichtlichen Schicksal
als Ehemann nicht entrinnen zu können glaubt, so sichert er sich wenigstens durch die Wahl eines Berufes, der von Amts wegen seine Rolle
als Ehemann auf ein Minimum reduziert. Zugleich zeigt sich hier
auch das bei Neurotikern häufige Streben, die geliebte Person durch
Fernbleiben, hier sogar verschärft durch das Verweilen in gefährlichen
Situationen, beherrschen zu wollen. — Anders erscheint der Fall eines
Schülers, der von seiner eigentlichen Rolle noch weiter abzuweichen
scheint. Sein ganzes Äußeres, sein Gehaben und seine Sprechweise
erscheinen als eine übertriebene Nachahmung des Mädchenhaften. Dazu
kommt noch eine zärtliche Freundschaft zu einem Kameraden, durch
die er sich von den übrigen völlig abschloß, um nur einem zu gehören.
Und nun lesen wir, daß er in seiner frühesten Jugend am liebsten
Graf sein wollte, „immer von Glanz umstrahlt". Er dachte sich das
Grafsein wie „ein Kleid, das man nur anzuziehen brauchte", und
alles war erledigt. Wäre dieser Schüler ein Mädchen, so hätte er sein
Ideal viel geradliniger erreichen können, das Ideal einer mondänen Dame,
die, „von Glanz umstrahlt", das, was ihr in der Gesellschaft Wert
verleiht, tatsächlich anziehen kann oder die soziale Stellung ihres Mannes
oder ihre Abstammung wie ein Kleid trägt. Später schien es ihm begehrenswert, Schneider zu sein, und zwar, wie aus seinem Wunsch,

schöne Kostüme herstellen zu können, hervorgeht, Damenschneider.
Obwohl er diesen Beruf als Kindheitstraum angibt, kann er doch im
Alter von 15 Jahren nicht umhin, ihn mit einem Hinweis auf Poiret
zu rechtfertigen, dessen Vorträge auf ihn großen Eindruck machten.
Nach dieser Periode „der Seide und des Samtes" hörte er vom Theater
und die Erzählungen davon scheinen seine Phantasie mit unklaren
Bildern dessen, was dort zu sehen sei, angefüllt zu haben. Da kommt
er auf den Gedanken, Souffleur zu werden, d. h., er wollte, von den
andern ungesehen, selbst besser als die andern alles sehen können,
ein deutlicher Ausdruck weiblicher Neugierde überhaupt und der Neugierde dieser Altersstufe im besonderen. Als er hört, daß dies nicht so
leicht sei, will er wenigstens Programmverkäufer oder Saaldiener sein.
„Dann wollte ich eine Zeitlang ins Kloster gehen oder Arzt werden."
Beide Berufe sehen im Zusammenhange mit den vorausgegangenen
auf den ersten Blick wie der Ausdruck eines Katzenjammers nach
den früheren Träumen aus; der erste bedeutet direkte Abkehr von den
Genüssen der Welt, natürlich auch vom Theater, und der andere erscheint mehr von der Seite der menschlichen Leiden, also als Bußberuf,
erfaßt zu sein. Aber in beiden Berufen wird noch ein weiterer uns
schon bekannter Zweck erreicht. Mönch sein bedeutet, auf die von der
Natur zugedachte Rolle freiwillig verzichten unter einer höheren Rechtfertigung; Arzt sein heißt, wie beim Souffleur, alles aus nächster
Nähe von Berufs wegen sehen zu können, ohne weitere Verpflichtung.
Als er dann im Alter von 13 Jahren zum erstenmal wirklich die Oper
besuchte, geht ihm eine neue Welt auf. Sein heißester Wunsch wird
es, dort oben auf der Bühne zu stehen, von allen bewundert zu werden
und zwar als der Erste dort zu stehen. Ein deutliches Sich-zur-Schau-
stellen-wollen, um die andern zurückzudrängen. Gelingt ihm dieser Plan nicht, dann will er lieber in einer Kanzlei sitzen und auf
den Hofratstitel warten. Wir erkennen aus dieser Zusammenstellung
deutlich die Verschiebung der Leitlinie auf ein weibliches Ziel. —
Einige Züge dieser Aufzeichnung scheinen noch auf ein anderes, bei
manchen Kindern häufiges Ideal zu weisen, auf den Gottheitstraum.
Gott ist unsichtbar, kein Mensch kann ihn mit Augen sehen, aber er sieht
alles und hält alle Fäden in der Hand, ohne ihn kann nichts geschehen.
Diese Funktionen hat bis zu einem gewissen Grade auf der Bühne
der Souffleur. Gott ist einzig, nichts kann sich mit ihm messen, alle
bewundern sein Werk. Das gilt auch von dem, der als erster auf der
Bühne steht. In der Zeit, als die früheren Größenideale des Schülers

zusammenbrechen, finden wir das Mönchsideal. Er will auf gutem Fuß mit Gott stehen, wenn er schon selbst nicht Gott sein kann. — Andere Arbeiten zeigen deutlich sadistische Züge, die sich in verschiedenen Berufsarten ausleben wollen. Der eine will Jäger werden, um bei einer Treibjagd, d. h. gesichert gegen jeden Angriff, recht viel Tiere erschießen zu können. Ein anderer will, wie schon erwähnt, Schullehrer werden, um mit einem Rohrstaberl die Fingerknöchel der unaufmerksamen Schüler bearbeiten zu können; ein dritter will dasselbe, um im Katalog blättern zu können, was bekanntlich vor der Abschaffung des Kataloges in der Klasse oft Furcht und Zittern hervorrief. — Auf derselben Stufe steht der, der Lehrer werden will, einfach um die Kinder prügeln zu können. Wieder ein anderer will Kondukteur werden wegen des Kartenzwickens. Die mit dem hier zutage tretenden Trieb verbundene Feigheit weist sie also auf möglichst wehrlose Objekte. Versteckt zeigt sich dieser Trieb, wenn sich einer z. B. wünscht, Seemann zu sein, „um Menschen, die mit der Gewalt der Elemente ringen, aus höchster Not retten zu können", oder Feuerwehrmann, um „Menschen aus Rauch und Qualm retten zu können", da die Ausübung dieser Berufe unmittelbar die Leiden anderer zur Voraussetzung hat. — Andere Berufsarten zeigen direkte Beziehung auf das Sexuelle, so, wenn ein Schüler Aufspritzmann werden wollte, „um den Leuten zwischen die Füße spritzen zu können", oder wenn ein anderer Ingenieur oder Maschinist werden möchte, „um an den kleinen Bestandteilen der Maschine herumhantieren zu können". In beiden Fällen ist weniger der gewählte Beruf an und für sich als die Ausdrucksweise das Auffallende. Ein Schüler, der in Galizien aufgewachsen ist, wollte dort Rauchfangkehrer werden, „um in den landesüblichen Kaminen herumrutschen zu können", was deutlich an den Sexualjargon des Volkes erinnert.

Am Schlusse dieser Untersuchung wäre noch eine Frage von Interesse, die Frage nach den Gründen des wiederholten Berufswechsels im allgemeinen. Für einzelne Fälle wurde die Erklärung an der entsprechenden Stelle schon gegeben. Dabei zeigte es sich, daß der Berufswechsel oft nur ein scheinbarer ist. Ein bestimmtes, wenn auch unklar geschautes Ziel steht von Anfang an vor Augen, nur der Weg dazu, der über den Beruf führt, liegt noch im Dunkeln. Das wiederholte, unsichere Tasten verrät Mangel an Erfahrung. Deutlich zeigt sich das in dem Beispiel, wo der Weg vom Feuerwehrmann zum Maler führt, und zum Teil in dem Fall, wo die weibliche Leitlinie dominierend hervortrat. In einer anderen Reihe von Fällen wäre es nicht so leicht, ein bestimmtes Ziel sofort mit Namen zu nennen. Wir haben Fälle, wo Knaben im Alter von 14 bis 15 Jahren auf acht bis neun Berufsideale, und Knaben von 12 bis 13 Jahren auf sechs bis sieben zurückblicken, wobei wir ruhig annehmen können, daß in den meisten Fällen die Zahl weit höher ist. Daß nicht alle in den Aufzeichnungen erscheinen, hat seinen Grund oft in der geringeren Intensität oder kürzeren Dauer einzelner Berufsträume. Doch ist die Vermutung nicht abzuweisen, daß selbst in den nicht ganz klaren Fällen eine noch genauere Kenntnis aller Faktoren, die das Leben des Kindes beeinflußt haben, eine einheitliche Leitlinie zu finden wäre. Als allgemeinstes Ziel war in den angeführten Fällen das „Obensein-wollen" unverkennbar.

Wenn wir die Mitteilungen der Schüler daraufhin untersuchen, was nach ihrer Erinnerung den Wechsel der Ideale veranlaßt hat, finden wir einige charakteristische Motive. Das Häufigste ist die Furcht vor den Gefahren, die mit einem bestimmten Beruf verbunden sind. Das gilt besonders von den Abenteurerberufen und jenen anderen, mit deren Ausübung Lebensgefahr verbunden ist. Nachdem man einige Zeit in Größenträumen geschwelgt hat, meldet sich ernüchternd der Verstand. So fürchten sich ein Weltreisender und ein Löwenbändiger vor den Gefahren ihres Berufes, ein Marineoffizier vor dem Ins-Wasser-fallen, ein Pilot vor dem Abstürzen, ein Lokomotivführer vor dem schweren Dienst und vor einem Eisenbahnzusammenstoß, ein Jäger vor den Wilddieben usw. Aber auch bei ungefährlicheren Berufen zeigt sich oft eine gewisse Feigheit. Ein Arzt hat Angst vor den nächtlichen Visiten und beschließt, Kaufmann zu werden; ein Pferde-bahnkutscher findet das lange Stehen lästig und will gewöhnlicher Kutscher werden; der früher erwähnte Schüler, der Hofkoch werden wollte, gibt diesen Beruf auf, weil er hört, daß die Köche im Sommer viel unter der Hitze zu leiden hätten; einer, der Kaiser werden wollte, erfährt schließlich, daß er in dieser Stellung nur viel Sorgen, Kummer und Arbeit habe, und beschließt dann, Jäger und Gutsbesitzer zu werden. Ein Fall, wo die Angst nahezu als treibende Kraft erscheint, ist folgender: Ein Schüler will Jäger werden, hört aber von den Ge-fahren dieses Berufes und sieht darauf im Aviatiker sein Ideal. Aber er liest zu oft von verunglückten Berufsgenossen und beschließt, Latein-professor zu werden. Aber auch das ist nicht von langer Dauer. „Ich fürchtete, dieser edle Beruf könnte meiner Gesundheit schaden." Und da er im Kampfe um alle seine Ideale unterlegen ist, sich aber die Niederlage nicht eingestehen will und sich doch als obenstehend fühlen muß, beschließt er zuletzt, vorläufig keinen Beruf zu ergreifen, sondern ein „anständiger Mensch" zu werden. — Ein weiteres Motiv für die Berufsänderung, das dem eben besprochenen sehr nahe verwandt ist, erscheint als rein praktische Erwägung und Abschätzung verschiedener Ideale. Dabei finden wir vielfach direkten Hinweis auf Gelderwerb. Ein Schüler, der Geschichtsprofessor werden wollte, gibt diesen Beruf auf, weil er erfährt, daß in diesem Fach jetzt die Aussichten schlecht seien. Ein Jäger will Ingenieur werden, weil er hört, daß er als solcher viel Geld verdienen kann; zwei wollen Gutsbesitzer werden, ebenfalls in der Erwartung großen Einkommens.

Wenn wir neben einzelnen Schülern mit überreichen Berufsidealen auch wieder solche finden, die erklären, sie wüßten nicht, was sie werden wollten, was auch bei den vorliegenden Aufzeichnungen zweimal der Fall war, so dürfte die Antwort nach der früheren Untersuchung nicht schwer sein. Es wurde schon anfangs festgestellt, daß es sich ausschließlich um Tagträume handelt, um Spiele der Phantasie, die sich nicht immer in bestimmten Berufsvorstellungen zu fixieren brauchen. In immer wechselnden, nie klar festgehaltenen Bildern ziehen die verschiedenen Möglichkeiten an der Seele des Kindes vorbei, ohne daß es einmal ernstlich mit seiner Phantasie zugreift; denn es hat Angst vor der endgültigen Entscheidung und ist also auf dieselbe Stufe zu stellen wie ein Kind mit übermäßig vielen Berufsidealen. Und wenn wir dann auf unsere Frage: „Was willst du werden?" die Antwort hören: „Ich weiß es nicht", oder: „Darüber habe ich noch nicht nachgedacht", können wir das aufs Wort glauben; denn das Nachdenken müßte zu einer zeitweiligen Entscheidung führen, und der will man eben ausweichen. Die Angst vor den realen Forderungen eines Berufes und des Lebens überhaupt ist zu groß. Diese Angst stammt aber nicht allein aus der Seele des Kindes, sondern oft genug wecken Eltern und Erzieher Größenträume, deren vorausgefühlte Unerreichbarkeit den Konflikt verschärft. Aufgabe des Erziehers wäre es, dem Kinde erreichbare Ziele nahezubringen, es zu veranlassen, daß es seine Kräfte an diesen Forderungen mißt, abwägend vergleicht und sich so Schritt für Schritt klarer wird über den Umkreis und die Qualität seiner Kräfte.

Ein Beitrag zur Psychologie der ärztlichen Berufswahl[1].

Von Dr. Alfred Adler.

Ein Arzt erzählt folgendes:

„Anläßlich des schrecklichen Schiffsunglücks der „Titanic" konnte ich an mir die Ergriffenheit deutlich beobachten. In meinen freien Stunden fand ich mich oft im Gespräch über das Unglück, und vorwiegend war es die Frage, die von mir immer wieder aufgenommen wurde, ob man nicht doch ein Mittel hätte finden können, um die Untergehenden zu retten.

Eines Nachts wache ich aus dem Schlafe auf. Als richtiger Psychologe lege ich mir die Frage vor: warum ich, der sonst ein guter Schläfer ist, diesmal aufgewacht sei? Ich fand aber keine befriedigende Antwort, fand mich vielmehr kurze Zeit darauf in emsigem Nachdenken, w i e man die Untergehenden der Titanic hätte retten können. Bald nachher — es war 3 Uhr — schlief ich ein.

In der nächsten Nacht wachte ich wieder auf. Ich sah auf die Uhr, es war ¹/₂3 Uhr. Flüchtig kamen mir Gedanken über die sonstigen Theorien der Schlaflosigkeit, unter anderm fiel mir auch die Meinung eines Autors ein, daß man, einmal an ein Aufwachen aus dem Schlafe gewöhnt, leicht wieder um die gleiche Zeit erwachen kann. Aber mit einem Male wußte ich intuitiv, wie es sich mit meinem Aufwachen verhielt. Um ¹/₂3 Uhr war die Titanic untergegangen. Ich hatte die Fahrt im Schlafe mitgemacht, hatte mich in die schreckliche Situation des Unterganges eingefühlt und war also schon zweimal des Nachts erwacht, als das Schiff unterging.

Auch in der zweiten Nacht nahmen meine Gedanken die Richtung, ein Mittel zu finden, wie man sich in einer solchen Situation retten könnte, sich und die anderen. Fast gleichzeitig erriet ich, daß hier der v o r b e u g e n d e u n d v o r b e r e i t e n d e V e r s u c h e i n e r S i - c h e r u n g am Werke war, der in gleicher Weise der Vorsicht wie dem Ehrgeiz dienen sollte. Ich verstand auch ohne weiteres, daß die Amerikafahrt — ein altes Ziel meiner Sehnsucht — in sinnreicher Weise den Kampf um meine wissenschaftliche Repräsentation symbolisierte. Und wie im Wachen, so tat ich auch im Schlafe. Ich war auf der

---

[1] Aus: A d l e r, „Individualpsychologische Beiträge zur Schlafstörung", Fortschritte der Medizin, 1913.

Suche nach einem Mittel zur Rettung, und ich stellte die sinnfälligste Situation her, um mich zur Gegenwehr zu rüsten und zu mobilisieren: Einfühlung in die stärkste Gefahr und Nachdenken!

Leicht war auch zu verstehen, daß diese Art, auf Gefahren meiner Person und mir Nahestehender zu reagieren, meine persönliche Attitüde sein mußte. Und bald fand ich den Zusammenhang.

Ich bin ja Arzt. Es gehört also zu meinen Obliegenheiten, gegen den Tod ein Mittel zu finden. Damit aber war ich schon auf mir bekanntem Boden. Der Kampf gegen den Tod gehörte nämlich zu den stärksten Antrieben meiner Berufswahl. Wie so viele von den Ärzten, bin auch ich Arzt geworden, um den Tod zu überwinden.

Aus meiner Jugendgeschichte erinnere ich mich an mehrere Ereignisse, in denen mir der Tod nahe schien. So hatte ich aus einer Rachitis außer einer Schwerbeweglichkeit jene gemilderte Form von Stimmritzenkrampf erworben, die ich später als Arzt oft bei Kindern antraf, wo Verschluß der Glottis beim Weinen eintritt, so daß ein Zustand von Atemnot und Stimmlosigkeit das Weinen unterbricht, bis sich nach Lösung des Krampfes das Weinen wieder fortsetzt. Der Zustand der dabei eintretenden Atemnot ist höchst unangenehm, wie ich aus meiner Erinnerung weiß; ich dürfte damals noch nicht zwei Jahre gewesen sein. Die übertriebene Furcht meiner Eltern und die Besorgnis des Hausarztes waren mir nicht entgangen und erfüllten mich, abgesehen von der Peinlichkeit der Atemnot, mit einem Gefühl, das ich heute als Gefühl der Unruhe und der Unsicherheit bezeichnen möchte. Ferner erinnere ich mich, daß ich eines Tages, kurz nach einem solchen Keuchanfall Gedanken hatte, wie ich, da bisher kein Mittel gefruchtet hatte, dieses lästige Leiden beseitigen könnte. Auf welchem Wege ich dazu kam, ob die Anregung von außen kam oder ob ich allein die Idee ausheckte, kann ich nicht sagen: ich beschloß, das Weinen ganz einzustellen, und sooft ich die erste Regung zum Weinen verspürte, gab ich mir einen Ruck, hielt mit dem Weinen inne und das Keuchen verschwand. Ich hatte ein Mittel gegen das Leiden, vielleicht auch gegen die Todesfurcht gefunden.

Kurze Zeit später, ich war drei Jahre geworden, starb mir ein jüngerer Bruder. Ich glaube, die Bedeutung des Sterbens verstanden zu haben, war fast bis zu seiner Auflösung bei ihm und wußte, als man mich zu meinem Großvater schickte, daß ich das Kind nimmer sehen werde, daß es im Friedhof begraben würde. Meine Mutter holte mich nach dem Leichenbegängnis ab, um mich nach Hause zu bringen.

Sie war sehr traurig und verweint, lächelte aber ein wenig, als mein Großvater, um sie zu trösten, einige scherzende Worte zu ihr sagte, die sie wahrscheinlich auf weiteren Kindersegen verweisen sollten. Dieses Lächeln konnte ich meiner Mutter lange nicht verzeihen und ich darf aus diesem Groll wohl schließen, daß ich mir der Schauer des Todes sehr wohl bewußt gewesen bin.

Im vierten Lebensjahre kam ich zweimal unter einen Wagen. Ich entsinne mich, daß ich mit Schmerzen auf einem Diwan erwachte, ohne daß ich wußte, wie ich dorthin gekommen war. Ich muß also wohl in Ohnmacht gefallen sein.

Mit fünf Jahren erkrankte ich an einer Lungenentzündung und wurde vom Arzte aufgegeben. Ein zweiter Arzt schlug doch eine Behandlung vor und ich war in wenigen Tagen gesund. Man hatte in der Freude über meine Genesung noch lange Zeit über die Todesgefahr gesprochen, in der ich angeblich geschwebt hatte; seit dieser Zeit entsinne ich mich, daß ich mir stets meine Zukunft als Arzt vorgestellt habe, d. h. ich habe ein Ziel festgesetzt, von dem ich erwarten durfte, daß es meiner kindlichen Not, meiner Furcht vor dem Tod ein Ende machen konnte. Es ist klar, daß ich von dieser Berufswahl mehr erwartet habe, als sie leisten konnte: den Tod, die Todesfurcht überwinden, das hätte ich eigentlich von menschlichen Leistungen nicht erwarten dürfen; bloß von göttlichen. Die Realität gebietet aber zu handeln. Und so war ich gezwungen, im Formenwechsel der leitenden Fiktion so weit mein Ziel abzuwandeln, bis es der Realität zu genügen schien. Da kam ich zur ärztlichen Berufswahl, um den Tod und die Todesfurcht zu überwinden[1].

Aus der Berufswahlphantasie eines etwas zurückgebliebenen Knaben, die sich auf ähnlichen Eindrücken — Tod einer Schwester und Kränklichkeit in früher Kindheit, Bekanntschaft mit dem Tod — aufbaute, erfuhr ich, daß dieser Knabe beschlossen hatte, Totengräber zu werden, um, wie er sagte, die andern einzugraben und nicht selbst eingegraben zu werden. Das starre gegensätzliche Denken dieses später neurotischen Knaben — oben oder unten, aktiv oder passiv, Hammer oder Amboß, flectere si nequeo superos, Acheronta movebo! — haben mittlere Möglichkeiten nicht zugelassen, seine kindische rettende Fiktion ging im Nebensächlichen auf das Gegenteil.

---

[1] Über die Bedeutung des Todes für das Philosophieren s. P. Schrecker, Bergsons Persönlichkeitsphilosophie, E. Reinhardt, München 1912.

Aus jener Zeit meiner Berufswahl, etwa aus dem fünften Lebensjahre, datiert folgendes Erlebnis: Der Vater eines Spielkameraden fragte mich, was ich werden wolle. Ich gab zur Antwort: „Ein Doktor!" Der Mann, der vielleicht schlechte Erfahrungen mit Ärzten gemacht hatte, erwiderte darauf: „Da soll man dich gleich an dem nächsten Laternenpfahl aufhängen!" Selbstverständlich ließ mich — eben wegen meiner regulativen Idee — diese Äußerung völlig kalt. Ich glaube, ich dachte damals, daß ich ein guter Arzt werden wolle, dem niemand feindlich gesinnt sein sollte.

Kurz nachher kam ich in die Volksschule. Meine Erinnerung sagte mir, daß ich auf dem Weg in die Volksschule über einen Friedhof gehen mußte. Da hatte ich nun jedesmal Furcht, und sah es mit großem Mißbehagen, wie die andern Kinder harmlos den Friedhofsweg gingen, während ich ängstlich und mit Grauen Schritt vor Schritt setzte. Abgesehen von der Unerträglichkeit der Angst, quälte mich der Gedanke, an Mut den andern nachzustehen. Eines Tages faßte ich den Entschluß, dieser Todesangst ein Ende zu machen. Als Mittel wählte ich w i e d e r d i e A b h ä r t u n g. (Todesnähe!) Ich blieb eine Strecke hinter den andern Kindern zurück, legte meine Schultasche an der Friedhofsmauer auf die Erde und lief wohl ein dutzendmal über den Friedhof hin und zurück, bis ich dachte, der Furcht Herr geworden zu sein. Später glaube ich den Weg ohne Angst gegangen zu sein.

Dreißig Jahre später traf ich einen ehemaligen Schulkameraden, mit dem ich Kindheitserinnerungen aus der Volksschule austauschte. Es fiel mir dabei ein, daß derzeit jener Friedhof nicht mehr bestehe und ich fragte, was aus dem Friedhof, der mir solche Beschwerden gemacht hatte, geworden sei. Verwundert antwortete mir mein ehemaliger Kamerad, der länger als ich in jener Gegend gewohnt hatte, daß auf dem Wege zu unserer Schule n i e m a l s e i n F r i e d h o f gewesen sei. Da erkannte ich, d a ß d i e E r i n n e r u n g a n d i e F r i e d hofsgeschichte eine dichterische Einkleidung für meine Sehnsucht war, die Angst vor dem Tod zu überw i n d e n. Sie sollte mir ähnlich wie in anderen Lebenslagen zeigen, daß man den Tod und die Todesangst überwinden könnte, d a ß e s e i n M i t t e l g e b e n m ü s s e, u n d d i e s w i r k t e w i e ein kraftvoller Zuspruch, daß es mir gelingen könnte, in schwierigen Lebenslagen ein solches Mittel gegen den Tod zu finden. So kämpfte ich gegen meine Kindheitsfurcht, so bin ich Arzt geworden und so sinne ich auch jetzt noch Problemen nach, die mich gemäß dieser psychischen Eigenart anziehen, was bei der Titanic-Katastrophe in hervorragendem Maße der Fall war.

Ja mein Ehrgeiz ist so sehr durch diese leitende Fiktion, den Tod zu überwinden, festgelegt, daß ihn andere Ziele wenig aufstacheln können. Es kann vielmehr leicht der Eindruck erweckt werden, als ob mir in den meisten Beziehungen des Lebens der Ehrgeiz fehlte. Die Erklärung für dieses double vie, für diese Spaltung der Persönlichkeit, wie es die Autoren nennen würden, liegt darin, daß der Ehrgeiz ja nur ein Mittel darstellt, keinen Zweck, so daß er bald benützt, bald beiseite geschoben wird, je nachdem das vorschwebende Ziel bald mit diesem Charakterzug, bald ohne ihn leichter zu erreichen ist."

Drei Beiträge zum Problem des Schülerselbstmords[1].

I.

Unus multorum (Dr. D. E. Oppenheim).

Im Winter 1910 erschoß sich in Wien ein Gymnasiast aus vornehmer Familie, nachdem er einen schlechten Semestralausweis erhalten hatte. Das traurige Ereignis wurde zum Anlaß einer scharfen Preßfehde gegen unsere Gymnasien und ihre Lehrer. Damals schrieb ich meinen Aufsatz über Schülerselbstmord. Das praktische Bedürfnis nach Verteidigung der Schule gegen ihre Widersacher hatte ich damit befriedigt. Mein theoretisches Interesse war längst durch andere Aufgaben gefesselt. So kommt es, daß ich auch heute über Schülerselbstmord nur das zu sagen weiß, was ich vor drei Jahren veröffentlicht habe. Es ist bis jetzt nur wenig beachtet worden. Aber für meinen Standpunkt fochten mit der Propaganda der Tat die jugendlichen Selbstmörder. Immer wieder hörte man von Volksschülern und Schülerinnen, die bei unbedeutendem Anlaß Hand an sich legten. Immer mehr schwand dadurch die Neigung, den Schülerselbstmord als das traurige Privileg der Mittelschule, insbesondere der Gymnasien, zu betrachten. Immer deutlicher erkannte man, daß Schülerselbstmord und Schule oft genug gar keine Beziehung zueinander haben. Und selbst dort, wo ein Zusammenhang erkennbar ist, beginnt man zu fragen, wie Strafen und Mißerfolge, die von den meisten Schülern mit glücklicher Leichtigkeit ertragen werden, den und jenen aus dem Leben treiben können. Als eine eindringliche Formulierung dieser Frage kann vielleicht mein Schriftchen noch immer einiges Interesse beanspruchen. Jedenfalls gilt auch für dieses Problem der Grundsatz: Prudens interrogatio dimidium est veritatis.

* * *

Zur Prüfung einer wissenschaftlichen Frage besitzt nach landläufiger Meinung der die meiste Berechtigung, dessen Person von der Entscheidung am wenigsten berührt wird. Nur von ihm erwartet man leidenschaftslose Beharrlichkeit, Objektivität, Voraussetzungslosigkeit und wie all die schönen Tugenden des guten Richters heißen.

---

[1] Aus den: Diskussionen des Wiener psychoanalytischen Vereins. 1. Heft. „Über den Selbstmord, insbesondere den Schülerselbstmord." Bergmann, Wiesbaden, 1910. 60 Seiten.

Gilt es also, Ursachen und Verhütung der Schülerselbstmorde zu erforschen, dann gebührt am wenigsten Beachtung dem Lehrer, selbst dem, dessen eigene Tätigkeit noch von keinem jener unseligen Ereignisse beschattet wurde. Vielleicht dürften sich die berufsmäßigen Vertreter der Schule dieser Entscheidung fügen, wenn sie zugleich für die berufsfreudigen Bekämpfer unseres Schulwesens verbindlich wäre. Ihnen gegenüber, die gerade in den Augenblicken leidenschaftlichster Erregung, wenn wieder ein Schüler als Opfer einer unbegreiflichen Lebensverachtung gefallen ist, mit aller Beredsamkeit des Hasses, mit der ganzen Macht der Tagespresse gegen die „mörderische" Schule predigen, darf der Lehrer wenigstens das Recht des andern Streitteiles geltend machen.

Ist die Schule, die berufen war, mit stiller, aber kraftvoller Arbeit der Zukunft unserer Kultur Richtung zu geben und so die Gegenwart zu richten, nun selbst zur Angeklagten erniedrigt, so soll es ihr wenigstens nicht gänzlich an Verteidigung fehlen. In diesem Sinne wurden die folgenden Zeilen geschrieben; möge ihnen auch in diesem Sinne zu wirken nicht gänzlich versagt sein!

Wenn der Selbstmord als die Verneinung des stärksten der menschlichen Triebe, des Triebes nach Selbsterhaltung, für unser Gefühl immer normwidrig ist, so gilt das in noch höherem Grade von dem Kinderselbstmord, da wir beim Kinde mit der unverbrauchten Lebenskraft auch unzerstörbaren Lebenswillen vereinigt glauben.

Diese gefühlsmäßige Beurteilung findet ihre volle Bestätigung in den Zahlenreihen der Statistik. Hier zeigt sich, daß die erdrückende Überzahl der Selbstmörder in einem Alter von mehr als 15 Jahren aus dem Leben scheidet. Unter den normwidrigen Lebensverächtern bilden also die unter 15 Jahren eine Abnormität zweiter Ordnung. Und daß diese Klasse von Selbstmördern durchaus nicht parallel mit der Gesamtzahl der Selbstmorde anwächst, muß die Überzeugung ihrer Eigenart noch stärker befestigen.

Darum vermag eine Erklärung, die für die Selbstmorde Erwachsener genügt, noch nicht die Kinderselbstmorde völlig verständlich zu machen. Wohl aber ist es berechtigt, diese Fälle zusammen mit den Selbstmorden von Personen zwischen 15 und 20 Jahren als einheitliches Problem zu behandeln und so die Untersuchung des Kinderselbstmordes zur Frage nach den Gründen des Selbstmordes im jugendlichen Alter zu erweitern.

In den öffentlichen Diskussionen erfährt aber die Frage zugleich mit dieser Verbreiterung eine bedeutende Verengung, indem nur die jugendlichen Selbstmörder, die eine Schule besuchen, in Betracht gezogen werden und ihre Tat als „Schülerselbstmord" rubriziert wird. Gegen diesen Begriff erheben sich aber Bedenken, die möglichst klar und scharf auszusprechen mir nicht überflüssig scheint.

Die Erörterungen, die von den jüngsten Schülerselbstmorden hervorgerufen wurden, zeigten deutlich, daß der engere Begriff „Schülerselbstmord" den weiteren „Selbstmord im jugendlichen Alter" aus dem allgemeinen Bewußtsein verdrängt und sich ganz an dessen Stelle gesetzt hat, so daß an die jugendlichen Selbstmörder, die keine Schule besuchen, gar nicht gedacht wird. Aber damit ist noch nicht die ganze Verwirrung aufgedeckt, die mit dem unglückseligen Schlagwort „Schülerselbstmord" angerichtet wurde.

In der stürmischen Entwicklungsperiode, die fast achtmal so viel Selbstmorde als das Kindesalter aufweist, in der Zeit vom 15. bis 20. Jahre, gibt es keine anderen Schüler als Mittelschüler, also Schülerselbstmorde nur an Mittelschulen. Darin liegt ein neuer Anstoß zur Verwechslung der Begriffe und Verhüllung der Tatsachen. Wie der „Schülerselbstmord" den „Selbstmord im jugendlichen Alter" vergessen macht, so wird er selbst vergessen über dem „Mittelschülerselbstmord". Der allein bleibt dem allgemeinen Bewußtsein lebendig als ein blutiges Schreckgespenst, das mit abscheulicher Grausamkeit nur unter der Blüte unserer Jugend mordet.

Man wird diese Darstellung der in unserer Frage herrschenden Irrtümer Übertreibung schelten. Aber man erinnere sich nur der Diskussionen, die in jüngster Zeit durch die Selbstmorde Wiener Mittelschüler erregt wurden. Mußte nicht erst ein Communiqué unseres Unterrichtsministeriums erscheinen, um daran zu erinnern, daß Selbstmorde auch von Lehrlingen und Handlungsgehilfen begangen werden?

Je mehr aber der Schülerselbstmord an die jugendlichen Selbstmörder anderer Lebenskreise vergessen läßt, desto stärker wirkt die im Begriff selbst liegende Aufforderung, jedesmal, wenn ein Schüler freiwillig aus dem Leben geschieden ist, das Motiv seiner Tat in seinem Verhältnis zur Schule zu suchen und dieser die Schuld an dem traurigen Ereignis aufzubürden.

Wie trüglich dieser am Worte „Schülerselbstmord" haftende Schein ist, wie oft der Lebensverachtung des jungen Selbstmörders jede Beziehung auf die Schule fehlt, und wie oft, auch dort, wo sie vorhanden ist, bei genauerer Prüfung statt eines verursachenden ein veranlassendes

Motiv zutage tritt, das wäre leicht zu zeigen. Aber es wird besser sein, auf die Enthüllung der die Selbstmordfrage verwirrenden Irrtümer die wirklichen Tatbestände in geordneter Reihe folgen zu lassen.

Der Selbstmord im jugendlichen Alter ist eine soziale Erscheinung, die viel weiter zurückreicht als die Eintagshistoriker unserer Tagesblätter ahnen. Er brauchte nicht erst von neronisch gestimmten Gymnasiallehrern herangezüchtet zu werden. Man darf ihn auch nicht mit den Augen des Lokalberichterstatters als österreichische oder gar als Wiener Spezialität ansehen. Sein Verbreitungsgebiet ist die moderne Kulturwelt und gemeinsam mit ihr ist er erwachsen.

In der Renaissance, jener Epoche, da aus dem Bruch mit der jüngsten und der Rückkehr zur ältesten Vergangenheit die moderne Kultur entstand, so reich, aber auch so verwickelt, ruhelos und widerspruchsvoll wie nie eine zuvor, da taucht auch schon die furchtbare Paradoxie des Kinderselbstmordes auf und einer der ersten und scharfsichtigsten Männer moderner Geistesprägung, M i c h a e l   M o n t a i g n e, hat dieses Phänomen als trauriges Zeichen seiner Zeit gewürdigt.

In der zweiten Hälfte des achtzehnten Jahrhunderts sind die Fälle schon so zahlreich, daß sie zu statistischer Aufzeichnung herausfordern. Und so läßt sich für Preußen die Statistik des Kinderselbstmordes bis zum Jahre 1749 zurückverfolgen. In ihren Zahlenreihen ist eine Bewegung nach aufwärts deutlich wahrzunehmen. Zwischen den Jahren 1883—1905 stieg die Selbstmordziffer, d. h. das Verhältnis der jugendlichen Selbstmörder zu 100 000 Altersgenossen, von 7.02 auf 8.26. Doch fehlt glücklicherweise die dem Selbstmord der Erwachsenen eigene Stetigkeit der Zunahme. Es gibt starke Rückschläge, die erst in jahrelangem, allmählichem Anwachsen ausgeglichen werden.

Die Übersicht über die geschichtliche Entwicklung des Kinderselbstmordes hat uns auch den Blick auf die geographische Verbreitung des traurigen Phänomens eröffnet. Wir haben es im Frankreich M o n t a i g n e s gefunden und brauchen nur hinzuzufügen, daß es auch heute in diesem Lande zu finden ist. Wie in Preußen und im übrigen Deutschland sind die jugendlichen Selbstmörder in der Schweiz, in Italien und England Gegenstand statistischer Beobachtung.

Die Gründe eines Übels von solcher Verbreitung und so hohem Alter können weder zeitlich noch räumlich eng beschränkt sein. Sie können daher nicht in Schuleinrichtungen liegen, die erst der allerneuesten Zeit entstammen und nur in Österreich Geltung haben. Aber gesetzt den Fall, die harte Schulzucht wirke in der Tat so lebensfeindlich, wie es von vielen behauptet wird, womit läßt es sich erklären, daß die Selbstmorde unter der Jugend überhandnehmen, während gleichzeitig das Prinzip der Milde gegen die Schwachen, das sich bereits alle Einrichtungen des öffentlichen Lebens erobert hat, auch vor den Toren der Schule nicht Halt macht?

Und wenn auch unsern Schülern noch immer nicht gegönnt ist, ein freies Leben, ein Leben voller Wonne zu führen, ein sanfteres ist ihnen jedenfalls zuteil geworden, und werfen sie es dennoch häufiger von sich als früher, so darf darum die Schule kein Vorwurf treffen.

Aber selbst die Zunahme der Schülerselbstmorde können wir keineswegs als feststehende Tatsache gelten lassen. Zwar steht uns leider statistisches Material nicht für österreichische, sondern nur für preußische Schulen zur Verfügung. Aber die sind gewiß nicht milder als die unsern. Wird doch sogar die körperliche Züchtigung, die bei uns ganz verboten ist, dort bis zur Oberstufe der sogenannten „höheren", d. h. unserer Mittelschulen, gehandhabt. Trotz dieser schneidigen Schulzucht war die Zahl der an Preußens niederen und höheren Schulen im Jahre 1905 begangenen Selbstmorde nicht größer als im Jahre 1883. Sie betrug beidemale 58.

Eine Zunahme der Selbstmorde ist aber auch dann nicht nachweisbar, wenn die Statistik auf die höheren Schulen, das Gegenstück unserer vielgefürchteten Mittelschule, beschränkt wird. Im Jahre 1883 endeten 19 Schüler dieser Anstalten durch Selbstmord, dagegen im Jahre 1905 nur 18.

Über die Zeit zwischen 1869 und 1881 urteilte eine vom Unterrichtsminister von Goßler im Jahre 1883 berufene Untersuchungskommission, der auch Rudolf Virchow angehörte, daß in dem vorgelegten statistischen Material „nicht die mindeste Spur für die vielfach behauptete Zunahme der Selbstmorde unter den Schülern höherer Unterrichtsanstalten" zu entdecken sei.

Das Gutachten zeigt, aus welchem Grunde es eingeholt wurde. Es galt, die Anklagen zu prüfen, die schon damals und sogar im Lande der Autorität, in Preußen, wegen der Schülerselbstmorde gegen die höheren Schulen öffentlich erhoben wurden.

Auch diesem gefährlichsten Kampfmittel ihrer Feinde hält also die Mittelschule fast durch ein Menschenalter stand. Das mag ihren Verteidigern eine Ermunterung sein, im Streite auszuharren.

Mit der Aufstellung eines neuen Beweismittels zugunsten der befehdeten Schule wollen wir sogleich unserer eigenen Mahnung Folge leisten.

Die Selbstmordziffer für jugendliche Personen ist im Jahre 1905 um 1.26 höher als 1883. Auf Rechnung der Schülerselbstmorde kann diese Steigerung nicht gesetzt werden. Denn sie sind, wie bereits erwähnt wurde, 1905 nicht zahlreicher als 1883. Der Selbstmord kann sich demnach nur unter dem Teil der Jugend, der keine Schule mehr besucht, sondern im praktischen Leben steht, ausgebreitet haben.

Also scheint die Schule, und zwar auch die Mittelschule, auf die Zunahme der Selbstmorde nicht, wie immer behauptet wird, fördernd, sondern weit eher hemmend einzuwirken. Eine endgültige Entscheidung über den Einfluß der Mittelschule auf die Selbstmordbewegung ließe sich freilich nur durch eine statistische Untersuchung auf breitester Grundlage gewinnen. Ihre Durchführung müssen wir natürlich unserer statistischen Zentralkommission überlassen, ihre Methode aber glauben wir andeuten zu dürfen.

Man zählt einerseits alle Mittelschüler, anderseits die gleichaltrige Jugend der andern Lebenskreise und bestimmt innerhalb jeder dieser zwei Klassen, der wievielte Teil ihrer Gesamtzahl in einem Jahre durch Selbstmord endet.

Die Anzeichen, die uns die preußische Statistik geliefert hat, berechtigen uns zu der Vermutung, daß die Selbstmordziffer in beiden Gruppen gleich oder sogar auf Seite der Mittelschüler niedriger sein wird. Mögen wir bald der zuständigen Behörde eine vollgültige Bestätigung zu danken haben!

Eines aber kann schon jetzt als Binsenwahrheit gelten, daß nämlich die Schule mindestens nicht die einzige Macht ist, die jugendliche Personen aus dem Leben treibt. Davon zeugt nicht nur die gewaltige Menge junger Selbstmörder, die zur Zeit ihrer Tat die Schuljahre bereits hinter sich hatten, das läßt sich, trotz des trügerischen Scheins, den das Wort verbreitet, auch für die Schülerselbstmorde nachweisen.

Die Statistik der an den preußischen Schulen vorkommenden Selbstmorde zieht auch deren Motive in den Kreis ihrer Beobachtung. Leider unterläßt sie es dabei, „harte Behandlung durch Lehrer" von „harter Behandlung durch Eltern und Angehörige" zu scheiden.

Auf Grund argwöhnischster Prüfung dieses Materials konnte der preußische Psychiater Eulenburg[1] doch nur für 37% aller Fälle einen ursächlichen Zusammenhang mit Furcht vor der Bestrafung eines

---

[1] Schülerselbstmorde. A. Eulenburg, Sonderabdruck aus dem V. Jahrgang der Monatsschrift für pädagogische Reform „Der Säemann" 1909. B. G. Teubner, Leipzig.

Schulvergehens oder Kränkung wegen mangelhafter Schulerfolge vermuten.

Mithin sind die Schülerselbstmorde, die ihren Namen verdienen, weil sie durch die Schule motiviert sind, bei weitem in der Minderzahl. Aber die Schule hat doch selbst nur als Vorbereitung auf das Leben Daseinsrecht; ist darum nicht jeder einzelne Fall, wo die Schule Lebensflucht bewirkt, eine furchtbare Paradoxie?

Gewiß! Aber gerade das paradoxe Mißverhältnis zwischen der Nichtigkeit der Motive und der unvergleichlichen Schwere des Entschlusses verbindet diese Schülerselbstmorde mit den andern Fällen von Kinderselbstmord, von denen sie gewöhnlich sorgfältig geschieden werden.

So gut wie eine Schulstrafe kann auch eine häusliche Züchtigung durch die Angst, die ihr vorausgeht, oder die Kränkung, die ihr folgt, augenblicklich zum Selbstmord treiben. Und wenn sogar das Verbot, die Kirmesse zu besuchen, oder die Verweigerung der Teilnahme an einer Treibjagd oder an der Rübenarbeit einen Jungen zum Selbstmörder machen kann, so blicken wir in eine Eigenart kindlichen Seelenlebens, die zum mindesten vorläufig jeder Berechnung spottet, und das Rätsel der Schülerselbstmorde verschwindet in den weit umfassenderen Rätselfragen der Psychologie und Psychopathologie des Kindes. Denn pathologisch ist mindestens ein Teil der jugendlichen Selbstmörder. Das ist gerade für die Spezies, die uns besonders interessiert, zweifellos erwiesen.

Eine von Eulenburg geführte Untersuchung über 320 an Preußens höheren Schulen begangene Selbstmorde, der genaue amtliche Berichte über jeden Fall zur Grundlage dienten, ergab bei 10% der Fälle ausgesprochene Geistesstörung. „Es würden ihrer", fügt der Autor hinzu, „vermutlich noch mehr sein, wenn wir nicht gerade nach dieser Richtung hin, wo es auf spezifisch ärztliche Bekundungen ankommt, von den vorliegenden Berichten vielfach im Stich gelassen würden". (S. 12.)

Unter den sicher pathologischen Selbstmördern, deren Geschichte Eulenburg genauer erzählt (S. 13 ff.), verdient ein Abiturient, der sich am Tage der schriftlichen Reifeprüfung auf dem Friedhof erschoß, besonderes Interesse. Wie viel edle Entrüstung über die mörderische Prüfungspein ließe sich aus dieser traurigen Begebenheit schöpfen, wüßte man nicht, daß der bedauernswerte Junge seit fünf Jahren „wegen kranker Nerven" in ärztlicher Behandlung stand und erblich belastet war.

Der Fall ist aber auch aus einem andern Grunde lehrreich. Er bildet gewissermaßen ein Mittelglied zwischen Selbstmorden, die auf eine akute psychische Erkrankung folgen, und solchen, wo zwar diese fehlt, aber „eine angeborene, mehr oder minder schwere neuropathische Belastung, eine konstitutionelle Veranlagung in Form von Inferiorität oder Minderwertigkeit" (S. 15) nachweisbar ist. Zu dieser zweiten Gruppe gehören nach Eulenburg von jenen 320 genau beschriebenen Fällen mindestens 5,7, das sind fast 18%.

Viele der hier eingereihten Selbstmörder stammten aus Trinkerfamilien oder waren in anderer Art erblich schwer belastet. Hatte die geistige Abnormität schon bei einem oder gar einigen von den älteren Familienmitgliedern zum Selbstmorde geführt, so verstärkte sich die Macht der erblichen Belastung durch die suggestive Kraft des Vorbildes, über die wegen ihrer außerordentlichen Bedeutung später ausführlicher gehandelt werden soll. Hier aber verweisen wir auf die Entwicklungsstörungen, die der jugendliche Geist im Kreise einer abnorm gearteten Familie notwendig erleidet.

Wenn nun ein Knabe, den Umstände wie die eben geschilderten zur Minderwertigkeit herabgedrückt haben, den Anforderungen der Schule nicht entspricht, und, statt gegen den Mißerfolg mit erneuter Anstrengung anzukämpfen, das Spiel verloren gibt und sich tötet, trägt dann die Schule Schuld an seinem Untergang?

Mit der wunderbaren Geistesklarheit des Sterbenden, die einst naive Frömmigkeit als Sehergabe verehrte, hat einer jener Unglücklichen die Frage beantwortet. Es war ein 16jähriger Knabe, ein uneheliches Kind, daher nach der Mutter benannt, vom Vater auch nach der Legitimierung des Verhältnisses nicht anerkannt und hart behandelt. Als er die Versetzung in die Obersekunda der Realschule, auf die er mit gänzlich unbegründeter Selbsttäuschung gehofft hatte, nicht erreichte, erschoß er sich. In seiner Tasche fand man eine Visitkarte mit folgenden Zeilen: „Liebe Eltern! Verzeiht mir. Ich wußte es wirklich nicht, daß es so kommen sollte. Mein schwacher Charakter läßt es wieder nicht zu, diese Schmach zu ertragen. Dr. E. (der Ordinarius der Klasse) sei auf das beste gegrüßt." So läßt der Unglückliche auf das Bekenntnis seiner Schwäche als sein letztes Wort den Abschiedsgruß für den Lehrer folgen. Tieferschüttert flüstern wir: Have, anima candida! —

Wie aber erscheinen uns jetzt die Zeitungsschreiber, die solche Fälle — es gibt ihrer nur allzuviele —mit einem von keinerlei Sachkenntnis getrübten Urteil und daher erstaunlich einfach darstellen: Schülerselbstmord — die Schule ist schuld!

Doch besser als mit denen zu streiten, die nicht belehrt sein wollen, ist es für uns, selbst neue Belehrung zu suchen.

Fast bei einem Viertel der 320 Schülerselbstmorde, über die sich Eulenburg auf Grund der Akten ein Urteil bilden konnte, lag der Keim der Katastrophe in dem Mangel der für höhere Schulen nötigen Begabung. (S. 17.) So viel Opfer fordert also die Verständnislosigkeit, mit der Kinder von ihren Angehörigen in eine Bahn gezwungen werden, auf der sie selbst bei ehrlichem Bemühen nur Mißerfolge erreichen können. Und sind nicht auch diejenigen Opfer zu nennen, welche erst kostbare Jugendjahre daran setzen müssen, die höheren Schulen zu überfüllen, ehe sie für ihre gescheiterte Existenz einen Unterschlupf suchen dürfen?

Und wie leicht ließe sich all dies herbe Unglück der „Vielzuvielen" vermeiden, wenn die Eltern den Warnungen der Lehrer Gehör schenken wollten, oder, da dies doch nur selten erreichbar ist, den Lehrern im Verein mit psychologisch gebildeten Schulärzten die Befugnis eingeräumt würde, körperlich und geistig ungeeignete Schüler zu ihrem eigenen Heil möglichst rasch vom Studium auszuschließen.

Doch die wackern Rufer im Streit um die Schulreform haben ja ein ganz schmerzloses Mittelchen parat. Zwar die große Haupt- und Gliederreform, die Reform der alten Mutter Natur, die mißbräuchlich noch immer neben fähigen auch unfähige Köpfe in die Welt setzt, wagen selbst diese rosenroten Optimisten nicht zu versprechen.

Aber sie wissen sich zu helfen. Wollen die Köpfe nicht zu der Schule passen, dann paßt man eben die Schule den Köpfen an, solange, bis sich gar keine Reibung mehr ergibt. Jeder Hutmacher trifft solch ein Kunststück, und unsere weisen Schulreformer sollten es nicht zustande bringen? Der Weise versteht alle Handwerke, lehrten die alten Stoiker. Dies viel verlachte Paradoxon findet nun eine allermodernste Bestätigung.

Unsere Schüler werden, da sie nicht nur Schulinteressen haben, vielleicht auch bei der neuen bequemen Hutfasson Selbstmorde verüben. Sicher aber wird ein Mord begangen werden an dem geistigen Leben des Volkes. Kleinmütige Bedenken! Vorwärts mit dem Schlachtruf: Schulreform, vorwärts im Klassenkampf der Enterbten im Geiste!

Indes, das Satyrspiel der Schulstürmer und -stürzer soll uns nicht die Tragik der Schülerselbstmorde vergessen machen.

Wie der verhängnisvolle Widerstreit von Sollen und Können das Leben vieler braver, aber unbegabter Schüler zerstört und ihre vom Ehrgeiz verblendeten Eltern mit schwerer Schuld belädt, haben wir gesehen. Betrachten wir jetzt den nicht minder mörderischen Zwiespalt zwischen jugendlichem Wollen und Müssen.

Seine zahlreichen Opfer — in Preußen 81 unter 320 (S. 17 und 20 ff.) — sind Menschen von guter, mitunter hervorragender Begabung, die infolge einer überhasteten Entwicklung in ihren Leistungen und Genüssen gereifte Männlichkeit zu betätigen streben, nach ihren Jahren aber als unmündige Schulknaben zu leben gezwungen sind. Für die verderbliche Frühreife dieser Bedauernswerten die Schule verantwortlich zu machen, wird auch ihren erbittertsten Anklägern nicht einfallen. Scheint doch das gerade Gegenteil, der verdummende Einfluß unserer höheren Lehranstalten auf bedeutende Geister, von zuständiger Seite zum Range eines Naturgesetzes erhoben zu sein. Und wer wüßte nicht, wie viel berühmte Schwachköpfe von K l o p s t o c k bis N i e t z - s c h e aus dem einzigen Schulpforta hervorgegangen sind?

Wenn also unsere Schulstuben von hypermodernen Poeten, ultra-revolutionären Politikern, übermenschlichen Philosophen und mit allem Menschlichen vertrauten Liebeshelden bevölkert sind, so ist dies die Wirkung der Gesellschaft, die schwer und schmerzlich nach Erneuerung ihres ganzen Lebens ringt und in ihren Riesenkampf auch die Jugend und gerade die Jugend hereinzieht. Aber warum läßt sich die Schule ihre Zöglinge so entreißen? Statt vieler Gründe diene zu ihrer Rechtfertigung nur einer und der einfachste. Wie kurz erscheint im Zeitraum eines Jahres die Frist, die der Schule für ihre Arbeit an der Jugend gesetzt ist. Die ganze übrige Zeit wirken die gesellschaftlichen Mächte, vor allem das elterliche Heim, aber auch die Geselligkeit, die öffentliche Meinung, die neue Literatur und Kunst.

Da mithin die Schüler nicht gehindert werden können, recht früh modern zu werden, wäre es da nicht besser, die Schule, die ängstliche Glucke folgte ihren Entlein in das ungewohnte Element und finge selber an, lustig im Fahrwasser der Moderne zu plätschern? Hat sie dann erst ihren Schützlingen jede Tätigkeit und jede Tat als unge-schminkte Äußerung der Persönlichkeit freigegeben, wo gibt es dann noch Verkümmerung oder gar lebensgefährlichen Konflikt?

Ja, solch eine moderne Musterschule wäre wirklich ganz ungefährlich, so ungefährlich, daß ihr unsere munteren Jungen, die das Schulgesetz brauchen, schon um es zu übertreten, weit aus dem Wege gehen würden.

So wenigstens erwarten es die echten Schulmeister, die unsere Jugend kennen und an sie glauben trotz allem.

Vielleicht aber wären, auch ohne daß wir uns zur Zertrümmerung unserer überlieferten Schulformen entschließen, einige vorbeugende Maßregeln gegen den Schülerselbstmord durchführbar.

Daß für die Ätiologie der Schülerselbstmorde das häusliche Leben die entscheidenden Momente liefert, dagegen Mißerfolge in der Schule niemals mehr als Veranlassungen zum Ausbruch der Katastrophe bieten, ist eine Erkenntnis, für die wir unsere Leser vielleicht nicht zu gewinnen vermochten, da wir in gewollter Beschränkung mit unsern psychologischen Betrachtungen nur in der Oberwelt des Bewußten forschten, und die Fahrt in jene Tiefen, wo „die Mütter" alles seelischen Lebens, die unbewußten Gedanken und Wünsche, hausen, den rechten Meistern im Reiche der Geister überließen. Aber schon unsere flüchtigen Streifungen haben den Einfluß häuslicher Verhältnisse auf die Schülerselbstmorde wenigstens soweit erwiesen, daß die Forderung, mit der Prophylaxe im Hause zu beginnen, begründet erscheint.

Während der Lehrer in verhältnismäßig kurzer Zeit viele Kinder gleichzeitig beobachten muß, dabei vor allem die intellektuellen Anlagen zu sehen bekommt, dagegen in alle tieferen Regungen schon darum nur selten eindringt, weil sie häufig vor ihm absichtlich verschlossen werden, kann im Elternhause jedes einzelne Kind beliebig lang und dabei in ungekünstelter Haltung beobachtet werden. Da läßt sich auch das Aufsteigen eines schweren seelischen Konflikts wahrnehmen und eine bis zur Katastrophe führende Verschärfung hindern. Aber diese Gelegenheit wird keineswegs nach Gebühr benützt. So erfuhr E u l e n b u r g (S. 14), als er zu einem 19 jährigen Oberprimaner, der Selbstmord verübt hatte, gerufen wurde, „daß dieser junge Mann schon seit Monaten mit Eltern und Geschwistern kein Wort mehr gewechselt und im Hause völlig sich selbst überlassen offenbar in schwerer Melancholie gelebt hatte".

Was das Elternhaus zu beobachten versäumt, wird gewöhnlich auch der Schule verborgen bleiben. Bekommt sie aber die nötigen Winke, so vermag sie gewiß vieles zu tun, um einen übermäßig erregten Knaben vor einer Verzweiflungstat zu bewahren. So segenreiches Zusammenwirken ist jedoch nur erreichbar, wenn aus den Herzen der Eltern das krankhafte Mißtrauen gegen die Schule schwindet, wenn sie entschlossen sind, mit ihr treue Bundesgenossenschaft zu schließen, statt wider sie ein grimmiges Trutzbündnis zu schmieden. Vielleicht wäre das ersehnte Vertrauen leichter zu gewinnen, wenn die

Schule das gefährliche Vorrecht, über Schülerleistungen unwiderrufliche Urteile zu fällen, verlöre und zur Erledigung von Beschwerden Überprüfungskommissionen eingerichtet würden. Man gebe nur einem Schüler, der sich zu hart oder gar ungerecht beurteilt fühlt, das Recht, sein besseres Wissen vor einer zweiten Instanz in einer Prüfung zu bekunden.

Auch der gehässigste Zeitungsschreiber wird dann nicht behaupten können, ein Lehrer habe mit dem „nicht genügend“, das er schrieb, ein Todesurteil unterzeichnet. (Vgl. Dr. H. F i s c h l : „Die Klassifikationssorgen“, Die Zeit Nr. 2790, 2. Juli 1910.)

Vom Standpunkt einer den tiefsten und unbewußten Seelenregungen zugewandten Psychologie ist es wohl platte Selbstverständlichkeit, daß auch mit der Änderung des Klassifikationswesens, die wir soeben befürwortet haben, unsere Mittelschüler nicht allen Grund zum Selbstmord verlieren würden, ja daß die wahre und letzte Ursache einer solchen Tat häufig gar nicht zu ermitteln ist und daher noch viel weniger mit vorbeugenden Maßregeln beseitigt werden kann.

Doch es wäre schon viel gewonnen, wenn man den jungen Selbstmordkandidaten das Sterben schwerer zu machen suchte. Zwar ist es richtig, daß ein Mensch, der bereits fest entschlossen ist, aus dem Leben zu scheiden, jedes seiner Absicht entgegenstehende Hindernis zu überwinden weiß und auch vor den schrecklichsten Vernichtungsmitteln nicht zurückscheut. Doch ebensowenig kann bestritten werden, daß Gelegenheit nicht allein Diebe macht, sondern auch Selbstmörder, und daß Gelegenheit zum Selbstmord dem geboten ist, der seinen Tod jederzeit durch eine geringfügige Augenblickshandlung sicher schmerzlos und ohne ekelerregende Verstümmelung und Entstellung herbeiführen kann. Allen diesen Bedingungen entspricht die Schußwaffe so vollkommen, daß sie ihrem Besitzer den Gedanken an Selbstmord geradezu aufnötigt oder, wie die Psychologen sagen, suggeriert. Aus eben diesem Grunde verzichtete ein uns bekannter Hochschüler zur Zeit, als er unter starken Verstimmungen litt, auf den zierlichen Revolver, der ihm in den Gymnasialjahren ein liebes Spielzeug gewesen war.

Als ein rechtes Gegenstück zu diesem vorsichtigen jungen Mann erscheint uns jener im vergangenen Winter vielgenannte Wiener Knabe, der sein freies Verfügungsrecht über die väterliche Waffensammlung dazu benutzte, sich die geeignetste Todeswaffe auszuwählen. Natürlich darf man ohne genaue Kenntnis der nähern Umstände nicht behaupten, daß der Gedanke an die Waffensammlung schon den aufkeimenden Entschluß zum Selbstmord begünstigt hat. Jedoch das Gegenteil, die Unwesentlichkeit gerade dieses Faktors, wäre wohl noch weit schwerer zu erweisen. Und so bleibt der traurige Fall nur zu geeignet, jene Väter zu belehren, die bisher meinten, der Revolver gehöre in die Tasche eines rechten Jungen nicht anders als die Taschenuhr.

Indes, die Schußwaffe erzeugt nur darum einen suggestiven Reiz, weil sie die Möglichkeit des Selbstmordes in sich verkörpert. Der Schütze, der ihn an der eigenen Person verwirklicht, übt eben darum noch weit stärkere Suggestion. Zur vollen Einsicht in diese vom Selbstmörder ausgehende Suggestionsgewalt ist aber noch folgende Erwägung nötig: Unter den zahlreichen Mitteln, die zur Selbstvernichtung verwendet werden, besitzt suggestive Kraft nur ein eigentliches Mordwerkzeug wie der Revolver, also nicht der Strick und die Phosphorhölzchen, der Fluß und das dreistöckige Haus. Wohl aber lockt jeder Selbstmord, mag er wie immer vollbracht sein, zur genauen Nachahmung.

So werden in einer englischen Stadt, deren Namen ich leider vergessen habe, Selbstmorde durch Herabstürzen von einer Brücke immer nur nach jahrelangen Pausen, dann aber gleich serienweise, verübt (nach Dr. Baer, Der Selbstmord im Kindesalter). Noch viele andere Tatsachen zeigen, daß der Selbstmord ansteckend wirkt. Förmliche Selbstmordepidemien sind schon aus dem Altertum bezeugt. Vom Ende des 5. vorchristlichen Jahrhunderts beginnen sich die Selbstmorde in Athen auffällig zu mehren, sicher unter Mitwirkung des Vorbilds, das der wirkliche oder bloß geglaubte Selbstmord des großen Themistokles darbot (R. Hirzel, Der Selbstmord, Archiv für Religionswissenschaft, 1908, S. 91). Gleichzeitig machte unter den unverstandenen Frauen Athens, Stheneboia, die Heldin einer euripideischen Tragödie, für den Schierlingsbecher Propaganda (S. 102). Im 3. und den folgenden Jahrhunderten, der Epoche des Hellenismus, wird in der Zentrale dieser Kultur, in Alexandria, die Flucht aus dem Leben zu einem alltäglichen Ereignis. Es genügte, daß ein pessimistisch gestimmter Hedonist, Hegesias, mit dem Beinamen πεισιθάνατος, der Todesprediger, in seinen Vorträgen das Elend des Daseins und das Recht auf Selbstbefreiung eindringlich erörterte, um eine Menge junger Leute zur praktischen Betätigung dieser lebensverneinenden Lehre zu bewegen. Wie eine Selbstmordepidemie durch Massensuggestion entsteht, tritt hier mit höchster Klarheit zutage.

In der großen Pflanzstätte der hellenistischen Kultur, im kaiserlichen Rom, wird das Recht auf freigewählten Tod zu einem Dogma der in den Fragen der Weltanschauung stoisch, in der Politik republikanisch gesinnten Opposition.

Cato von Utica, der unversöhnliche Gegner des Diktators Cäsar, der den Sturz der Republik nicht überleben wollte, ist der Heilige und Märtyrer, dem diese Gemeinde in den Tod folgt. Doch haben manche Familien außerdem noch eine eigene Selbstmordtradition, so zwar, daß sich z. B. eine Fannia tötet, weil ihre Mutter und Großmutter, die beiden Arriae, freiwillig gestorben waren (a. a. O. S. 104, 1).

Blicken wir nun auch auf die neueren Perioden der Sitten- und Geistesgeschichte, so berichtet die berühmte Elisabeth Charlotte, die scharfsichtige und unbefangene Beobachterin der Zeit Ludwigs des XIV., bereits im Jahre 1696 in einem Briefe an die Kurfürstin Sophie von Hannover: „Daß Engländer sich selbst ermorden, ist gar gemein bei ihnen" (a. a. O. S. 80, Anm. 3), wir können nach Montesquieu ergänzend hinzufügen, „ohne daß man einen Grund ersinnen kann, der sie dabei bestimmt" (Esprit des lois XIV, 12, nach Hirzel S. 80, 3). Das Fehlen individueller Motive ist ein sicherer Hinweis auf die Wirkung einer Massensuggestion. Diese zu üben waren schon Hamlets melancholische Bemerkungen über Sein oder Nichtsein wohl geeignet. Dazu kam im Jahre 1668 der Βιοθάνατος, eine in London herausgegebene Verteidigungsschrift zugunsten des Selbstmordes, die merkwürdigerweise einen Geistlichen von der Paulskirche zum Verfasser hatte.

Wie mit der Verbreitung der englischen Geistesbildung auch die englische Lebensverachtung an Boden gewinnt, läßt sich wiederum aus den Briefen Elisabeth Charlottes nachweisen. 1718 schreibt sie an die Raugräfin Luise: ,So fangen unsere teutschen die Englischen maniren ahn, sich selbst umbs leben zu bringen, daß Konnten sie woll bleiben lassen" (a. a. O. S. 80, 3) und 1722 berichtet sie dem Herrn von Harling: „Die grosse mode zu Paris ist nun, daß man sich selber umbbringt" (S. 83, 4). In Deutschland erreicht die Selbstmordepidemie erst gegen Ende des 18. Jahrhunderts ihren Höhepunkt. Diesmal war es nicht ein Philosoph, sondern ein urgewaltiger Dichter, der junge Goethe, der, freilich ohne es zu wollen, die Rolle des πεισιθάνατος, des Todespredigers, spielte. Seines Werthers „vielbeweintem Schatten" folgten viele gleichgestimmte Jünglinge ins Grab. Und wem folgte Werther? Der Dichter beantwortet die Frage, indem

er auf das Pult dieses Selbstmörders die Emilia Galotti hinlegt (a. a.
O. S. 101, 5). Und das Urbild Werthers, der durch seinen Selbstmord berühmt gewordene junge Jerusalem? Der war gewiß nicht
zufällig auch im Leben ein Nachahmer der Engländer (a. a. O. S.
81, 3, nach Goethes Werke 26, 156 und 219). Sein freiwilliges Ende
machte auf den befreundeten Goethe um so tieferen Eindruck,
da ihm selbst der Gedanke an Lebensflucht bereits gefährlich nahe
getreten war. Und auch er stand damals im Banne eines großen Vorbildes. Es war der römische Kaiser Otho, der sich erstach, weil er im
Thronstreit gegen Vitellius unterlegen war (a. a. O. S. 103, 2, nach
Goethe 26, 221 f.). So schließen sich vor unsern Augen die Selbstmorde
vom Altertum bis auf unsere Zeit zu einer einzigen Kette zusammen,
in der ein Glied alle folgenden mit sich zieht, und die Kraft, die sie
aneinander schmiedet, heißt Suggestion.

Sich ihr zu entziehen, vermag ein Individuum um so weniger, je
kleiner die Widerstandskraft ist, über die seine psychische Organisation
verfügt. Das Kind muß daher suggestibler sein als der Mann, gegenüber dem Selbstmord so gut wie in allen anderen Dingen. Tatsächlich
zeigt sich der Einfluß der Suggestion bei vielen Kinderselbstmorden
mit erschreckender Deutlichkeit. Wir erwähnen nur zwei besonders be-
zeichnende Fälle, die in B a e r s Untersuchung: „Der Selbstmord im
Kindesalter" verzeichnet sind.

Ein 14 jähriger Knabe, berichtet V o i s i n , erhängte sich, nachdem
er drei Kreuze auf die gegenüberliegende Wand gemalt und zu seinen
Füßen Weihwasser aufgestellt hatte. Ganz so hatte sich vier Wochen
zuvor sein Onkel, der sich oft berauschte, nach dem Frühstück erhängt.
— Bei dem Begräbnis eines Knaben, der sich aus unbekannter Ursache
erhängt hatte, äußerte — so erzählt D u r a n d — einer der Chor-
knaben, die dem Sarge folgten, zu seinem Kameraden, er wolle sich
auch durch Erhängen töten, und führte seine Absicht vier Tage
später aus.

Natürlich wird die suggestive Wirkung solcher Selbstmorde, die das
Kind in seiner nächsten Umgebung miterlebt, nur schwer behoben
werden können. Doch ereignet es sich wenigstens nicht allzu häufig.
daß ein Kind unter die Herrschaft derartiger Eindrücke gerät.

Wohl aber liest heutzutage fast jedes Kind die Zeitung oder darf
doch zuhören, wenn sie vorgelesen oder ihr Inhalt erzählt und
besprochen wird. So erfährt es immer wieder von Selbstmorden seiner
Altersgenossen. Und wenn sich noch die Herren der Presse auf kurze

Berichte beschränken wollten. Aber da werden alle näheren Umstände der Tat behaglich ausgemalt und das Mitleid mit dem armen Opfer bedenklich aufgestachelt. Im Laufe der von Tag zu Tag fortgesponnenen Erörterung wird der Selbstmörder zu einem unschuldig Gemordeten, nach den Mördern wird eifrig gefahndet und bald sind sie auch gefunden. Die bösen Lehrer sind es. Ihre kaltherzige Grausamkeit hat den hoffnungsvollen Knaben getötet. Er starb als Märtyrer für die Freiheit der Schule.

Und nun erwäge man die Wirkung einer solchen Preßkampagne, die kein Phantasieerzeugnis ist, sondern im letzten Winter nur allzu bittere Wirklichkeit wurde, man bedenke ihre Wirkung auf einen Knaben im stürmischen Entwicklungsalter, der sich als Mann zu fühlen beginnt und für diesen neu gewonnenen Stolz die allerreichste Befriedigung sucht. Konnte er sie in der Schule nicht erringen, hier wird ihm ein Weg gewiesen, sie gegen die Schule zu ertrotzen. Er folgt dem Wink und greift zum Revolver. So sorgt die Presse mit ihrem geräuschvollen Kampf gegen Schülerselbstmord und Schule, daß immer neue Opfer fallen und ihr der Stoff für neue Klagen und Anklagen nicht ausgeht.

Ich habe meiner Verteidigung der Schule in Sachen des Schülerselbstmordes nichts hinzuzufügen. Meine sehr verehrten Herren Gegner! Hier ist die Anklagebank. Ich bitte, nehmen Sie Platz!

II.
Dr. med. Alfred Adler.

Der Wert statistischer Erhebungen soll keineswegs geleugnet werden, solange sie darauf gerichtet sind, ein Bild zu entwerfen über die Häufung der Selbstmordfälle und über begleitende Umstände. Schlüsse zu ziehen, sei es über die psychische Individualität, sei es über die Motive des Selbstmordes, ist auf Basis der Statistik allein unmöglich. Man wird da leicht zu voreiligen Anschuldigungen von Institutionen oder von Personen kommen, solange die treibenden Motive in ihrem vollen Umfang unbekannt bleiben. Soziales Elend, Mängel von Schuleinrichtungen, Fehler der Pädagogik, zahlreiche andere schwache Punkte unserer Kultur können dabei zur Aufdeckung kommen.

Aber wird uns daraus etwa die psychologische Situation des Selbstmörders, etwa die Dynamik klar, die ihn aus dem Leben treibt? — Wenn wir wissen, daß die dichtest bevölkerten Gegenden die relativ größte Zahl der Selbstmörder aufweisen, daß gewisse Monate den höchsten Stand der Selbstmörderziffern zeigen, lernen wir daraus auch nur ein einziges zureichendes, was sage ich? — erklärendes Motiv kennen? Nein. Wir erfahren nur, daß der Selbstmord, wie jede andere Erscheinung auch, dem Gesetze der großen Zahl folgt, daß er mit anderen sozialen Erscheinungen Verknüpfungen aufweist.

Der Selbstmord kann nur individuell begriffen werden, wenngleich er soziale Voraussetzungen und solche Folgen hat.

Dies erinnert an die Entwicklung der Neurosenlehre.

Und auch, daß man, solange nicht volle Klarheit über die psychologische Konstellation des Selbstmordes und über das Wesen der Motive herrscht, an ein Verständnis oder gar an eine grundlegende Heilung nicht denken kann.

Und selbst wenn sich auf sozialem Wege ein Mittel fände, vereinzelt Selbstmorde zu verhüten, wie es die Aktion der Heilsarmee in London versucht, indem sie Aufrufe erläßt, die Selbstmordkandidaten zu sich ladet, um ihnen Trost und Hilfe zu spenden; selbst wenn es gelänge, praktisch die Zahl der Selbstmorde, sei es durch Vertiefung der Religiosität, durch verbesserte Pädagogik, durch soziale Reformen und Hilfeleistungen einzuschränken; so bliebe es dennoch ein verdienstliches Werk, den psychischen Mechanismus, die geistige Dynamik des Selbstmordproblems klarer gestellt zu haben. Einerseits wegen der Möglichkeit einer individuellen, weiterhin durch das Mittel der Pädagogik und der sozialen Reform allgemeinen Prophylaxe. Andererseits, weil offenbar das psychische Gefüge des Selbstmörders im Zusammenhang steht mit psychischen Zustandsformen und psychischen Einstellungen anderer Art, vor allem solchen der nervösen und psychischen Erkrankungen, so daß im Falle des Gelingens einer derartigen Zusammenhangsbetrachtung Ergebnisse des einen Problems zu Nutzen des anderen verwertet werden könnten.

Dieser Versuch der Zusammenhangsbetrachtung wird wesentlich unterstützt durch die Volksmeinung, die jedesmal geneigt ist, dem Selbstmörder den Milderungsgrund der Unzurechnungsfähigkeit zuzubilligen; aber auch durch Ergebnisse aus der Psychiatrie, den Zusammenhang von Geisteskrankheit und Selbstmord betreffend.

Aus welchem Material kann ein Nervenarzt, der sich der individualpsychologischen Untersuchung bedient, Erkenntnisse sammeln, um die Fragen des Selbstmordes zu lösen?

Der gelungene Selbstmord vereitelt ja eine direkte Einsicht, etwa durch Befragen oder Reaktionsprüfung. Bleiben in diesem Falle nur Aufzeichnungen und Auskünfte der Umgebung, die mit Vorsicht aufzunehmen sind und höchstens Bedeutung erlangen können, wenn sie mit grundlegenden psychologischen Ergebnissen übereinstimmen. Insbesondere was Ansichten der Umgebung anlangt, ist die Tatsache festzuhalten, daß sich die u n g l a u b l i c h e m p f i n d l i c h e N a - t u r des Selbstmörders stets verkleidet und in Geheimnis hüllt.

Bleiben also nur die Fälle von mißlungenem Selbstmord und die überaus häufigen unausgeführten Selbstmordregungen, die einer Erforschung durch die Individualpsychologie zugänglich sind. Freilich kompliziert sich dabei das Problem, weil diese Fälle gewöhnlich den Kompromißcharakter tragen, so daß sie im Zweifel stecken bleiben oder ungeeignete Mittel wählen und, während sie den Tod suchen, gleichzeitig auf Rettung bedacht sind.

I m m e r h i n i s t d i e s d e r e i n z i g e W e g, um Sicherheit darüber zu erlangen, w e l c h e r A r t d i e M e n s c h e n s i n d, d i e d e n T o d s u c h e n u n d w e l c h e M o t i v e s i e d a b e i b e w e g e n. Da kann ich nun mit Bestimmtheit sagen, der Entschluß zum Selbstmord tritt unter den gleichen Bedingungen ein, unter denen sich der Ausbruch einer nervösen Erkrankung (Neurasthenie, Angst- und Zwangsneurose. Hysterie, Paranoia) oder ein nervöser Einzelanfall vollzieht. Ich habe diese „n e u r o t i s c h e D y n a m i k" in einigen Arbeiten, „Über neurotische Disposition" und „Psychischer Hermaphroditismus im Leben und in der Neurose" beschrieben, die als Fortsetzungen meiner „S t u d i e über M i n d e r w e r t i g k e i t v o n O r g a n e n (U r b a n und S c h w a r z e n b e r g, Wien 1907) anzusehen sind[1]. Die leitenden Gedanken dieser Arbeiten sind folgende:

J e d e s K i n d w ä c h s t u n t e r V e r h ä l t n i s s e n a u f, d i e e s z u e i n e r D o p p e l r o l l e z w i n g e n, ohne daß es diesen Sachverhalt mit seinem Bewußtsein erfaßt. Wohl aber mit seinem Gefühl. Einerseits klein, schwach, unselbständig, entwickelt es Wünsche nach Anlehnung, Zärtlichkeit, Hilfe und Unterstützung. Und bald fügt es sich dem Zwange, der den Schwachen zum Gehorsam, zur Unterwerfung verpflichtet, wenn er Trieb-Befriedigungen und die Liebe seiner Pflegepersonen erlangen will. Alle Züge des erwachsenen Menschen von Unterwürfigkeit, Demut, Religiosität, Autoritätsglauben (Suggestibilität, Hyp-

[1] Siehe diesen Band. Zusammengefaßt und erweitert im „N e r v ö s e n C h a r a k t e r", Bergmann, Wiesbaden, 1912.

notisierbarkeit und Masochismus beim Nervösen) stammen aus diesem ursprünglichen Gefühl der Schwäche und stellen psychische Zustandsbilder dar, denen offensichtlich bereits geringe Spuren von Aggression anhaften, Versuche etwas von Geltung und Triebbefriedigungen aus der Umwelt für sich zu gewinnen.

Zur gleichen Zeit, insbesondere aber deutlich im Laufe der Entwicklung, tauchen Z ü g e d e s E i g e n w i l l e n s auf, ein H a n g z u r S e l b s t ä n d i g k e i t, G r o ß m a n n s s u c h t, T r o t z machen sich mehr und mehr geltend und t r e t e n i n K o n t r a s t z u d e n a n d e r e n Z ü g e n d e s G e h o r s a m s. Ja, man merkt bald, daß diese Kontraststellung, offenbar unter dem Druck der Außenwelt, bei Entfaltung des kindlichen Ehrgeizes, groß zu werden und seinen Trieben Befriedigung zu gewähren (Eßtrieb, Schautrieb z. B.), sich stetig steigert. D i e Q u e l l e d i e s e r K o n t r a s t s t e l l u n g d e r C h a r a k t e r z ü g e l i e g t i n d e m i n n e r e n W i d e r s p r u c h z w i s c h e n U n t e r - w e r f u n g u n d d e r T e n d e n z d e r T r i e b b e f r i e d i g u n g. Das Kind merkt sehr bald, daß in seiner kleinen Welt vorzugsweise die Kraft gilt und findet dafür in der großen Welt reichliche Bestätigung. Und so behält es von den Zügen des Gehorsams nur diejenigen bei, die ihm Nutzen bringen, sei es einen Gewinn an Liebe, an Lob, Verzärtelung oder Belohnung. Leider führt gerade diese Art von Lebensbeziehung des Kindes leicht auf A b w e g e, und kann aus dem Unbewußten heraus i n t e n d e n z i ö s e r W e i s e Situationen schaffen, in welchen der späterhin Erwachsene geradezu a u f d i e H i l f e a n d e r e r angewiesen ist. Solche Kinder werden in jeder Art Kränklichkeit, Ungeschicktheit, Ängstlichkeit, Schwachheit, im Leben, in der Schule, in der Gesellschaft ihre Beziehungen so einrichten, daß man sich ihrer annimmt, Mitleid zeigt, daß man ihnen hilft, sie nicht allein läßt usw. — Gelingt ihnen dies Vorhaben nicht, so fühlen sie sich beleidigt, zurückgesetzt, verfolgt. E i n e u n g e h e u r e Ü b e r e m p f i n d l i c h k e i t w a c h t d a r ü b e r, d a ß n i c h t d i e e i g e n e S c h w ä c h e e n t - l a r v t w e r d e. Immer ist es ein Schicksal, Pech, die schlechte Erziehung, die Eltern, die Welt, die Schuld an ihrem Unglück tragen, und in dieser Absicht steigern sie ihre Wehleidigkeit zur Hypochondrie, Weltschmerz und Neurose. Und noch mehr! Ihre Sehnsucht nach Mitleid, nach Bevorzugung kann so intensiv werden, daß sie die Krankheit als Mittel schätzen lernen, einerseits um das Interesse der Umgebung auf sich zu lenken, andererseits als Vorwand, u m j e d e r E n t - s c h e i d u n g a u s z u w e i c h e n. D i e s e F u r c h t v o r j e d e r E n t -

scheidung (die Prüfungsangst des Nervösen), die ihn nichts zu Ende bringen läßt, ihn gleichzeitig aber mit höchster Ungeduld und Hast erfüllt, die ihm das Warten (auf die Entscheidung, auf den Erfolg) zur größten Qual macht, wird nur erklärlich, wenn man die ungeheuren Größenideen des Unbewußten kennt und das Gefühl von deren Unerfüllbarkeit bei ausgesprochen nervösen Personen.

Diese intrapsychische Spannung, der dialektische Umschlag aus dem Schwächegefühl des Kindes in Großmannssucht, wird begleitet, aber auch behütet durch dauernde Affektlagen der Ängstlichkeit, der Unsicherheit, des Zweifels an den eigenen Fähigkeiten. Und dies um so mehr, je größer die dynamische Wirkung des Kontrastes, je hypertrophischer die Züge des Ehrgeizes und der Eitelkeit sich ausgestalten.

Die Individualpsychologie ermöglicht es, durch Reduzierung dieser psychischen Überspannung auf die Anfänge in der Kindheit die Ursachen anzugeben für deren Bedeutung, außerordentliche Kraft und Haltbarkeit. Ich konnte in allen Fällen, bei Nervösen, außerordentlich befähigten Menschen und bei den einer Untersuchung zugänglichen Selbstmördern den Nachweis erbringen, daß sie in den Anfängen der Kindheit ein besonders vertieftes Gefühl der Minderwertigkeit besaßen. Als Ausgangspunkt dieses Gefühls habe ich schon vor Jahren eine angeborene Minderwertigkeit von Organen und Organsystemen angeschuldigt, welchen zufolge das Kind beim Eintritt ins Leben durch Kränklichkeit, Schwäche, Plumpheit, Häßlichkeit und Deformität, sowie durch Kinderfehler (Bettnässen, Stuhlschwierigkeiten, Sprachfehler, Stottern, Augen- und Gehöranomalien) ins Hintertreffen gerät[1].

Der von diesem Gefühl der Minderwertigkeit ausgehende stürmische Versuch zur Überkompensation, gleichbedeutend mit Überwindung des Fehlerhaften durch angestrengtes Training des Ge-

---

[1] Neuerlich hat B a r t e l (Wien), einen Spezialfall dieser Organminderwertigkeit, die l y m p h a t i s c h e K o n s t i t u t i o n in Zusammenhang mit Selbstmord gebracht. In der weiten Fassung, die ihr dieser Autor gegeben hat, wird sie sich, ebenso wie die von mir hervorgehobene Organminderwertigkeit auch als Grundlage von Neurosen entpuppen. Der Schlüssel zum Verständnis des Zusammenhangs liegt in beiden Fällen in dem kindlichen Gefühl der Minderwertigkeit.

hirns, gelingt recht häufig, nicht aber ohne dauernd Spuren dieses Zusammenhangs und der Mehrleistung in der Psyche zu hinterlassen. Der ehemalige Bettnässer wird zum Reinlichkeitsfexen und Blasenathleten, das Kind mit unwillkürlichen Stuhlabgängen zum Hyperästheten, die ursprüngliche Schwäche und Empfindlichkeit der Augen prädestiniert zuweilen zum Maler und Dichter, und der Stotterer Demosthenes wird zum größten Redner Griechenlands[1]. Dabei begleitet sie alle auf ihrem Lebenswege eine unbezähmbare Gier nach Erfolg, und ihre dauernde Überempfindlichkeit sucht ihnen die Kulturhöhe zu sichern. Rachsucht, Pedanterie, Geiz und Neid begleiten diese Entwicklung, ebenso auch Züge von ausgesuchter Mannhaftigkeit. sogar Grausamkeit und Sadismus.

Nur eine Relation noch kann diese Spannung verstärken, und sie ist es gerade, die den pathologischen Gestaltungen dieser ins Gegensätzliche umschlagenden Dynamik ihre höchste Weihe gibt. Sie geht aus dem häufig anzutreffenden psychischen Hermaphroditismus hervor. Die Doppelrolle verleitet viele der Kinder, eine naheliegende Analogie mittelst einer falschen, aber aus Tatsachen geschöpften Wertung herzustellen, eine Analogie. der seit altersher ein großer Teil der Menschheit unterlegen ist, und die eine ganze Anzahl der feinsten Köpfe, — ich nenne nur Schopenhauer, Nietzsche, Moebius, Weininger — mit geistreichen Sophismen zu stützen gesucht haben: ich meine die Gleichstellung von Zügen der Unterwerfung mit Weiblichkeit, der Bewältigung mit Männlichkeit. Dem Kinde wird diese Wertung recht häufig aus den Familienbeziehungen und aus der Umgebung aufgezwungen. Es kommt dann bald so weit, daß jede Form von Aggression und Aktivität als männlich, Passivität als weiblich empfunden wird. Dann geht das Streben des Kindes dahin, aus Gehorsam zu Trotz, aus der Folgsamkeit heraus zu Bösartigkeit, kurz aus den normalen Bahnen der kindlichen Fügsamkeit und Weichheit zu aufgepeitschten Bestrebungen der Großmannssucht, der Starrköpfigkeit, des Hasses, der Rachsucht zu gelangen. Kurz, in den geeigneten Fällen (bei starkem Gefühl der Minderwertigkeit) setzt ein toller männlicher Protest ein, bei Knaben wie bei Mädchen. Selbst die körperlichen Schwächen und Fehler des Kindes werden dann nicht verschmäht, wenn sie als Waffen dienen können, um sich etwa durch Kränklichkeit, Kopfschmerzen, Bettnässen usw. das dauernde Interesse

[1] S. auch J. Reich, Kunst und Auge,7 Österreichische Wochenschrift 1908.

und eine gewisse Herrschaft über die Umgebung zu sichern. So wird aus dem Unbewußten heraus eine Situation geschaffen, in der die Krankheit, ja selbst der eigene Tod gewünscht wird, teils um den Angehörigen Schmerzen zu bereiten, teils um ihnen die Erkenntnis abzuringen, was sie an dem stets Zurückgesetzten verloren haben. Nach meiner Erfahrung stellt diese Konstellation die regelmäßige psychische Grundlage dar, die zu Selbstmord und Selbstmordversuchen Anlaß gibt. Nur daß in späteren Jahren meist nicht mehr die Eltern, sondern ein Lehrer, eine geliebte Person, die Gesellschaft, die Welt als Objekt dieses Racheaktes gewählt wird.

Kurz anführen muß ich noch, daß eine der wichtigsten Triebfedern zu diesem männlichen Protest die häufig anzutreffende Unsicherheit des Kindes über seine gegenwärtige oder zukünftige Geschlechtsrolle ist. Aus dieser Unsicherheit heraus, die das double vie, die Bewußtseinsspaltung, den Zweifel und die Unentschlossenheit der Nervösen vorbereitet, drängt es Mädchen und Knaben mit ungeheurer Wucht zum männlichen Protest in jeder Form. Aus diesem heftigen Streben stammen alle Formen der Frühsexualität und des Autoerotismus, die Masturbation wird zur Zwangserscheinung, und ein unablässiges Drängen nach „männlich" scheinender Betätigung der Sexualität (unter anderem: Don Juan, Messalina, Perversionen, Inzest, Notzucht usw.) verankert sich als prägnantes Symbol des männlichen Protestes. Die Liebe selbst artet aus in eine unstillbare Gier nach Triumph, die Befriedigung des Sexualtriebes findet eine sekundäre Verwendung zum Zweck des Beweises der Männlichkeit oder auf einer psychischen Nebenlinie — wie im Falle der Masturbation — zum Zweck der Selbstbeschädigung im Sinne eines Racheaktes[1]. Damit aber wird ein weiteres Vorbild geschaffen für eine etwaige spätere Selbstmordkonstellation, die Wollust des Selbstmordes tritt an die Stelle der Masturbationslust[2].

---

[1] und des Ausweichens vor Entscheidungen.

[2] Auffallend häufig findet sich jugendlicher Selbstmord als scheinbarer Abschluß eines vergeblichen Ringens gegen den Masturbationszwang, der in scheinbar überzeugender Weise dem Patienten das Gefühl seiner Ohnmacht dartut. In ähnlicher Art verstärkt beiweiblichen Geschlechte die Beschwerde

Die Selbstmordidee taucht unter den gleichen Konstellationen auf wie die Neurose, der neurotische Anfall oder die Psychose. Selbstmord und Psychose wie die Neurose sind Ergebnisse der gleichen psychischen Konstellation, die durch eine Enttäuschung oder Herabsetzung bei Disponierten eingeleitet wird und die das alte Gefühl der Minderwertigkeit aus der Kindheit wieder zum Aufflammen bringt. Selbstmord wie Neurose sind Versuche einer überspannten Psyche, sich der Erkenntnis dieses Minderwertigkeitsgefühls zu entziehen und treten deshalb zuweilen vergesellschaftet auf. In anderen Fällen wirkt ein konstitutionelles Moment (die Stärke des Aggressionstriebes) oder Beispiele richtunggebend. Der „Heredität" kann in gleicher Weise vorgebeugt werden, wie den Manifestationen selbst, und zwar durch die Individualpsychologie. Sie deckt das kindliche Gefühl der Minderwertigkeit auf, führt es von seiner Überschätzung auf das wahre Maß zurück, indem sie falsche Wertungen korrigiert, und stellt die Revolte des männlichen Protestes unter die Leitung des erweiterten Bewußtseins. Selbstmord wie Neurose sind kindliche Formen der Reaktion auf kindliche Überschätzung von Motiven, Herabsetzungen und Enttäuschungen. Und so stellt der Selbstmord — ganz wie die Neurose und Psychose — eine Sicherung vor, um in unkultureller Weise dem Kampf des Lebens mit seinen Beeinträchtigungen zu entgehen.

III.

Dr. phil. Karl Molitor (Dr. Carl Furtmüller).

Die Frage der Schülerselbstmorde ist für den Pädagogen von außerordentlicher Bedeutung; nicht nur wegen des erschütternden Eindrucks der vereinzelten Fälle, in denen der Knabe oder Jüngling sein Leben gewaltsam beendet, sondern in viel umfassenderem Sinne. Jedem Falle von Selbstmord wird ja eine ungleich größere Zahl von Fällen entsprechen, in denen ähnliche Ursachen zu nervösen Erkrankungen oder doch zu psychischen Depressionen von längerer oder kürzerer Dauer führen. Sollten sich also aus dem Studium des Selbstmordproblems

---

der Periode das „herabsetzende Gefühl der Weiblichkeit". Bekanntlich steigern sich um diese Zeit sowohl die nervösen Beschwerden als auch die Selbstmordfälle, eine deutliche Bestätigung der obigen Ausführungen.

praktische pädagogische Folgerungen ableiten lassen, so kämen diese nicht nur wenigen besonders Gefährdeten, sondern überaus vielen einzelnen und unserm Erziehungswesen als Ganzem zugute.

Die Beziehungen zwischen Schule und Selbstmord sind ja heute schon mehrmals interessant und tiefschürfend erörtert worden. Da hat sich zunächst, wie zu erwarten, gezeigt, wie seicht und gedankenlos die dilettierenden Vulgärpädagogen urteilen, die in manchen Zeitungen ihre Tribüne finden und die bei jedem Fall von Schülerselbstmord von vornherein ein Verschulden des Lehrers annehmen und gewissermaßen auf Mord oder mindestens fahrlässige Tötung plädieren. Ob individuelles Verschulden vorliegt, muß im einzelnen Fall gewissenhaft untersucht werden und wird untersucht, von vornherein wahrscheinlich ist es durchaus nicht. Handelt es sich doch bei dem, was die Statistik als „Motiv" des Selbstmordes anführt, höchstens um das auslösende Moment und zeigt doch die Durchleuchtung einzelner Fälle, daß als solches auslösendes Moment Mißerfolge und Zurücksetzung, wie sie im heutigen Schulbetrieb (und wohl in jedem Schulbetrieb) ganz unvermeidlich und gewissermaßen statistisch voraussagbar sind, durchaus genügen.

Mit dieser Feststellung aber ist für den Pädagogen die Frage natürlich nicht erledigt, sondern hier beginnt sie erst. Wären die Beziehungen zwischen Selbstmord und Schule wirklich so grobschlächtig, so könnte man dieses Problem mit Staatsanwalt und Disziplinaruntersuchung lösen. So aber gilt es, feinere Fäden zu entwirren.

Wir können bei dem Problem zwei Fragen unterscheiden. Wir haben gesehen, daß Schulerlebnisse nur bei solchen Individuen zum Selbstmord führen werden, die schon vor dem konkreten Ereignis unter schwerem psychischen Druck stehen. Und da ergibt sich die Frage: Trägt das Schulleben im allgemeinen dazu bei, diesen psychischen Druck zu erhöhen? Dann aber wurde schon darauf hingewiesen, welche Heiltendenzen die Schule entwickeln, wie gerade das Verhältnis zur Schule, zum Lehrer unter Umständen den Knaben aufrechthalten kann. Und da ergibt sich die zweite Frage: Kommen in unserem heutigen Schulbetrieb diese Heiltendenzen zur vollen Geltung?

Die erste Frage muß ohne Zweifel nachdrücklichst bejaht werden. Hat Professor F r e u d die Forderung erhoben, daß die Schule den Knaben besser behandeln müsse als das Leben den Mann, daß man an die Jugend nicht dieselben Anforderungen stellen dürfe wie an die Erwachsenen, so muß man den tatsächlichen Zustand eher so charakterisieren: die Schule mutet dem Schüler oft sehr viel mehr zu, als der Erwachsene — es sei denn unter dem äußersten Zwang der Verhältnisse — je ertragen würde. Unser Klassifikationssystem schafft in seiner Trias von Einzelnoten, Konferenzergebnis und Zeugnis für den schwachen Schüler ein System der schriftlichen Festlegung und amtlichen Beglaubigung seiner Mißerfolge, das für den schwer Lernenden zu einer seelischen Folter werden k a n n. (Das ist natürlich nicht der Normalfall.) Dieser Zustand greift oft auch auf Erwachsene über; es gibt ja ganze Familien, die an einer förmlichen Schulneurose leiden und in denen der Ausfall einer lateinischen Schularbeit Stürme der Verzweiflung oder der Freude hervorruft.

Diese Verhältnisse sind es, die die heftigsten Angriffe gegen die heutige Mittelschule hervorrufen. Und doch geschieht ihr damit eigentlich schwer Unrecht. Nicht die Schule als solche ist es, die diese Zustände schafft, sondern d i e R o l l e, d i e i h r v o n d e r G e s e l l - s c h a f t z u g e w i e s e n w i r d. Unsere Mittelschule ist ja erst in zweiter Linie Erziehungs -und Lehranstalt; in erster Linie ist sie ein Institut zur E r w e r b u n g v o n B e r e c h t i g u n g e n. Immer mehr drängt die Entwicklung dahin, das Reifeprüfungszeugnis zur conditio sine qua non nicht nur für jede höhere Laufbahn, sondern sogar für ganz untergeordnete Anstellungen im Staatsdienst und bei großen Unternehmungen (Bahn u. dgl.) zu machen. Die Tendenz, die dem zugrunde liegt, ist klar: Die sozialen Ober- und Mittelschichten wollen auf diese Weise ihren Söhnen eine möglichst große Zahl von Futterplätzen von vornherein sichern. Und tatsächlich hat heute so mancher junge Mann mit der Ablegung der Maturitätsprüfung den größten Teil seiner Lebensarbeit bereits hinter sich; das andere besorgt dann der Onkel oder der Taufpate. Nur daß sich diese so wohl ausgedachte Einrichtung furchtbar rächt: der natürlichen Bedeutung der Knaben- und Jünglingsjahre wird so eine künstliche und ungesunde hinzugefügt: nicht wie sich das Individuum in dieser Zeit e n t w i c k e l t, kommt in Betracht, sondern was es l e i s t e t, und zwar auf Gebieten leistet, die seiner späteren Lebensaufgabe oft ganz ferne stehen.

Hier ist der Kopf des Wurms. Das Berechtigungswesen drückt unserer ganzen Schule einen ungesunden Charakter auf. Sie macht den Lehrer zu einem Werkzeug der sozialen Auslese und z w i n g t ihn dadurch geradezu, streng, oft hart zu sein; denn läßt er locker, so heißt das, daß überhaupt nur mehr die soziale Stellung der Eltern und gar nicht die Begabung und Leistungsfähigkeit des Individuums entscheiden soll.

Das bringt ihn in eine Doppelstellung zu den Schülern, denen er einerseits Erzieher und Freund, andererseits Richter und Vertreter der Staatsgewalt sein soll. Das vergiftet sein Verhältnis zu den Eltern, die dem Manne, der ihrem Kind so viel nutzen und schaden kann, in den seltensten Fällen mit voller Offenheit gegenübertreten. Das bringt ihn auch oft dazu, gewissermaßen zum Trainer zu werden und den schwachen Schüler zu immer neuer Arbeit anzufeuern, um ihm den schweren Schaden des Versagens zu ersparen, um Schwachbegabte um jeden Preis durchzudrücken.

Nur kurz möchte ich darauf hinweisen, daß die Verhältnisse noch dadurch verschärft werden, daß unsere Schule Massenschule, daß in gewissen Gegenden, z. B. Wien, die Überfüllung der Klassen geradezu Regel ist. Dadurch wird die Bewältigung des Stoffes erschwert, die Konkurrenz verschärft, in einzelnen Punkten eine auch vom Lehrer als unnatürlich straff empfundene Disziplin erfordert, das Individualisieren fast unmöglich. Auch aus dem Grunde, weil, was als Berücksichtigung der Individualität eines nicht völlig normalen Schülers gemeint ist, von der öffentlichen Meinung der Klasse sehr leicht als ungerechte Bevorzugung aufgefaßt wird.

Welchen Druck diese Zustände auf den nervös Veranlagten oft ausüben müssen — selbst unter Voraussetzung wohlwollender Gerechtigkeit und pädagogischen Verständnisses seitens der Lehrer — und wie gefährlich die ganze Situation werden kann, wird uns vor allem dann klar werden, wenn wir uns an die Ausführungen Dr. A d l e r s über die Rolle erinnern, die das Gefühl der Minderwertigkeit bei psychischen Krisen spielt. Und man kann nicht leugnen, daß die heutige Mittelschule bei einer nicht zu kleinen Gruppe von Schülern in hohem Grade auf die Verstärkung dieses Minderwertigkeitsgefühls hinwirkt und das Selbstbewußtsein untergräbt, statt es zu fördern. Und dies einfach durch die Kraft der Tatsachen, so daß der Lehrer, denke man ihn so tüchtig wie man wolle, nur mildern, aber nicht aufheben kann. Unsere ministerielle Reformpädagogik vermag dagegen schon gar nichts, weil ja ihre oft dankenswerten, aber nicht immer konsequenten und auf den Grund der Dinge gehenden Erlässe doch vor allem die Funktion haben, die öffentliche Aufmerksamkeit davon abzulenken, daß unser Mittelschulwesen materiell geradezu ausgehungert wird und deshalb z. B. die Überfüllung unserer Wiener Schulen ein schon jahrelang dauernder schreiender Mißstand ist. Und an eine Aufhebung des Berechtigungswesens ist schon gar nicht zu denken; wo davon gesprochen wird, handelt es sich immer nur darum, die Verteilung der Berechtigungen auf die einzelnen Schultypen zu ändern, nicht aber den Zustand abzuschaffen, daß die Beurteilung der Leistungsfähigkeit eines erwachsenen Mannes oft vorwiegend davon abhängt, wie er, mitunter vor mehreren Dezennien, auf der Schulbank bestanden hat.

Diese in unserer Schuleinrichtung beruhenden Mißstände werden in ihrer Wirkung durch psychologische Momente auf Seite der Eltern und der Lehrer nur noch verstärkt. Die an und für sich schon zu große Bedeutung des Schulzeugnisses wird von vielen Eltern noch übertrieben, und nur grotesk-komisch kann man es nennen, wie von manchen Eltern der „Durchfall" geradezu als ernstes Unglück betrachtet wird, auch wenn die daraus sich ergebende Notwendigkeit, den Unterhalt des Knaben ein Jahr länger zu bestreiten, keine oder doch keine beträchtliche Rolle spielt. Nichts ist charakteristischer für die unser Leben beherrschende Beamtenpsychologie, als der in solchen Fällen übliche Jammer: er „verliert ein Jahr". Denn das ist ja richtig nur für die künftige Aktivitätszulage, aber nicht für die geistige und körperliche Entwicklung. Im Gegenteil, man rettet dem Knaben ein oder mehrere Jahre seiner Jugend, wenn man ihm Zeit läßt, statt ihn unter ständigem Druck von Klasse zu Klasse zu hetzen, bis die gefürchtete Katastrophe doch endlich eintritt, und zwar zu einem Zeitpunkt, wo der Schüler sich schon gewöhnt hat, im Hintertreffen zu stehen, und wo auch aus unterrichtstechnischen Gründen die guten Seiten des Repetierens stark hinter den schlechten zurücktreten. Eine Aufklärung der Eltern in dieser Beziehung würde den Kindern manche schwere Ängstigung ersparen und dem Gespenst des „schlechten Schulzeugnisses" den größten Teil seiner Schrecken nehmen. Ein noch viel gefährlicheres Spiel spielen die Eltern, die ihr Kind trotz wiederholt und deutlich ausgesprochener Abneigung in einer bestimmten Studienbahn gewaltsam festhalten. Anders ist natürlich die Rolle des Durchfallens in den obersten Klassen der Mittelschulen, wo der Jüngling sich schon mit aller Kraft über die Mittelschule hinaussehnt, und wo der Gedanke, ein Jahr länger in Verhältnissen bleiben zu müssen, denen man innerlich fremd geworden ist, auch ohne von außen kommende Verstärkungen des Quälenden genug hat, um bei gegebenen Vorbedingungen eine Krise herbeizuführen.

Die Lehrer wieder, für die das Versagen eines Teiles der Klasse etwas durchaus Normales, fast prozentual Vorausberechenbares ist, sind in

Gefahr, sich nicht immer ganz klar zu machen, wie diametral entgegengesetzt die Auffassung desselben Ereignisses beim Schüler ist;
sie glauben daher mitunter, die Schrecken des Durchfalls zur Erhöhung der pädagogischen Wirkung unterstreichen oder gar übertreiben
zu müssen. Überhaupt läßt sich folgendes beobachten: Dem Lehrer
machen natürlich disziplinär und pädagogisch die Schüler am meisten
zu schaffen, die am widerstandsfähigsten sind und den Disziplinar-
mitteln der Schule mit einer gewissen Ruhe gegenüberstehen. Unwillkürlich nun stuft sich von hier aus das Gesamtbild der Klasse, das
der Lehrer sich macht, und der Ton, den er anschlägt, ab und so
kommt es, daß er die Empfindsamen oft rauher anfaßt, als ihnen gut
ist, nur weil er sich des Eindrucks, den seine Worte auf sie machen,
nicht bewußt wird.

Nicht unerwähnt darf aber bleiben, daß noch gar oft diese Er-
zeugung eines Gefühls der Minderwertigkeit auch bewußt und plan-
mäßig befördert wird, und zwar auf Grund „ethischer Grundsätze".
Alle, die die Schule zum Werkzeug politischer und religiöser Reaktion machen wollen, fordern ja als oberste Leistung der Schule die
„Erziehung zum Gehorsam". Die konsequenten Vertreter dieser Richtung gehen direkt auf das Brechen des Individualwillens aus. Nur
beispielsweise erwähne ich die an manchen Provinzanstalten ausge-
heckten Regeln und Verbote, die in das Privatleben der Schüler schmerzlich eingreifen und für die niemand einen anderen Zweck erkennen
kann als den, die Schüler ihre capitis diminutio recht fühlen zu
lassen: „Die Leute sollen lernen, sich fügen". Diese Behandlung der
Schüler ist übrigens nur ein Spiegelbild der Behandlung, die die Lehrer
sich bis vor wenig Jahrzehnten bieten ließen. In diesem Sinne schon
sind die immer weitergreifenden Organisationsbestrebungen der Lehrerschaft ein wahrer Segen für die Schule: denn wer selbst ein willens-
starker Mensch mit aufrechtem Rücken ist, wird auch solche erziehen wollen. In jedem Sadisten steckt ja eine masochistische Komponente.

Das Thema hat es mit sich gebracht, daß ich zuerst und recht ausführlich bei den schädlichen Momenten unseres Schullebens verweilen
mußte. Ich möchte aber dadurch keineswegs die Ansicht erwecken,
als hielte ich diese Schädlichkeiten für überwiegend. Im Gegenteil,
ich bin fest überzeugt, daß im Schulleben an und für sich wichtige
Heilfaktoren liegen, die auch heute zur Geltung kommen, wenn auch
ihre Wirkung nicht ganz ausgeschöpft, ja teilweise gehemmt wird.

Ich denke da mit Dr. S a d g e r und Prof. F r e u d daran, daß die Schule dem Knaben wichtige persönliche Anknüpfungen vermittelt, daß sein aktives und passives Liebesbedürfnis hier Nahrung findet, daß sie seinem Gefühlsleben die Expansion über das Elternhaus hinaus ermöglicht. Besonders bei vorübergehender oder dauernder Entfremdung zwischen ihm und seinen Angehörigen wird er hier Ersatz finden können, und zwar insoferne in sehr günstiger Form, als hier zwischen einer größeren Anzahl von Individuen eine Art äußerliche Intimität geschaffen wird, die es aber dem einzelnen völlig freistellt, die Bande mit dem und jenem fester oder lockerer zu knüpfen. Der in der Familie herrschende „Zwang zur Liebe" fällt hier also weg. Diese Ersatzfunktion der Schule geht auch daraus hervor, daß die Anhänglichkeit an die Familie und die Liebe zu den Schulgenossen meist in umgekehrtem Verhältnis steht: Muttersöhnchen sind schlechte Kameraden und wem der Vater das Ideal geblieben ist, der sucht es nicht im Lehrer.

Das Gesagte zeigt schon, daß ich die Beziehungen zu den Mitschülern für ebenso wichtig halte wie die zu den Lehrern. Auch die einstige Führerstellung des Vaters kann ja mindestens teilweise einem älteren, frühreifen Mitschüler zufallen.

Wie wirken nun unsere Schuleinrichtungen auf das Verhältnis der Mitschüler untereinander? In mancher Richtung direkt schädlich. Die einst übliche Erziehung zur Angeberei zwar kann wohl als im großen und ganzen überwunden angesehen werden. Aber das Prüfungswesen mit seiner Konkurrenzatmosphäre besteht weiter, Neid und Eifersucht auf der einen, Überhebung und Selbstgerechtigkeit auf der anderen Seite fördernd. Besonders zu bedauern ist es, daß heutzutage die kameradschaftlichen Beziehungen sich rein naturwüchsig, ohne positiv fördernden Einfluß des Lehrers entwickeln, entweder in den Freistunden außerhalb der Schule oder in den Erholungspausen, wo der Lehrer meist nur als passives Aufsichtsorgan anwesend ist. Daß dadurch oft Personen sehr zweifelhaften Wertes, meist vorübergehend, eine Führerrolle spielen können, ist noch das geringere Übel. Aber, was gerade für unsere Frage in Betracht kommt, dadurch finden oft die von A d l e r gekennzeichneten Charaktere, für die die Stütze des Kollegialitätsgefühls von besonderem Werte wäre, keinen Anschluß, ja ihre Schwerfälligkeit und Schüchternheit machen sie oft zur Zielscheibe des Spottes. So kann in ihren Entwicklungsgang ein neues verhängnisvolles Moment kommen. Heute kann da der Lehrer nur zufällig und meist nicht sehr wirksam eingreifen. Ein wesentlicher Fortschritt wird erst dann zu

24

erzielen sein, wenn die Schule neben einer Arbeitsgemeinschaft auch eine Erholungsgemeinschaft wird.

Hierzu haben wir in der Pflege des Jugendspiels, die sich allerdings auf dem Papier imponierender ausnimmt als in Wirklichkeit, gewiß einen hoffnungsvollen Ansatz. Doch treten hier die persönlichen Beziehungen hinter dem Sportlichen meist fast ganz zurück und dadurch, daß das Jugendspiel in vielen Fällen dem Turnlehrer oder einem wissenschaftlichen Lehrer, der die betreffenden Schüler sonst gar nicht kennt, überlassen wird, wird dieses rein Technische noch mehr in den Vordergrund gerückt. Für unseren Zweck könnten nur solche Leibesübungen wirklich in Betracht kommen, die von selbst auch geselligen Zusammenschluß mit sich bringen, wie Wanderungen, Ruderfahrten, unter positiver Mitwirkung, nicht nur passiver Leitung von solchen Lehrern, die mit den Schülern auch wissenschaftlich arbeiten. Schon heute üben die leider so seltenen Schulausflüge den wohltätigsten Einfluß auf Schüler und Lehrer.

Ich brauche nicht eigens hervorzuheben, daß diese Erweiterung der Schule zur Erholungsgemeinschaft auch das Verhältnis zwischen Lehrer und Schüler von Grund aus ändern und die gemütliche Distanz zwischen ihnen erheblich verringern würde. Trotz der vorhandenen Ansätze glaube ich nicht, daß allzuviel in dieser Richtung geschehen wird, und zwar weil zu jeder pädagogischen Reform Geld gehört. Solange die Unterrichtsverwaltung für solche Betätigung an den „Idealismus der Lehrerschaft" appelliert, statt sie in die Lehrverpflichtung einzubeziehen und entsprechend zu entlohnen, wird, von vereinzelten Ausnahmen abgesehen, dieser Teil der Erziehertätigkeit wenig oder doch nicht mit voller Energie gepflegt werden. Schon aus dem Grunde, weil, besonders in den großen Städten, die meisten Lehrer zu zeitraubender Nebenbeschäftigung genötigt sind[1].

Damit sind wir übrigens bei einem anderen Punkt, der die Wirksamkeit unserer Schule aufs nachteiligste beeinflußt. Wer sich für hundert und mehr Jungen persönlich interessieren soll, wenn auch nur flüchtig, braucht Zeit. Unsere Lehrer haben nie Zeit. Außer der Stunde nicht, weil sie Opfer des Korrekturwahnsinns sind und weil die Zeit, die noch bleibt, oft bis zur äußersten Erschöpfung vom Neben-

---

[1] In den drei Jahren seit der ersten Veröffentlichung dieser Arbeit haben die in den beiden letzten Abschnitten geschilderten Verhältnisse eine entschiedene Wendung zum Besseren erfahren, wenn auch natürlich noch manches zu wünschen übrig bleibt.

erwerb in Anspruch genommen wird. In der Stunde nicht, weil ein immer erweiterter Lehrstoff bei gekürzter Unterrichts- und häuslicher Arbeitszeit erledigt werden soll. Die Folge davon ist, abgesehen von gesteigerter Nervosität unseres Schullebens, daß der Unterricht in vielen Fächern zu einem förmlichen Dahinjagen wird, daß der Lehrer die Sorge um die Erledigung des Lehrstoffes nie los wird. Das führt einerseits freilich zu einer fruchtbaren Ausnutzung der Zeit und nötigt zu einer Vervollkommnung des didaktischen Könnens. Andererseits aber verschwindet dadurch der Pädagog, der sich an den ganzen Menschen wendet, immer mehr hinter dem bloßen Unterrichtstechniker. Und da er für die vielen einzelnen keine Zeit hat, arbeitet er immer mehr mit dem Abstraktum der „Klasse". Er will die „Klasse" dahinbringen, daß sie Tüchtiges leistet, das ist sein Ehrgeiz; leistet der schwache Schüler seinen Versuchen, ihn vorwärts zu bringen, längeren Widerstand, so entsteht der persönlich und sachlich sehr begreifliche Wunsch, ihn zu entfernen, weil er das „Niveau der Klasse" drückt. So kann ein für seinen Beruf begeisterter und zur Gesamtheit seiner Schüler liebevoller Lehrer sehr hart gegen den einzelnen werden.

Hier scheinen mir die Gründe zu liegen, warum die Pädagogen, wie Professor F r e u d sie wünscht, heute so selten sind. Die Lehrer werden durch ihre ganze Stellung und durch die Art des Unterrichtsbetriebs in die entgegengesetzte Bahn gedrängt. Die in der Öffentlichkeit so oft gehörte Meinung, alle Übelstände der Schule seien auf pädagogische Unfähigkeit der Lehrer zurückzuführen, gibt für eine richtige Beobachtung eine unstichhaltige Erklärung. Selbstverständlich kann ein hervorragendes pädagogisches Talent auch heute fruchtbare Wirksamkeit entfalten. Aber eine Masseninstitution wie die moderne Schule kann bei ihren Organen nicht exzeptionelle Begabung voraussetzen, sondern sie muß so organisiert und von solchem Geist erfüllt werden, daß auch der tüchtige Durchschnitt allseitig befriedigend seines Amtes walten kann.

Haben die vorstehenden Ausführungen die mannigfachsten Fragen des Schullebens berühren müssen, so glaube ich mich doch keiner Abschweifung vom Thema schuldig gemacht zu haben. Die psychische Förderung oder Hemmung durch die Schule hängt eben von den verschiedensten Faktoren ab. Jetzt gilt es noch, zu fragen, ob eine Selbstmordprophylaxe im engern Sinn durch die Schule möglich ist.

Da möchte ich vor allem nachdrücklich hervorheben, daß mir eine mechanische Prophylaxe, wie man sie in Wien versucht hat, dadurch, daß man „selbstmordverdächtigen" Schülern das schlechte Zeugnis nicht ausfolgt oder sie am Tage der Zeugnisverteilung von ihren Eltern abholen läßt, gänzlich verfehlt erscheint. Einerseits setzt man sich der Gefahr aus, gerade die wirklich Gefährdeten zu übersehen; andererseits wird dadurch geradezu die Vorstellung gezüchtet, der Selbstmord sei eine gewissermaßen normale, jederzeit zu erwartende Reaktion auf schlechte Schulerfolge. So wird dem Gedanken des Selbstmords neue suggestive Kraft zugeführt und in manchem vielleicht die schlummernde Idee erst ausgelöst. Die suggestive Wirkung ist es übrigens auch, die jeden ausgeführten Selbstmord zu einer eminenten Gefahr macht; finden wir doch häufig, daß einer, dem Selbstmordgedanken vielleicht schon lange vertraut waren, die Tat erst ausführt, wenn er jemand findet, dem er sie nachtun kann. Dieser Umstand mahnt zur äußersten Vorsicht und zu großem Takt bei der Untersuchung vorgekommener Selbstmorde durch die Schulbehörden, vor allem aber bei der Diskussion in der Presse. Die sensationelle Art, wie nur allzuviele Zeitungen diese Dinge besprechen, die Märtyrergloriole, mit der ein solcher Unglücklicher gern umgeben wird, können leicht dem einen Opfer ein anderes nachziehen. Damit soll nichts gegen freieste Meinungsäußerung und gegen schonungslose Kritik der Schulzustände, wo man diese für die Schuldigen hält, gesagt werden. Aber, wer sich seiner Verantwortung bewußt ist, wird sagen, was er zu sagen hat, ohne den Fall in die bengalische Beleuchtung der Sensation und des Skandals zu stellen.

Sprechen wir dieser mechanischen Verhütung des Selbstmords die Chancen ab, so ist es vielleicht möglich, daß der kluge Lehrer in vielen Fällen i n d i r e k t rechtzeitig vorbauen kann.

Sehr oft sind Trotz und Rachsucht (gegen Eltern oder Lehrer) die eigentliche Triebfeder des Selbstmords. Nun ist in einem solchen Fall natürlich keineswegs ausgemacht, daß für diese Gefühle auch eine objektive Berechtigung vorlag. Vielmehr deutet eine solche Motivation öfter gerade darauf hin, daß die betreffende Person dem Herzen des Schülers nahe gestanden hat. Aber das darf man sich nicht verhehlen, daß gerade die „Trotzigen" wohl die sind, die in unserer Schule meist am allerunzweckmäßigsten behandelt werden. Wo Gehorsam um jeden Preis das Erziehungsideal ist, wird ja natürlich Trotz zu einem Verbrechen, das den Schüler gewissermaßen ächtet. Aber auch sonst wird über derartige Reaktionen meist als über etwas

ganz Irrelevantes hinweggegangen. Und gerade hier könnte in vielen
Fällen der Lehrer sehr wohltätig eingreifen, wenn er nach dem Anlaß,
der den Trotz hervorgerufen hat, nicht einfach wartet, bis die Reaktion
abgelaufen ist, sondern selbst daran arbeitet, den gemütlichen Kontakt
wieder herzustellen. Natürlich kann nicht darin, daß er seiner Autorität
etwas vergibt und von berechtigtem Tadel etwas zurücknimmt, das
Heilmittel liegen, sondern nur darin, daß er persönliche Anteilnahme
am Schicksal des Schülers durchblicken läßt.

Der Lehrer, der sich gewöhnt, seine Schüler aufmerksam zu beobachten, wird auch den Typus bald herausfinden, der nach Dr. Adler
besonders gefährdet ist. Unbeholfenheit, Schüchternheit, leichtes Erröten sind die Merkmale, die zuerst bei ihnen auffallen. Die scheinbar
widerspruchsvolle Verbindung stark betonter Indolenz und Gleichgültigkeit mit übergroßer Empfindlichkeit ist ein besonders charakteristischer
Zug. Hier wird eine eingehende, nicht auf die Lernerfolge beschränkte,
sondern den Charakter berücksichtigende Besprechung mit den Eltern
oft sehr viel Gutes stiften können; sie ist schon deshalb notwendig,
weil solche Schüler oft zu Hause ein ganz anderes Bild bieten als in der
Schule. So könnte psychologisch geschulter Blick des berufsmäßigen
Erziehers auch die häusliche Behandlung günstig beeinflussen.

Ich bin mir bewußt, daß dieser bescheidene Versuch, Erkenntnisse,
die mit Hilfe der Psychoanalyse gewonnen wurden, pädagogisch zu
verwerten, diejenigen nicht befriedigen wird, die wollen, daß die Rede
der Wissenschaft ja, ja, nein, nein, sei. Denn eine Universalprophylaxe
gegen Schülerselbstmorde gibt es nicht. Wer aber eingesehen hat, daß
der Vereinfachung unserer Erkenntnisse ihre Vertiefung vorhergehen
muß, der wird, glaube ich, den Eindruck gewinnen, daß von der
psychoanalytischen Forschung aus manche belebende Welle in den
oft ach so trägen Strom unserer wissenschaftlichen Pädagogik dringen
kann. Gegenüber der Gefahr der Veräußerlichung und Mechanisierung,
die die experimentelle Methode — an ihrem Orte von unbestrittenem
Verdienst — mit sich bringt, finden wir hier ein Gegengewicht: die
Möglichkeit, ja den Zwang zu immer weiterer Vertiefung.

Der Kampf des Kindes gegen Autorität.

(Ein mißglückter pädagogischer Versuch.)

Von Dr. Friedrich Lint.

Unter den Schülern einer vierten Gymnasialklasse, die ich zu Anfang des Schuljahres übernahm, befand sich einer, der von meinem Vorgänger als Halbnarr bezeichnet wurde. In den ersten Wochen zeigte sich außer einer übergroßen Nervosität und einer häufigen, unmotivierten Ängstlichkeit nichts Auffallendes. Erst nach ungefähr sechs Wochen gab es eine Katastrophe, deren Ursprung ins letzte Schuljahr zurückreichte. Der Schüler hatte vor Schluß des letzten Schuljahres im Turnsaal aus einem Wertsachenkästchen einem Schüler der achten Klasse eine Geldbörse mit einigen Kronen und einem Ring entwendet. Zufällig sah nun der Bestohlene die Börse in der Hand des Quartaners und machte davon die Anzeige. Der Täter leugnete. Erst als ihm vorgehalten wurde, daß alle angegebenen Merkmale und besonders der Firmendruck im Innern stimmte, mußte er den Diebstahl zugeben, leugnete aber, von Geld oder Ring etwas zu wissen. In diesem Stadium der Untersuchung wurde die Sache mir mitgeteilt und ich bemühte mich, durch entsprechendes Vorgehen den Schüler zu einem Geständnis zu bringen, d. h. ihm zu einem Strafmilderungsgrund zu verhelfen. Ich sicherte ihm im Falle eines Geständnisses die weitgehendste Berücksichtigung zu und versuchte wie ein älterer Kamerad, der eine peinliche Angelegenheit aus der Welt zu schaffen hat, auf ihn einzuwirken. Er spielte die Rolle des unschuldig Verdächtigten mit großer Meisterschaft, erbot sich, einen Eid abzulegen und erklärte schließlich: „Herr Professor, ich sehe, daß Sie mir jetzt nicht glauben wollen. Aber wir haben heute nachmittag Beichte; fragen Sie mich nach der Beichte; dann werden Sie doch glauben, daß ich nicht lüge." Ich mußte ihm mitteilen, daß seine Glaubwürdigkeit vor und nach der Beichte für mich dieselbe sein müßte, und setzte die Arbeit fort. Schließlich gestand er.

Nach dem Sachverhalt hätte der Schüler eigentlich ausgeschlossen werden sollen; da mir aber der Direktor in der Behandlung der Angelegenheit vollständig freie Hand gelassen hatte, beschloß ich, die Sache fallen zu lassen und zwar aus zwei Gründen. Erstens interessierte mich das weitere Verhalten des Schülers, der ja sonst meiner Beobachtung entzogen gewesen wäre, und das Experiment, auf ihn einzuwirken, hatte sehr viel Verlockendes. Zweitens war es schwer, von dem Vorfall dem Vater Mitteilung zu machen, da sich der Knabe sonst vielleicht zu einem verhängnisvollen Schritt hätte hinreißen lassen können. Und hier muß ich etwas weiter ausgreifen und einiges einfügen, was ich teilweise vom Vater selber weiß, teilweise bei der Kleinheit der Schulstadt durch Bekannte gelegentlich über die Verhältnisse im Elternhaus erfahren konnte.

Der Vater hatte selbst fast das ganze Gymnasium absolviert, aber verschiedene Unglücksfälle in der Familie zwangen ihn, sein Studium kurz vor dem Ende abzubrechen und sich einem Gewerbe zuzuwenden. Sein unbefriedigter Bildungsdrang und wahrscheinlich auch das Schicksal seiner glücklicheren Schulkameraden, von denen sicher mancher in äußerlich höher bewertete Schichten emporstieg, ließen ihn sein Schicksal als den schwersten Schlag seines Lebens empfinden. Von allen seinen Kindern hoffte er gerade in diesem Knaben das verwirklicht zu sehen, was ihm versagt geblieben war. Als er sich selbständig machen konnte, begann er, durch ungeheuren Eifer und rastlose Arbeit in seinem Berufe den Schicksalsschlag wettzumachen, und brachte es tatsächlich zu einem ganz ansehnlichen Vermögen, aber die Erziehung der Kinder litt darunter. Nicht nur er, sondern auch seine Frau arbeiteten den ganzen Tag im Geschäft und er suchte das, was er bei Tag an pädagogischer Arbeit versäumt hatte, in den wenigen Abendstunden durch Intensität zu ersetzen, wobei er bei den geringfügigsten Anlässen vor den härtesten Strafen nicht zurückschreckte. Die Kinder sollten ihn auch in seiner Abwesenheit fürchten. Gewöhnlich führte unser Quartaner tagsüber die Aufsicht über die Geschwister, wenn er auch nicht der Älteste war, und der Vater versicherte wiederholt, er könne, wenn er diesen zu Hause wisse, unbesorgt seiner Arbeit nachgehen, da er ihn vollständig ersetze. Nichtsdestoweniger blieb aber auch er nicht von den väterlichen Prügeln verschont, die von einer Brutalität waren, daß man tagelang ihre Spuren sehen konnte.

Es war nun auf keinen Fall ratsam, dem Vater die weitere Gerichtsbarkeit über den Knaben zu überlassen. Und so blieb er in der Schule. Die Sache wurde als nichtgeschehen betrachtet und ich versuchte, ihn unbemerkt im Auge zu behalten. Er antwortete darauf dadurch, daß er beim Unterricht keinen Blick von seinem Lehrer abwandte, sich in den Pausen von seinen Kameraden möglichst absonderte und sich so in der Nähe des Lehrers selber unter Beobachtung stellte, als wollte er zeigen: Sieh selber, wie korrekt ich mich verhalte.

Nach einigen Wochen aber herrschte in der Klasse eine seltsame
Unruhe. Es stellte sich heraus, daß von einem unbekannten Täter
die verschiedenartigsten Dinge, Schulrequisiten, Kappen usw. zum Teil
versteckt oder überhaupt entwendet wurden, und zwar immer in den
entscheidenden Momenten, Schularbeithefte vor der Arbeit, Reißzeuge
vor der Geometriestunde, Kappen bei schlechtem Wetter vor dem Weggehen. Untersuchungen führten zu keinem Resultat. Einigemale lenkten zwar Spuren des Verdachtes auf unseren Schüler, aber nachzuweisen war ihm nichts und, wenn man ihn ins Gebet nahm, wußte
er die Unmöglichkeit seiner Täterschaft in einer gut vorbereiteten
Rede nachzuweisen, in der hin und wieder auch andere Mitschüler
mit Dingen belastet wurden, von denen bisher niemand wußte. Als
die Schüler aufgefordert wurden, eine Art Selbstpolizei zu üben, hörten
die Vorfälle auf. Daß er wirklich der Täter war, stellte sich erst später
heraus.

Nach diesem Intermezzo schlug er eine neue Taktik ein. Er fing an,
vor den Augen der ganzen Klasse Dinge zu entwenden, die dem
Unterricht dienten, speziell Mineralien, die während der Stunde von
Bank zu Bank gingen. Diese verteilte er an einzelne Mitschüler,
ohne sich etwas zu behalten, so daß manche eine hübsche, kleine Sammlung damit anlegten. Für seine Handlungsweise war noch der Umstand
charakteristisch, daß der Fachlehrer selbst die Schüler, die er als Samm-
ler kannte, ziemlich reichlich mit Mineralien beschenkte, wenn sie
darum baten. Durch seine Erfolge ermutigt, wagte er es einmal,
beim Experimentiertisch fast vor den Augen des Lehrers ein wertvolles
Mineral zu entwenden und rasch einem andern zuzustecken, der es
in seiner Verblüffung und auch, um den Mitschüler nicht preiszugeben,
zu sich nahm. Da bei der Zeugenschaft der ganzen Klasse ein Zweifel
nicht möglich war und der Lehrer offiziell die Anzeige erstattete,
konnte er nach all dem Vorgefallenen nicht mehr in der Klasse belassen
werden.

Der ganze Fall ist nicht deshalb interessant, weil er irgendwelche
neue Einblicke in die Seele des Kindes brächte, sondern weil er wie
an einem arrangierten Schulbeispiel alle dem Individualpsychologen
wohlbekannten Züge aus dem Kampf des Kindes gegen jede Autorität
in seltener Häufung und Verschärfung zeigt. Der Knabe ist in keiner
Situation gesonnen, die moralischen Forderungen der Umwelt zu
seinen eigenen zu machen; denn ihr oberster autoritativer Imperativ
ist im Vater verkörpert, der es nicht nur trotz aller guten Absichten

nicht verstanden hat, ein fruchtbares Verhältnis zu seinem Kinde zu gewinnen, sondern ihm jetzt als Feind gegenübersteht, der wohl über erstrebenswerte Machtmittel verfügt, aber doch an vielen Stellen schwer verwundbar ist. Die heimliche Trotzstellung des Knaben ist eine fortwährende, schlagfertige Kriegsbereitschaft.

Betrachten wir das Verhältnis des Knaben zum Vater zu Beginn der Geschichte. Akademische Bildung, die ja die Absolvierung des Gymnasiums zur Voraussetzung hat, erscheint diesem als das Höchste. Dieses Ideal möchte er in seinem Sohne verwirklicht sehen und scheut dabei selbst vor der rohesten Züchtigung nicht zurück. Ein schlechter Zensurschein versetzt ihn einmal in solche Wut, daß der Knabe mehrere Tage mit Striemen an den Händen und im Gesicht herumgeht. Irgend jemand, der davon Kenntnis erhält, erstattet an die Ortspolizei eine anonyme Anzeige wegen Überschreitung des väterlichen Züchtigungsrechts; die Folge ist, daß der Vater wiederholt vorgeladen wird, eine Reihe von peinlichen Verhören zu bestehen hat und als angesehener Bürger und Ehrenmitglied verschiedener Institutionen Gefahr läuft, mit dem Gericht in Konflikt zu kommen. Der Knabe hat also durch sein Nichtlernen, auf das der Vater automatisch mit Prügeln reagierte, diesen in die denkbar peinlichste Situation gebracht. Daran ändert auch die Tatsache nichts, daß ein entgegenkommender Polizeibeamter nach mehreren Auseinandersetzungen die Sache niederschlägt und sich der Vater schließlich aus Ärger über das Ganze durch eine noch ausgiebigere Tracht Prügel rächt. Nur hütet er sich jetzt, ins Gesicht oder auf die Hände zu schlagen. Der Knabe weiß jetzt, wie er dem Vater Scherereien bereiten kann. Daneben sieht er ganz deutlich, was er für diesen, der sich ja, wie auch die Mutter, den ganzen Tag im Geschäft aufhält, bedeutet, wenn er ihn tagsüber bei den Geschwistern vertritt und seiner Autorität durch Püffe Nachdruck verleiht. Und schließlich sagt er damit noch: Was der Vater kann, bringe ich auch zustande. Als Antwort auf das Bildungsideal des Vaters leistet er trotz seiner nicht geringen Begabung fast nichts, orientiert diesen wiederholt falsch über seine Erfolge in der Schule, was er um so leichter tun kann, als sich dieser fast nie Zeit nimmt, selbst nachzufragen. Während des Semesters arbeitet er fast nichts und bringt es dann vor Semesterschluß in wenigen Wochen auf durchaus genügende Leistungen. Er beweist also seinem Vater, daß man dessen Bildungsideal sehr billig erreichen kann, und entwertet es dadurch. Das zweite, worauf der Vater sehr großes Gewicht legt, ist der Umstand — und das betonte

er in Gesprächen jedem gegenüber —, daß er Fleiß und Ehrlichkeit
für die Grundpfeiler seiner Existenz hielt und sich so ein nicht unbe-
deutendes Vermögen erworben habe. Der Knabe zeigt Neigung zum
Diebstahl. Er gelangt zu Besitz, aber nicht durch Arbeit und Ehrlichkeit, sondern durch Schlauheit. Aber nicht einmal der Besitz hat
viel Verlockendes für ihn, er verschenkt die Mineralien und hat auch
bei der anfangs erwähnten Geschichte den Ring verschenkt. Also wieder
ein entwertetes väterliches Ideal. Dabei hat er noch eine gefährliche
Waffe in der Hand, er kann dem Vater dadurch höchst peinliche
Augenblicke verschaffen.

Nach der Aufdeckung der ersten Diebstahlsaffäre ist die Situation
des Knaben folgende. Er hat eben getan, was der Vater so sehr verab-
scheut, ohne daß er zur Züchtigung schreiten könnte; denn er erfährt
nichts davon. Jetzt ist er ihm über. Allerdings ist der Sieg nur ein
halber, da die Wirkung auf den Vater ausbleibt. Sein Lehrer hat sich
für ihn auf seine Seite gestellt und erscheint ihm als Bundesgenosse
gegen jenen. Das Bündnis ist aber kein ganz verläßliches, denn
es kam seltsam genug zustande. Der Lehrer hat ihn doch eigentlich
besiegt, indem er ihn zum Geständnis brachte, aber zugleich war es
ein Waffenstrecken, da er die Angelegenheit nicht disziplinariter,
sondern in camera caritatis erledigte, was den Übeltäter doch einigermaßen überraschte. Ferner darf noch ein Faktor nicht übersehen
werden, sein Verhältnis zu den Mitschülern. Trotz aller Diskretion
in der Behandlung des Falles scheinen die Schüler bald darüber orientiert
gewesen zu sein. Wenn jener nun auch den Triumph hatte, daß er
trotz der Bedeutung seines Vergehens straflos blieb, sich also in bevor-
zugter Stellung fühlen konnte, deren er sich gelegentlich auch rühmte,
so war seine Gesamtlage doch keine besonders angenehme, da ein Schüler, der stiehlt, von den andern nicht gerade mit der größten Herzlichkeit behandelt wird, und er in unserem Falle doch eine Zeitlang
vor der ganzen Klasse den Bußfertigen spielen mußte, um sich den
Lehrer zu sichern. Nun muß er natürlich trachten, wieder irgendwie
die Klasse unterzukriegen. Würde er nach den naheliegenden Mitteln
greifen, etwa nach besonderen Leistungen oder anderen Dingen
die einen Schüler unter seinesgleichen beneidenswert erscheinen
lassen, so würde er ja in der Richtungslinie seines Vaters handeln und
sich dadurch besiegt geben. Er will die Klasse unterkriegen und spielt
ihr einen Schabernack um den andern, ohne daß sie ihm etwas anhaben
kann. Ja, er versagt sich sogar den Genuß nicht, daß er bei den

folgenden Verhören Einzelheiten zur Sprache bringt, die einigen nicht gerade angenehm sein können. Er scheint in seinem Gedächtnis Buch zu führen über die unbedeutendsten Kindereien der andern, um sie im gegebenen Augenblick mit der Verschlagenheit eines Reineke Fuchs in perspektivischer Vergrößerung anzudeuten. So fürchtet ihn die ganze Klasse. Aber auch dem Lehrer, der doch mit einer gründlichen Änderung in seinem Verhalten rechnen müßte, dreht er eine Nase. Er gibt den Kampf auch nicht auf, als der Unfug unmöglich gemacht wird. Was er früher heimlich getan hat, tut er jetzt offen. Wenn er jetzt fremdes Eigentum an sich nimmt, so will er in erster Linie allen seinen Mut zeigen, zweitens entkräftet er das Odium des Diebes, das auf ihm lastet, wenn er in einem blassen Scheine von Räuberromantik den Stärkeren Dinge weggnimmt, um sie den Schwächeren, die nicht den Mut haben, zu schenken. Ferner macht er dadurch auch seine Mitschüler zu Mitschuldigen. Zum mindesten kann er damit rechnen, daß sie ihn aus Mitleid oder auch aus Klassensolidarität nicht preisgeben. Besonders schlecht kommt dabei der Lehrer weg, der nun nicht nur mehr von ihm allein, sondern nahezu von der ganzen Klasse hinters Licht geführt werden muß.

Der Kampf geht also von Haus aus gegen den Vater, bald aber wird der weitere Träger der Autorität, der neben dem Vater steht, mit einbezogen und weiters die übrige Klasse, die mit den in ihr herrschenden Moralbegriffen einen Verbündeten der Autorität darstellt. Im weiteren Verlauf wird mit neurotischer Fingerfertigkeit die Kampfkonstellation so geändert, daß die Feinde nach und nach, der Lehrer durch das Niederschlagen der ersten Affäre und durch den darauf folgenden Anblick des Bekehrten und die Mitschüler durch Mitschuld zu Komplizen gemacht werden und als einziger Feind schließlich der Vater auf dem Plane zurückbleibt, der ja am Schlusse nach dem letzten Vorfall auch als der Hauptbetroffene und der am meisten Geschlagene erscheint.

Kindheitserinnerungen einer ehemals Nervösen.

I.

Ich erinnere mich sehr genau an den ersten Schnee, den ich fallen sah — es wird beiläufig um das vierte Lebensjahr herum gewesen sein — und an die Antwort, die ich bekam: Es schneit ja immer so im Winter. Aus derselben Zeit weiß ich, daß vor meinem Bettchen eine spanische Wand ihren Platz hatte, die hingestellt wurde, wenn es zum Schlafen ging. Bunte Bilder prangten darauf; besonderen Eindruck machte mir ein finsteres Männergesicht mit einem martialischen Schnurrbart, das mir als „Ritter Blaubart" vorgestellt wurde. Dazu sang die Tante, die wir im Hause hatten, eine gänzlich ungebildete Person — sie konnte weder lesen noch schreiben, dafür aber war sie von einer gehörigen Roheit und wurde von mir tüchtig gehaßt —, das Verschen:

„Das ist der Ritter Blaubart, der schon die sechste Frau hat,
Der Teufel weiß, warum; der Teufel weiß, warum."

Dazu wurde mir die Geschichte des mordlustigen Herrn serviert; was ich mir dabei dachte, weiß ich zwar nicht mehr, aber vielleicht wurde schon damals der Keim zur Neurose gelegt, die mich Jahre später befallen sollte. Noch nicht vierjährig ging ich in den Kindergarten; dort wurde ich wegen meiner Schlimmheit meist den Buben zugeteilt, — zu meiner großen Freude, denn schon damals fühlte ich mich mehr Bub als Mädel. Zum besseren Verständnis muß ich hier noch anführen, daß ich als Zwillingskind zur Welt kam mit einem Brüderchen, das nach drei Tagen starb. Der Schmerz im Hause soll groß gewesen sein, denn alles sehnte sich nach einem Knaben und jetzt blieb nur das Mädchen; Mädchen wurden in der Familie sehr gering geschätzt, was ich häufig hörte. Ich trachtete, das insoweit gut zu machen, als ich es so trieb, daß ich oft genug zu hören bekam: „Ganz wie ein Bub oder noch ärger!" Ein Tadel, der mein höchster Stolz wurde; denn ach, wie gern wäre ich ein schlimmer Bub gewesen. Noch bevor ich lesen konnte, lernte ich, da mein Gedächtnis ein sehr gutes war, mit Leichtigkeit den „Struwelpeter" auswendig, der sich mir so fest einprägte, daß ich seine schönen Verse noch heute hersagen kann. Freund Struwelpeter wurde mein Ideal;

o Gott, diese langen Nägel und Haare, wie gefielen sie mir! und der Schmutz dazu — wer es auch so gut haben könnte! I c h s p i e l t e n a c h e i n a n d e r s ä m t l i c h e R o l l e n a u s d i e s e m l e h r - r e i c h e n B i l d e r b u c h. Ich wurde der Suppenkaspar, der keine Suppe löffeln wollte, dann kam der bitterböse Friederich; „ich fing die Fliegen in dem Haus und riß ihnen die Flügel aus"; auch der Zappelphilipp wurde inszeniert, aber nur einmal; denn als ich da das Tischtuch heruntergerissen hatte, entfachte ich einen derartigen Sturm, d a ß i c h m i c h d e m d o c h n i c h t m e h r a u s z u s e t z e n t r a u t e. Noch vor Schulbeginn lernte ich lesen; damit erschloß sich dem fünfjährigen Kinde die reine Wunderwelt der Märchen. Nun gab es etwas, womit ich zu zähmen war: ein Buch war mir jetzt alles, das Kostbarste und Liebste. Noch heute, nach so vielen Jahren, kann ich nicht ohne freudige Rührung an das Entzücken denken, das die Märchen bei mir wachriefen. Nie im Leben habe ich solches Glück wieder gefühlt, solche himmlische Seligkeit empfunden, wie in dieser glücklichen, längst entschwundenen Zeit. Dabei fiel es mir damals nicht schwer, diese Herrlichkeiten zu verlassen und in das reale Leben hinabzusteigen. Ich entwickelte so um das achte Jahr einen erheblichen H a n g z u r G r a u s a m k e i t. Ich wuchs mit einer jüngeren Schwester zusammen auf, die ein sehr sanftes, ruhiges und fügsames Kind war. Ich hatte sie sehr lieb, beschützte sie, wo ich nur konnte, und unser Verhältnis ist bis heute ein gutes geblieben. Auch zwei Cousins, beiläufig in unserem Alter, kamen oft ins Haus; da war nun dieselbe Geschichte: der eine, wild und keck, mein liebster Spiel-gefährte, der andere, gut und brav, war der Gespiele der Schwester. Der schlimme Cousin, ich will ihn August nennen, war ein wahrer Ausbund, zu allen Bubenstücken bereit. Jeden Donnerstag gab es in unserm Haus beim Selcher S c h w e i n e s c h l a c h t e n; drei bis vier arme Schweinchen mußten ihr junges Leben lassen und ich und der liebe August waren eifrige, ja man kann sagen begeisterte Zu-schauer und Zuhörer. Ich glaube nicht, daß ich je im Theater mehr hingerissen war als damals bei dieser Exekution. Sooft das Beil auf den Kopf eines Tieres fiel, ich erinnere mich genau des dumpfen Tones, mit dem es geschah, und sooft es jämmerlich quietschte, brachen wir oben in ein Freudengeheul aus; wir gingen nicht eher vom Fenster fort, als bis das Tier zu unserer Genugtuung ganz zerlegt war. In der späteren Neurose strafte sich das mit greulichen Mordphantasien, in denen ich immer Menschen zerlegte oder zerlegen sah. Auch das

Zahnausziehen, das bei den Barmherzigen Brüdern in Wien gratis ausgeübt wird, wobei jeder freien Zutritt hat, war ein beliebtes Schauspiel; aber am eigenen Leibe wollte ich es lieber nicht kennen lernen, sondern ich sah nur fürs Leben gern zu. Das Gebrüll der Menschen dabei war mir liebliche Musik und die schauderhaften Grimassen gefielen mir womöglich noch besser. Auch da ist die Strafe nicht ausgeblieben. Ich habe bis heute eine wahnsinnige Furcht vor dem Zahnarzt, gehe nur im äußersten Notfall hin und brülle bei der leisesten Berührung, bin überhaupt unglaublich schmerzempfindlich, was bei meiner sonstigen körperlich sehr gesunden Konstitution einen höchst lächerlichen und affektierten Eindruck macht. Das Schweineschlachten wurde nun von mir als Spiel weitergetrieben, und was dabei alles mit unterlief, war schon sehr gewagtes Spiel. Man griff sich gegenseitig unter Röcke und Kleider, quitschte dabei wie ein Schwein und benahm sich auch oft wie ein solches. Ruhiger war schon das schöne Spiel „Hochzeit", aber nie war ich die Braut, immer der Prediger, der das Paar traute. Im bloßen Hemd, mit einem alten Zylinderhut meines Papas auf dem Kopfe, einen künstlichen Blumenstock in den Händen tragend, schritt ich gravitätisch dem Zug voran, beim Ofen wurde Halt gemacht, das junge Ehepaar hinter denselben geschoben und nun begann die würdige Zeremonie; ich hielt eine lange Rede — was ich da zusammmensprach, weiß ich natürlich nicht mehr —, die Braut mußte laut weinen; so hatte ich es bei wirklichen Hochzeiten gesehn und so befahl ich es auch hier; dann ergriff ich ein Staberl oder einen Teppichklopfer, der bei mir überhaupt eine große Rolle spielte — ich trug ihn als Abzeichen meiner Macht wie der König das Zepter —, und wichste dem jungen Paar eines über, daß ihm Hören und Sehen verging. Nun waren sie Mann und Frau und gewöhnlich rauften dann gleich die Neuvermählten mit mir weiter. Noch eines Spiels erinnere ich mich genau; allerdings war es gerade kein passendes Kinderspiel. Ich hatte oft die Erwachsenen belauscht, wenn sie von Entbindungen erzählten, auch war, als ich neun Jahre zählte, noch ein Schwesterchen angekommen, das allerdings nur acht Tage lebte; doch hatte ich da allerlei bei der Niederkunft meiner Mama beobachtet und das wurde nun trefflich benützt. Auch hier spielte ich nie die Wöchnerin, immer war ich der Doktor, der im kritischen Moment geholt wurde. Wieder trat der Zylinder in Aktion, der mir gewöhnlich bis auf die Nase rutschte. Nur mit dem kurzgeschürzten Hemd bekleidet, den Nudelwalker als Klistierspritze unter dem Arm und mit einem spanischen Rohr als Spazierstock, so trat ich in die Wochenstube, hinter mir mein Assistent, ein kleiner dürftiger Knabe, der von mir seines mißgebildeten Schädels halber „Schafskopf" genannt wurde und eigentlich Hans hieß. Hansl trug eine Wasserflasche in der Hand und mußte immer helfen; ich glaube, ich degradierte ihn da unbewußt zur Hebamme. Natürlich durfte er nur untergeordnete Dienste leisten, der Herr und Meister war ja immer ich. Stöhnend lag die arme Patientin auf Sesseln gebettet da, ich erklärte den Fall für höchst gefährlich und die sofortige Operation für unvermeidlich. Ich hob ihr das Hemd in die Höhe, Hansl mußte die Wasserflasche über ihren Unterleib entleeren und jetzt erblickten unter großem Geschrei und Getöse drei bis vier Puppenkinder das Licht der Welt. Sie wurden mit Jubel empfangen, aber nicht von mir; immer waren es Knaben, die geboren wurden, Mädchen verachtete ich viel zu sehr. Um die Säuglinge kümmerte ich mich nun weiter gar nicht mehr, sie konnten getrost verhungern. Überhaupt mochte ich Puppen nicht, besudelte sie, schnitt ihnen die Leiber auf oder zerbrach ihnen gar die Köpfe, kurz ich behandelte sie elend. Dafür stand mein Sinn nach andern Spielereien, und bekam ich sie nicht geschenkt, so machte ich lange Finger und stahl sie; so einmal den Nachbarskindern nach und nach einen ganzen Eisenbahnzug. Gewehre, Pistolen, Säbel, Trommeln und Trompeten waren meine Lieblingsspielsachen, auch eine alte Briefträgerkappe hatte ich aufgegabelt, mit der ich stolz paradierte. Aus dieser Zeit blieb mir eine Antipathie gegen große Damenhüte; obwohl sie sehr kleidsam sind, setze ich sie noch heute ungern auf, weiß sie auch nicht mit Schick zu tragen. Daß Krieg-, Räuberund Indianerspiele mir sehr zusagten, ist doch selbstverständlich. Als Feldherr war ich Napoleon, siegte immer und die Feinde erhielten eine Tracht Prügel; als Räuber gab ich Rinaldo Rinaldini „In des Waldes tiefsten Gründen", wobei ich dieses bekannte Lied mehr gefühlvoll als schön sang. Wehe dem, der mir da in die Hände fiel! Nach der Lektüre von Indianerbüchern verwandelte ich mich sogar in den Häuptling „Roter Schädel", der täglich den Kriegspfad beging, die Friedenspfeife rauchte und immer die Streitaxt ausgrub. Am ärgsten wurden von mir die „Squaws" behandelt; ich stellte sie an den Marterpfahl und verurteilte sie gar oft zum Tode. Blutige Schlachten wurden da geliefert und manche Schramme und manches ausgerissene Büschel Haar zeugte von unsern Heldentaten. Meine Eltern

waren manchmal verzweifelt über meine Rauflust; — e t w a s d a v o n
ist n o c h h e u t e i n m i r l e b e n d i g, hie und da ein kleiner Streit
pulvert mich ganz nett auf, und ich gehe ihm nicht aus dem Wege.
Auch Schule wurde abgehalten, natürlich war ich der H e r r L e h r e r.
Die Schüler konnten noch so dumm antworten; das war mir gleichgültig, aber folgen mußten sie auf den Wink und dasitzen wie die Öl-
götzen; dann bekamen sie gute Noten. Im Schwung war auch das
K r ü p p e l s p i e l. Blind, taub und stumm stellte man sich oder
man torkelte mühselig aus dem Prater heim, mit einwärts gekrümmten
Füßen, furchtbar hinkend, und war stolz, wenn das die Leute bedauernd
bemerkten. Solcher Art waren meine Revolten gegen die mir „aufgezwungene" Mädchenrolle. — Auch da folgte die Strafe buchstäblich
auf dem Fuße; in späteren Jahren war ich fußleidend; manchmal
konnte ich kaum gehen. Auch eine Abneigung gegen elegantes, auffallendes Schuhwerk trat bei mir auf, ich konnte nur d e r b e S t i e f e l
vertragen. Das dauert bis auf den heutigen Tag an. Ein feiner
Beobachter war ich, was die Art des Sprechens anbelangt. Stammelte
oder stotterte jemand, dann war er verloren. Ich konnte das meisterhaft nachmachen. Daß die alte Tante, die bei uns war, falsche Zähne
hatte, wußte ich längst. Um sie nun recht zu ärgern, schnitt ich
mir ein Gebiß aus Orangenschalen zurecht und ahmte damit ihre nicht
sehr ansprechende Art des Redens nach. Ich war, wie man sieht, zu
einem unangenehmen Bengel herangewachsen. Nur die Lektüre bewahrte mich, glaube ich, vor vollständiger Verrohung. Da wurden doch
edlere Gefühle in mir rege, da merkte ich, daß es doch noch Besseres
gab als Raufen, Schimpfen und die Leute ärgern. Die Schule gab
mir wenig zu schaffen. Ich lernte ziemlich leicht, hatte aber keine
guten Zeugnisse, denn wenn mir einige Lehrgegenstände — und das
waren vor allem w e i b l i c h e H a n d a r b e i t e n, Mathematik, Zeichnen und Geometrie — nicht zusagten, ließ ich sie einfach links liegen
und machte mir gar nichts aus den schlechten Noten. Ich mußte
aber trotz alledem nie eine Klasse repetieren, denn in einigen Fächern
entsprach ich sehr gut, besonders in Weltgeschichte, die mich mächtig
anzog, gewiß vor allem, weil da viel gerauft und gestritten wurde.
Ich las auch mit gespanntem Interesse Geschichtliches und weiß heute
noch auf diesem Gebiete recht gut Bescheid. Aber die Märchen behielten
in der Kinderzeit doch den Vorzug. Das erste war „Hänsel und Gretel".
Wie klug war die Gretel und wie albern der kleine Hänsel! Und
wie wußte Gretel immer zu helfen und ihn herauszureißen. Hübsch

fand ich auch den „Fischer und seine Frau". Die Klage des Armen:
„Meine Frau, die Ilsebill, will nicht so, wie ich wohl will", die so
oft wiederkehrt, amüsierte mich höchlich. Frau Ilsebill war mit nichts
zufrieden, immer höher stiegen höchstdero Wünsche und, als sie endlich beim lieben Gott anlangte, der sie auch noch werden wollte,
da saß sie auf einmal wieder dort, wo sie hergekommen war, in Armut
und Elend. Auch die „Prinzessin auf der Erbse", die so nobel ist, daß
sie unter zwanzig Federbetten eine Erbse spürt, war sehr bewunderns-
wert. Die eine kann nicht genug bekommen, die andre zwingt die
Menschen durch ihre Faxen zur Anerkennung ihrer Oberhoheit. Sie
kriegt sogar einen Prinzen, der sich in diese großartige Vornehmheit
sterblich verliebt. In „Tausendundeiner Nacht" war es hauptsächlich
Scheherezade, die mir gefiel, da sie entschieden gescheiter ist als der de-
spotische, blutgierige Sultan; auch die getreue Sklavin in „Ali Baba und die
vierzig Räuber" erregte mein Wohlgefallen; war sie doch k l ü g e r
a l s d i e M ä n n e r und rettete ihrem Herrn Leben, Geld und Gut.
Diese Vorliebe für das Phantastische, wenn es auch manches Unheil
für mich im Gefolge hatte, bewahrte mich gottlob vor mancher
sogenannten Mädchenlektüre, was ich aber gar nicht bedauern
kann. In späteren Jahren, so um das 14. Lebensjahr, las ich das
Nibelungenlied und die herrliche „Gudrun". Beide Gesänge machten
auf mich den tiefsten Eindruck. Natürlich war es vor allem B r u n -
h i l d , die mein ganzes Herz gewann. Überhaupt gefielen mir die
Germanen, vielleicht, weil ihre Frauen eine so hohe, geachtete Stellung
einnahmen. Sogar in den Krieg durften sie mitziehen, diese Glücklichen. Auch die Spartaner hatten meine große Sympathie, weniger
ihrer schwarzen Suppe wegen, sondern weil ihre Frauen und Jung-
frauen den Männern gleich geachtet waren. Ich glaube, beide Geschlechter wurden fast gleich erzogen und, wenn ich nicht irre, mußten
Knaben und Mädchen nackt gehn, was mir damals sehr recht gewesen
wäre; denn ich sah mich äußerst gern im paradiesischen Zustand.
Ich halte diese Neigung des Entblößens für eine männliche Unver-
schämtheit und protestierte damit gegen die „Mädchenkleidung". An
meinem 14. Geburtstag bekam ich Schillers Werke und das wurde eine
Schwärmerei, ich glaube, für das ganze Leben. Leider kam dann
noch die böse Leidenschaft, Mordgeschichten zu verschlingen. Die
Zeitungen wurden mit Heißhunger genossen, noch in meiner Kinderzeit
las ich die schauerlichen Gerichtsverhandlungen des Hugo Schenk und
lange ging mir dieser Unhold nicht aus dem Sinn, desgleichen „Jack

der Aufschlitzer". Meine Kinderzeit ging ihrem Ende entgegen. Noch
vor Schluß derselben, in meinem 12. Jahre brach eine schwere Neurose bei mir aus, die mich mit allen Martern der Hölle bekannt machte.

II.

Der „Wurstelprater" war in meiner Kindheit wirklich noch ein
Kinderparadies. Daher ging es denn auch zu allen Jahreszeiten mit
Ausnahme des Winters in den Prater; und was konnte man nun da
alles erleben! Wie Sindbad der Seefahrer kam man sich vor, fast
täglich entdeckte man Neues, Wunderbares. Da wurden die Märchen
lebendiges Leben, da konnte man sie schauen, anstatt in Büchern zu
lesen. Vor allem sah man Brobdignac und Liliput, Riesen und
Zwerge. Wie traurig war man da manchmal, daß man weder ein
Zwerg bleiben, noch ein Riese werden konnte. Das waren schon die
ersten unerfüllbaren Wünsche. Dann kamen die „Ringelspiele".
Schade, daß man nicht den ganzen Tag dort verweilen konnte! Wie
hübsch war die Fortuna, ein Riesenfräulein, das noch heute in der Mitte
eines Karussells steht. Und erst der „Chinese" mit langem Bart
und Zopf! Der gute Herr mißt fast zwei Stockwerke, ist also von
einer respektablen Höhe. Die meisten Kinder hatten eine Höllenangst
vor ihm. Er sieht wirklich fürchterlich aus mit dem grimmen Blick
und dem erhobenen Zeigefinger, der einen halben Meter lang ist und
sich von selbst bewegt. Aber ich ängstigte mich gar nicht vor dem
großen Kerl, ich blickte ihn liebevoll und bewundernd an; ich glaube,
er war damals der Held meiner Träume und meine erste Liebe.
Sooft ich konnte und durfte, fuhr ich dort mit der rasselnden
Eisenbahn, und zwar als Lokomotivführer. Auf der Maschine stehend,
sah ich den geliebten Freund aus nächster Nähe. Seine Kugelaugen,
die so groß waren wie Männerfäuste, glotzten auf mich herunter, die
lange goldene Kette, die er majestätisch um den Hals trug, blitzte
und funkelte und das Brokatgewand spielte in allen Farben. Nicht
weit vom Chinesen logierte die Dame ohne Unterleib. Die gab mir
nun viel zu denken, da war manches Rätsel für mich zu lösen. Ich
hätte nicht übel Lust gehabt, mit ihr die Rolle zu tauschen; wie
fein und vornehm, ohne Unterleib zu sein, — was für
häßliche Sachen ersparte man sich da! — Nur aus Kopf und Brust zu
bestehen: wie gut und leicht mußte sich's da leben! In der Nachbar-
schaft sah man den „sprechenden Kopf". Der war mir aber unheimlich,

und ich spürte schon vor der bloßen Abbildung heimliche Schauer. Eine Monstrosität war fast ständig zu sehen, die ich zwar nur abgebildet sah, aber auch da hatte man schon genug: es waren zusammengewachsene Kinder; sie hießen die „Zwillinge von Lacona". Der Ausrufer pries als besonderes Wunder an ihnen, daß sie nur einen Unterleib hätten. Dort stand ich immer lange Zeit und konnte mich von dieser Bude nicht trennen; war ich doch auch ein Zwilling und hatte oft von der Mama gehört, daß sie, als sie mit mir in der Hoffnung war, auch so eine Abnormität gesehen habe: es waren Negerinnen und hießen „Die Nachtigallen". Weiters sagte sie dann, es sei ihr vor Abscheu und Ekel derart übel geworden, daß sie fast ohnmächtig hinausgeführt werden mußte. Auch habe sie sich vor einer ähnlichen Mißgeburt lange Zeit gefürchtet und sie erinnerte sich der Geschichte wieder lebhaft, als sie dann selbst Zwillinge bekam. Ich hörte oft in meiner Kindheit von dem Aberglauben des „Verschauens oder Versehens": nur ein Grund mehr, sich vor der Schwangerschaft zu fürchten. Auch Herr Robelkoff, der lebende Rumpf, steht wieder vor mir. Ich sah ihn als Kind in Wirklichkeit. War das ein Greuel! Ohne Arme und Beine geboren, nur ein unförmliches Stück, auf dem ein großer runder Kopf mit einem Vollmondgesicht saß, so wurde er vor der Schaubude herumgetragen. Neben ihm stand immer seine hübsche Frau, und angeblich hatten sie sechs blonde Kinder, die dort um das Paar herumsprangen. Die lauten Zweifel, die ich darob von den Herumstehenden hören mußte und die nicht sehr zarten Andeutungen, wie das wohl möglich wäre, waren gerade nicht das Passendste für meine Kinderohren. Sehr verlockend war auch Präuschers Museum, das ich zu meinem Schmerze nur von außen besehen konnte; aber auch da lernte man schon das „Gruseln". Ich erinnere mich an ein Bild, „Siegfrieds Tod" vorstellend: Der grimme Hagen tritt zur Leiche, da fließt in Strömen Siegfrieds rotes Blut! Auch Schlachtenbilder waren da zu sehen, eins immer gräßlicher, blutrünstiger als das andere. Und doch stand ich immer wie gebannt dort und konnte mich fast nicht losreißen. Doch gleich in der Nähe war wieder etwas ganz Außerordentliches, eine Löwen- und Schlangenbändigerin Madame Henriette Willart; sie hieß mit dem Vornamen wie ich: welch gute Vorbedeutung! Eine großgewachsene hübsche Frau mit aufgelöstem langen Haar, in einem roten, goldverzierten Samtkleid: so stand sie da und ließ sich von den Leuten neugierig anstarren. Riesenschlangen ringelten sich um

ihre Taille, gewöhnlich zwei oder drei stattliche Exemplare, ich stand
da wie angeschmiedet; j e t z t w ä r e i c h w i e d e r a m l i e b s t e n
D o m p t e u s e g e w o r d e n. Auch die l a n g e H e t z p e i t s c h e
h a t t e m i r s a n g e t a n, die die Madame in den Händen hatte.
Damit ließ sichs nicht schlecht hauen: welche Versuchung für
mich! Einmal lud mich die Bändigerin, gewiß gerührt von meinem
bewundernden Kinderblick, ein, die Schlangen doch näher zu besich-
tigen und zu berühren. Ich tat es auch wirklich, wenn auch mit
starkem Grauen. Meine Hand fuhr über den kalten, glatten Schlangen-
leib, ich fühlte seine Kälte mich förmlich durchdringen, und als gar
eine der Schlangen den Rachen weit aufsperrte, züngelte und mich mit
den kleinen Äuglein anfunkelte, wich ich zu Tode erschrocken zurück.
Ich hatte genug von diesem ehrenvollen Beruf. So gern ich sonst
die Tierwelt habe und so warm ich mich noch heute dafür interessiere,
vor Schlangen habe ich noch immer einen starken Widerwillen; weder
ihre schönen Bewegungen noch ihre lebhaften Farben können mich dazu
bewegen, sie zu bewundern und um keinen Preis nehme ich eines
dieser Kriechtiere in die Hand, obwohl ich sonst fast vor keinerlei
Getier einen Abscheu habe und alles mögliche, Insekten, Schmetter-
linge, Käfer usw. anfasse, was mir oft staunenden Respekt von seiten
meiner Geschlechtsgenossinnen eingetragen hat, die fast alle vor derlei
einen Ekel haben. — Ich hatte auch große Freude an Pflanzen und
hielt mir immer Blumen, die ich auch jetzt noch ungemein liebe.
Auch eine kleine Menagerie hatte ich zu Hause: Vögel, Goldfische und
Salamander. Die Vögel richtete ich ab, sie mußten mir aus dem Mund
fressen, sich auf meine Hand setzen und auf Befehl singen. Ich
hatte sie sehr gern und hielt sie gewöhnlich jahrelang. Als ich sehr
jung schon verdienen mußte, wurden diese kleinen Liebhabereien aufgegeben, was mich bitterlich schmerzte. — Noch eines Gebäudes im
Wurstelprater erinnere ich mich, das jetzt schon verschwunden ist:
das alte Zaubertheater des Kratky Baschik. Ich kannte den Zauberer
selber, es war ein steinalter ehrwürdiger Herr, immer schwarz geklei-
det, mit langem eisgrauen Haar und Bart. Die Plakate waren schon
gräßlich genug, sie waren an jeder Straßenecke zu sehen: Der Tod
in langem, weißem Schleiergewand hielt einen Ritter an der Kehle.
Wie mußte es erst in dem Wundertempel drinnen zugehn! Aber
ich erhielt nie die Erlaubnis, einer Vorstellung beizuwohnen, was von
meinem Papa sehr klug war; denn ich weiß genau, daß die Bilder,
die außen auf dem Theater gemalt waren, bei meinen argen Angst-

anfällen, e i n e b e d e u t e n d e R o l l e s p i e l t e n. Es waren aber auch
wahre Höllen-Breughels dort zu sehen und nicht nur Kinder konnten
davor erschrecken. Ein großer, grüner Höllenrachen war da aufgerissen
bis zur Unmöglichkeit, in den taumelte eine Menge unseliger Menschlein
hinein, dann kamen abgehauene Häupter in Massen, und was dergleichen schöne und erbauliche Dinge mehr waren. Meine ersten
furchtbaren Weinkrämpfe bekam ich vor diesen Kunstwerken, und
noch in der Nacht plagten mich die bösen Geister.

Nervöser Charakter, Disposition zur Trunksucht und Erziehung.

Dr. med. Vera Eppelbaum und Dr. med. Charlot Straßer.

Das neue Licht, welches die weitausschreitende psychologische Forschung der letzten Jahre uns gebracht hat, warf seine Reflexe auch auf die Wege der pädagogischen Arbeit, und wenn ihr durch diese Fortschritte in vielem geholfen wurde, so haben sich darum die Aufgaben nicht vermindert, sondern gerade vermehrt und sind viel komplizierter geworden.

Wenn der Erzieher schon beim gesunden Kinde mit Charakterzügen, wie Neid, Trotz, Lügenhaftigkeit, Grausamkeit, Jähzorn, Feigheit, Schüchternheit usw. zu rechnen hat, so finden wir sie beim krankhaft veranlagten Kinde, wie sich aus den Krankengeschichten der späteren Patienten entnehmen läßt, in höherem Maße ausgeprägt. Nicht das gesund veranlagte Kind macht dem Erzieher am meisten zu schaffen, sondern gerade dasjenige, das nachher sich in der Richtung einer bestimmten Krankheitsgruppe weiter entwickeln kann. Gerade dort hätte der Pädagoge erst recht individualisieren sollen, wo vielleicht in der Zukunft, mit dem zunehmenden Alter des Kindes, dem Psychiater oder Individualpsychologen die Aufgabe zufällt, systematisch zu behandeln und die Indikation für die von ihm einzuschlagende Methode, nach der von ihm gestellten Diagnose und nach den Spezialerfahrungen über die betreffende Krankheitsgruppe, in die er seinen Patienten oder Zögling einreiht, zu wählen.

Die Trunksucht spielt eine so gewaltige Rolle im Volks- und Kulturleben, daß es dem Psychologen zu denken geben sollte, ob das Ziel, sie zu bekämpfen, damit erreicht sein kann, wenn mit dem Alkoholismus als mit einer vollendeten Tatsache, als mit einem in sich abgeschlossenen Zustande gerechnet wird.

Die Mittel, die im Kampf gegen Folgen des übermäßigen Alkoholgenusses bis jetzt meist verwendet wurden, bewegten sich nur in der angedeuteten, einen Richtung. Man gründete Mäßigkeits- und Abstinenzvereine, griff zu gesetzgeberischen Maßnahmen, verbreitete Ersatzgetränke usw. Die eminente Bedeutung und die gewaltigen Erfolge der Antialkoholbewegung sind nicht zu bestreiten. Wenn wir ein Übel erkennen, müssen wir auch das Übel als solches, als Symptom, bekämpfen. Allein, — jede rationelle Behandlungsmethode einer Krankheit verlangt nicht nur die symptomatologische Therapie, sondern, daß man, wenn irgend möglich, die Krankheit mit ihren Wurzeln ausrotte. Den Versuch allerdings, etwas radikaler in der Alkoholfrage vorzugehen, machte man, indem man, beispielsweise in der Schweiz im neuen Zivilgesetz Bestimmungen schuf, daß entweder der Trinker, oder aber die Kinder aus dem Hause des Trinkers fortgenommen werden sollten. Hierzu eine Zwischenfrage: Würde es dem Psychologen einfallen, zu glauben, daß die Entfernung des alkoholischen Vaters oder die Entfernung der Kinder selbst immer ohne jegliche Wirkung auf den Lebenslauf der Kinder bleiben dürfte? Wird nicht manch ein Kind ein derartiges Erlebnis wie den Vater zu verlieren oder aus dem elterlichen Hause entfernt zu werden, in irgendeiner Form in seiner Zukunft empfinden, es verwenden? Zunächst dürfte dies von der psychischen und physischen Gestaltung des Kindes abhängen. Es kann durch derartige Vorkommnisse günstig beeinflußt werden, aber es könnte der Fall eintreten, daß ein Kind, das vorher auch im trunksüchtigen Vater ein Vorbild sah, durch die Beseiteschaffung des Vaters nicht nur die für es nützliche Sanierung und Befreiung aus mißlichen Verhältnissen erkannte, sondern zugleich auch sehr stark den Vater als eine Art Märtyrer glorifizierte und, wenn es gar noch seine an Stelle des Vaters eingesetzten Erzieher nicht lieben sollte, trotz aller Fürsorge sein früheres Vorbild buchstäblich verfolgen wird. Selbstverständlich geben wir hier nur eine vereinzelte von vielen Möglichkeiten, und die Realität bildet so unzählige ähnliche Varianten, daß wir mit dem einen Beispiel nur zeigen wollten, wie es mit der Anwendung des Gesetzes ohne individualpsychologische Vertiefung allein nicht getan ist, und wie vor allem dem speziell neurotisch veranlagten Kinde die Möglichkeit, später zum Alkohol zu greifen, dadurch im Grunde nicht genommen ist.

Aber auch eigentliche pädagogische Vorschläge zur Bekämpfung der Trunksucht wurden gemacht, z. B., die Kinder zu lehren, daß die berauschende Wirkung alkoholischer Getränke häßlich sei, und Ähnliches. Auf diese Art pädagogischer Prophylaxe weiter einzugehen, dürfte nicht von Nöten sein, weil der Einwand dagegen auf der Hand liegt. Abgesehen davon, daß manches Kind aus bekanntem kindlichen Trotz und aus Neugierde gerade dadurch zum Alkohol gebracht wird, daß man ihn auf so unterstrichene Weise verbietet, könnten die Ausführungen des Lehrers eben darum gegen dessen Person im Sinne eines neurotischen Kunstgriffes verwertet werden. Das Kind, besonders das neurotisch veranlagte Kind, könnte allzu leicht in Versuchung geraten, die autoritär vorgebrachte Belehrung von der Häßlichkeit und Schädlichkeit der Berauschungsmittel gegen den Lehrer auszuspielen und ihn dieserweise zu entwerten.

Das, was bis jetzt gegen den Alokoholismus getan wurde, und dessen gewaltige Erfolge, wie gesagt, nicht in Frage kommen dürften, ging, wie uns scheint, darum nicht auf den Grund, weil es auf der einseitigen Anschauung fußte, daß die Trunksucht als ein in sich abgeschlossenes Krankheitsbild zu betrachten sei. Bergson sagt in seiner Einführung in die Metaphysik[1]: „Wir versetzen uns gewöhnlich in die Unbewegtheit — in der wir einen Stützpunkt für die Praxis finden — und wir streben, die Bewegtheit vermittelst ihrer wieder zusammenzusetzen. Wir erhalten so nur eine ungeschickte Nachahmung, eine Fälschung der wirklichen Bewegung." Auf der Suche nach praktisch verwendbaren Hilfsmitteln, die uns einen Stützpunkt in der Praxis bieten sollten, übersah man, daß die Trunksucht ein Symptombild ist, das auf der kontinuierlichen Basis menschlichen Seelenlebens aufgebaut wurde und, weil es auf solcher Basis ruht, seine Vergangenheit und Zukunft, seine intuitive Aktivität haben muß. „Die Bewegung aber ist es, die früher ist, als die Unbewegtheit . . ."[1]

In den folgenden Ausführungen stützen wir uns auf die Arbeit von Vera Eppelbaum[2], die an einer Reihe von Fällen nachwies, wie der Alkoholiker, gleich dem Neurotiker, „an einem einheitlichen Lebensplane bewußt und unbewußt mit verschiedenen Mitteln zu einem bestimmten Ziele hinarbeitet", und wie der Alkohol als Kunstgriff zur Hebung des Persönlichkeitsgefühls benutzt wurde.

Anschließend möchten wir kurz einen Fall aus der Praxis des Dr. Strasser streifen: Der hünenhaft gebaute Patient, der unter einer Magen-Darmminderwertigkeit in den ersten Kinderjahren viel zu leiden hatte, fühlt sich im Kontrast zu seiner außerordentlichen Statur seit seiner frühesten Kindheit als Feigling, als, wie er selbst sagt, unmännlich, und versucht sich nach seinen frühesten Erinnerungen in bezug auf seinen Alkoholismus diese Unmännlichkeit dadurch zu verbergen, daß er die Trink-

---

[1] Henri Bergson: Einführung in die Metaphysik, Jena, Eugen Diederichs, 1912.
[2] Vera Eppelbaum: Studie über das Assoziationsexperiment mit besonderer Berücksichtigung der Alkoholiker. (Erscheint demnächst.)

sitten seiner Umgebung nachahmt. Er schildert selbst, daß er zum ersten Glas Bier aus dem gleichen Grunde griff, wie zur ersten Zigarette, um sich zu beweisen, daß er endlich groß geworden sei. Er sucht in der Folge seinen ausschließlichen Verkehr unter Korpsstudenten, und in diesem Milieu betrinkt er sich jeweilen dann, wenn er vor irgendeine männliche, direkte Entscheidung gestellt wird, wie etwa die Durchführung seines Berufes — er ist ursprünglich Kaufmann. — oder die Bestehung seines Examens — er studiert später Chemie. Er klammert sich während seiner Studienzeit an den Ehrenkodex der deutschen Korps (um sich seine Männlichkeit zu beweisen), und in schwerer Betrunkenheit provoziert er einen ihm harmlos gegenübersitzenden Menschen dadurch, daß er ihn, assoziativ angeregt durch einen Kneifer, der auf des Angerempelten Nase sitzt, mit „Kneifer!" tituliert. Als den Patienten am folgenden Tage die ganz schwere Pistolenforderung in nüchternem Zustande trifft, ist er völlig erschüttert und versucht nun zu revozieren, nicht etwa aus dem Gefühl, daß er mindestens eine Ungezogenheit begangen hat, sondern aus Angst, — er versucht also, seinerseits zu „kneifen", was auch von dem Beleidigten und seinem Korps formell angenommen wird. Das Erlebnis verwertet Patient von nun an immer dann, wenn der alte Konflikt in ihm, der Kontrast zwischen seiner äußeren, starken, männlichen Gestalt und der inneren Leistungsunfähigkeit und Unentschlossenheit ihm bewußt werden will, um sich zunächst unerbittlich herabzusetzen, bis er es nicht mehr aushält, zum Alkohol greift und in der gehobenen Stimmung des Rausches über sein inneres Elend sich hinwegnarkotisiert, — bis der nüchterne Morgen ihm die doppelte Niederlage, das erneute Elend wieder vor Augen hält und solange an ihm nagt, daß er aufs neue den Vorwand findet, sich sinnlos zu betrinken. Charakteristisch ist auch, daß nicht der Alkoholismus ihn später zum Arzte führt, sondern schwere hinzutretende neurotische Symptome, zwangsartige Selbsterniedrigungs- und Selbstmordgedanken, die aber genau den nämlichen Zweck verfolgen wie sein Alkoholismus, das Gefühl der Niederlage zu betäuben und andererseits aus der Niederlage ein Stimulans zu gewinnen, sich emporzuraffen und das Persönlichkeitsgefühl zu sichern, indem er die Schuld an seinem Zustande auf das Krankhafte und Zwangsartige seines Handelns verschiebt. Als Kunstgriff dient die Ablenkung auf Zwangsgedanken ebenso wie die Narkose durch den Alkohol. Zusammenfassend könnte man sagen: Der große Wuchs des Patienten war die Verkörperung des großen

Mannes, seiner großen Persönlichkeit, des Helden in ihm, — die psychisch empfundene Schwäche aber verlangte nach gesteigerten Beweisen seiner Männlichkeit, schuf das erhöhte Persönlichkeitsideal und brachte alle die Konflikte, die er, statt sie auf direktem Wege, statt durch Kraft und männliche Entschlossenheit zu lösen, auf Umwegen, in der Alkoholnarkose und in der Zwangsneurose zu umgehen suchte.

Nehmen wir also, wie im vorigen angeführt, den Alkoholismus nicht als einen in sich abgeschlossenen Zustand, sondern, gleich wie die menschliche Psyche mit all ihren Äußerungen sozusagen entwicklungsgeschichtlich, so sehen wir, wie mangelhaft wir vorgingen, wenn wir den Kampf mit dem Alkoholismus an sich führten. Rechnen wir also nicht mit dem Zustand, sondern mit der Basis, auf welcher dieser Zustand aufgebaut wurde. Übersehen wir nicht das Ganze vor dem Teil.

Es ergibt sich nun von selbst, daß es von größter Bedeutung sein müßte, denjenigen anders zu lenken, von dem man voraussetzen könnte, er werde zum Alkohol greifen. Also nicht dem Alkoholiker sollte geholfen werden, sondern demjenigen, der es werden wird. Wir meinen damit, daß die Beschäftigung mit der Alkoholfrage, wenn nicht ausschließlich von einem anderen Standpunkte angeschaut, so doch wenigstens mit in die Hände des Pädagogen gelegt werden sollte.

Aus welchen Kindern später Alkoholiker werden, kann nun freilich nicht ohne weiteres bestimmbar sein. Wir wissen, daß die Kinder der Trinker oft zu Alkoholikern werden, aber wir wissen auch, daß nicht jeder Trinker Alkoholiker zu Eltern hat. Damit ist uns noch nicht viel gesagt. Die Krankengeschichten der späteren Trinker, das heißt der Kranken, die wir schon unter dem Bilde des Alkoholismus vor Augen bekamen, zeigen uns, daß ihre Charakterzüge im Alter Verstärkungen derjenigen vor dem Alkoholmißbrauch und als solche die nämlichen sind, wie die eines neurotisch Veranlagten, ja, eines eigentlich gesunden Kindes.

Eines liegt dem Gesunden, wie dem Neurotiker, wie auch dem Alkoholiker gemeinsam zugrunde, daß sie „einen einheitlichen fixen Punkt außerhalb ihrer selbst gefunden haben"[1], und ihm nachstreben, um ihr Persönlichkeitsgefühl höher zu halten, um sich zu behaupten. „Das konstitutionell minderwertige Kind mit seinem Heer von Übeln und Sicherheiten wird seinen fixen Punkt schärfer herausarbeiten und höher ansetzen, wird die Leitlinie deutlicher ziehen und wird sich

[1] Adler: Über den nervösen Charakter. 1. s. S. 32.

ängstlicher oder prinzipieller an sie halten. In der Tat ist der Haupt-
eindruck bei Beobachtung eines neurotisch disponierten Kindes der,
daß es um vieles vorsichtiger zu Werke geht, mit allerlei Vor-
urteilen, daß ihm die Unbefangenheit der Wirklichkeit
gegenüber mangelt, ferner, daß seine Aggressionsstellung eine
aufgepeitschte ist, indem es entweder erobernd oder durch Unterwerfung
zur Beherrschung einer Situation gelangen will"[1].

Auf verschiedene äußere Mittel, die das Kind, und besonders das
neurotische Kind, benutzt, um sich zur Geltung zu bringen, hat Adler
in seinem Buche über den nervösen Charakter hingewiesen. (Angst,
Kleinheitsgefühl, Schwäche, Ungeschicklichkeit, Trotz, Herrschsucht,
Nörgelei, pedantische Wünsche, Stolz, Neid, Geiz, Grausamkeit usw.)
Weitere Arbeiten der Schüler Adlers bestätigten seine Behauptungen. Vera Eppelbaum[2] betonte, daß der Alkoholismus ein Symptomenbild ist, das erst durch sich hinzugesellende toxische Wirkungen
uns den Schein eines in sich abgeschlossenen Krankheitsbildes weist.
Die Sucht nach Alkohol ist in der neurotischen Psyche ein Kunstgriff,
wie viele andere Kunstgriffe und Bereitschaften. Dem Pädagogen dürfte
die Aufgabe zufallen, mit diesen Kunstgriffen zu rechnen.

Wenn der Pädagoge mit dem nervösen Charakter des Kindes zu tun
hat, braucht er, wie aus obigem zu schließen sein dürfte, keine Rücksicht
darauf zu nehmen, ob das betreffende Kind später die neurotische Angst
suchen, oder ob es den Alkohol als Narkotikum, als Kunstgriff wählen
wird. Er braucht keine Differentialdiagnose zu stellen. Er behandelt
nicht eine bestimmte Krankheit, sondern er hat sich mit Charakterzügen zu beschäftigen, und diese sind, wenn wir Neurotiker und Alkoholiker mit den Gesunden vergleichen, bei den beiden ersteren nur
deutlicher herausgestrichen. Die Hauptsache ist, daß der Pädagoge
das neurotische Kind erfaßt.

Es gibt nun verschiedene Mittel und Wege, welche die psychologischen Schulen dem Pädagogen weisen. Für die Gesamtzusam-
menhänge, welche die ganze Persönlichkeit eines Kindes bilden, mit
ihrem Vorausdenken in die Zukunft, — denn davon hängt es ab, ob die
Pläne des Kindes seiner Persönlichkeit entsprechend gelenkt, ob das
Vorausdenken den richtigen Weg geleitet wird, — ist es von Belang, welche

---

[1] Adler: Über den nervösen Charakter. l. s. S. 32.

[2] Vera Eppelbaum: Studie über das Assoziationsexperiment mit besonderer
Berücksichtigung der Alkoholiker. l. c405

Methode der Pädagoge wählen wird, ob die der S u g g e s t i o n , A n a -
l y s e oder I n t u i t i o n .

Die Vertreter der s u g g e s t i v e n Beeinflussung bei erzieherischen
Aufgaben verlangen vom Lehrer, daß seine Persönlichkeit erzieherisch
wirke und erst dann in dieser Weise zu wirken aufhöre, wenn die intellektuelle Festigung des Kindes weit genug gediehen sei. Abgesehen
davon, daß die Entscheidung darüber, ob die intellektuelle Festigung
schon eintrat, kaum zu treffen ist, sollte die Persönlichkeit des Lehrers keine direkte Rolle spielen. E i n e z w e c k m ä ß i g e E r z i e h u n g
v e r l a n g t g e r a d e z u d a s Z u r ü c k t r e t e n d e r P e r s ö n l i c h -
k e i t d e s L e h r e r s h i n t e r s e i n e A b s i c h t e n . Die ganze Entwicklung der Psyche des Kindes hängt ab von der Gestaltungsweise und
Intensität des Kampfes zwischen seiner inneren psychischen sowie physischen Konstitution und seiner äußeren Umgebung. Das Kind kann durch
ein suggestives Eingreifen des Lehrers bei seiner psychischen Mo-
dellierarbeit, die es durch das Sichmessen und Vergleichen mit seiner
Umgebung fördert, aus dem Gleichgewicht gebracht und auf verfehlte
Wege gewiesen werden, in dem Sinne, als das zu Suggerierende sehr
leicht seiner Individualität nicht zu entsprechen vermag.

Auch die P s y c h a n a l y t i k e r haben den Versuch gemacht, den
Kampf gegen den Alkoholismus nach ihrer Methode zu vertiefen. So
versucht der Schüler F r e u d s , F e r e n c z i[1] den Nachweis zu erbringen, daß der Alkoholismus die Folge und nicht die Ursache der
Neurose ist. Er versuchte, tiefer auf die Ätiologie einzugehen, und betonte, daß er den Alkoholismus nicht als fertiges, in sich abgeschlossenes
Krankheitsbild betrachte. Nur verfiel er dabei in eine neue, irrige
Annahme. Wohl fixierte er das Zustandsbild des Alkoholismus nicht
mehr als solches, dafür aber fixierte er einen anderen Zustand, ein
Symptomenbild, das er als Ätiologie bezeichnete. Er wies auf einen Zusammenhang zwischen sexuellen Erlebnissen und der Sucht nach Alkohol zu greifen. Er betonte auf diese Weise die Wichtigkeit, auf die
Entwicklung des menschlichen Seelenlebens zum Verständnis eines
Krankheitsbildes einzugehen und stabilisierte dabei einen anderen, dis-
kontinuierlichen Zustand. Als Therapie schlug er vor, die Psychanalyse
zu diesem Zwecke anzuwenden, den zu Grunde liegenden Komplex, den

---

[1] S. Ferenczi: Über die Rolle der Homosexualität in der Pathogenese der
Paranoia. Ferner: Alkohol und Neurosen. Antwort auf die Kritik von Professor
Dr. E. Bleuler. (Jahrbuch für psychoanalytische und psychopathologische For-
schungen. III. Band. Leipzig und Wien, Franz Deutike, 1912.)

er als ätiologisches Moment betrachtete, frei zu machen, der verdrängten Libido zur Befriedigung zu verhelfen und damit den Patienten von der Flucht in den Alkoholismus abzulenken. Die Analyse ist für ihn das Heilungsmittel, das die Ursache der Flucht in die Narkose aufdeckt und neutralisiert.

Analyse weist uns nur auf die Einzelzusammenhänge im menschlichen Seelenleben, nicht aber auf den Gesamtzusammenhang in der psychischen Konstitution überhaupt. Mit der Analyse verfällt man in den nämlichen Fehler, den man bei Betrachtung des Alkoholismus als eines abgeschlossenen Zustandes gemacht hat. Die Analyse ist eine Zerstückelung. Solange wir also mit Methoden vorgehen werden, die das Zerfaserte als Ganzes sehen, werden wir in der Behandlung einer Seelenkrankheit nie zu einem radikalen Mittel gelangen. Suggestion, wie wir im vorigen zu zeigen versuchten, und Analyse tragen, wenn sie für erzieherische Zwecke dienstbar gemacht werden sollen, beide den nämlichen Fehler in sich, daß sie die menschliche Seele in stabile Zustände auflösen und aus dem Stabilen in das Nichtstabile, aus der Unbewegtheit in die Bewegung übergehen wollen. Bergson sagt in seiner Einführung in die Metaphysik: „Analysieren besteht darin, ein Ding durch etwas auszudrücken, was es nicht selbst ist[1]."

Wenn der Pädagoge der kindlichen Seele gegenübertritt, muß er sich zweier Aufgaben bewußt sein: erstens, das Kind vom Standpunkte des Kindes aus als eine für sich abgeschlossene Einheit, und zweitens, diese Einheit als Produkt verschiedenartigster äußerer Einwirkungen, die gerade diese Einheit bilden, zu betrachten. Je lebhafter die Wechselwirkungen der kindlichen Seelenregungen mit dem äußeren Leben sind, desto ausgeprägter entwickelt sich sein Lebensplan, desto eigenartiger modelliert sich sein Charakter, diese seine Einheit. „Das innere Leben ist alles dies zugleich: Mannigfaltigkeit von Qualitäten, Kontinuität von Fortschritten, Einheit der Richtung[1]." Das innere Leben verändert sich beständig, bleibt nie stabil; „es gibt keinen seelischen Zustand, so einfach er auch sei, der nicht jeden Augenblick wechselt[2]." Betrachten wir die Entwicklung des seelischen Geschehens von diesem Standpunkte aus, so bleibt der einzige Weg, den man gehen sollte, um in die kindliche Psyche einzudringen, der der Intuition, der intellektuellen Einfühlung, des intellektuellen Mit-

---

[1] Bergson: Einführung in die Metaphysik, l. c.
[2] l. c. S. 27.

l e b e n s. Unabhängig von dieser Gedankenrichtung B e r g s o n scher Philosophie betonte A d l e r die entwicklungsgeschichtliche Auffassung zum Verständnis des menschlichen Seelenlebens und schuf sich daraus die Leitlinie einer Charakterlehre, deren Wichtigkeit für die Therapie er ganz besonders herausarbeitete.

Nur durch die intuitive Befähigung des Pädagogen, durch das Hineinfühlen in den kindlichen Lebensplan, durch die Mitarbeit des Erziehers an der Umgestaltung der Lebensziele seines Zöglings, kann es ihm glücken, die Bildung von Kunstgriffen in Form von verschiedenen, ausgeprägten, gesteigerten Charakterbereitschaften zu vermeiden, wie beispielsweise (was uns in vorliegender Arbeit besonders interessierte) der Sucht nach dem Narkotikum, etwa dem Alkohol, um die Schwankungen zwischen Realität und Persönlichkeitsideal gewaltsam zu übersehen, sie sich nicht bewußt werden zu lassen, sich ihretwegen zu betäuben, vorzubeugen und einer derartigen einseitigen Entwicklung in der Richtung nach der Krankheit hin prophylaktisch zu begegnen.

Der Pädagoge darf zu diesem Zwecke dem Kinde nicht seine eigene Weltanschauung aufdrängen, wie er es eventuell bei Anwendung der Suggestion versucht hätte, — auch darf er nicht analytisch vorgehen und auf diese Weise einzelne Stücke aus dem Gesamtzusammenhange des Innenlebens herausreißen, mit dem unbeweglich Gemachten spekulieren und die Übersicht über das Ganze verlieren, sondern er muß sich intuitiv in die Beweglichkeit der psychischen Vorgänge versetzen. „Von der Intuition kann man zur Analyse gelangen, aber nicht von der Analyse zur Intuition[1]."

Wird erst der Pädagoge den Weg der Intuition betreten, und wird er sich in die Lebensziele des Kindes hineinfühlen, vermag erst einmal der Erzieher so zu handeln, a l s o b er die betreffende kindliche Konstitution selbst in sich trüge und seine Aufgabe darin zu erkennen, nicht den M i t m e n s c h e n, sondern den Menschen, das I n d i v i d u u m erziehen zu wollen, dann gelingt es ihm, durch seine Mitarbeit die Umgestaltung des kindlichen Lebensplanes zu fördern und einem zur Trunksucht disponierten Kinde also die Möglichkeit zu nehmen, den Alkohol ebenso wie die anderen Ausdrucksformen der Neurose in der Zukunft als Kunstgriff zu verwenden.

---

[1] B e r g s o n: Einführung in die Metaphysik, l. c. S. 30.

Schlußwort.

Was wir in diesem Bande einem geneigten und geschulten Leser orlegen, ist nicht mehr als das Ergebnis eines Jahrzehnts, auf dem Boden der Individualpsychologie erarbeitet. Die Größe des Arbeitsgebietes zeigt sich in der Fülle der Probleme. Deren Auswahl scheint uns durch unseren Standpunkt und durch die Forderung des Tages gegeben. Die stattliche Anzahl unserer Mitarbeiter erklärt sich aus dem unabweislichen Bedürfnis, Ärzte und Erzieher auf einem gemeinamen Arbeitsgebiet zu sammeln.

Die Einheitlichkeit unserer Grundanschauungen, kraft deren wir den Anspruch einer selbständigen Forschung und Weltanschauung vertreten, liegt in dieser Sammlung ebenso klar zutage als in der Arbeit „Über den nervösen Charakter" (Wiesbaden, Bergmann 1912) und in den „Schriften" (München, E. Reinhardt). Kleine Änderungen in einzelnen älteren Arbeiten dieser Sammlung erwiesen sich als notwendig durch die Fortschritte unserer Wissenschaft.

Wissenschaft und Praxis der Kindererziehung sind nur bei gemeinsamer Tätigkeit wachstumsfähig. Was die bisher vorliegenden Arbeiten unserer Richtung zusammenhält und verbindet, ist die empirisch gewonnene Grundanschauung von der richtunggebenden Zielsetzung im kindlichen Seelenleben, derzufolge alle Phänomene einer planvollen Linie des Lebens entsprechen. Individualpsychologie ist für uns jenes künstlerische Bestreben, das uns instand setzt, alle Ausdrucksbewegungen im Zusammenhange eines einheitlichen Werdens anzuschauen. Und so ergibt sich für die Praxis der Erziehung als wichtigste Voraussetzung: durch Aufhellung des unerkannten Lebensplanes und Revision desselben den Sinn für die Wirklichkeit zu schärfen und krankhafte, unsoziale Ausartungen durch Änderung des selbstgeschaffenen Systems zu beseitigen.

Der vorliegende Band darf wohl als ein bescheidenes Abbild dieser Bestrebungen an die Aufmerksamkeit der Berufenen appellieren.

Dr. Alfred Adler.

Werke von allgemeinem Interesse.

Eine Auswahl aus dem Verlagskatalog von Ernst Reinhardt, München.

Naturwissenschaften, Weltanschauung.

Aigner, A., Hallstatt. Ein Kulturbild aus prähistorischer Zeit. 8°. (220 S.) 1910. Mt. 4.—, gebd. Mt. 5.50

Im Jahre 1311 wurde der Hallstätter Salzbergbau durch die Königin Elisabeth eröffnet, wobei sich ergab, daß die Fundstätte bereits früher einer ausgedehnten Benützung unterworfen gewesen ist. Dieser den Kelten zugeschriebene Bergbau reicht etwa 2500 Jahre vor Christus zurück. Die in den vernarbten Stellen des Salzberges selbst wie in dem benachbarten Gräberfelde aufgefundenen Werkzeuge und sonstigen Gegenstände, zum Teil von hoher Schönheit, sind Zeugen ehemaliger Kultur, die hohe Achtung einflößt. — Die Schrift ist eine wichtige Bereicherung der prähistorischen Literatur; sie erkundet und faßt zusammen, und zwar auf Grund eigener Forschung und der großen Literatur. Die Träger der Hallstattperiode in Gedanken zu besuchen, ihr Leben und Treiben zu betrachten, ist der ausgesprochene Zweck.

Bluntschli, Dr. Hans, Die Herkunft des Menschengeschlechts in den Anschauungen verschiedener Zeiten. 8°. (43 S.) 1911. Mt. —.50

Dacqué, Dr. Edgar, Der Deszendenzgedanke und seine Geschichte vom Altertum bis zur Neuzeit dargestellt. 8°. (IV u. 119 S.) 1904. Mt. 2.—

Über die Geschichte des Entwicklungsgedankens vor Darwin ist die Literatur sehr gering. Die vorliegende Schrift gibt Auszüge aus den Schriftstellern des Altertums und des Mittelalters und bildet dadurch eine vorzügliche Einführung in die Materie.

Fishberg, Dr. M., Die Rassenmerkmale der Juden. Eine Einführung in ihre Anthropologie. Mit 42 Taf. in Kunstdruck. (272 S.) 1913. Mt. 5.—, gebd. Mt. 6.50

Die auf streng wissenschaftlicher Beweisführung fußende Darstellung, zu welcher die von vielen Anthropologen in Europa, Asien, Afrika und Amerika gesammelten Materialien und die von dem Verfasser selbst an mehr benn 3000 jüdischen Eingeborenen von vier Erdteilen vorgenommenen Messungen benutzt wurden, kommt zu dem Ergebnis, daß das Judentum eine Religion war und noch ist, aber niemals eine Rasse. Das hochinteressante Werk dürfte unzweifelhaft das Beste darstellen, was über diese Frage jemals veröffentlicht worden ist.

Israelitische Wochenschrift, 13. Februar 1913.

Flaskämper, Dr. P., Die Wissenschaft vom Leben. Biologisch-philosophische Betrachtungen. (309 S.) 1913. Mt. 4.50, gebd. Mt. 6.—

Der Verfasser gibt nicht nur eine Biologie im naturwissenschaftlichen Sinne, sondern zieht die Nutzanwendung für das Leben. Er vermittelt nicht nur eine Fülle von Kenntnissen, sondern gibt eine Lebenskunde, die durch die gehobene Sprache und edle Darstellung einen ästhetischen Genuß bietet.

Forel, Aug., Prof., Das Sinnesleben der Insekten. Eine Sammlung von experimentellen und kritischen Studien über Insekten-Psychologie. Mit zwei Tafeln. gr. 8°. (XV u. 393. S.) 1910. Übers. v. Maria Semon. Mt. 7.—
— Dasselbe gebunden. Mt. 8.50

Den Grundstock dieses Buches bilden Forels berühmte „Expériences sur les sensations des Insectes", von denen Yearsley eine englische Ausgabe veranstaltete. Maria Semon hat das Werk nach diesen beiden Ausgaben ins Deutsche übersetzt, der Verfasser hat es sorgfältig durchgesehen und mit zahlreichen Zusätzen und einem neuen Kapitel versehen, so daß es das Lebenswerk des Verfassers auf dem Gebiete der Insektenpsychologie enthält. Das Buch wird nicht nur dem Fachgelehrten, sondern jedem naturwissenschaftlich interessierten Laien einen hohen Genuß bereiten.

1

Forel, Aug., Prof., Die psychischen Fähigkeiten der Ameisen und einiger anderer Insekten; mit einem Anhang über die Eigentümlichkeiten des Geruchsinnes bei jenen Tieren. Vorträge, gehalten den 13. August 1901 am 5. Internationalen Zoologen-Kongreß zu Berlin. 4. mit der 2. gleichlautende Auflage mit 1 Tafel. 8°. (53 S.) 1907. Mk. 1.50

— **Leben und Tod.** Ein Vortrag. 8°. (26 S.) 1908. Mk. —.80

> Ein offenes Bekenntnis eines mutigen Freidenkers, der ein Leben nach dem Tode nicht kennt und dafür eintritt, das Leben auf dieser Erde möglichst gut und schön zu gestalten. Der Aufsatz ist lesenswert, wie alles, was der Feder Forels entstammt. *Zentralblatt für Nervenheilkunde, 1908, Heft 20.*

Henrici, Prof. Julius, Vom Geisterglauben zur Geistesfreiheit. Ein Geschichts- und Gedenkbuch der Geistesentwicklung zur natürlichen Weltanschauung mit zahlreichen Beigaben unserer Dichter und Denker. gr. 8°. (VII u. 444 S.) 1910. Mk. 6.—, gebd. Mk. 7.50

> Eine Geschichte unserer geistigen Kultur von den ersten Regungen des Geisterglaubens der Naturmenschen bis zu den klassischen Dichtern und Denkern der Neuzeit, die uns mündig gemacht haben, im Erkennen und im Schaffen. Keine trockene historische Darstellung, sondern anregend zum Selbstdenken und durchzogen von zahlreichen Belegstellen der besten Schriftsteller.

Hentschel, Dr. Ernst, Das Leben des Süßwassers. Eine gemeinverständliche Biologie. Mit 229 Abbildungen im Text, 16 Vollbildern und einem farbigen Titelbild. 8°. (IV u. 336 S.) 1909. Lwdbd. Mk. 5—

> „Aus der Natur" vom 15. April 1909. Dieses Buch ist eine Biologie im besten Sinne des Wortes. Der Verfasser hat den systematischen Gesichtspunkt ganz in den Hintergrund treten lassen und schildert uns anschaulich und klar, wie die einzelnen Lebensfunktionen von den verschiedenartigen Bewohnern des Süßwassers ausgeübt werden. In erster Linie beschäftigt er sich dabei mit der Tierwelt, so daß der Titel des Buches richtiger das Wort „Tierleben" enthalten sollte. Die Urtiere oder Protozoen werden in einem besonderen Kapitel abgehandelt. Der Text wird durch zahlreiche Abbildungen erläutert. Wir können das Werk als zuverlässige Einführung in das Gebiet der Biologie bestens empfehlen.
>
> „Prometheus" vom 2. Juni 1909. Durch die Fülle des Selbstgesehenen regt das Buch an zu stiller Naturbetrachtung, während es durch die Menge des zeitgemäß hineingearbeiteten wissenschaftlichen Materials dem Gehalte nach gleichkommt einem Lehrbuch der allgemeinen Süßwasserzoologie.

Leiber, Dr. Adolf (Freiburg B.), Lamarck. Studie über die Geschichte seines Lebens und Denkens. gr. 8°. (62 S.) 1910. Mk. 1,50

> Der Verfasser gibt ein sehr anschauliches und anziehendes Bild des großen Mannes. Jeder Freund der Naturphilosophie wird seine Freude daran haben und vielseitige Anregung daraus empfangen. *Blätt. f. Aquar.- u. Terrarienkunde, Jahrg. XXI, Nr. 11.*

Pauly, Prof. Dr. Aug., Darwinismus und Lamarckismus. Entwurf einer psychophysischen Teleologie. Mit 13 Textfiguren. 8°. (VIII u. 335 S.) 1905. Mk. 7,— in Lwdbd. Mk. 8,50

> „Basler Zeitung" vom 19. Januar 1906. Dieses herrliche Buch stellt ein Lebenswerk dar. Ein solches Buch tut man nicht mit einer einfachen kurzen Besprechung ab, die ihm in keiner Weise gerecht werden kann — wir kommen daher darauf zurück. ... Auch den bedingungslosen Anhänger Darwins wird dieses großartige Werk logischen Denkens und Urteilens mächtig anregen. In uns, die wir das Buch studieren und weiterstudieren werden, klingen die herrlichen, prächtigen Gedanken noch lange nach. Ihrem Zauber wird sich niemand gänzlich entziehen können.
>
> „Berliner Tageblatt" vom 17. März 1906. Dieses Buch, das Resultat eines fast dreißigjährigen Forschens und Nachdenkens, stellt den heftigsten und gefährlichsten Angriff dar, dem die Selektionstheorie bisher standzuhalten hatte. Es sind unleugbar die wundesten Stellen, an denen Pauly das Seziermesser seiner Kritik ansetzt.

Pauly, Prof. Dr. Aug., Wahres und Falsches an Darwins Lehre. Öffentlicher Vortrag, gehalten am 15. März 1902 im Liebigschen Hörsale zu München. 3. Aufl. 8°. (18 S.) 1909. M. —.80

Rau, Albrecht, Das Wesen des menschlichen Verstandes und Bewußtseins. 8°. (236 S.) 1910. M. 4,50, in Lwbbd. M. 5.50

> Dieses Buch verrät vielseitige und gediegene Kenntnisse und bleibt bei allem Temperament sachlich und bescheiden und bietet mancherlei Belehrung.
> Naturwissenschaftliche Wochenschrift, 2. Juli 1911.

Reinhardt, Dr. Ludwig, Vom Nebelfleck zum Kulturstaat. Ein Sammelwerk über die Entwicklungsgeschichte der Erde und der Kultur unter Mitwirkung von Fachgelehrten. 9 feine Leinenbände von zusammen nahezu 7000 Seiten mit über 2000 Textbildern und über 500 Tafeln und Karten zum Gesamtpreise von M. 86.—

> Jeder Band ist einzeln käuflich, der Verlag ist aber auch gerne bereit, eine Buchhandlung namhaft zu machen, die das ganze Werk ohne jede Preiserhöhung gegen bequeme monatliche Raten liefert.

I. Serie:

Reinhardt, Dr. Ludw., Vom Nebelfleck zum Menschen. Eine gemeinverständliche Entwicklungsgeschichte des Naturganzen nach den neuesten Forschungsergebnissen. 8°. (4 Bde. geb.) 1908—1913. M. 37.50

> Jeder Band ist in sich abgeschlossen und einzeln käuflich.

— **Bd. I: Die Geschichte der Erde.** Mit 194 Abbildungen im Text, 17 Volltafeln und 3 geologischen Profiltafeln, nebst farbigem Titelbild von A. Marcks. 600 Seiten gr. 8°. In elegantem Leinwandband. 2. Aufl. 1910. M. 8.50

> Inhaltsverzeichnis: I. Wie das Weltbild entstand. II. Die Sternenwelt. III. Unser Sonnensystem. IV. Die Erde und der Mond. V. Die Kometen und Meteore. VI. Die Erstarrungsgesteine der Erde. VII. Der Vulkanismus. VIII. Die Schichtgesteine. IX. Die Gebirgsbildung. X. Wasser und Land. XI. Der Kreislauf des Wassers. XII. Die Verwitterung der Erdoberfläche. XIII. Die Abtragung des Festlandes.

— **Bd. II: Das Leben der Erde.** Mit gegen 400 Abbildungen, 21 Tafeln und farbigem Titelbild nach Aquarell von Prof. Ernst Häckel. 650 Seiten gr. 8°. In elegantem Leinwandband. 1908. M. 8.50

> Inhaltsverzeichnis: I. Das Leben und seine Entstehung. II. Die Entfaltung des Lebens. III. Die Erscheinungen des Lebens. IV. Die Funktionen des Lebens. V. Die Entwicklung des Lebens. VI. Die Ausbildung der Tiere. VII. Die Ausbildung der Pflanzen. VIII. Das Ende des Lebens. IX. Der Schutz des Lebens. X. Die Abstammungslehre. XI. Über Symbiose. XII. Vergesellschaftungen von Tieren und Pflanzen. XIII. Pflanzengenossenschaften. XIV. Das Schmarotzertum.

— **Bd. III: Die Geschichte des Lebens auf der Erde.** Mit vielen Illustrationen, Tafeln und farbigem Titelbild. In elegantem Leinwandband. 1909. M. 8.50

> Inhaltsverzeichnis: I. Einführung in die Paläontologie. II. Die ältesten fossilführenden Ablagerungen. III. Die frühpaläozoischen Organismen. IV. Die Tierentwicklung während der Silurzeit. V. Die Entfaltung der höchsten Weichtiere. VI. Die ersten Besiedler des Festlandes. VII. Das Aufkommen der Wirbeltiere. VIII. Die Devon- und Kohlenformation. IX. Das Zeitalter der Amphibien. X. Die Triasformation. XI. Die Juraformation. XII. Die Kreideformation. XIII. Die Tertiärformation. XIV. Das Pleistocän.

Reinhardt, Dr. Ludw. Bd. IV: **Der Mensch zur Eiszeit in Europa und seine Kulturentwicklung bis zum Ende der Steinzeit.** Mit 488 Abbildungen, 85 Volltafeln und farbigem Umschlag von A. Thomann. 3. Aufl. 590 S. gr. 8°. In elegantem Leinwandband. 1913.   Mk. 12.—

Inhaltsverzeichnis: I. Der Mensch zur Tertiärzeit. II. Die Eiszeit und ihre geologischen Wirkungen. III. Die Kulturen des älteren Diluviums. IV. Die ältesten Menschenrassen Europas. V. Die Kulturen der letzten Zwischeneiszeit. VI. Der Mensch der frühen Nacheiszeit. VII. Die Übergangsstufen von der älteren zur jüngeren Steinzeit. VIII. Die Kulturerwerbungen der jüngeren Steinzeit. IX. Die Erdgruben- und Pfahlbaubewohner. X. Die megalithische Kultur. XI. Die Völkerbewegungen in Mitteleuropa während der jüngeren Steinzeit. XII. Zur Charakteristik des Urmenschen. XIII. Überreste der Urzeit in der Gegenwart.

Urteil der Presse über das Gesamtwerk: Das „Geol. Zentralbl." schreibt: „Unstreitig das Beste, was über diesen Gegenstand vorhanden ist".... „Ein ideal-populäres Werk."

Vom Nebelfleck zum Kulturstaat. II. Serie.

Reinhardt, Dr. Ludw., Die Erde und die Kultur. Die Eroberung und Nutzbarmachung der Erde durch den Menschen. 5 Bde. 8°. 1911/12. In Lwb. Mk. 48.50
Jeder Band ist in sich abgeschlossen und einzeln käuflich.

— **Bd. I: Die Erde und ihr Wirtschaftsleben von Dr. R. Hotz.** 8°. (406 S. mit vielen Abbildungen im Text, 72 Kunstdrucktafeln und 1 Karte der Weltwirtschaft in 10 Farben.) 1912.   Lwbbd. Mk. 8,50

1. Die Lithosphäre und die Mineralproduktion (Gold, Silber, Eisen, Kupfer und die übrigen Metalle, Kohle, Edelsteine, Marmor usw.). Der Einfluß von Kohle und Eisen auf das wirtschaftliche Leben. Der raubbauartige Charakter des Bergbaues. Die Weltproduktion. 2. Die Hydrosphäre und der Einfluß der Gewässer auf das Wirtschaftsleben. Die Weltmeere. Die Strömungen des Meeres. Das Eis. Die Erträgnisse des Meeres. Der Welt-Seeverkehr. 3. Die Atmosphäre und ihr Einfluß auf das Wirtschaftsleben. Das Klima und sein Einfluß auf den wirtschaftenden Menschen. 4. Die wirtschaftliche Bedeutung der Lebewesen. Die Landbauzonen. 5. Der wirtschaftende Mensch. Der Mensch als geselliges Wesen. Die Staaten. Der Kolonialbesitz. Die Wirtschaftsstufen. Die Industrie. Der Welthandel. Die Handelssprachen. Das Geld. Der Verkehr.

— **Bd. II: Kulturgeschichte des Menschen.** 8°. (702 S. und 92 Kunstdrucktafeln.) 1912.   Lwbbd. Mk. 10.—

Inhalt: 1. Die Entstehung der Familie. 2. Die Eheschließung. 3. Die Frau als Gattin. 4. Der Mann als Bürger. 5. Die gesellschaftlichen Schichtungen. 6. Das Eigentum. 7. Die Wohnstätte. 8. Das Feuer. 9. Werkzeuge und Waffen. 10. Wirtschaftsweise und Technik. 11. Ackerbau und Viehzucht. 12. Gewerbe und Handel. 13. Verkehrs- und Transportmittel. 14. Das Geld. 15. Der Schmuck. 16. Die Kleidung. 17. Die Sprache. 18. Die wichtigsten Sprachstämme. 19. Zählen, Kalender und Sprachbehelfe. 20. Die Schrift. 21. Spiel, Musik und Gesang. 22. Tanz und Schauspiel. 23. Zauberei und bildende Kunst. 24. Die Religion. 25. Der Kultus. 26. Die Totenbestattung. 27. Die Mythologie. 28. Die Entwicklung des Christentums. 29. Die Wissenschaft.

— **Bd. III: Kulturgeschichte der Nutztiere.** 8°. (760 S. mit 67 Abbildungen und 70 Kunstdrucktafeln.) 1912.   Lwbbd. Mk. 10.—

Inhalt: Einleitung. 1. Der Hund. 2. Rind und Büffel. 3. Die Ziege. 4. Das Schaf. 5. Das Schwein. 6. Der Esel. 7. Das Pferd. 8. Das Kamel. 9. Das Lama. 10. Das Renntier. 11. Der Elefant. 12. Kaninchen und Meerschweinchen. 13. Die Katze. 14. Das Huhn. 15. Perlhuhn, Pfau, Fasan und Truthahn. 16. Gans, Ente und Schwan. 17. Die Taube. 18. Die Sing- und Ziervögel. 19. Kormoran und Strauß. 20. Die Nutzfische. 21. Die Nutztiere unter den Wirbellosen. 22. Die Honigbiene. 23. Der Seidenspinner. 24. Die Geschichte der Jagd. 25. Die wichtigsten Jagdtiere. 26. Nützliche wilde Vögel. 27. Pelz-, Schmuckfedern- und Schildpattlieferanten. 28. Die Transpender. 29. Tiere als Spielzeug.

Reinhardt, Dr. Ludw. Bd. IV 1/2: Kulturgeschichte der Nutzpflanzen. 8°. (1494 S. mit 92 Abbild. im Text und 166 Kunstdrucktafeln.) 1911. 2 Lwbbde. Mk. 20.—

Inhalt des I. Bandes: 1. Die Getreidearten: Der Weizen und seine Abarten. 2. Die Getreidearten: Gerste, Roggen, Hafer, Hirse und Buchweizen. 3. Die Getreidearten: Reis und Mais. 4. Die Fruchtbäume, 1. Teil. 5. Die Fruchtbäume, 2. Teil. 6. Die Agrumen. 7. Die Gemüsearten. 8. Eßbare Knollengewächse. 9. Die Ölgewächse. 10. Der Zucker. 11. Der Kaffee. 12. Der Tee. 13. Der Kakao. 14. Die Gewürze. 15. Die berauschenden Getränke. 16. Die betäubenden Pflanzenstoffe. 17. Der Tabak. 18. Die Gärungserreger.

Inhalt des II. Bandes: 19. Die Futterpflanzen. 20. Die Faserpflanzen. 21. Die Baumwolle. 22. Die Farb- und Gerbstoffpflanzen. 23. Der Kautschuk und die Guttapercha. 24. Die Harze und Lacke. 25. Die duftenden Pflanzenharze. 26. Die pflanzlichen Wohlgerüche. 27. Die Arzneipflanzen. 28. Die Geschichte des Ziergartens. 29. Die Zierblumen. 30. Die Zierbäume und Ziersträucher. 31. Die Nutzhölzer. 32. Die nützlichen Wüstenpflanzen. 33. Die Feinde der Kulturgewächse.

„Deutsche Kolonialzeitung". Der Verfasser hat sich mit seiner Darstellung unstreitig ein großes Verdienst erworben. Wir besitzen kein anderes neuzeitliches Buch, welches diesen Stoff in ähnlich umfassender Weise behandelt; dazu ist dem Reinhardtschen Buche eine anschauliche, frische, allgemein verständliche Darstellungsweise eigen, so daß ein jeder, dessen Auge sich noch an dem Blühen und Wachsen in der Natur zu erfreuen vermag und der sich für die Entwicklung unseres Wirtschaftslebens und für die Lebens- und Produktionsbedingungen der Völker in Vergangenheit und Gegenwart interessiert, das Buch immer wieder gern zur Hand nehmen wird, um daraus Unterhaltung und Belehrung zu schöpfen. Im Verhältnis zu Inhalt, Umfang und Ausstattung des Buches muß der Preis als sehr niedrig bezeichnet werden.

Reinhardt, Ludw., B. D. M., Die einheitliche Lebensanffassung. (VIII und 424 S.) 1899. In Lwbbd. Mk. 4.60, broch. Mk. 3.60

—— **Kennt die Bibel das Jenseits?** und woher stammt der Glaube an die Unsterblichkeit der Seele, an Hölle, Fegfeuer (Zwischenzustand) und Himmel? 8°. (IV u. 184 S.) 1900. Mk. 2.50

—— **Die Entwicklung unseres Weltbildes, des Jenseitsglaubens und des Christentums.** 8°. (146 S.) 1912. Mk. 1.50

Reymond, M., Laienbrevier des Häckelismus. Jubiläumsausgabe 1862—1882 1912. 8°. (260 S.) 1912. Mk. 2.—, geb. Mk. 3.50

Die Lektüre dieses Büchleins hat mir einige vergnügte Stunden bereitet. In knapper, witziger, bisweilen auch etwas boshafter Form lernt man aus dem Büchlein die Geschichte der Entwicklungstheorie, wie sie im Anschluß an Darwin von Häckel vertreten wurde, kennen. Man kann es nur mit Freude begrüßen, daß dieses anziehende Büchlein durch die neue Auflage der Vergessenheit entrissen wurde. Natur 1912, Heft 22.

Satow, Louis, Die heilige Erde. Ein Hausbuch für freie Menschen, mit einem Geleitwort von Otto Ernst. 8°. (424 S.) 1912. kart. Mk. 3.—, geb. Mk. 4.—

Luxusausgabe a. Büttenpapier (50 Exemplare) Mk. 15.—

Eine Sammlung von Dichtungen freier Weltanschauung mit Beiträgen von über 100 älteren und neueren Autoren, u. a. Avenarius, Bierbaum, Bölsche, Dehmel, Otto Ernst, G. Falke, Fontane, H. und J. Hart, Hartleben, G. Keller, Multatuli, Nietzsche, K. Spitteler, F. T. Vischer, Whitman, Wille u. a.

Zietze, Dr. S., Das Rätsel der Evolution. Ein Versuch seiner Lösung und zugleich eine Widerlegung des Lamarckismus und der Zweckmäßigkeitslehre. 8°. (335 S.) 1910. Mk. 6.—, gebb. Mk. 7.50

—— **Die Lösung des Evolutionsproblems.** (225 S.) 1913. Mk. 3.—

In Lwd. gebb. Mk. 4.—

Diese neue Schrift gibt einen Auszug der früheren und erweiterten Ansichten des Verfassers in verschiedener Richtung. Der Preis ist, um der Schrift eine weite Verbreitung zu ermöglichen, ganz ungewöhnlich billig.

Wagner, Prof. Dr. Adolf, Streifzüge durch das Forschungsgebiet der modernen Pflanzenkunde. Drei Vorträge. 8°. (VII u. 93 S.) 1907.   Mk. 1.50

Wanderer, Robert, Glück. Eine Begleiterscheinung des Wachsens. Fünf philosophische Gespräche. 8°. (136 S.) 1912.   Mk. 1.80

> Der Verfasser gibt nicht nur eine originelle Definition des Glücks, sondern erörtert in anregender Darstellung eine Reihe verwandter Probleme, die zu den wichtigsten des Menschenlebens gehören.

Wolff, Gustav Dr., Prof. der Psychiatrie in Basel, **Die Begründung der Abstammungslehre.** 8°. (44 S.) 1907.   Mk. 1.—

Medizin und soziale Hygiene.

Aub, Dr. H., Hysterie des Mannes. 8°. (162 S.) 1911.   Mk. 2.50

> Prof. Dr. P. Näcke schreibt: In schöner Sprache hat es Verfasser sehr gut verstanden, populär zu schreiben und doch dabei wissenschaftlich zu bleiben. An der Hand fremder und eigener Erfahrung bespricht er die noch so wenig bekannte und doch so häufige männliche Hysterie, so daß sogar auch die Ärzte, die nicht Nervenärzte sind, davon lernen können. Er erörtert das Wesen, die Entstehung, die Zeichen Übergangsformen und Heilmethoden der Hysterie, bespricht die männliche Unfallhysterie, die Hysterie beim Militär und Kinde und endlich ihre Beziehungen zu Kunst und Literatur.

Bleuler, Dr. E., Prof., Unbewußte Gemeinheiten. Ein Vortrag. 2. Auflage. (3. bis 5. Tausend.) 8°. (36 S.) 1906.   Mk. —.50

> In origineller Weise geißelt der Verfasser alle die kleinen und großen Dummheiten und Inkonsequenzen, die der gedankenlose Herdenmensch begeht, die bösen Gewohnheiten und die verdrehten Sitten in der Erziehung, in der Gesellschaft und im ganzen übrigen Leben. Ganz besonders scharf und mit ganz besonders großem Recht rückt er den dummen und lächerlichen Anschauungen zu Leibe, die sich um den Alkohol vereinigen und sich in unseren Trinksitten so wunderlich konservieren.   Volkskraft vom 1. Dez. 1905.

— **"Dulden."** Aus der Lebensbeschreibung einer Armen. 8°. (55 S.) 1910. Mk. —.50

> Die ganze Darstellung mit den vielen in ihrer Rohheit psychisch oft fast unerträglichen Einzelszenen trägt durchaus den Stempel der Wahrhaftigkeit. Sie ist vorzüglich geeignet, uns einen Einblick in das Leben der untersten Volksschichten zu geben, einen Einblick, der uns freilich zurückschaudern läßt vor dem Los, das die brutale Begier und die Trunksucht der Männer den Frauen des Proletariats bereitet.
> Archiv für Sozialwissenschaft Bd. XXXII, Heft 2.

Bluntschli, Dr. H., Priv.-Doz. in Zürich, **Die Bedeutung der Leibesübungen für die gesunde Entwicklung des Körpers.** Anatomische Betrachtungen in gemeinverständlicher Darstellung. Mit 25 Abbildungen. 8°. (IV u. 86 S.) In illustr. Umschl. 1909.   Mk. 1.80

> Das Büchlein füllt insofern eine Lücke aus, als es mehr wie die anderen diese Stoffe behandelnden Schriften die anatomischen und psychologischen Grundlagen der Körpergymnastik berücksichtigt und in leicht verständlicher Form weiteren Kreisen zugänglich macht.   Ärztliche Rundschau 3. Dezember 1909.

v. Bunge, G., Professor in Basel, **Die zunehmende Unfähigkeit der Frauen ihre Kinder zu stillen.** Die Ursachen dieser Unfähigkeit, die Mittel zur Verhütung. Ein Vortrag. Sechste, durch neues statist. Material vermehrte Auflage. 8°. (36 S.) 1908.   Mk. —.80

Buschan, Dr. Georg, Sport und Herz. Vortrag gehalten im Zentralausschuß für die Pflege der Leibesübungen zu Stettin. N. 8. 1912. (48 S.)   Mk. 1.—

> Unter recht eingehender Berücksichtigung der einschlägigen Literatur bespricht Verfasser die Gefahren, die dem Herzen, namentlich dem jugendlichen, von übermäßigen Anstrengungen beim Sport drohen. Solche eindringliche Darstellungen können für die Sport treibende Jugend nur von Nutzen sein, und Buschan versteht es auch, sein Thema in einer für Laien verständlichen Weise zu behandeln und die Ursachen der Gefahren für das Herz klarzulegen.   Frankfurter Ärzte-Korrespondenz am 28. Juni 1912.

Clouston, Prof. T. S., Die Gesundheitspflege des Geistes. Mit Vorwort, Anmerkungen und einem neuen Kapitel versehen von Prof. Aug. Forel. 1. bis 5. Tauf. 8°. (VIII u. 319 S.) 1908. In Lwdbd. brosch. Mk. 2.—　　　　Mk. 2.80

> Jeder Abschnitt des Buches ist äußerst gediegen und aus reicher Erfahrung hervorgegangen. Für das Schulleben besonders beherzigenswert ist das 11. Kapitel: „Knaben- und Mädchenalter zwischen 7 und 15 Jahren." Ein Werk, das von Prof. Forel mit Zusätzen und Geleitwort versehen wurde, empfiehlt sich von selbst.
> *Schulreform 15. Dezember 1908.*

> Solche Bücher, die von einem wissenschaftlich hochstehenden Autor, der gleichzeitig ein Mann praktischer Lebenskunde und -Kunst ist, geschrieben sind, wie dies, wären, wenn sie eine Verbreitung finden könnten wie unsere Moderomane, wirklich von größter Bedeutung, um die kranke Zeit auf richtige hygienische Bahnen zu leiten.
> *Münchener Mediz. Wochenschrift vom 27. Oktober 1908.*

Doflein, F., Prof., Wir und die Japaner. 8°. (31 S.) 1910.　　　　Mk. —.50

> Ein Vergleich der japanischen Kultur mit der europäischen, besonders vom Standpunkt der Rassenhygiene aus.

Elberskirchen, J., und Ehsoldt, A., Die Mutter als Kinderärztin. 8°. (268 S.) o. J. Mk. 1.—, geb. Mk. 1.80

Forel, Dr. Aug., Über die Zurechnungsfähigkeit des normalen Menschen. Ein Vortrag gehalten in der schweizerischen Gesellschaft für ethische Kultur in Zürich. 5. u. 6. (mit der 4. gleichlautende) Auflage. 8°. 27 S. 1907.　　　　Mk. —.80

> ... des ausgezeichneten und weitblickenden Vortrags, dem die größte Verbreitung unter allen Gebildeten zu wünschen ist. *Mediz. Klinik 1907, Nr. 48.*

— **Jugend, Evolution, Kultur und Narkose.** Der neutrale Guttemplerorden. Eine Ansprache an die Jugend. 1. bis 5. Tausend. gr. 8°. (23 S.) 1908. Mk.—.50

> In seiner lebhaften Art behandelt Forel großzügig die Alkoholfrage, durch Beleuchtung der Kernpunkte ihre ungeheure Bedeutung zeigend.
> *Die Enthaltsamkeit 1908, Nr. 1.*

— siehe auch Clouston, Gesundheitspflege des Geistes.

Frank, Dr. med. L., Die Psychanalyse. gr. 8°. (IV u. 42 S.) 1910.　　　　Mk. 1.—

> Eine recht lesenswerte Schrift, die Klinik und Therapie der Psychoneurosen in übersichtlicher und klarer Weise behandelt. *Pester medizin. chir. Presse, 13. August 1911.*

Friedel, Arthur, Mensch und Tier. Grundlagen einer Anatomie für Künstler. Mit 20 Tafeln und 79 Abbildungen. 1910.　　　　Mk. 5.—

> Das Werk ist die einfachste und klarste Künstleranatomie, die ich kenne. Es soll daher warm empfohlen werden. *Kunst und Jugend 1911, Heft 9.*

Furtmüller, Dr. Karl, Psychoanalyse und Ethik. 8°. (34 S.) 1912.　　　　Mk. 1.—

Grenzfragen der Literatur und Medizin in Einzeldarstellungen, herausgeg. von **Dr. S. Rahmer in Berlin.** 8 Hefte. (XII u. 404 S.)　　　　Mk. 8.—
Dasselbe geb. in 1 Lwdbd.　　　　Mk. 9.50

— Heft 1. **Rahmer, Dr. S., Aus der Werkstatt des dramatischen Genies.** (Musik- u. Dichtkunst.) Eine psycho-physiologische Studie. (44 S.) 1906. M. 1.—

— Heft 2. **Alsberg, Moritz Dr. med., Die Grundlagen des Gedächtnisses, der Vererbung und der Instinkte.** (II u. 38 S.) 1906.　　　　Mk. 1.—

— Heft 3. **Ebstein, Dr. Erich, München, Th. D. Grabbes Krankheit.** Eine medizinisch-literarische Studie. Mit Grabbes Bildnis, Faksimile und Ungedrucktem. (VIII u. 50 S.) 1906.　　　　Mk. 1.50

— Heft 4. **v. Kupffer, Elisar, Klima und Dichtung.** Ein Beitrag zur Psychophysik. (68 S.) 1907.　　　　Mk. 1.50

— Heft 5. **Segaloff, Dr. Tim., Die Krankheit Dostojewskys.** Eine ärztlich-psychologische Studie mit einem Bildnis Dostojewskys. (54 S.) 1907. Mk. 1.50

Grenzfragen der Literatur und Medizin in Einzeldarstellungen.

— Heft 6. **Rahmer, S., August Strindberg**, eine pathologische Studie. (43 S.) 1907. Mk. 1.20

— Heft 7. **Lichtenstein, Alfr., Berlin, Der Kriminalroman.** Eine literarische und forensisch-medizinische Studie mit Anhang: Sherlock Holmes zum Fall Hau. 8°. (61 S.) 1908. Mk. 1.50

— Heft 8. **Probst, Dr. H., Edgar Allan Poe.** Mit einem Bildnis Poes. 8°. (46 S.) 1908. Mk. 1.20

> Feinsinnige psychophysiologische Studien, welche jeden Gelehrten, Laien und Mediziner interessieren werden. *Allgemeines Literaturblatt.*
>
> Dieses eigenartige Werk ist ein sehr dankenswertes und kommt einem wirklich dringenden Bedürfnis entgegen. *Berliner Tagblatt.*

Gruber, Dr. Georg, Bergsteigerhygiene. Kl. 8°. (59 S.) 1912. Mk. —.50

> In anregender, populärer Darstellung berichtet der Verfasser über das, was der Bergsteiger, insbesondere der Hochtourist, bei der Vorbereitung und der Ausrüstung zum Wandern in den Bergen und während der Wanderung zu beachten hat. Das Büchlein enthält manche goldene Regel für den Bergwanderer, und es wäre sehr wünschenswert, wenn sie von allen denen beachtet würden, die sich in die hohen Berge wagen; es wäre dann sicher von manchem Unglücksfall weniger zu berichten. *Frankfurter Ärztl. Korresp. 7. Juni 1912.*

— **Geschichtliches über den Alkoholismus.** 8°. (96 S.) 1910. Mk. 1.—

> Die Schrift, der das Studium eines sehr lehrreichen Schrifttums zugrunde liegt, ist von außerordentlichem Interesse. *Neues Leben 1910, Nr. 10.*

v. Gruber, Max, Prof., Die Pflicht gesund zu sein. Vortrag gehalten für die Studierenden der drei Hochschulen Münchens am 5. Mai 1909. Herausgeg. von der Ortsgruppe München „Freiland" der D. B. a. St. 7. bis 8. Tausend. 8°. (39 S.) 1913. Mk. —.50

> Der berühmte Hygieniker wendet sich an die lebens- und genußfrohen Musensöhne, um ihnen die ungeheuren Gefahren des Alkoholmißbrauches und der Geschlechtskrankheiten zu schildern. Eine wirkungsvollere Art, dies zu tun, ist schlechterdings nicht denkbar. Mit höchstem sittlichen Ernst, in gehobener, eindrucksvollster Sprache und zugleich in knappster, unwiderstehlich packender Form wird die nationale Seite der Sache scharf beleuchtet und das nationale Verantwortlichkeitsgefühl der Jugend geweckt. *Monatsschrift f. d. Turnw. 1909, Heft 11.*

— **Mädchenerziehung und Rassenhygiene.** Ein Vortrag. Kl. 8°. (30 S.) 1910. Mk. —.50

— **Ungeteilte Arbeits- und Schulzeit.** 8°. (70 S.) 1911. Mk. —.50 (Schriften des Vereins f. Wohnungswesen Heft 3.)

> Eine Autorität auf hygienischem Gebiete und ein warmherziger Menschenfreund schildert Zustände aus dem Münchner Wohnungswesen, die nach Abhilfe geradezu schreien. Die Schrift verdient die Verbreitung eines Flugblattes. *Pädagog. Jahresbericht Juli 1912.*

— **Wohnungsnot und Wohnungsreform in München.** Vortrag gehalten in der vom Allgem. Münchener Mieterverein am Dienstag den 15. Dez. 1908 im alten Rathaussaal veranstalteten öffentl. Versammlung. 8°. (26 S.) 1909. Mk. —.60

Hadl, Dr. Max, Leichte Entbindung. Gemeinverständliche Anweisungen. 2. Aufl. 8°. (88 S.) O. J. Mk. 1.50, gebd. Mk. 2.50

> Das Büchlein ist nicht nur sehr klar, sondern auch in überaus anziehender Weise geschrieben, und wir glauben ihm deshalb eine große Verbreitung voraussagen zu dürfen. *Zeitschrift für Hygiene und Kosmetik.*

— **Das Anwachsen der Geisteskranken in Deutschland.** gr. 8°. (104 S.) 1904. Mk. 3.—, gebd. Mk. 4.—

v. Hangwitz, Gräfin, geb. Gräfin zu Pappenheim, **Modernes Kochbuch.** (260 S.) 1913. gebd. Mk. 4.—

Bei der Lektüre des „Modernen Kochbuches" wird man infolge der leicht verständlichen, präzisen Angabe von dem Empfinden erfaßt, daß die Rezepte, die eine geschmackvolle Frau hier aus dem Füllhorn ihrer von großem Fleiß und vieler Mühe zeugenden Sammlung streut, in der Tat glücklich gelungene Ergebnisse einer praktisch erprobten Küche sind. Die Komposition der Speisen wird so sinn- und augenfällig, daß man unwillkürlich schon im Vorhinein sein Urteil über die Schmackhaftigkeit dieser Produkte einer verfeinerten Kochkunst fällen kann. *Wiener Mode* 1913, Kr. 3.

Herz, Dr. Max, Priv.-Doz., Wien, **Ein Buch für Herzkranke.** Was sie tun und lassen sollen. 8°. (VIII u. 196 S.) 3. vermehrte Auflage. 1911. Mk. 1.80

Hirt, Dr. med. Eduard, **Beziehungen des Seelenlebens zum Nervenleben.** Grundlegende Tatsachen der Nerven- und Seelenlehre. 8°. (50 S.) 1903. Mk. 1.20

In allgemein verständlicher Sprache bringt der Verfasser eine Reihe von wertvollen Tatsachen zur Darstellung, aus denen man auf eine innige Wechselbeziehung zwischen physischem und psychischem Leben schließen kann.

Holitscher, A., Dr. med., **Alkoholsitte — Opiumsitte.** Ein Vergleich. 8°. (39 S.) 1908. Mk. —.80

Die durchweg nach amtlichen Quellen bearbeitete Schrift ist wegen des originellen Standpunktes äußerst beachtenswert. *Zentralbl. f. innere Medizin* 1909, Heft 2.
Die Schrift Holitschers ist recht geeignet, die Verteidiger des gewohnheitlichen mäßigen Alkoholgenusses nachdenklich zu stimmen. *Deutsche Med. Zeitung* 21. Dez. 1908.

Hölzl, M., **Die Mutter.** Ein Geleitbuch für die junge Frau. Neu bearbeitet von Therese Danner. Mit Vorwort von Geh.-Rat Dr. v. Kerschensteiner. 6. Aufl. 16°. (XII u. 122 S.) Mk. 1.—, in Lwdbd. Mk. 1.80

Es ist ein wirklich brauchbares und gutes Buch, das wir Ärzte allen jungen Müttern warm empfehlen sollten. *Münchener Mediz. Wochenschrift* 15. Juni 1909.

Hoppe, Dr. Hugo, **Die Tatsachen über den Alkohol.** Eine Darstellung der Wissenschaft vom Alkohol. Mit zahlreichen statistischen Tabellen. 4. umgearbeitete u. vermehrte Auflage. 8°. (XVI u. 746 S.) 1912. Mk. 9.—, in Lwdbd. M. 10.50

„Der große Vorzug des Hoppeschen Buches besteht darin, daß es möglichst das zu halten sucht, was es verspricht, nämlich alle, durch die wissenschaftlichen Untersuchungen und Beobachtungen aller Art bekannt gewordenen Tatsachen zur Alkoholfrage möglichst vollkommen und objektiv zu registrieren. Je mehr diesem Gesichtspunkt, namentlich einer vollkommenen Objektivität, Rechnung getragen wird — und das tut die neue Auflage in hervorragender Weise —, um so mehr erfüllt das Buch seine Aufgabe als gründliches wissenschaftliches Werk und füllt somit eine trotz der großen Alkoholliteratur vorhandene Lücke aus, denn populär und halbwissenschaftlich gehaltene Bücher haben wir zur Genüge. Daß unter dem wissenschaftlichen Charakter bei einem einfachen Nebeneinanderstellen der Tatsachen die Darstellung nicht zu leiden braucht, zeigt gerade das Hoppesche Buch zur Genüge." *Prof. Weber in der Deutschen Mediz. Wochenschrift.*

Kaus, O., **Der Fall Gogol.** gr. 8°. (81 S.) 1912. Mk. 2.—
(Schriften des Vereins f. freie psycho-analytische Forschung Nr. 2.)

Marcuse, Dr. Jul., und **Wörner,** B., **Die fleischlose Küche.** 2. verbesserte Aufl. (5. bis 14. Tausend.) 8°. (477 S.) 1912. Mk. 3.—, in Lwdbd. Mk. 3.75

Das Buch übertrifft die meisten vegetarischen Kochbücher nach Inhalt und Umfang und verdient auch aus diesem Grunde, wie seiner Billigkeit wegen, empfohlen zu werden. *Die Mühle* 19. Mai 1911.

Müller, F. v., Prof., **Wie studiert man Medizin?** (51 S.) 1913. Mk. —.60

v. Muralt, Ludw., Dr. med., **über moralisches Irresein** (Moral Insanity.) Ein Vortrag. 8°. (30 S.) 1909. Mk. —.80

Pfaff, W., Dr. med., **Die Alkoholfrage vom ärztlichen Standpunkt.** Vortrag gehalten am 10. Dezember 1903 im württemberg. ärztlichen Bezirksverein (Ulm). 2. verm. Auflage. 8°. (125 S.) 1906. Mk. 1.20

Als Einführung in das Verständnis der Alkoholfrage sehr geeignet.

Naehlmann, Dr. E., Prof., Über Farbensehen und Malerei. Eine kunst-physio-
logische Abhandlung in allgemein verständlicher Darstellung. Mit sechs farbigen
Tafeln. 8°. (55 S.) 1901.   Mk. 2.—
Schrecker, Paul, Henri Bergsons Philosophie der Persönlichkeit.   Mk. 1.50
(Schriften des Vereins für freie psychoanalytische Forschung Heft 3.)
Whittaker, Th. P., Alkoholische Getränke und Lebensdauer, übers. v. W. M. Hall,
Graz. gr. 8°. (24 S.) 1910.   Mk. —.50
Wiedemann, Dr. J., Wenn eins krank ist in der Familie. Medizinisches Volks-
buch. 8°. (320 S.) O. J.   Mk. 3.—, geb. Mk. 4.—
> „In den Gebieten der Medizin und Gesundheitspflege fehlt es nicht an volkstümlichen
> Schriften. Nur wenige davon sind gut. Aber wenn eine das wirklich ist, begrüße ich sie
> stets mit Freuden. Von Wiedemanns medizinischem Volksbuch kann ich dies sagen."
> „Der Text ist durchweg gut und sachlich, kurz gefaßt und reich durchsetzt mit prak-
> tischen Winken."   Dr. med. J. Weigl in den „Pädagogischen Blättern."

Sexuelle Frage.

Afnaourow, Felix, Sadismus und Masochismus, das wichtigste Erziehungsproblem
der Zukunft.   Mk. 1.50
(Schriften des Vereins für freie psychol. Forschung Heft 4.)
Carpenter, Edward, Das Mittelgeschlecht. Eine Reihe von Abhandlungen über ein
zeitgemäßes Problem. Aus dem Englischen übertragen von Dr. L. Bergfeld.
2. unveränd. Aufl. 8°. (183 S.) o. J. 1908. Steif brosch.   Mk. 2.40
> In seinem Buche „Wenn die Menschen reif zur Liebe werden" hat sich der englische
> Philosoph als ein Meister feinsinniger Seelenanalysen erwiesen, ein Vorzug, der sich
> auch in diesem Buche zeigt.   Die Umschau 1908, Nr. 27.
Dorn, Dr. Hans, Strafrecht und Sittlichkeit. Zur Reform des deutschen Reichs-
strafgesetzbuches. (Schriften des Verbandes fortschrittlicher Frauenvereine H. 1.)
1. bis 5. Tausend. 8°. (VIII u. 83 S.) 1907.   Mk. 1.—
> Als Beitrag zur Reform des Deutschen Reichsstrafgesetzbuchs ist die kleine, interessante,
> kritische Studie mit Dank willkommen zu heißen.
>   Zeitschrift für Sozialwissenschaft 1908, 15. April.
> Gerade um dieser Objektivität willen ist das Werk als Einführung in das heute mehr
> als aktuelle Gebiet durchaus zu empfehlen.   Leipziger Tageblatt 29. März 1907.
**Ehinger, Dr. Otto und Kimmig, Dr. Wolfr., Ursprung und Entwicklungsgeschichte
der Bestrafung der Fruchtabtreibung** und deren gegenwärtiger Stand in der
Gesetzgebung der Völker. gr. 8°. (198 S.) 1910.   Mk. 5.—
> Es handelt sich um eine ernste juristische Arbeit, welche alle Gedanken des Für und
> Wider der Fruchtabtreibung historisch zusammenträgt.
**Elberskirchen, Johanna, Geschlechtsleben und Geschlechtsenthaltsamkeit des
Weibes.** 8°. (36 S.) o. J.   Mk. 1.—
> Die als Schriftstellerin in Deutschland sehr bekannte Medizinerin schildert hier ein
> durchaus physiologisches Geschlechtsleben, dem heute für die Seite des Weibes nicht der
> moralische Gegenwert eingeräumt wird, der ihm zukommt. Das Ganze ist von hohem
> sittlichem Geist durchdrungen.
— **Die Mutterschaft in ihrer Bedeutung für die national-soziale Wohlfahrt.**
8°. (44 S.) o. J.   Mk. 1.—
> Wir empfehlen die Lektüre des kleinen, im kampfesfreudigen Stile edler Be-
> geisterung gehaltenen Schriftchens allen jenen, die an der Frauenfrage — im erwähnten
> Sinne — direktes oder indirektes Interesse nehmen. Das Kind, Jahrgang 3, Nr. 2.
— **Mutter!** I. Teil. **Schutz der Mutter.** 8°. (71 S.) o. J.   Mk. 1.—
II. Teil. **Geschlechtliche Aufklärung des Weibes.** 8°. (95 S.) o. J.   Mk. 1.—
Beide Teile in 1 Band brosch. Mk. 1.80, beide Teile in 1 Band geb. Mk. 2.50

Experimental-Ehen. Ein „document humain" als Beitrag zur Eherechtsreform. Von einem Versuchsobjekt. 8°. (63 S.) 1906. Mk. 1.—

Forel, Prof. Dr. Aug., Die sexuelle Frage. Eine naturwissenschaftliche, psychologische hygienische und soziologische Studie für Gebildete. 10. Aufl. (46. bis 48. Tauf.) (XII u. 628 S.) 1913. Mk. 8.—, in schwarz Lwdbb. Mk. 9.50

Ein Prospektheft mit über 60 Urteilen der maßgebenden Presse, einem Aufsatz von L. Thoma u. a. ist in allen Buchhandlungen oder durch den Verlag kostenlos erhältlich.

— **Die Sexuelle Frage. Gekürzte Volksausgabe.** (1. bis 20. Tausend.) (320 S.) 1913. Preis steif brosch. Mk. 2.80, in Lwd. geb. Mk. 3.80

Die Volksausgabe enthält alle wesentlichen Teile der großen Ausgabe, nur einige zu wissenschaftliche Ausführungen wurden weggelassen. Der kleinere Umfang wurde in der Hauptsache erreicht durch die Wahl einer schmallaufenden deutschen Type und durch ein dünneres, aber holzfreies Papier.

— **Sexuelle Ethik.** Ein Vortrag gehalten am 23. März 1906 auf Veranlassung des „Neuen Vereins" in München. Mit einem Anhang: Beispiele ethisch-sexueller Konflikte aus dem Leben. (26. bis 30. Tausend.) 8°. (56 S.) o. J. (1907.) In farbigem Umschlag Mk. 1.—

In diesem glänzend geschriebenen Vortrag entwickelt der Verfasser in großen Zügen seine sexuell-ethischen Anschauungen usw.
St. Petersburger Mediz. Wochenschrift 21. Oktober 1906.

Wer orientiert sein will über den sittlichen Grundgedanken, der den Untersuchungen und Forderungen Forels zugrunde liegt, der wird durch die vorliegende Broschüre seinen Wunsch erfüllt sehen. Und wer bisher in den landläufigen sexual-ethischen Anschauungen seine Befriedigung gefunden hat, sollte die gleiche Broschüre lesen, um eine Fülle seiner Gedanken kennen zu lernen, die ihm eine bisher unbekannte Welt öffnen.

— **Ethische und rechtliche Konflikte im Sexualleben** in und außerhalb der Ehe. (1. bis 5. Tausend.) 8°. (66 S.) 1909. Mk. 1.—

Die temperamentvolle Art des Autors verleugnet sich auch hier nicht, wo er aus seiner reichen Erfahrung Beispiele bringt, die eine Anklage bilden gegen die Heuchelei, die innere Unwahrheit und die Grausamkeit unserer heute noch herrschenden Moral und unseres heute noch fortvegetierenden Rechtes in Dingen des Sexuallebens.
Wiener klinische Wochenschrift, 8. September 1910.

— **Malthusianismus oder Eugenik.** Kl. 8°. (30 S.) 1910. Mk. —.50

Eine vorzügliche kurze Darstellung des ganzen Problems einer vernünftigen Menschenzucht, die wir unseren Lesern zu aufmerksamem Lesen dringend empfehlen.
Neues Leben, 1. Dezember 1912.

— **Die Rolle der Heuchelei, der Beschränktheit und der Unwissenheit in der landläufigen Moral.** Kl. 8°. (40 S.) Zürich 1908. Mk. —.50

Hastreiter, Dr. med., Oberstabsarzt a. D., Was jeder junge Mann zur rechten Zeit erfahren sollte. Ein Buch zum Schutze vor den Folgen der Unwissenheit und der Unvorsichtigkeit in geschlechtlichen Dingen. 8°. (XIV u. 315 S. u. 1 Tafel.) Mk. 1.80, gebb. Mk. 3.—

Das an Laien sich wendende, sie über geschlechtliche Dinge im allgemeinen und speziell über die Geschlechtskrankheiten aufklärende Buch Hastreiters ist geschickt geschrieben und behandelt die einschlägigen Fragen gründlich; es ist in leicht verständlichem Tone gehalten und dürfte seine sozial so wichtige Aufgabe voll und ganz erfüllen.
Archiv für Dermatologie Bd. 115, Heft 1.

Karsch-Haack, F., Prof., Forschungen über gleichgeschlechtliche Liebe. Das gleichgeschlechtliche Leben der Ostasiaten: Chinesen, Japaner, Koreer. 8°. (134 S.) 1906. Mk. 4.—, gebb. Mk. 5.—

Für Etnographen, Ärzte, Juristen, sowie für Gesetzgeber dürfte das Buch besonders wertvoll sein. Mancher dürfte nach der Lektüre dieser Schrift sein Urteil über diesen Gegenstand gänzlich ändern. Im Verhältnis zu dem Gebotenen ist der Anschaffungspreis sehr gering.
L. Aurenbrand in „Freie Glocken", 15. Mai 1907.

Karsch-Haack, F., Prof., Das gleichgeschlechtliche Leben der Naturvölker. Mit 7 Abbildungen im Text und 7 Vollbildern. 8°. (668 S.) 1911. Mk. 15.— in Lwdbb. Mk. 17.—

Dieser Band stellt sich hauptsächlich als eine ausgedehnte Materialsammlung dar, die mit ungeheurem Fleiße aus allen erdenklichen Veröffentlichungen zusammengetragen und sorgfältig verarbeitet wurde. Umfaßt doch das Literaturverzeichnis nahezu 60 Seiten, und die wenigsten der aufgeführten Arbeiten hat der Verfasser als von ihm nicht selbst gesehen gekennzeichnet. Eine wertvolle und dem Ethnologen wie Gesellschaftbiologen willkommene Leistung.   Archiv für Rassen- und Gesellschaftsbiologie 1913.

Leonhard, Dr. med. Stephan, Die Prostitution, ihre hygienische, sanitäre, sittenpolizeiliche und gesetzliche Bekämpfung. gr. 8°. (307 S.) 1912. Mk. 4.— in Lwd. geb. Mk. 5.—

Aufgebaut auf einem sorgfältig durchgearbeiteten Material, auf den Kenntnissen und Erfahrungen bewährter Kenner, sowie auf einer mehrjährigen Beobachtung, bringt das Buch wertvolle Beiträge zu dieser hochwichtigen Frage. Die in ihm beigebrachten Vorschläge sind sämtlich durchführbar.   Stabsarzt Dr. Geißler, Neuruppin in Ärztl. Rundschau, 20. Nov. 1912.

Die Reichhaltigkeit des dargebotenen Stoffes, der feste, klare und ich möchte sagen, unverrückbare hohe sittliche Standpunkt zeichnen unter vielen andern das Werk besonders aus. Dr. med. W. Leonhart, Kaufbeuren, in „Akadem. Monatsblätter" 15. Dez. 1912.

Marcuse, Dr. J., Die Beschränkung der Geburtenzahl. Ein Kulturproblem. (152 S.) gr. 8°. 1913.   Mk. 2.80

Das Werk ist in der Frage des Bevölkerungsproblems als eines der hervorragendsten zu betrachten und seine Lektüre kann, ja muß bei der heutigen Wichtigkeit der Frage allen Lesern, die überhaupt noch denken wollen und sich mit den Kulturproblemen der Gegenwart beschäftigen, dringend empfohlen werden. Österr. Ärztezeitung, 5. Jan. 1913.

Paungarten, Ferd. v., Das Eheproblem im Spiegel unserer Zeit. gr. 8°. (160 S.) 1913.   Mk. 1.80, eleg. gebd. Mk. 2.80

Äußerungen bekannter Persönlichkeiten zu dieser Frage. U. a.: Peter Altenberg, K. v. Amira, August Bebel, Michael Gg. Conrad, Rich. Dehmel, Otto Ernst, Gustav Falke, Fidus, R. H. Francé, M. E. delle Grazie, Lud. Gurlitt, Ernst Haeckel, Sigurd Ibsen, Ellen Key, Jos. Kohler, Karin Michaelis, Max Nordau, Peter Rosegger, Hugo Salus, Rich. Schaukal, Max Schillings, Johannes Schlaf, St. Sinding, Rudolf Steiner, H. Thode, Hans Thoma, Richard Voß, Ludwig Wahrmund, Frank Wedekind, E. v. Wolzogen u. a. m.

Rauhe C., Die unehelichen Geburten als Sozialphänomen. Ein Beitrag zur Bevölkerungsstatistik Preußens. Mit 3 Karten. (94 S. in Quart.) 1913. Mk. 4.—

Schmölder, R., Die Prostituierten und das Strafrecht. gr. 8°. (41 S.) 1911. Mk. 1.—

— **Unsere heutige Prostitution.** 8°. (30 S.) 1911.   Mk. —.50

Siebert, Dr. Friedr., Ein Buch für Eltern. (I. Den Müttern heranreifender Töchter. II. Den Vätern heranreifender Söhne.) U. 8°. (240 S.) o. J.   Steif brosch. Mk. 1.80

„Wenn je über das heikle Thema etwas Brauchbares geschrieben worden ist, sind es die beiden Bücher von Dr. Siebert. Mögen Sieberts vortreffliche Schriften in 100 000en von Exemplaren Verbreitung finden."   Sanitätsrat Dr. Gerster.

— **Wie sag ich's meinem Kinde?** Gespräche über Entstehung von Pflanzen, Tieren und Menschen. (Ein Buch für Eltern, 3. Teil.) 11. bis 13. Tausend. U. 8°. (IV u. 143 S.) o. J. (1909.)   Steif brosch. Mk. 1.80

„In geradezu mustergültiger Weise wird die Frage gelöst. Als ganz besonderer Vorzug sei erwähnt, daß sie praktische Anleitung, wirklich ausführbare Vorschläge geben." Münchener Neueste Nachrichten.

Siebert, Dr. Friedr., Die Fortpflanzung in ihrer natürlichen und kulturellen Bedeutung. 1. bis 3. Tausend. 8°. (VIII u. 227 S.) o. J. (1908). In farb. Umschl. Mk. 1.80

„Wenn je über das heikle Thema etwas Brauchbares geschrieben worden ist, sind es die beiden Bücher von Dr. Siebert. Mögen Sieberts vortreffliche Schriften in 100 000en von Exemplaren Verbreitung finden." Sanitätsrat Dr. Gerster.

„Gerade die Eltern, denen die Zukunft der Kinder am Herzen liegt, werden Belehrung aus dem Buche schöpfen. Es sei deshalb den Eltern warm empfohlen; es ist keine nüchterne Darstellung geschlechtlicher Vorgänge, sondern eine mit Poësie und Philosophie durchwobene, formvollendete, sittlich tiefernste Belehrung, die Siebert gibt." „Das Rote Kreuz."

Sozialwissenschaften.

Berlepsch-Valendas und Hansen, Die Gartenstadt München-Perlach. Mit 50 Illustrationen im Text. (IV u. 96 S.) gr. 8°. 1910. Mk. 2.80

Daß die Gartenstadtbewegung den günstigsten Einfluß auf unsere Wohnungshygiene und ihre Reform ausübt, daran kann ein Zweifel nicht bestehen. Das Werk zeigt in Wort und Bild, wie eine Gartenstadt, ihre Häuser und Anlagen beschaffen sein müssen, um den Forderungen der Hygiene, der Ökonomie und der Ästhetik zu genügen. Das Studium dieses Buches gewährt nicht nur großen Nutzen sondern auch ästhetischen Genuß.

— Bodenpolitik und Wohnungsfürsorge einer deutschen Mittelstadt (Ulm). gr. 8°. (IV u. 49 S.) 1910. Mk. 2.50

Es gibt für viele deutsche Städte kein aktuelleres Buch als dieses, das in sachlicher und eindringlicher Weise dartut, wie durch eine weitsichtige und zielbewußte Bodenpolitik durch die Gemeindeverwaltung einer Stadt der immer größer werdenden Wohnungsnot wirksam entgegen gearbeitet werden kann. Am Beispiel der Stadt Ulm und ihrer erfolgreichen Boden- und Baupolitik beweist der in solchen Fragen als Autorität bekannte und durch seine Studien über englische Kleinwohnungsverhältnisse besonders verdiente Verfasser die praktische Möglichkeit einer rationellen städtischen Wohnungsfürsorge. Moderne Bauformen, Jahrgang X, Heft 3.

Bonne, Dr. med. Georg, Im Kampfe um die Ideale. Die Geschichte eines Suchenden. 8°. (544 S.) 1913. 3. stereot. Ausg. Mk. 4.—, in Lwdbb. Mk. 5.—

Ein außergewöhnliches Buch. Das Werk eines modernen Arztes, Menschenfreundes und Sozialpolitikers, der Alkohol-, Liebes- und Wohnungsfragen und unsere ganze Unkultur auf diesen Gebieten als ein Richter und Prediger aufgreift und mit Inbrunst behandelt. Es ist kein übliches Tendenzbuch, das Statistiken und Leitartikel in Romanform preßt. Es steckt eine so starke Persönlichkeit darin, daß man zur eigenen Überraschung die Entdeckung macht, daß hier ein neuartiger Gestalter sozialer Probleme spricht. Die Lese, am 23. Dezember 1911.

— Dasselbe. Volksausgabe. In Lwd. geb. Mk. 2.80

Diese Volksausgabe ist etwas kürzer als die Gesamtausgabe, doch sind wesentliche Bestandteile nicht weggelassen worden. Die Ausstattung und der Druck sind trotz des billigen Preises vorzüglich.

Bonniatian, Dr. Mentor, Studien zur Theorie und Geschichte der Wirtschaftskrisen. I. Teil: Wirtschaftskrisen und Überkapitalisation. Eine Untersuchung über die Erscheinungsformen und Ursachen der periodischen Wirtschaftskrisen. 8°. (VII u. 188 S.) 1908. Mk. 4.—

II. Teil: Geschichte der Handelskrisen in England im Zusammenhang mit der Entwicklung des engl. Wirtschaftslebens 1640—1840. 8°. (IV u. 312 S.) 1908. Mk. 7.—

„Feinheit der Analysen und reiches Wissen sind die Hauptkennzeichen dieser Bücher, die eine der bestdokumentierten Arbeiten über die Handelskrisen sind." „Eine wahre Fundgrube kostbarer Dokumente." Journ. des Economistes vom 15. August 1908.

v. Brentano, Dr. Lujo, Prof., Wie studiert man Nationalökonomie? II. 8°. (34 S.) 1911. Mk. —.60

Die Anschaffung dieser Broschüre, die die Wiedergabe eines 1910 vor der Münchener Freistudentenschaft gehaltenen Vortrages ist, kann jedem Interessenten sehr empfohlen werden, zumal da die Ausstattung für den Preis sehr gut ist. Akad. Leben, 28. Juli 1911.

v. **Brentano, Dr. Lujo,** Prof., **Ethik und Volkswirtschaft in der Geschichte.** Rektoratsrede gehalten am 23. Nov. 1901. 2. Aufl. 8°. (38 S.) 1902. Mk. 1.—

In großen klaren Zügen und unter Heranziehung eines reichen Quellenmaterials entrollt Brentano ein interessantes Bild der Entwicklung der volkswirtschaftlichen Theorien auf Grund der jeweils herrschenden ethischen und philosophischen Anschauungen vom Mittelalter angefangen bis zur Gegenwart.

— **Wohnungszustände und Wohnungsreform in München.** Ein Vortrag. 8°. (28 S., 4 Tafeln.) 1904. Mk. 1.—

Buff, Dr. Siegfr., Der gegenwärtige Stand und die Zukunft des Scheckverkehrs in Deutschland. 8°. (IV u. 106 S.) 1907. Mk. 2.50

Die Arbeit, die ein reichhaltiges statistisches sowie ein durch Umfrage bei Behörden, Kommunen usw. festgestelltes Tatsachenmaterial über die bisherige Einbürgerung des Schecks in Deutschland bietet, kann als Orientierung für die wichtige Frage des Scheckverkehrs nützliche Dienste leisten. *Frankfurter Zeitung, 31. Mai 1907.*

Cohnstaedt, Dr. Wilhelm, Die Agrarfrage in der deutschen Sozialdemokratie von Karl Marx bis zum Breslauer Parteitag. 8°. (IV u. 245 S.) 1904. Mk. 3.50

Eine historische Darstellung der verschiedenen Ansichten über die Agrarfrage gab es bisher nicht, und doch ist gerade sie berufen, Klarheit in die widerstreitenden Meinungen zu bringen. Bei aller wissenschaftlichen Genauigkeit ist das Buch so geschrieben, daß es von jedermann gelesen werden kann. Für jeden, der in den sozialen Kämpfen steht, ist diese zusammenfassende Schrift unentbehrlich.

Creuzbauer, Dr. August, Die Versorgung Münchens mit Lebensmitteln. Eine volkswirtschaftliche Studie mit 135 Tabellen, 1 Abbildung und 1 Kartenskizze. 8°. (IX u. 306 S.) 1903. Mk. 10.—, in Lwbbd. Mk. 12.—

In dem angekündigten Buche wird zum erstenmal eine zusammenfassende, systematische Darstellung gegeben über alle diejenigen Momente, welche für die Versorgung einer großen Stadt mit Nahrungsmitteln in Betracht kommen. Der Verfasser untersucht nicht nur die Mengen der in München verbrauchten Nahrungsmittel, sondern er prüft auch des weiteren deren Herkunft, und insbesondere ermittelt er die Preise der Nahrungsmittel und kontrolliert den Verdienst des Zwischenhandels.

Ehinger, Dr. Otto, Die sozialen Ausbeutungssysteme, ihre Entwicklung und ihr Zerfall. gr. 8°. (246 S.) 1912. Mk. 4.50, in Lwbbd. Mk. 6.—

Mit einem historischen Rückblick auf die Ausbeutungssysteme früherer und ältester Zeiten, in denen Aristokratie und Priesterherrschaft an der Bedrückung der Schwächeren vornehmlich beteiligt waren, zeigt der Verfasser in fesselnder Darstellung, welchen mühseligen Lebensweg die Menschen, die als Besitzlose ihr Dasein vollenden, bisher schon zurücklegten.

Fleischmann, Dr. Maxim., Grundgedanken eines Luftrechts. gr. 8°. (VI u. 48 S.) 1910. Mk. 1.—

Forel, Dr. Aug. (unter Mitwirkung von Prof. A. Mahaim), **Verbrechen und konstitutionelle Seelenabnormitäten.** Die soziale Plage der Gleichgewichtslosen im Verhältnis zu ihrer verminderten Verantwortlichkeit. — Die Anarchisten. — Luccheni. — Impulsivität. — Querulanten. — Pathologische Schwindler. — Fehlen des ethischen Gefühls. — Die Alkoholiker. 1. bis 3. Tausend. 8°. (IV u. 179 S.) Mk. 2.50, in Lwbbd. Mk. 3.50

„Das Buch trägt, wie alles, was Forel schreibt, den Stempel frischen, herzhaften Zugreifens und lebendigen, fast impulsiven Erfassens der Probleme. Die Kapitel sind voll anregender Gedanken." *Zeitschrift für Strafrechtswissenschaft Bd. 29, Heft 3.*

„In anregender, das Ziel niemals aus den Augen verlierender Weise ist eine Reihe der verschiedensten Themen hier gleichsam mühelos zu einem Buch vereinigt." *Monatsschrift für Kriminalpsychologie VI. II.*

— **Kulturbestrebungen der Gegenwart.** 8°. (51 S.) 1910. Mk. —.50

Friedrich, Karl, Vergeude keine Lebenskraft. gr. 8°. (108 S.) 1913. Mk. 1.—

Inhalt: Lebenskraft, Menschenwert, Kultur und Glück, Kulturwege, Erziehungsfragen, Schule, Sprache, Schrift, Volkswirtschaftliches.

Goldschmidt, Ernst Friedrich, Heimarbeit, ihre Entstehung und Ausartung. Referat gehalten am 14. Februar 1913 im Seminar des Herrn Geh. Hofrats Prof. v. Brentano. (52 S.) gr. 8°. 1913. Mk. 1.—

Goldstein, Dr. Ferd., prakt. Arzt, **Die Übervölkerung Deutschlands und ihre Bekämpfung.** 8°. (IV u. 128 S.) 1909. Mk. 2.50

Hillquit, Morris, Der Sozialismus, seine Theorie und seine Praxis. 8°. (287 S.) 1910. Mk. 4.—, gebb. Mk. 5.—

Auf jeden Fall verdient das Werk wegen der hervorragenden Stellung des Verfassers in der amerikanischen und internationalen Bewegung beachtet zu werden.

Korr. der Generalkomm. vom 6. Mai 1911.

Lebensschicksale: Bd. 1. **Jugendgeschichte einer Arbeiterin** von ihr selbst erzählt. Mit einführenden Worten von August B e b e l. 3. vermehrte Auflage. 16°. (VI u. 87 S.) 1910. In illustr. Umschlag brosch. Mk. 1.—, in Lwbb. Mk. 1.80

Zu den charakteristischen Eigenschaften des schönen und lesenswerten Buches gehört die feinfühligkeit im Empfinden und schriftstellerischen Ausdruck. . . . . Daß sich aus geistiger Not und leiblichem Kümmernis gleichwohl eine Persönlichkeit zu entfalten, daß sie zu einer Weltanschauung überhaupt gelangen kann, ist die schöne Lehre des Buches. In dem Werden einer tapferen, freien Frau liegt sein erzieherischer Wert, unabhängig von jedem Parteistandpunkte.
Frankfurter Zeitung, 30. März 1909.

— Bd. 2. **Erinnerungen eines Waisenknaben.** Von ihm selbst erzählt. Mit Vorwort von Prof. Aug. F o r e l. (V u. 117 S.) 1909.
In illustr. Umschlag brosch. Mk. 1.—, in Lwbb. Mk. 1.80

„Ein Muster, wie ähnliche Bände abzufassen wären. Ohne Haß, ohne Bitterkeit, ohne hohle Phrasen erzählt der Autor über Menschenrechte und Besitzende. Nicht posierend, nicht gekünstelt, immer streng objektiv, mit dem stillen Lächeln der Erinnerung zurückblickend. . . . Eine wunderbare Studie."
Deutsche Warte.

— Bd. 3 **Ich suche meine Mutter.** Die Jugendgeschichte eines eingezahlten Kindes. Diesem nacherzählt von Max W i n t e r. (111 S.) 1900.
In illustr. Umschlag brosch. Mk. 1.—, in Lwbb. Mk. 1.80

„Die grauenhaft verzerrte Fratze der elterlichen Fürsorge, die der Staat noch vor wenigen Jahren den Waisen oder den illegitimen Kindern zuwandte, ist in das hellste Licht gestellt und die einfache, jedem marktschreierischen Effekt aus dem Wege gehende Schilderung der Schicksale eines Findelkindes ist von packender Wirkung.
Pester Lloyd.

— Bd. 4. **Erlebnisse eines Hamburger Dienstmädchens** von Doris Viersbeck. 8°. (103 S.) 1910. Mk. 1.—, in Lwbb. Mk. 1.80

Das Erwachen der leibeigensten Schicht unserer Tage kündigt sich in dieser Schrift an, es ist nur ein Schritt vom Treppenhause in das flutende Kampfleben der Arbeiterschaft.
Arbeiterzeitung, Wien.

Levenstein, Adolf, Die Arbeiterfrage. Mit besonderer Berücksichtigung der sozialpsycholog. Seite d. mod. Großbetriebes u. d. psychophysischen Einwirkungen auf die Arbeiter. gr. 8°. (406 S.) 1912. Mk. 6.—, in Lwbb. Mk. 7.50

Ich halte dieses Werk für jeden, sei er nun mehr von der nationalökonomischen Seite oder von der Volksbildung — oder von irgendeiner anderen Seite an der Frage interessiert, für unentbehrlich. Ein tiefer Einblick in das Seelenleben des modernen Industriearbeiters wird uns geboten.
Zentralblatt für Volksbildungswesen, Jahrg. XII, Heft 4.

Wohl die wertvollsten Dokumente zur Beurteilung des Geistes- und Seelenlebens des modernen Arbeiters hat uns die Veröffentlichung Adolf Levensteins gebracht. Sie sind eine Fundgrube für Arbeiterpsychologie in dem weltanschauungsmäßigen Sinne des Wortes. Er hat die Stummen zum Reden gebracht, und man fühlt beim Durchlesen dieser Bücher, welche Freude schon das Sich-aussprechen-können für diese Menschen bedeutet. Wir finden hier zum ersten Male nicht nur zahlenmäßige Angaben, sondern Beurteilung der Denker und ihrer Werte.
Die Frau, März 1912.

Maurenbrecher, Hulda, Das Allzuweibliche. Ein Buch von neuer Erziehung und Lebensgestaltung. gr. 8°. (192 S.) 1912.   Mk. 2.—, in Lwdbd. Mk. 3.—

Es ist ein ganz köstliches Buch. Jeder, der sich über das Wesen des Weibes klar werden will, es in seinen psychologischen und historischen Bedingtheiten erkennen will, muß es lesen. Die Verfasserin hat mit unermüdlichem Eifer, mit scharfem Blick für das Typische, mit klarer Einsicht in das Bewegende alles zusammengetragen, was das Wesen des Weibes bestimmt und ausmacht.   Pädagog. Reform, 24. Juli 1912.

Posadowsky, Graf, Die Wohnungsfrage als Kulturproblem. 8°. (72 S.) 1910.   Mk. —.50

Eine glänzende Zusammenfassung des ganzen Problems, die nicht nur der Person des Verfassers, sondern auch des Inhaltes wegen Beachtung verdient.

Schirmacher, Dr. Kaethe, Moderne Jugend. Ein Wegweiser für den Daseins-kampf. 8°. (263 S.) 1910.   Mk. 3.—, in Lwdbd. Mk. 4.—

Erziehung zum Idealismus sollte dieses treffliche Buch heißen, das voll heißer Im-pulse und festen Glaubens an den Sieg des Lichtes geschrieben ist. Alles, was Kaethe Schirmacher sagt über Daseinskampf, Liebe, Ehe, Arbeit, Erziehung, ist von geläuterter Tiefe.   Vegetarische Warte vom 9. November 1912.

Stiefkinder der Sozialpolitik. Bilder aus dem Berufsleben der Krankenpflegerinnen. II. 8°. (39 S.) 1910.   Mk. —.50

Tantzscher, G., Im innersten Großrußland. Schilderungen und Studien. 8°. (176 S.) 1910.   Mk. 2.—

Der Verfasser gibt nicht nur eine Einführung in die wirtschaftlichen Fragen des großen Nachbarreiches, vor allem in die Agrarverhältnisse, sondern auch in das russische Volksleben im allgemeinen.

Theilhaber, Dr. Fel. A., Der Untergang der deutschen Juden. Eine volkswirt-schaftl. Studie. 8°. (170 S.) 1911.   Mk. 2.50

Eine Autorität auf dem Gebiete der Sozialmedizin, A. Grotjahn, schreibt im „Jahres-bericht über soziale Hygiene" 1911:

Das vorliegende Buch ist die beste Arbeit der letzten Jahre auf dem Gebiete des Entartungsproblems, nicht nur dem sachlichen Inhalt nach, sondern vor allem wegen der hier geübten geradezu vorbildlichen Methode, die den konkreten Fall auf Grund stati-stischen Materials empirisch untersucht und auf jede Anwendung darwinischer Meta-physik, die bei der Erörterung über die Völkerdegeneration schon starke Verwirrung an-gerichtet hat, verzichtet.

Unold, Dr. Johs., Prof., Politik im Lichte der Entwicklungslehre. Ein Beitrag zur staatsbürgerlichen Erziehung. 8°. (232 S.) 1912.   Mk. 2.50, in Lwdbd. Mk. 3.50

Ein ausgezeichnetes Buch, das Lehrern und Juristen, die Diener des modernen Kultur- und Rechtsstaates, nahe angeht, allen Gebildeten und solchen, die nach Einsicht in die höchste Lebensform der Menschen, als welche die Staatswesen sich darstellen, streben, nicht eindringlich genug empfohlen werden kann.   Der Volkserzieher, 29. September 1912.

White, A. D., Sieben große Staatsmänner im Kampf der Menschheit gegen Un-vernunft. Übersetzt von K. u. P. Kupelwieser und Alban Voigt. (Sarpi, Gro-tius, Thomasius, Turgot, Stein, Cavour, Bismarck.) gr. 8°. (412 S.) 1913.   Mk. 6.—, gebd. Mk. 7.50

Es war ein verdienstvolles Unternehmen, dieses klassische Werk der deutschen Lese-welt zu vermitteln, bei der es sich bald einen dauernden Platz erringen wird. Man wird das Buch Whites unter den großen Aufklärungsschriften der Gegenwart nicht übersehen dürfen.   Die Friedenswarte 1913, Heft 2.